HYPERION AN BELLARMIN

Tausendmal hab' ich in meiner Herzensfreude gelacht über die Menschen, die sich einbilden, ein erhabener Geist könnte unmöglich wissen, wie man ein Gemüse bereitet, Diotima konnte wohl zur rechten Zeit recht herzlich von dem Feuerherde sprechen, und es ist gewiß nichts edler, als ein edles Mädchen, das die allwohltätige Flamme besorgt, und ähnlich der Natur, die herzerfreuende Speise bereitet.

HÖLDERLIN, Hyperion, I. Teil, 2. Buch

Vorwort zur 1. Auflage

Das zunächst für Schülerinnen hauswirtschaftlicher Berufs- und Haushaltungsschulen geschriebene Buch „Kochen und Backen nach Grundrezepten" hat seit Jahren auch freundliche Aufnahme bei den Frauen gefunden, vor allem jungen und berufstätigen Frauen, die keine Gelegenheit hatten, das Kochen vor der Gründung des eigenen Hausstands systematisch zu erlernen. Sie waren erleichtert, zu erfahren, dass sich die ganze Kochweisheit auf einige wenige, aber entscheidende Grundformeln zurückführen lässt und es deshalb gar nicht schwierig ist, sich in das Kochen, Backen und Einmachen selbst einzuarbeiten. Es zeigt sich nämlich, dass man in kurzer Zeit und ohne besondere Anleitung zu einer Fertigkeit im Kochen, Backen und Einmachen kommen kann, wenn man als Grundlage die Gesetzmäßigkeiten, die bei der Zusammenstellung der Zutaten und bei der Zubereitung der Speisen wirksam sind, erkennt und die daraus sich ergebenden Regeln einhält. Auf dem sicheren Fundament von Grundrezepten und Grundregeln sind jeder gescheiten Frau die Mittel zur selbstständigen Ab- und Umwandlung der Gerichte in die Hand gegeben. Weil aber jene Grundlagen für das Gelingen entscheidend sind, müssen die Regeln, die jeden neuen Abschnitt einleiten, besonders sorgfältig beachtet werden.

Die hier vorliegende illustrierte Ausgabe wurde nach allen Richtungen erweitert. Neben der einfachen Hausmannskost kommt nun auch die feine Küche mit schwierigeren Rezepten zu ihrem Recht. Zur Veranschaulichung der verschiedenen Handgriffe bei der Herstellung einfacher und feiner Gerichte dienen die vielen Abbildungen, die namentlich Anfängerinnen auf dem Gebiet der Kochkunst nützlich sein werden.

An dieser Stelle möchte ich der Frauenfachschule Stuttgart, insbesondere Frau Fachschuloberlehrerin Margarete Krutina für ihre tatkräftige Mitarbeit herzlichen Dank sagen. Möge die illustrierte Ausgabe von „Kochen und Backen" vielen neuen Anhängerinnen Freude und Anregung bringen!

Stuttgart, Weihnachten 1958

Vorwort zur 2. bis 4. Auflage

In der vorliegenden Auflage wurde der fortschreitenden Entwicklung in küchentechnischen und ernährungswissenschaftlichen Fragen Rechnung getragen. Besondere Berücksichtigung fanden die moderne Haltbarmachung der Nahrungsmittel durch Kälte, die Verwendung tiefgekühlter Lebensmittel, die Herstellung von Speiseeis im Kühlschrank und anderes mehr.

Möge das Buch auch weiterhin vielen Mädchen in den Schulen ein Helfer und jungen und alten Hausfrauen ein Ratgeber sein.

Berkheim / Esslingen, Sommer 1970 — Luise Haarer

ALLGEMEINES ÜBER DIE ERNÄHRUNG

Dass eine gesunde, zweckmäßige und vollwertige Kost einen entscheidenden Einfluss auf die Gesundheit und das Wohlbefinden der Menschen hat, ist bekannt. Diese Zusammenhänge werden seit Jahrzehnten durch die Forschungsarbeit vieler Ernährungswissenschaftler und Ärzte zu klären versucht, wobei gerade in den letzten Jahren wichtige Ergebnisse erzielt worden sind. Die seit einigen Jahren bestehende „Deutsche Gesellschaft für Ernährung" hat es sich zur Aufgabe gemacht, diese Ergebnisse in die breite Öffentlichkeit zu tragen, und der Bevölkerung die notwendigen Kenntnisse über die Bedeutung einer richtigen Ernährung zu vermitteln. Das Organ der DGE ist die Zeitschrift „Die Ernährungsumschau", in der Wissenschaftler und Praktiker der verschiedensten Fachrichtungen zu Wort kommen, so dass alle interessierten Kreise reiche Anregung darin finden können. Neben den speziellen Fachleuten auf dem Gebiet der Ernährung und der Gesundheitsführung sind aber auch die Hausfrauen und alle, die es werden wollen, lebhaft interessiert, hängt doch das Wohlergehen der Familie in hohem Maße von ihrem Wissen und Können beim Einkauf und der Zubereitung der täglichen Nahrung ab.

Der menschliche Körper braucht zu seinem Wachstum und seiner Erhaltung alle die Stoffe, aus denen er selbst aufgebaut ist und darüber hinaus noch Stoffe, die die notwendige Wärme und Energie erzeugen können. Alle diese Stoffe bezeichnet man als Nährstoffe. Während man früher nur den nach ihrem Wärmewert berechenbaren Hauptnährstoffen Eiweiß, Fett und Kohlenhydraten großen Wert zubilligte, weiß man heute, dass diese ohne Mineralstoffe und Vitamine für die Gesunderhaltung des Körpers nicht ausreichen.

Zu den sogenannten „Baustoffen" gehört in erster Linie das Eiweiß, weil es zur Bildung von Körperzellen unbedingt notwendig ist. Der tägliche Eiweißbedarf schwankt je nach Alter, Arbeitsleistung und Geschlecht. Während Kleinkinder 2–2,5 g, Jugendliche etwa 1,5–1,8 g je kg Körpergewicht benötigen, braucht der Erwachsene 1 g je kg Körpergewicht. Bei Schwangeren, stillenden Müttern, Genesenden, Schwerarbeitern erhöht sich der Eiweißbedarf auf 1,5 g, bei alten Menschen auf 1,2 g je kg Körpergewicht. Eiweiß ist enthalten in Milch, Quark, Käse, Ei, Fleisch, Fisch, ferner in Brot, Kartoffeln, Hülsenfrüchten, Nüssen. Tierisches Eiweiß ist biologisch hochwertiger als pflanzliches Eiweiß und sollte ein Drittel des Bedarfs decken. Alle die genannten Nahrungsmittel enthalten gleichzeitig die Mineralstoffe, die für den Zellenaufbau ebenso wichtig sind und die gleichzeitig zu den Ergänzungsstoffen gehören. Sie sind auch als Bestandteile der Fermente und Hormone, die zur Verdauung und zum Stoffwechsel notwendig sind, absolut unentbehrlich. Sie sind am Quellungsgrad und der Spannung in den Zellen beteiligt. Nach Dr. Aldenhoven gehen dem Körper täglich durch Sekrete und Ausscheidungen etwa 15–20 g Mineralstoffe verloren, die in der Nahrung wieder ergänzt werden müssen. Sie werden in einer gemischten, obst- und gemüsereichen Kost weitgehend ersetzt.

Ein wichtiger Baustein für Knochen und Zähne ist der Kalk, der zusammen mit Phosphorsäure im Skelett enthalten ist. Der tägliche Bedarf schwankt zwischen 0,8 und 1,2 g für Erwachsene, Jugendliche und Kinder. Stillende Mütter benötigen sogar 2 g, da die Muttermilch reich an Kalk ist. Kalk ist vor allem in der Milch, in Gemüse und Kartoffeln enthalten. Allerdings ist zur Anlagerung von Kalk in den Knochen Vitamin D notwendig. Bei Fehlen entsteht z. B. die Rachitis.

Dieselben Nahrungsmittel enthalten auch Kalium, das bei der Steuerung der Muskeltätigkeit eine Rolle spielt. Es wirkt dem Kochsalz entgegen, da es stark harntreibend wirkt. Unter den Gemüsen sind vor allem Gurken wassertreibend. Der tägliche Bedarf an Kalium ist nach Prof. Heupke 2–4 g.

Zur Erhaltung des Spannungszustands in den Geweben und zur Bildung von Magensäure benötigt der Körper das Kochsalz, das in fast allen Nahrungsmitteln enthalten ist. Der Tagesbedarf beträgt 5g. Der natürliche Salzgehalt der Nahrungsmittel deckt nahezu den Kochsalzbedarf des Körpers. Bei vorbildlichem Garmachungsverfahren müsste man eigentlich kaum Kochsalz verwenden. Da aber beim Kochen etwa 50% der Salze gelöst werden und das Kochwasser häufig aus Unkenntnis weggeschüttet wird, ist es verständlich, wenn nachgesalzen werden muss. Ein erhöhter Salzbedarf tritt auch bei starkem Schwitzen ein, da durch den Schweiß viel Salz ausgeschieden wird. Während das Kalium wassertreibend wirkt, bindet 1g Kochsalz bereits 100g Wasser im Körper. Wenn trotz alledem das Kochsalz beim Würzen der Speisen eine große Rolle spielt, so deshalb, weil viel zu wenig Kräuter und sonstige Gewürze verwendet werden. Vom Würzen der Speisen soll noch an anderer Stelle die Rede sein.

Der Phosphor bzw. der Phosphorsäuregehalt wird meist zusammen mit dem Kalkgehalt der Nahrung gedeckt. Er ist für die Muskelarbeit unbedingt notwendig. Besonders reich an Phosphor sind Milch, Käse, Hülsenfrüchte, aber auch Fische und Innereien. Erwachsene brauchen täglich nach Prof. Heupke 4g Phosphorsäure.

Dass das Eisen zur Blutbildung notwendig ist, wissen bereits seit langem auch die Laien, werden doch Eisenpräparate seit eh und je gegen Blutarmut verordnet. Es ist aber auch als Bestandteil von Fermenten von großer Bedeutung. Der Tagesbedarf ist für Erwachsene etwa 12–15mg. Eisen ist in allen grünen Gemüsen, namentlich aber im Spinat enthalten.

Außer den genannten Mineralstoffen braucht der Körper als Bausteine von Fermenten und Hormonen noch Bruchteile von Kupfer, Zink, Mangan, Fluor, Jod, Bor und Kobalt, die man als Spurenelemente bezeichnet, deren Bedarf durch eine vielseitige gemischte Kost gedeckt wird.

Ein weiterer wichtiger Bestandteil der Nahrung ist das Wasser. Der Körper besteht etwa aus 60% Wasser. Es erhält alle Lebensvorgänge, dient als Lösungsmittel und bewirkt den Quellungsdruck in den Zellen. Der Bedarf an Wasser ist so groß, als Flüssigkeit im Körper ausgeschieden wird. Nach Dr. med. Aldenhoven gehen normalerweise durch Nieren, Haut, Lungen und Darm täglich 2400 ccm verloren. Da der Verlust an Schweiß je nach Arbeit und Klima verschieden ist, schwankt auch der Bedarf an der täglichen Flüssigkeitszufuhr. Der unter normalen Bedingungen arbeitende Mensch braucht etwa 1–1½ l Flüssigkeit, wobei Suppen, Getränke, wasserreiches Obst usw. einbezogen werden müssen.

So lebenswichtig wie die Mineralstoffe sind für die Gesunderhaltung und Leistungsfähigkeit des Menschen aber auch die Vitamine. Man unterscheidet wasserlösliche und fettlösliche Vitamine. Besonders wichtig ist das wasserlösliche Vitamin C. Der tägliche Bedarf von etwa 1 Milligramm je kg Körpergewicht kann bei normaler gemischter Kost gerade gedeckt werden. Es ist besonders reichlich enthalten in Hagebutten, schwarzen Johannisbeeren, Zitronen, Apfelsinen, grünem Paprika, Tomaten, frischen Gemüsen und Salaten, doch sind auch Kartoffeln und rohes Sauerkraut nicht zu unterschätzende Vitamin-C-Quellen. Es ist sehr empfindlich gegen Hitze, namentlich bei Luftzutritt und vor allem durch langes Warmhalten von Speisen, ferner durch langes Lagern, Trocknen und Dörren pflanzlicher Nahrungsmittel. Der Körper braucht das Vitamin C zu zahlreichen Stoffwechselvorgängen, zur Blutgerinnung, zur Hebung der Widerstandskraft bei allen Infektionskrankheiten und zur Steigerung der körperlichen Leistungsfähigkeit, zur Verhinderung der Paradentose und des Skorbuts. Der Bedarf an Vitamin C ist im Frühjahr besonders hoch. Vitamin-C-Mangel erzeugt die bekannte Frühjahrsmüdigkeit, weshalb in dieser Zeit dem Körper Obstsäfte, frische Kräuter, grüne Salate in größerer Menge zugeführt werden sollten. Da es wasserlöslich ist, darf man pflanzliche Nahrungsmittel nie im Wasser liegen lassen und sie möglichst nicht kochen, sondern nur dünsten. Zu vermeiden ist das Kochen von Obst und Gemüse in Messing- oder Kupfergeschirren, weil dadurch das Vitamin C ebenfalls zerstört wird.

Wasserlöslich, aber weniger hitzeempfindlich ist das Vitamin B, das als Vitamin B-Gruppe in verschiedener Form vorkommt. Vitamin B 1 ist vor allem enthalten in den Randschichten und im Keimling des Getreidekorns, ferner in der Trockenhefe, in Leber und Niere, im Eigelb, in der Milch, in Fleisch, Gemüse und Hülsenfrüchten. Es reguliert den Kohlenhydratstoffwechsel, den Wasserhaushalt und verhindert Schäden am Nervensystem. Der Tagesbedarf ist etwa 1 mg. Vitamin B 2, das reichlich in gemischter Kost vorkommt, ist beteiligt am Wachstum und an der Zellatmung. Sein Fehlen erzeugt vor allem Haut- und Schleimhauterkrankungen. Besonders wichtig ist das Vitamin B 12, das in Fleisch, Fisch, Leber und Hühnereiweiß vorkommt und bösartige Blutarmut, Nerven- und Darmstörungen verhindert.

Zu den fettlöslichen Vitaminen gehören das Vitamin A, das Provitamin A = Carotin, Vitamin D, E und K.

Das Vitamin A ist in Butter, Milch, Eigelb und Lebertran, in seiner Vorstufe als Carotin in allen grünen Pflanzenteilen, ferner in Karotten, Sellerie und Paprika enthalten. Es verhindert Hauterkrankungen und Nachtblindheit und schützt den Körper gegen Infektionen. Es ist gegen Erhitzen wenig empfindlich.

Das hitze- und luftbeständige Vitamin D findet sich vor allem im Lebertran, in Eigelb und Butter. Sein Fehlen erzeugt Rachitis oder Englische Krankheit, Knochenerweichungen und Knochenschwund bei Kindern und Schäden an Zähnen bei Erwachsenen. Es bildet sich auch durch die Einwirkung von Sonne und ultraviolettem Licht in der Haut aus dem darin enthaltenen Provitamin D, dem Ergosterin. Man kann also dem Vitaminmangel entgegentreten durch vernünftige Ernährung und Aufenthalt in Luft und Sonne. Da heutzutage die genannten Vitamine alle künstlich hergestellt werden können, lässt sich ein etwaiger Mangel durch ärztliche Hilfe leicht ausgleichen.

Neben den Aufbaustoffen Eiweiß, Mineralsalzen und Vitaminen brauchen wir auch Betriebsstoffe in unserer Kost, und zwar in Form von Fett und Kohlenhydraten, die man auch als „Brennstoffe“ bezeichnet.

Fett ist enthalten in Butter und Margarine, Speck und Schmalz, Vollmilch und Käse, ferner in pflanzlichen Fetten und Ölen, in Nüssen und Getreidekeimlingen. Der tägliche Bedarf liegt etwa bei 75 g, wobei aber das in Fleisch, Fisch und sonstigen Nahrungsmittel enthaltene Fett mit einzubeziehen ist. Die Gefahr, dass zuviel Fett aufgenommen wird, ist groß. Was einem körperlich schwer arbeitenden Menschen ohne weiteres zusteht, ist für den geistig arbeitenden zu viel. Namentlich alternde Menschen sollten ihren Fettverbrauch möglichst niedrig halten. Das Fett wird teils im Körper angelagert, teils wird es in Wärme und Energie umgewandelt. Ebenfalls der Wärme und Energieerzeugung dienen die Kohlenhydrate, zu denen Stärke und Zucker gehören. Stärke ist enthalten im Brot, Mehl, Kartoffeln, Teigwaren, Nährmitteln, Hülsenfrüchten. Zucker ist enthalten in allen Zuckerarten, in Obst und Gemüse. Außerdem enthalten die meisten pflanzlichen Nahrungsmittel ein für den menschlichen Körper nahezu unverdauliches Kohlenhydrat, die Zellulose, die aber als Ballaststoff dient und zur Anregung der Darmtätigkeit notwendig ist. Da der Körper bei der Umwandlung der Nährstoffe die Kohlenhydrate in Fett umwandeln kann, ist Vorsicht geboten, wenn man zu Übergewicht neigt. Der Bedarf richtet sich weitgehend nach der Beschäftigung, dem Klima, der Jahreszeit, dem Lebensalter und der körperlichen Konstitution.

Da Fett und Kohlenhydrate für den Körper Brennstoffe sind und eine entscheidende Rolle für die Höhe des Körpergewichts bedeuten, soll kurz noch deren Brennwert erwähnt werden, wobei festzustellen ist, dass auch das Eiweiß im Körper verbrannt wird. Der Brennwert wird nach Kalorien gemessen. Eine Kalorie ist die Wärmemenge, die notwendig ist, um die Temperatur von 1 l Wasser von 14,5 °C auf 15,5 °C zu erhöhen.

1 Gramm Eiweiß erzeugt	4,1 Kalorien
1 Gramm Fett erzeugt	9,3 Kalorien
1 Gramm Kohlenhydrat erzeugt	4,1 Kalorien

Die Menge der zum Leben notwendigen Brennwerte aus den Hauptnährstoffen richtet sich nach der Körpergröße, der Arbeitsleistung, dem Gesundheitszustand und Alter der Menschen, ferner nach Jahreszeit und Klima. Wer Übergewicht loswerden will, muss auf alle Fälle reichlichen Genuss von Fett und Süßigkeiten meiden und sich mehr an Obst und Gemüse halten. Man rechnet beim gesunden Menschen auf 1 kg Körpergewicht etwa 1 g Eiweiß, knapp 1 g Fett, 4–5 g Kohlenhydrate.

Nach dem heutigen Stand der Wissenschaft ist eine abwechslungsreiche gemischte Kost das beste Mittel zur Erhaltung der Gesundheit.

Bei der Herstellung von Mahlzeiten kommt es also wesentlich auf die richtige Zusammenstellung der Gerichte an und auch darauf, dass sich Mittag- und Abendessen ergänzen. Da in rohen Gemüsen und Salaten wertvolle Wirkstoffe, vor allem Vitamine enthalten sind, die Appetit und Verdauung anregen, sollte man stets vor Beginn der Mahlzeit irgendeine Frischkostspeise, seien es Salate, Obst oder Rohsäfte, genießen. Sie bewirken eine bessere Ausnutzung der gekochten Nahrung aus den Hauptnährstoffen. Dies bedeutet für viele Menschen, die an Suppen gewöhnt sind, eine starke Umstellung, doch gewinnen diese rohen Vorspeisen immer mehr Anhänger.

Im Mittelpunkt der Hauptmahlzeit sollte irgendein eiweißhaltiges Nahrungsmittel stehen: Milch – Quark – Eier – Fisch oder Fleisch. Als Beilage Gemüse, Salate, Kartoffeln. Nach Geschmack und Wirtschaftslage ist eine leichte Süßspeise ein erwünschter Abschluss der Hauptmahlzeit.

REGELN FÜR DIE ZUSAMMENSTELLUNG VON MAHLZEITEN

1. Stelle die Mahlzeiten so zusammen, dass die Nährstoffe im richtigen Verhältnis zueinander stehen.
2. Koche abwechslungsreich und stimme die Speisen auch in der Farbenzusammenstellung so günstig aufeinander ab, dass auch das Auge beim Anblick des Essens befriedigt wird.
3. Würze sorgfältig, jedoch nicht scharf, damit der Eigengeschmack der Nahrungsmittel zur Wirkung kommt und nicht von den Gewürzen überdeckt wird. Spare namentlich am Kochsalz.
4. Beachte beim Einkauf die Preiswürdigkeit der Nahrungsmittel im Vergleich zu ihrem Nährwert.
5. Decke den Eiweißbedarf vor allem durch Milch, Quark und Fisch, da diese Nahrungsmittel besonders preiswert und außerordentlich leicht verdaulich sind.
6. Verwende zur Deckung des Vitamin- und Mineralstoffbedarfs viel Obst und rohe Gemüse und Salate.
7. Sorge für abwechslungsreiche Zubereitung durch die Verwendung der verschiedenen Garmachungsarten: Kochen, Dünsten, Dämpfen, Braten, Schmoren, Grillen, Backen.
8. Achte bei der Beköstigung von Kindern auf deren hohen Bedarf an Eiweiß, Vitaminen und Mineralstoffen.

9. Vermeide – namentlich bei älteren Menschen und solchen mit sitzender Lebensweise – ein Zuviel an Fett, da es den Körper zu sehr belastet.
10. Berücksichtige stets die Marktlage und kaufe Obst und Gemüse zur richtigen Reifezeit, die verschiedenen Fischarten zur richtigen Fangzeit.

Mitbestimmend, ja sogar ausschlaggebend wird die Nahrung beeinflusst von der Zubereitung. Es sind deshalb bei allen folgenden Abschnitten über Nahrungsmittel Regeln für deren zweckmäßige Vor- und Zubereitung angegeben. Ganz allgemein gelten noch folgende Hinweise:

1. Vermeide langes Lagern von Gemüse, weil dadurch der Vitamingehalt stark abnimmt.
2. Verarbeite sie möglichst sofort und lasse zerkleinerte Gemüse oder Früchte nicht unnötig lange an der Luft oder im Wasser liegen.
3. Bevorzuge beim Garmachen das Dämpfen oder Dünsten in Wasserdampf oder Fett.
4. Verwende alle übrigen Gemüsebrühen, Kochwasser von Kartoffeln u. a. zu Suppen und Soßen, da die nicht hitzeempfindlichen Mineralstoffe in vollem Wert erhalten bleiben.
5. Koche alle Gerichte bei starker Hitze an und lasse sie bei schwacher Hitze garwerden. Vermeide alles unnötige Umrühren, da der Sauerstoff der Luft den Vitamin-C-Gehalt beeinträchtigt.
6. Koche die Speisen auch nie länger als unbedingt notwendig, da langes Kochen den Vitamingehalt stark herabsetzt.
7. Wärme deshalb Speisen lieber kurz auf, als sie lange warmzuhalten.
   Werte aufgewärmte Gerichte mit frischen Kräutern oder einer Frischkostzuspeise auf.
8. Würze richtig, indem du den Eigengeschmack der Speisen zur Entfaltung bringst.
9. Meide zu starkes Salzen. Verwende womöglich statt Kochsalz Sellerie- oder Kräutersalze, die sehr aromatisch sind und deshalb kochsalzsparend wirken.
10. Verwende zum Würzen vorwiegend frische oder getrocknete Kräuter und bedenke stets, dass feines Abschmecken eine Kunst ist, die auch dem einfachsten Gericht einen hohen Wert verleiht.

DAS GARMACHEN DER SPEISEN

1. Kochen. Unter Kochen versteht man das Garmachen in viel Flüssigkeit. Da man beim Kochen aber nur eine Temperatur von etwa 100 Grad Celsius erzielen kann, diese aber nicht genügt, um alle Geschmacksstoffe der Speisen zu entwickeln, bleiben gekochte Nahrungsmittel hinter anders zubereiteten, was Geschmack und Farbe anlangt, zurück. Beim Zusetzen der Speisen in kalter Flüssigkeit werden außerdem die Nährstoffe stark ausgelaugt.

2. Dämpfen ist das Garen der Speisen im Dampf ohne deren unmittelbare Berührung mit dem Wasser.

3. Dünsten. Beim Dünsten soll die Speise geschmacklich gehoben werden, aber dabei keine Farbe nehmen. Man setzt sie deshalb in zerlassenem, nicht heißem Fett zu, damit sich die Poren der Speisen erst nach und nach schließen und zuvor noch Saft hergeben können. Das Fett entwickelt auf dem Feuer eine höhere Temperatur als das Wasser und deshalb wird die Speise schmackhafter. Sobald sie Farbe nehmen will, wird sie entweder vom Feuer genommen oder abgelöscht. Man kann wasserreiche Nahrungsmittel auch im eigenen Saft mit oder ohne Fettzugabe garmachen.

4. Braten. Beim Braten soll durch starke Hitze eine Bräunung und damit eine geschmackliche Höchststeigerung erzielt werden. Starke Hitze kann erzeugt werden durch heißes Fett, durch das sich die Poren rasch schließen und der Saft im Nahrungsmittel zurückgehalten wird. Ist die gewünschte Bräunung erreicht, muss beim Braten von Fleisch der Hitzegrad des Fettes durch Zusatz von wenig Flüssigkeit immer wieder gesenkt werden. Kleine Fleischstücke, Fleischküchle, Fische, die paniert sind, brät man auf beiden Seiten, ohne sie abzulöschen.

5. Schmoren. Beim Schmoren soll eine Speise ebenfalls in heißem Fett angebräunt werden, doch soll sie, im Gegensatz zum Braten, in reichlich gebundener Soße gar gemacht werden. Schmoren stellt also ein Mittelding zwischen Braten und Dünsten dar. (In Württemberg bezeichnet man den Vorgang des Schmorens lind Dünstens ebenfalls als „Dämpfen".)

6. Grillen. Unter Grillen versteht man ein Braten in besonders starker Strahlhitze auf dem Rost oder in modernen Grillgeräten. Hier bleibt die Speise am schmackhaftesten, weil durch die beim Bräunen sich sofort schließenden Poren der Saft im Nahrungsmittel erhalten bleibt. Dieses Verfahren kommt vor allem für Fleisch und Fisch in Betracht. Gegrilltes Fleisch ist leichter verdaulich als gebratenes Fleisch und wird bei geringem Fettverbrauch rascher gar.

7. Backen. Unter Backen versteht man das Garmachen quellfähiger Teige in trockener Hitze oder schwimmend in Fett. Überbacken werden Aufläufe aller Art im Backofen.

MASSE UND GEWICHTE

1 gestrichener Kaffeelöffel	Stärkemehl	=	3 g
1 gestrichener Kaffeelöffel	Backpulver	=	3 g
1 gestrichener Esslöffel	Mehl	=	10 g
1 gestrichener Esslöffel	Stärkemehl	=	10 g
1 gestrichener Esslöffel	Zucker	=	15 g
1 gestrichener Esslöffel	Grieß	=	15 g
1 gestrichener Esslöffel	Reis	=	15 g
1 gestrichener Esslöffel	Salz	=	20 g
1 gestrichener Esslöffel	Fett	=	20 g
4 gestrichene Esslöffel	Wasser	=	$^1/_{16}$ l
8 gestrichene Esslöffel	Wasser	=	$^1/_8$ l

Durchschnittsmengen der wichtigsten Nahrungsmittel für 1 Person zur Hauptmahlzeit

Milch $^1/_4$
Fleisch 125 g
Fisch vom Stück 250 g
Fischfilet 200 g
rohes Gemüse 250 g
rohe Kartoffeln 250 g
getrocknete Hülsenfrüchte 65–100 g
Frischobst 200 g
Dörrobst 100 g

PRAKTISCHE WINKE ZUM SPAREN

1. Regeln für das Sparen von Fett

1. Verwende bei hellen Mehlschwitzen nur einen Teil der angegebenen Fett- und Mehlmenge, gib den Rest des Mehles mit Magermilch oder Wasser glatt angequirlt 10 Minuten vor dem Anrichten hinzu und füge zum Schluss 1 Stich Butter bei.
2. Röste bei dunklen Mehlschwitzen das Mehl ohne Fett an, lasse es auskühlen und rühre es mit Magermilch oder Wasser zerquirlt 10 Minuten vor dem Anrichten unter Beigabe der verfügbaren Fettmenge zu.
3. Backe statt Pfannkuchen dünne Flädle oder Waffeln. In beiden Fällen braucht man nur wenig Fett, weil man die Pfanne oder Backform nur mit einer in flüssiges Fett getauchten Zwiebel oder Speckschwarte einzufetten braucht.
4. Bevorzuge statt Schmalzgebackenem Aufläufe, die auch mit geringen Fettmengen wohlschmeckend zubereitet werden können und bekömmlicher sind als fettes Gebäck.
5. Dämpfe alle Gemüse im Wasserdampf weich, ehe du sie in Fett nachdünstest. Sie werden rascher weich, beanspruchen weniger Aufmerksamkeit und zum Fertigstellen geringe Fettmengen; außerdem sind sie bekömmlicher.
6. Verarbeite Fleisch- oder Kartoffelteig zu Klößen, statt zu Küchlein. Backe Hackbraten in gut gefetteter Kastenform im Backofen.
7. Bevorzuge beim Backen den Hefeteig gegenüber allen anderen Teigen, weil dieser auch noch mit kleinen Fettmengen und ohne Ei gutes, leichtverdauliches Backwerk ergibt.
8. Verwende bei Süßspeisen statt Schlagsahne Eischnee.
9. Verwende Butterpapier zum Einfetten von Backformen.
10. Röste Semmelwürfel und Semmelschnitten ohne Fett trocken im Backofen.
11. Backe Suppenklößchen auf dem Blech im Backofen statt schwimmend in Fett.
12. Reinige dunkel gewordenes erkaltetes Backfett durch Auskochen mit Wasser und Zwiebeln; dadurch wird es wieder voll gebrauchsfähig.

2. Regeln für das Sparen von Ei

1. Ersetze bei Mehlspeisen, Hefeteig u. dgl. Frischeier zur Hälfte durch Trockenei (1 Esslöffel = 15 g Trockenei ersetzt 1 frisches Ei) oder Sojamehl (1 Esslöffel ersetzt 1 Ei).
2. Ziehe Suppen statt mit Ei mit zerquirlter Butter- oder Sauermilch ab.
3. Ersetze bei Kartoffelteig einen Teil der Eier durch Mehl oder Grieß.
4. Binde Fleischteig statt durch Eier durch rohgeriebene Kartoffeln, nicht durch Mehl, weil dadurch das Fleischaroma verdeckt wird. Lockere den Teig durch eingeweichte verzupfte Semmeln, gekochte, geriebene Kartoffeln, gequollene Gerste oder Grünkern.
5. Bevorzuge bei Honiggebäck Rezepte ohne Ei. Honiggebäck schmeckt ohne Eier genau so gut wie solches mit Eiern.
6. Strecke bei gerührten Teigen die Eier durch Backpulver, mache den Teig dann aber etwas fester.

3. Regeln für das Sparen von Gas beim Kochen

1. Zünde die Gasflamme erst an, wenn alle Zutaten und der Kochtopf bereitstehen.
2. Achte auf das Aussehen der Flamme: sie muss einen grünen Kern, einen bläulichen Flammensaum haben. (Gelbbrennende Flammen rußen.)
3. Bevorzuge breite, niedrige oder halbhohe Töpfe mit gut schließendem Deckel.

4. Achte darauf, dass die Flamme nicht über den Topfboden herausragt.
5. Koche mit starker Flamme an, mit Sparflamme fertig. Letztere braucht 1/10 der Gasmenge gegenüber der Vollflamme.
6. Koche mit geschlossenem Topf und nicht länger als unbedingt notwendig.
7. Benutze die seitlich am Topf hochsteigende Wärme durch Turmkochen.
8. Wärme das Essgeschirr zum Anrichten auf den Töpfen vor.
9. Lösche die Flamme v o r dem Wegnehmen der Töpfe.
10. Halte Gasherd und Brenner peinlich sauber.

4. Regeln für das Sparen von Strom beim Kochen

1. Verwende nur Spezialgeschirr (Elektrogeschirr mit plangedrehtem Boden).
2. Wähle stets die Topfgröße nach der Menge des Kochguts und der richtigen Plattengröße. Der Topf darf größer, aber nicht kleiner als die Platte sein.
3. Koche mit Schalterstellung III an, koche auf Stufe I weiter.
4. Nütze die Speicherwärme durch rechtzeitiges Abschalten aus.
5. Brate bei Stufe III ohne Deckel an, brate fertig bei Stufe I mit Deckel.
6. Benutze Stufe II zu Pfannengerichten und Schmalzgebäck (Pfannkuchen).
7. Benutze den Stufenring und die Nachwärme der Platten zur Gewinnung von Spülwasser.
8. Halte Kochplatten und Topfböden peinlich sauber.
9. Reinige den Herd täglich und lasse Übergekochtes nie antrocknen.
10. Fette die Platten ab und zu leicht ein und reibe den Plattenrand blank.
11. Merke dir die Anwendungsmöglichkeit der verschiedenen Wärmegrade:
    50 °C ist richtig zum Geschirrvorwärmen und zum Gehenlassen des Vorteigs für Hefegebäck,
    60–90 °C ist richtig zum Ausquellen lassen von Reis, Teigwaren und zum Warmhalten von Speisen,
    80–100 °C ist richtig zum Backen von Merinken, Schäumchen, zum Dörren von Früchten und zum Kochen, Dünsten und Dämpfen von Speisen,
    150 °C ist richtig für Gebäck aus ganzen Eiern, z. B. Springerle, Vanillebrötchen,
    180 °C ist richtig z. B. für Zimtsterne, Schokolademuscheln, für Gebäck aus Eiweiß,
    180 °C braucht man zum Eindünsten im Backofen und ist richtig für Honiggebäck,
    190–200 °C ist richtig für Biskuitteig,
    180–200 °C ist richtig für Rührteig, z. B. für Napfkuchen, Marmorkuchen, Gugelhopf,
    200 °C ist richtig für Hefeteig und Mürbeteig, Obstkuchen,
    220–225 °C ist richtig für Blätterteig,
    240–250 °C ist richtig für Gänse- und Entenbraten,
    250–300 °C ist richtig für Pfannengerichte wie Schnitzel, Koteletten, Rumpsteaks, Fleischküchle usw.
    300 °C ist richtig zum Grillen und kurzen Überbacken.

DIE GEWÜRZE UND DAS WÜRZEN

Das richtige Würzen ist eine Kunst. Schmackhaft gewürzte Speisen regen schon durch ihren Geruch den Appetit und die Verdauung an. Die Wirkung der einheimischen und ausländischen Gewürze beruht auf ihrem Gehalt in ätherischen Ölen, an Alkaloiden und Glykosiden, die einen unmittelbaren chemischen Reiz auf die Magenwände und einen anregenden Einfluss auf Drüsen und Nervenzellen ausüben. Durch eine richtige Dosierung der Gewürze soll der Eigengeschmack der Speisen erhöht und ergänzt werden. Richtig gewürzte Speisen machen das Essen erst zum Genuss. Missbrauch wird besonders durch ein Zuviel an Kochsalz getrieben, das meist dann im Übermaß verwendet wird, wenn die Speisen durch unsachgemäßes Kochen ihres natürlichen Mineralstoffgehalts verlustig gegangen sind.

Wertvoll sind vor allem unsere heimischen Küchenkräuter, die neben wertvollen Geschmackstoffen noch hohe Vitaminmengen enthalten. Man verwendet neben Blättern, Knospen, Blüten auch Wurzeln, Samen und Rinden, die sowohl in frischem als auch in getrocknetem Zustand eine reiche Abwechslung in unseren Speisezettel bringen. Zu den wichtigsten Gewürzpflanzen gehören: Petersilie, Borretsch, Basilikum, Majoran, Thymian, Dill, Estragon, Kerbel, Fenchel, Kresse, Schnittlauch, Bohnenkraut, Zitronenmelisse, Salbei, Beifuß, Pimpinelle, Liebstöckel, Tripmadam, Kümmel, Anis, Korianderkörner, Wacholderbeeren u. a.

Zu Suppen eignen sich vor allem: Petersilie, Kerbel, Basilikum und Liebstöckel, neben Pimpinelle, Tripmadam, Melisse und Schnittlauch.

Zu Salaten: Schnittlauch, Borretsch, Dill, Estragon, Weinraute, Zitronenmelisse, Sellerie- und Fenchelkraut.

Zu Tunken: Basilikum, Dill, Estragon, Thymian, Majoran, Petersilie, Rosmarin, Lorbeer.

Zu Gemüsen: Bohnenkraut, Petersilie für grüne Bohnen, Kümmel für Weiß- und Rotkohl, Petersilie für Karotten und Erbsen, Majoran und Thymian zu Kartoffelteigen, Wacholderbeeren für Sauerkraut.

Zu Fleisch: Basilikum, Liebstöckel, Salbei, Thymian; für Gänse- und Schweinebraten: Beifuß.

Zum Einlegen von Sauerbraten oder Wild: Lorbeer, Zwiebeln, Möhren, Lauch, Koriander, nach Geschmack Knoblauch.

Legt man einen Vorrat an Kräutern an, lässt man Blätter, Triebspitzen und Knospen an einem schattigen Ort ausgebreitet liegen, bis sie trocken sind und zu zerfallen beginnen. Bohnenkraut, Beifuß z. B. bündelt man und hängt sie an trockenem, staubfreiem Ort auf. Blätter streift man nach dem Trocknen ab und bewahrt sie in geschlossenen Büchsen auf. Petersilie kann man auch zusammen mit Lauch, Möhren, Sellerie und beliebigen Kräutern in feingehacktem Zustand einsalzen, wobei man auf 500 g Kräutermischung 100 g Kochsalz verwendet, gut durchmischt, in einen Steinzeugtopf fest eindrückt und zubindet. Die Mischung verwendet man im Winter an Stelle von frischem Suppengrün, muss aber den Kochsalzgehalt beim Würzen einer Brühe berücksichtigen.

Die käuflichen Trockengewürze sind meist tropischen und subtropischen Ursprungs. Zu ihnen gehören Muskatnuss, Macis (Muskatblüte), weißer und schwarzer Pfeffer, Paprika, Zimt, Nelken, Curry, Senf, Piment, Kardamom, Safran, Ingwer, Vanilleschoten u. a. Sie alle enthalten ätherische Öle, die schon in schwacher Dosierung den Speisen und Gebäcken eine ganz bestimmte Prägung verleihen und die Schleimhäute besonders zur Tätigkeit anregen. Ein zu starkes Würzen, namentlich eine zu reichliche Verwendung von Pfeffer wirkt sich nachteilig auf die Nieren aus, erzeugt in Verbindung mit Kochsalz ein starkes Durstgefühl, dessen Stillung den Kreislauf belastet, den Magensaft verdünnt und damit eine geregelte Verdauung stört. Gegen mildes und feinabgestimmtes Würzen ist jedoch für den gesunden Menschen nichts einzuwenden, im Gegenteil, es erhöht die Freude an der Mahlzeit und ist ein Beweis für eine kultivierte Kochkunst. Im Folgenden seien noch einige Angaben über Herkunft und Verwendung von Gewürzen angeführt.

C u r r y ist ein besonders in England beliebtes Gewürzpulver, bestehend aus Koriander, Ingwer, Kümmel, Kardamom, Piment, weißem und rotem Pfeffer und Kurkuma, einer aus Asien und Afrika stammenden ingwerähnlichen tropischen Wurzel. Curry ist ein beliebtes Gewürz zu Reis und Tunken.

I n g w e r ist eine ostasiatische Pflanze, deren Wurzeln ein scharf schmeckendes, angenehmes Öl enthalten. Die getrockneten, feingemahlenen Wurzeln sind ein beliebtes Gewürz zu feinen Backwaren, namentlich zu Honiggebäck. Die Wurzeln ergeben, kandiert mit Zucker und in Zusammenhang mit Schokolade, ein hervorragendes feines Konfekt.

K a p e r n sind festgeschlossene, in Essig eingemachte Blütenknospen des in Südeuropa wachsenden Kapernstrauchs. Sie dienen zum Würzen von Soßen, Salaten, Ragouts.

K a r d a m o m ist ein aus Ostindien stammendes, aus den Früchten und Samen des Kardamomstrauches gewonnenes aromatisches Gewürz, das zur Weihnachtsbäckerei verwendet wird.

M a c i s oder Muskatblüte ist der getrocknete, gelbrote Samenmantel der Muskatnuss. Die Muskatblüte hat ein korallenähnliches Aussehen und ist ein vorzügliches Gewürz zur Herstellung von Suppenbrühen.

Die M u s k a t n u s s ist der steinharte Samen eines auf den Molukken wachsenden Baumes und wird zur Konservierung kurz mit Kalkmilch behandelt. Die Muskatnuss ist sehr ölhaltig und dient feingeraspelt als beliebtes Gewürz zu Fleischspeisen, vor allem Fleischteig, zum Würzen von Klößen, Füllungen, Soßen und Suppen.

N e l k e n stammen wie die Muskatnuss und der Pfeffer aus dem Raum des Stillen Ozeans. Die getrockneten Blüten werden zum Würzen von Soßen, Süßweinen, zum Einlegen von Wild oder Sauerbraten, in gemahlenem Zustand vor allem in Honiggebäck verwendet.

P a p r i k a oder roter Pfeffer stammt aus dem trop. Amerika, wird aber auch in Spanien und Ungarn angepflanzt. Die birnenartigen roten Schoten werden ohne den Samen getrocknet und gemahlen als Gewürz zu Soßen, Fleisch- und Reisspeisen verwendet. Am besten schmeckt der sogenannte Rosenpaprika aus Ungarn. Paprika kann auch als Frucht roh, gekocht oder in Essig eingelegt verwendet werden, ist sehr vitaminreich und von scharfem, brennendem Geschmack. Im Gegensatz zu Pfeffer ruft Paprika kein Durstgefühl hervor.

P f e f f e r wird vor allem in Indonesien angebaut, Die Früchte sind einsamige Beeren, deren Samen reich an ätherischen Ölen und Alkaloiden sind. Man unterscheidet schwarzen und weißen Pfeffer. Der letztere besteht aus voll ausgereiften Früchten, deren Samen nach dem Trocknen von der Schale befreit sind, während der schwarze Pfeffer aus unreif geernteten und getrockneten Samen besteht. Beide Arten schmecken kräftig und dienen zum Würzen von Fleisch- und Wurstwaren, zu Fleisch-, Wild- und Fischgerichten, Soßen, Ragouts u. a.

P i m e n t oder Nelkenpfeffer wird aus den erbsengroßen Früchten des mittelamerikanischen Pfefferbaums gewonnen. Das Gewürz vereinigt in sich den Geschmack von Nelken, Zimt und Pfeffer und wird gemahlen für Gebäck und Fleischgerichte verwendet.

S a f r a n wird aus den getrockneten Blütennarben von Krokus gewonnen, schmeckt leicht bitter und wird mehr zum Färben als zum Würzen von Speisen verwendet. Er riecht würzig und ist von dunkelroter Farbe.

S e n f wird aus dem Samen der überall wachsenden Senfpflanze gewonnen und als Gurkengewürz verwendet. Als Tafelsenf werden die entölten Samen gemahlen und mit Zucker, Koriander, Ingwer und einigen anderen Gewürzen mit Essig verrieben und gemischt. Tafelsenf wird auch zum Würzen von Soßen und Salaten verwendet.

Vanille ist eine aus Mexiko stammende Schote einer Orchideenart, die unreif geerntet und dann fermentiert wird. Dabei verfärben sich die Schoten schwarz und entwickeln ihr Aroma. Gute Vanilleschoten müssen weich und mit feinen weißen Kristallen überzogen sein, die leicht abreibbar sind. Das Innere der Schote besteht aus schwarzen winzigen Samen. Die Vanillestangen werden am besten in Stücke zerschnitten und mit Zucker in Schraubgläsern aufbewahrt. Sie dienen zum Würzen von Süßspeisen Gebäck aller Art.

Vanillin ist ein Ersatz für echte Vanille und wird auf chemischem Weg aus dem im Holzkörper der Nadelholzbäume enthaltenen Koniferen hergestellt.

Zimt besteht aus der aufgerollten Rinde des vor allem in Ceylon kultivierten Zimtstrauchs. Er kommt als ganzer und als gemahlener Zimt in den Handel, ist zart hellbraun und von köstlichem, aus Zimtöl herrührendem Geruch. Je heller der Zimt ist, desto feiner ist die Qualität. Er dient als Gewürz für Gebäck, Süßspeisen, Liköre.

Die Zitrone, eine aus Südeuropa stammende köstliche Frucht, kann zum Kochen und Backen verwendet werden. Der Saft wird zur Herstellung von Säften und Sirupen, zum Würzen von Salaten und Kompotten, die fein abgeriebene Schale zum Würzen von Süßspeisen verwendet. Man darf allerdings nur Früchte verwenden, die nicht mit giftigen Spritzmitteln konserviert sind.

Neben den eigentlichen Gewürzen stehen uns zur Erhöhung des Wohlgeschmacks der Speisen noch Gemüsepflanzen wie Zwiebeln, Lauch, Knoblauch, Meerrettich, Tomaten, Paprika, Pilze, ferner Hefeextrakte, Suppenwürzen in Form von Brühwürfeln, gekörnter Fleischbrühe, Vitaminpräparaten und flüssige Speisewürzen zur Verfügung.

Außer Gewürzen und Würzen gibt es auch noch chemische Würzstoffe, sogenannte Aromen. Bei der reichen Auswahl an natürlichen Würzstoffen sind diese jenen vorzuziehen. Es sollte jeder Hausfrau Freude machen, durch richtiges Würzen den Beweis für eine hochstehende Küchenkultur täglich zu erbringen.

SUPPEN

Zwar treten heute an die Stelle von Suppen vielfach Salate, Gemüse und Milchmixgetränke an den Beginn der Mittagsmahlzeit, doch halten viele Familien an der Gewohnheit, eine Mahlzeit mit der Suppe zu beginnen, fest, namentlich im Winter, wo eine heiße Suppe ein Labsal ist. Im Sommer bürgern sich Obstkaltschalen und kalte süße Suppen immer mehr ein. Dennoch bleibt das Bereiten köstlich schmeckender Suppen ein besonderer Gradmesser für die Kunst der Köchin. Eine kräftige Suppe zu Beginn einer Mahlzeit regt den Appetit für das darauffolgende Essen an. Ist die Hauptmahlzeit schmal oder besteht sie aus einem süßen Gericht, wird eine sättigende Suppe einen guten Grund legen und jene vervollständigen. Auch für Kranke und Genesende bleibt eine Suppe ein anregendes, leicht verdauliches Gericht. Entscheidend für das Gelingen einer guten Suppe ist eine kräftige Brühe, die aus verschiedenen Grundlagen gewonnen werden kann. Man kann daraus klare und gebundene Suppen herstellen.

Zur Herstellung von Suppen braucht man eine Flüssigkeit, eine Einlage und Geschmackszutaten.

1. Die Flüssigkeit

Es eignen sich Fleischbrühe, Knochenbrühe, Gemüsebrühe und Brühe aus Fleischbrüh- oder Hefeextraktwürfeln. Im allgemeinen wird die Fleischbrühe als Kraftspenderin bedeutend überschätzt. Die aus dem Fleisch herausgekochten Extraktivstoffe wirken appetitanregend, sind aber als eigentliche Nährstoffe bedeutungslos. Was wirklich nährstoffreich ist bei der Fleischbrühe, ist das Fett, die aus Knochen und Suppengrün herausgekochten Mineralstoffe und die kleinen grauen Eiweißflöckchen, die sich beim Kochen in der Brühe bilden, wenn man Fleisch und Knochen kalt zugesetzt hat. Die Eiweißflöckchen gehen aber vielfach verloren, weil bei der Verwendung der Brühe diese vorher abgeseiht und damit von den Flöckchen befreit wird. Es bleiben also an nährenden Bestandteilen vorwiegend Fett- und Mineralstoffe in der Fleischbrühe übrig. Man kann deshalb als vollwertigen Ersatz für Fleischbrühe Knochen- oder Gemüsebrühe oder Brühwürfel verwenden.

Die Herstellung von Fleischbrühe

Zutaten: 250–500 g Rindfleisch (Schwanzstück, Bug, Brustkern, Überzwerches), 2–2½ l Wasser, 1 Kaffeelöffel Salz, Suppengemüse (¼ Sellerieknolle, 1 Stück Lauch [Poree], 2–3 Möhren, 1 Zwiebel, etwas Petersilie, 1 Tomate, 1 Prise Muskatblüte, 1 kleines Stück Leber, womöglich einige Markknochen.

Zubereitung: Das gewaschene, leicht geklopfte Fleisch und die gewaschenen Knochen setzt man mit dem ebenfalls gewaschenen, grob zerkleinerten Suppengemüse ohne Petersilie, die nur kurz mitgekocht werden darf, und den Gewürzen mit kaltem Wasser zu und kocht alles zusammen (fest zugedeckt) 2½–3 Stunden möglichst langsam durch, so dass das Wasser nie in stark strudelnde Bewegung kommt. Auf diese Weise erhält man eine klare, kräftige Brühe. Das Fleisch wird dabei stark ausgelaugt. Legt man Wert auf möglichst saftiges Fleisch, setzt man dieses erst zu, wenn das Wasser mit den übrigen, kalt angesetzten Zutaten kocht. Die Brühe wird in beiden Fällen trüb und milchig aussehend, wenn sie stark kocht oder wenn die Suppengemüse zu klein geschnitten sind.

Herstellung von Knochenbrühe

Zutaten: 250–500 g Knochen, darunter womöglich Markknochen, reichlich Suppengemüse, 2–3 l Wasser, 1 Kaffeelöffel Salz, nach Belieben 1 Esslöffel Butter.

Zubereitung: Die gewaschenen Knochen und das vorgerichtete Suppengemüse werden mit der Butter durchgedünstet, abgelöscht, gesalzen und 2–3 Stunden durchgekocht. Wer eine dunkle Brühe bevorzugt, kann alle Zutaten vor dem Ablöschen braun anbraten.
Man kann die Knochen 2–3mal durchkochen und bekommt immer noch eine kräftige Brühe, wenn man die Knochen klein zerhackt und jedesmal frisches Suppengemüse nimmt. Auf diese Weise kann man auch alle Bratenknochen verwenden. Zum Auskochen eignen sich besonders gut Dampfkochtöpfe.

Herstellung von Gemüsebrühe

Außer den üblichen vorgenannten Suppengemüsen verwendet man noch 1 Petersilienwurzel, 1 Stückchen Blumenkohl oder einige Spargelstückchen, 1 Kohlrabi, etwas Selleriekraut, eine saubergewaschene rohe Kartoffel mit der Schale, 2 l Wasser, 1 Esslöffel Salz, 1 Esslöffel Butter.

Zubereitung: Alle Gemüsesorten werden geputzt, grob zerkleinert, rasch gewaschen, in Fett leicht angedünstet, abgelöscht, gesalzen und langsam 1 Stunde gekocht.

Herstellung von Würfelbrühe

Zutaten: 1½ l Wasser, 2–3 Brühwürfel, 1 Kaffeelöffel Salz, 1 Esslöffel Butter.

Zubereitung: Man stellt alle Zutaten aufs Feuer und lässt die Brühe kurz aufkochen.

2. Die Einlage

Für klare Suppen kommen als Einlage in Betracht. Teigwaren (Nudeln, Riebele, Hörnchen u. dgl.), Spätzle, Klöße, Flädle, Waffeln, Eierstich, Semmelwürfelchen, Gemüse.

Für gebundene Suppen verwendet man: Mehl, Grieß, Reis, Hafer- und Grünkernerzeugnisse, Gerste, Graupen, Brot, Semmelmehl, Kartoffeln, Gemüse.
Zu gebundenen Suppen können außerdem die Einlagen der klaren Suppen verwendet werden.

3. **Geschmackszutaten,** die alle Suppen verbessern, sind:

Kräuter wie Schnittlauch, Petersilie, Dill, Sellerieblätter, Liebstöckel usw.
Allerlei Gemüse, besonders Wurzel-, Stengel- und Fruchtgemüse.
Gewürze wie Salz, Muskat, Muskatblüte, Paprika, Lorbeerblätter, Nelken, Koriander.
Suppenwürzen: Brühwürfel, gekörnte Fleischbrühe, flüssige Suppenwürze.
Sahne oder Buttermilch, Eigelb, Reibkäse, Wein.

Regeln für die Zubereitung von Suppen:

1. Teigwaren, Klöße und angerührte Teige müssen in kochender Brühe zugesetzt werden, damit durch das gerinnende Eiweiß und die sich verkleisternde Stärke die Einlage gebunden wird. Durch die strudelnde Bewegung der Flüssigkeit wird verhindert, dass die Einlage unten absitzt und anhängt.
2. Ganze Körner wie Reis, Grünkern, Graupen, Rollgerste müssen mit kalter Brühe zugesetzt und langsam unter gelegentlichem Umrühren weichgekocht werden, damit sie gleichmäßig quellen. Ihre Zellulosehülle hindert sie am Zusammenkleben und Anhängen.
3. Gebackene Suppeneinlagen werden nicht mitgekocht, sondern angebrüht und zugedeckt ziehen gelassen, wodurch sie an Wohlgeschmack gewinnen.
4. Das Mehl kann als einziges Mahlerzeugnis nicht eingestreut werden, weil es infolge seiner Feinheit verklebt und Knollen gibt.
5. Wassersuppen gewinnen an Wohlgeschmack, wenn man das Bindemittel nicht einstreut, sondern in Fett dünstet oder röstet und dann erst ablöscht.
6. Zieht man Suppen beim Anrichten mit Ei ab, was man auch unterlassen kann, so muss dieses mit genügend kalter Flüssigkeit – auf 1 Ei etwa 4 Esslöffel voll – vorher zerquirlt und nach und nach unter Umrühren mit der heißen Suppe in der Schüssel vermengt werden, sonst gerinnt das Eiweiß zu großen Flocken.
7. Verwende beim Anrichten entweder Muskat oder gehackte Küchenkräuter. Für Suppen eignen sich Petersilie, Schnittlauch, Liebstöckel, Pimpinelle, Tripmadam, Majoran, die man einzeln verwenden oder beliebig zusammenstellen kann.

Grundmenge für 4 Personen:

a) **Für klare Suppen: bei Grieß-, Mehl- oder Semmelmehl- und Brühteigklößchen 120 g stärkehaltige Einlage. Bei Teigwaren 80 g; je nach Geschmack. 1¼–1½ l Brühe.**

b) **Für gebundene Suppen: 1 l Brühe oder Wasser (¼ l Zugabe zum Einkochen), 40 g Fett, 4 Esslöffel = 60 g Einlage, Gewürze. Bei Wassersuppen: 2 Brühwürfel, 1 Kaffeelöffel Salz oder statt der Brühwürfel 1 Esslöffel gekörnte Fleischbrühe.**

c) **Gibt man die Einlagen der klaren Suppen in gebundene Suppen, rechnet man von ersteren die Hälfte.**

Man kann alle gebundenen Suppen mit Ei und Sahne abziehen und sie mit Kräutern anrichten.

Klare Suppen

Nudelsuppe
Zutaten: $1^1/_4$–$1^1/_2$ l Fleisch- oder Hühnerbrühe, 80–100 g Nudeln, Salz (Muskat), Schnittlauch.
Zubereitung: Die gut abgetrockneten Nudeln (Herstellung s. Mehlspeisen, Seite 138) werden in die kochende Brühe eingestreut und 5–10 Minuten gekocht.
Man richtet die Suppe mit Muskat oder feingeschnittenem Schnittlauch an.

Riebelesuppe
Zubereitung: Riebelesuppe kann man genau wie Nudelsuppe machen. Siehe Mehlspeisen Seite 138. – Hat man keine Fleischbrühe, röstet man die trockenen Riebele in 40 g Fett hellgelb, löscht ab, würzt mit Salz und lässt sie weichkochen. – Oder: Man sät die Riebele in kochendes, leicht gesalzenes Wasser oder Würfelbrühe ein, lässt sie weichkochen und schmälzt sie mit brauner Butter.

Flädlesuppe
(Grundrezept, $^1/_2$ Menge, siehe Seite 147.)
Zutaten: Flädle von 125 g Mehl, $^1/_4$ l Milch, 1 Ei, Salz; – 1 $^1/_4$ l Brühe, Schnittlauch.
Zubereitung: Mit der Hälfte der Milch rührt man Mehl, Ei und Gewürz zu einem dicken, glatten Teig an, den man nach und nach verdünnt. Nun bäckt man auf der schwachgefetteten, gut heißen Stielpfanne 6 dünne Flädchen blaßgelb aus, lässt sie auskühlen, wickelt sie auf, schneidet sie in schmale Streifen, übergießt sie mit kochender Brühe und lässt sie zugedeckt noch 5 Minuten stehen, ehe man sie aufträgt.

Waffelsuppe
Zutaten: 1 Ring Waffeln (Zubereitung siehe Mehlspeisen Seite 147), 1 $^1/_4$ l Brühe, Muskat, Schnittlauch.
Zubereitung: Übrige Waffeln werden in Würfel geschnitten, mit kochender Brühe übergossen und zum Ziehenlassen 5 Minuten zugedeckt beiseitegestellt.

Pfannkuchensuppe
Zutaten: 3–4 Pfannkuchen (Zubereitung siehe Mehlspeisen Seite 145) 1 $^1/_4$ l Brühe, Schnittlauch.
Zubereitung: Man schneidet übrige Pfannkuchen in nudelartig dünne Streifen und macht sie wie Flädlesuppe fertig.

Grießklößchensuppe (festliche Suppe)
Zutaten: 1 großes Ei, 60 g (= 4 Essl.) grober Grieß, 40 g Butter (Fett und Einlagemenge wie Grundrezept der gebundenen Suppe), Salz, nach Belieben Muskat; – 1 $^1/_2$ l Brühe, Salz, Schnittlauch.
Zubereitung: Mit der schaumig gerührten Butter rührt man Ei, Grieß, Salz (und Muskat) glatt an, lässt den Teig etwa 1 Stunde stehen, legt mit zwei Kaffeelöffeln Klößchen in kochende Fleischbrühe, deckt den Topf sofort zu und lässt sie bei schwacher Hitze 10 Minuten zugedeckt kochen. Man richtet die Suppe mit Schnittlauch an. Man kann den Teig auch mit einem Löffelchen abstechen, die Teigklümpchen auf ein nasses Brett legen und mit der nassen Hand zu Kügelchen formen. Auf diese Weise vorgerichtet, verkleistert die Außenfläche der Klößchen beim Kochen besser, so dass sie tadellos in der Form bleiben. Auch können sie alle gleichzeitig eingelegt werden. Die Klößchen quellen beim Kochen stark auf und saugen viel Flüssigkeit an.

Schwammklößchensuppe

Zutaten: 50 g Butter, 1 Ei, 50 g Mehl, Salz, Muskat.
Zubereitung: wie Grießklößchensuppe.

Brühteigklößchensuppe (festliche Suppe)

(Halbe Menge des Grundrezepts, siehe Seite 149.)
Zutaten: 1/8 l Milch, 60 g Grieß, 20 g Fett, 2 große Eier, Salz.
Zubereitung: Milch, Fett und Salz lässt man aufkochen, schüttet den Grieß auf einmal hinein und rührt die Masse zu einem glatten Kloß ab. Dann nimmt man den Teig vom Feuer, rührt ein Ei gleich, das andere nach dem Erkalten darunter. – Man legt in kochende Fleischbrühe kleine Klöße und kocht sie 5 Minuten. – Man kann die Klößchen auch schwimmend in Fett ausbacken und mit kochender Fleischbrühe anrichten.

Windbeutelsuppe (festliche Suppe)

(Siehe auch bei Mehlspeisen, Seite 138.)
Zutaten: Siehe Brühteigklößchen, jedoch statt Grieß Mehl.
Zubereitung: Man macht denselben Teig wie bei Brühteigklößchen und bäckt sie entweder schwimmend in Fett aus oder setzt mit einer Backspritze kleine Häufchen auf ein gefettetes Blech und bäckt sie im Ofen goldgelb. In beiden Fällen richtet man sie mit kochender Brühe an.

Fleischklößchensuppe (festliche Suppe)

(Grundrezept von Fleischteig, halbe Menge, siehe Seite 89.)
Zutaten: Fleischteig von 125 g Hackfleisch, 1 altbackenes Brötchen, 1 Ei oder Trockenei, Salz, Paprika, Muskat, 1 Esslöffel gedünstete Zwiebeln und Petersilie.
Zubereitung: Man macht einen glatten Fleischteig (siehe Grundrezept), formt mit der bemehlten Hand kleine, etwa nussgroße Klößchen, gibt sie in kochende Brühe, lässt sie 5–6 Minuten kochen und richtet sie an.

Markklößchensuppe (festliche Suppe)

Zutaten: 60 g Mark, oder halb Mark, halb Butter, 60–80 g Semmelmehl, 2 kleine Eier, Salz, Muskat, 1 Esslöffel gedünstete Zwiebeln und Petersilie.
Zubereitung: Das in Würfelchen geschnittene Mark lässt man flüssig werden, gießt das klare Fett ab, lässt es abkühlen und rührt es mit der Butter zusammen schaumig. Dann rührt man die übrigen Zutaten darunter, lässt den Teig 1 Stunde stehen, formt kleine Klößchen daraus und kocht sie in guter Brühe je nach Größe 5–7 Minuten.

Kartoffelklößchensuppe

Zutaten: 250 g gekochte geriebene Kartoffeln, 40 g Fett, 1 Esslöffel Mehl, 1 Ei, Salz, gehackte Petersilie oder 1 Kaffeelöffel geriebener Käse.
Zubereitung: Man macht aus den Zutaten einen geschmeidigen Teig, schmeckt ihn ab, formt mit der bemehlten Hand kleine Bällchen daraus, legt sie in kochende Brühe und lässt sie 5–6 Minuten ziehen. (Man macht bei Kartoffelklößchen stets einen Probekloß, weil die Kartoffeln in ihrer Beschaffenheit nie ganz gleich sind. Die Kochdauer ist von der Größe der Klößchen abhängig.)

Semmelschnittensuppe

Zutaten: 3–4 altbackene Semmeln oder Milchbrote, 1 1/4 l sehr kräftige Brühe, reichlich Schnittlauch, gehackte Petersilie, Liebstöckel, Basilikum und Selleriekraut.

Zubereitung: Die Brötchen werden in dünne Scheiben geschnitten, in der Bratröhre hellgelb geröstet und mit kochender Brühe übergossen. Die Suppe darf nicht lange stehen und schmeckt mit viel Kräutern bestreut sehr kräftig.

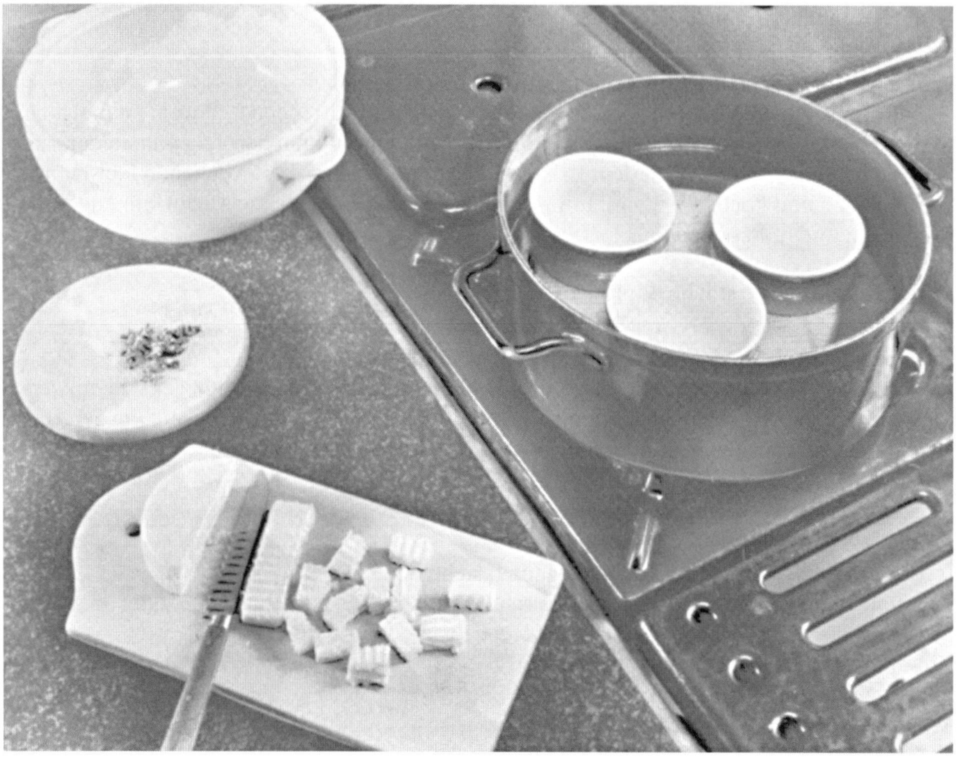

Wie man Eierstich richtig zubereitet

Eierstich (besonders geeignet für Zuckerkranke)

Zutaten: 2 Eier, 4 Esslöffel Milch (oder halb Milch, halb Fleischbrühe), Salz.
Zubereitung: Man zerquirlt die angegebenen Zutaten, füllt die Masse in ein gefettetes Förmchen oder eine gefettete Schüssel und lässt sie zugedeckt im Wasserbad bei schwacher Hitze langsam fest werden. Dann wird sie gestürzt, in Würfelchen geschnitten und mit kochender Fleischbrühe und reichlich Schnittlauch angerichtet. – Man kann Eierstich auch als Einlage in gebundene Suppen geben. Kochzeit 10–15 Minuten.

Klare Gemüsesuppe

Zutaten: 250–500 g Gemüse, die die Jahreszeit bietet, 1 1/2 l Wasser, 1 Kaffeelöffel Salz, 40 g Butter. Nach Belieben Reibkäse.
Zubereitung: Die gut gereinigten Gemüse werden zerkleinert, nach Belieben in Butter gedünstet, abgelöscht und 20–30 Minuten langsam durchgekocht. Man kann die Gemüse auch gleich mit Salzwasser zusetzen und die Butter erst kurz vor dem Anrichten darangeben. Auf die erste Art zubereitet wird sie schmackhafter, auf die zweite Art leichter verdaulich. Wer will, kann geriebenen Käse dazu auftragen (1 Esslöffel Käse zu je 1 Teller Suppe).

Gebundene Suppen

Sparregel:

Man kann alle gebundenen Suppen mit Ei und Sahne abziehen und sie mit Kräutern anrichten. Bei Fettknappheit rührt man das Mehl angequirlt in die kochende Brühe und gibt vor dem Anrichten eine kleine Menge Butter hinein.

Helle Mehlsuppe

Zutaten: 40 g Fett, 60 g Mehl, 1 1/4 l Brühe.
Zubereitung: In dem zerlassenen Fett dünstet man das Mehl hellgelb, löscht nach und nach mit Fleisch- oder Würfelbrühe ab und kocht die Suppe 10–20 Minuten.

Petersiliensuppe

Zutaten: 40 g Fett, 60 g Mehl, 1 kleine Zwiebel, 1 Handvoll Petersilie, 1 1/4 l Brühe.
Zubereitung: In dem zerlassenen Fett dünstet man die feingewiegte Zwiebel und Petersilie, streut das Mehl darüber, dünstet es kurz mit, löscht ab und lässt die Suppe 10–20 Minuten durchkochen.

Königinsuppe

Zutaten: 40 g Butter, 60 g Mehl, 1 l Hühnerbrühe, 1/8 l Weißwein, 1/8 l Sahne, 1 Eigelb, in schmale Streifen geschnittenes Hühnerfleisch.
Zubereitung: Das Mehl wird in der zerlassenen Butter hellgelb geröstet, nach und nach mit der Hühnerbrühe abgelöscht und mit Wein abgeschmeckt. Dann gibt man das vorgerichtete Hühnerfleisch und, wenn man will, weichgekochte Spargelköpfchen oder Blumenkohlröschen hinein und lässt dies noch kurz mitkochen. Man richtet die Suppe mit dem mit Sahne zerquirlten Eigelb an und schmeckt nochmals ab. – Kochzeit für die Suppe 15 Minuten. (Man rechnet 1 Suppenhuhn für 8–10 Personen.)

Kerbelsuppe

Diese wird wie helle Mehlsuppe gemacht. Man gibt zuletzt 2–3 Esslöffel gehackten Kerbel daran.

Hirnsuppe

Zutaten: 1/2 Kalbshirn, 40 g Fett, 1 Esslöffel gewiegte Petersilie, 40 g Mehl, 1 1/4 l Brühe, Salz.
Zubereitung: Das Hirn wird gewässert, enthäutet, mit kaltem Wasser zugesetzt, langsam weichgekocht und in kleine Würfelchen geschnitten. Diese gibt man in eine fertige Petersiliensuppe. Nach Belieben kann man Eierstich oder Klößchen mit anrichten.

Falsche Hirnsuppe

Zutaten wie zu Petersiliensuppe, jedoch nur 40 g Mehl. Übrige feingewiegte Fleischreste oder 60 g Hackfleisch.
Zubereitung: Man macht die Suppe wie Petersiliensuppe, dünstet aber vor dem Ablöschen das Fleisch noch kurz mit.

Helle Fischsuppe

Zutaten: Fischsud von dem beim Kochen des Fisches anfallenden Kochwasser, reichlich Suppengemüse, 1 Lorbeerblatt, wenn nötig Salz; – 40 g Fett, 40 g Mehl, übrige gekochte Fischreste, Eigelb, Sahne und Zitronensaft zum Anrichten.
Zubereitung: wie Hirnsuppe.

Wer den Fischgeschmack kräftiger mag, kann zum Sud die bei der Filetbereitung anfallenden Gräten mit Suppengemüse 1 Stunde auskochen und zum Ablöschen nehmen. Kochzeit 15 Minuten.

Kartoffeleinlaufsuppe

Zutaten: 1 große, roh geriebene Kartoffel, 1 Ei, Salz; – 1 1/4 l Brühe; – Schnittlauch, gehackter Majoran.
Zubereitung: Man rührt aus den angegebenen Zutaten ein Teiglein an, lässt es in die kochende Brühe einlaufen und ein paarmal aufkochen. Die Masse darf nicht lange stehen, sonst verfärbt sich die Kartoffel dunkel.

Lauchsuppe (Porreesuppe)

Zutaten: 40 g Fett, 60 g Mehl, das Gelbe einer Lauchstange (gewaschen und in feine Scheibchen geschnitten), 1 1/4 l Brühe, Salz.
Zubereitung siehe Petersiliensuppe.

Selleriesuppe

Zutaten: 40 g Fett, 60 g Mehl, 1 geschälte, in Würfelchen geschnittene Selleriewurzel, 1 1/4 l Wasser, 1 Kaffeelöffel Salz; – nach Belieben gehacktes Selleriekraut.
Zubereitung siehe Petersiliensuppe, Zubereitungsdauer 20–30 Minuten.

Gemüsesuppe, gebunden (besonders sättigend)

Zutaten: 40 g Fett, 20–40 g Mehl, 500 g verschiedene Gemüse, die die Jahreszeit bietet, 2 Kartoffeln, 1 1/2 l Wasser, 1 gehäufter Kaffeelöffel Salz.
Zubereitung: Die Gemüse und die Kartoffeln werden vorgerichtet und fein zerkleinert, in Fett gedünstet, mit Mehl überstäubt, verrührt, abgelöscht und 1/2 Stunde durchgekocht.

Italienische Gemüsesuppe (besonders sättigend)

Zutaten: 40 g geräucherter Speck, 1 kleine Zwiebel, Basilikum, Petersilie, Liebstöckel, 1 Knoblauchzehe, 1/2 Sellerieknolle, 1/2 Stange Porree, 1/2 Blumenkohl, 1 Handvoll grüne Erbsen, einige Möhren, 1 Handvoll grüne Bohnen, 50 g getrocknete weiße Bohnen, 4–6 Tomaten, 100 g Reis oder Teigwaren, 2 l Wasser, Salz, 50 g geriebener Käse.
Zubereitung: In dem in Würfel geschnittenen Speck dünstet man die feingehackten Kräuter, den zerriebenen Knoblauch und die feingeschnittene Zwiebel. Dann gibt man die grobgeschnittenen frischen Gemüse, die über Nacht in weichem, ungesalzenem Wasser vorgeweichten Bohnen dazu, löscht mit kochendem Wasser ab und kocht die Suppe langsam etwa 2 Stunden. 20 Minuten vor dem Anrichten setzt man den Reis oder die Teigwaren zu. Den Käse verrührt man auf dem Teller mit der frisch ausgeschöpften Suppe. Wer will, würzt mit Pfeffer nach.

Kartoffelsuppe I (besonders sättigend)

Zutaten: 40 g Fett, 20–40 g Mehl, 4 mittelgroße, rohe Kartoffeln, gewiegte Zwiebeln, Möhren, nach Geschmack Sellerie und Petersilie oder eine in Scheiben geschnittene Lauchstange (Porree), 1 1/4–1 1/2 l Wasser, 1 Kaffeelöffel Salz.
Zubereitung: In dem zerlassenen Fett dünstet man das Mehl, Zwiebeln und Petersilie, die vorgerichteten Gemüse und die rohgeschälten, in Würfelchen geschnittenen Kartoffeln durch, löscht ab und lässt die Suppe 1/2 Stunde durchkochen.

Kartoffelsuppe II

Zutaten: 40 g Fett, 20–40 g Mehl, gewiegte Zwiebeln und etwas Bohnenkraut, Petersilie,

1 Suppenteller voll geriebene, gekochte, kalte Kartoffeln, 1 1/4 l Brühe, Salz; nach Belieben geröstete Semmelwürfelchen. – Zubereitung siehe Kartoffelsuppe I.

Tomatensuppe

Zutaten: 40 g Fett, 60 g Mehl, 4 große Tomaten, 1 Zwiebel, 1 1/4 l Wasser, 1 Kaffeelöffel Salz, nach Belieben 1 Nelke, 1 Lorbeerblatt; – nach Belieben geröstete Semmelwürfelchen oder Eierstich, oder Klößchen.
Zubereitung: In dem zerlassenen Fett dünstet man erst die grobgeschnittene Zwiebel glasig, gibt das Mehl hinein, dünstet es kurz mit und gibt zuletzt die in Scheiben geschnittenen Tomaten mit den vorgenannten Zutaten dazu. Dann löscht man ab, gibt die Gewürze hinein, lässt die Suppe 20–30 Minuten durchkochen, gießt sie durch ein Sieb, richtet sie an und gibt zuletzt Klößchen, Eierstich oder dergleichen hinein. – Man kann statt frischer Tomaten auch 1–2 Esslöffel Büchsentomatenmark oder 1 Tasse eingedünstetes Tomatenmark verwenden.

Endiviensuppe

Zutaten: 1–2 Büschel Endivien, 40 g Fett, 40 g Mehl, 1 1/4 l Wasser, 2 Brühwürfel, 1 Kaffeelöffel Salz, zum Anrichten geröstete Semmelwürfel, 2 Esslöffel Sahne.
Zubereitung: Die gelben Blätter und Blattteile werden wie zu Salat nudelartig feingeschnitten, mit Butter angedünstet, mit Mehl gestäubt, abgelöscht, durchgekocht und mit Sahne und Semmelwürfeln angerichtet.

Emmentaler Suppe

Zutaten: 40 g Fett, 40 g Mehl, 40 g geriebenen Emmentaler Schweizerkäse, 1 Zwiebel, 1 Stengel Porree, 1 Sellerieknolle, 1 Petersilienwurzel, 250 g Kartoffeln, 20 g Sternnudeln, 1 1/2 l Wasser.
Zubereitung: Das Mehl wird hellbraun in der Butter geröstet, der Käse untergemischt, abgelöscht, das vorgerichtete, würflich geschnittene Gemüse hineingegeben, weichgekocht und durch ein Sieb gegeben. Vor dem Anrichten gibt man gar gekochte Kartoffelwürfel und Sternnudeln darunter und schmeckt mit Salz und Pfeffer ab. Die Suppe schmeckt besonders gut und kräftig.

Tomatenreissuppe

Zutaten: 40 g Fett, 20 g Mehl, 1–2 Esslöffel Büchsentomatenmark oder 1 Tasse eingedünstetes Tomatenmark, 1 feingeschnittene Zwiebel, 60 g gewaschener Reis, 1 1/4–1 1/2 l Brühe, Salz.
Zubereitung: Man dünstet in dem zerlassenen Fett erst die Zwiebeln, dann das Mehl, den Reis und das Tomatenmark, löscht ab und kocht die Suppe 30 Minuten.

Blumenkohlsuppe

Zutaten: 1 kleiner Blumenkohl, 1 1/4 l Wasser, 1 Kaffeelöffel Salz, 40 g Fett, 40 g Mehl.
Zubereitung: Der in kleine Teilchen geschnittene, gereinigte Blumenkohl wird in Salzwasser knapp weichgekocht und abgegossen. Aus den übrigen Zutaten macht man eine helle Mehlsuppe, die man mit dem Blumenkohlwasser ablöscht, gibt den Blumenkohl hinein und lässt alles zusammen noch ein Weilchen kochen. Man kann auch eine helle Mehlsuppe (siehe Seite 23) herstellen und in dieser den vorgerichteten rohen Blumenkohl weichkochen. (Die Zubereitungszeit verlängert sich dann etwas.)

Spargelsuppe

wird auf dieselbe Weise mit 500 g Suppenspargel bereitet.

Brockelerbsensuppe

wird ebenso hergestellt. Man braucht 500 g Brockelerbsen und nach Belieben gewiegte Zwiebeln und Petersilie.

Pilzsuppe

Zutaten: 40 g Fett, 250 g Pilze, womöglich verschiedene Sorten; Zwiebeln, Petersilie, 60 g Hafermark oder Graupen oder 40 g Mehl, 1 1/4 l Wasser, 1 Kaffeelöffel Salz.
Zubereitung: Die vorgerichteten, kleingeschnittenen Pilze werden mit Petersilie und Zwiebeln zusammen in Fett durchgedünstet. Dann gibt man Hafermark, Mehl oder Graupen dazu, mischt gut durch, löscht ab und kocht die Suppe langsam 30 Minuten durch. Kurz vor dem Anrichten gibt man einen Schuss Wein hinein.

Grießsuppe I

Zutaten: 40 g Fett, 60 g Grieß, 1 1/4 l Wasser, 2 Brühwürfel, Salz.
Zubereitung: Der Grieß wird unter Umrühren in die kochende Brühe eingestreut und 15–20 Minuten gekocht.

Sagosuppe

bereitet man ebenso zu.

Geröstete Grießsuppe II

Man braucht dieselben Zutaten wie zu Grießsuppe I mit Ausnahme der Brühwürfel, dazu 1 Esslöffel Mehl zum Binden. Der Grieß und das Mehl werden in Fett hellgelb angeröstet, abgelöscht und 30 Minuten durchgekocht. (Das Mehl verhindert das Absitzen des Grießes, wenn die Suppe länger steht.)

Reissuppe

Zutaten: 40 g Fett, 60 g Reis, 1/2 Sellerieknolle, 1 1/4 l Wasser, Salz.
Der gewaschene Reis wird mit der in kleine Würfelchen geschnittenen Sellerieknolle leicht angedünstet, abgelöscht und 30 Minuten gekocht.

Haferflockensuppe

bereitet man ebenso zu, doch kann man die Haferflocken auch in die kochende Brühe einstreuen und darin weichkochen. Will man Schleimsuppe, streicht man sie durch ein Sieb. (Statt Sellerie kann man auch feingeschnittene Zwiebeln mitdünsten.)

Hafermarksuppe

wird ebenso zubereitet. Sie hat den Vorzug, schon in 10 Minuten gar zu sein.

Hafermehlsuppe

kocht man wie helle Mehlsuppe, nur verwendet man statt Weizen – Hafermehl. Sehr kräftig wird die Suppe, wenn man nach dem Durchdünsten des Hafermehls einige in Scheiben geschnittene Tomaten dazu gibt. Man muss die Suppe dann vor dem Anrichten durchtreiben.

Grünkernmehlsuppe

bereitet man wie helle Mehlsuppe.

Grünkernschleimsuppe

Zutaten: 125 g ganze Grünkerne, 2 l Wasser, 40 g Butter, Salz.
Zubereitung: Die gewaschenen Grünkerne werden über Nacht in 2 l Wasser eingeweicht,

anderntags mit dem Einweichwasser aufgesetzt und 2–3 Stunden langsam gekocht. Vor dem Anrichten wird die Suppe abgeseiht, das Fett darangegeben und mit Eierstich oder Klößchen angerichtet. Man kann auch aus Grünkerngrütze und Grünkernmehl Schleimsuppe herstellen, doch schmeckt sie am kräftigsten mit ganzen Grünkernen.

Gerstensuppe

kocht man wie Grünkernsuppe.

Braune Mehlsuppe

Zutaten: 50 g Fett, 80 g Mehl, 1 feingeschnittene Zwiebel; 1 1/2 l Wasser, 1 gehäufter Kaffeelöffel Salz; nach Belieben 1 Prise Kümmel.
Zubereitung: In dem heißen Fett röstet man das Mehl hellbraun, gibt Zwiebeln und Salz dazu, löscht ab und kocht die Suppe 1/2 Stunde durch. Als Einlage eignen sich Klößchen, geröstete Semmelwürfel oder Eierstich.

Ochsenschwanzsuppe

Zutaten: 500 g abgezogener Ochsenschwanz, 40 g Fett, reichlich kleingeschnittenes Suppengemüse, 1 Zwiebel, 1–2 Tomaten, 1 Esslöffel Salz, 1 Lorbeerblatt, 2 l Wasser; – 40 g Fett, 60–100 g Mehl, 1 Glas Rotwein, Saft einer halben Zitrone, einige Pfefferkörner, etwas Paprika.
Zubereitung: Der Ochsenschwanz wird in den Gelenken durchschnitten, mit Zwiebeln und Suppengemüse in heißem Fett von allen Seiten braun angebraten, abgelöscht und 2 Stunden gekocht. Nun wird die Brühe abgeseiht, das Fleisch von den Knochen befreit und in Streifen geschnitten. Nun bereitet man eine braune Mehlschwitze, löscht mit der Brühe ab, gibt Wein und Gewürz hinein und lässt die Suppe tüchtig durchkochen. Nun gibt man das Fleisch hinein, schmeckt kräftig ab und richtet die Suppe mit einem Stich frischer Butter an.

Einlaufsuppe

Zutaten: 1 großes oder 2 kleine Eier, 2 gehäufte Esslöffel Mehl, Salz, nach Belieben Muskat, 1/4 l Brühe, Schnittlauch.
Zubereitung: Man rührt aus den angegebenen Zutaten ein dünnes, glattes Teiglein an, lässt es in die kochende Brühe unter Umrühren einlaufen und einmal aufkochen. Will man die Suppe feinflockig haben, verdünnt man den Einlauf mit etwas Milch.
Statt Brühe kann man auch Salzwasser nehmen und die Suppe beim Anrichten mit brauner Butter schmälzen.

Eiergerstensuppe I

Zutaten: 40 g Fett, 60 g Mehl, 1 Ei, 1 1/4 l Brühe, Salz.
Zubereitung: Man röstet das Mehl in dem zerlassenen Fett hellgelb, löscht mit der mit Ei zerquirlten Flüssigkeit ab und lässt die Suppe 10 Minuten kochen.

Eiergerstensuppe II

Zutaten: 40 g Butter, 60 g Semmelmehl oder 2 altbackene, in Milch eingeweichte und verzupfte Brötchen, 1–2 Eier, Salz, Muskat, einige Esslöffel Sahne oder Milch, 1 1/4 l Brühe, Salz.
Zubereitung: Mit der schaumiggerührten Butter mischt man die übrigen Zutaten, lässt die Masse in die kochende Brühe einlaufen und einmal aufkochen.

Brotsuppe I

Zutaten: 125 g altbackene Schwarzbrotreste, 1 1/2–2 l Wasser, 1 Kaffeelöffel Salz, 1/2 Sellerie-

knolle, 1/2 Stange Lauch (Porree), 1/2 Zwiebel, einige Möhren, 1 Petersilienwurzel, 40 g Butter zum Schmälzen.
Zubereitung: Das Brot, die vorgerichteten, grob zerkleinerten Suppengemüse und das Salz setzt man mit dem kalten Wasser zu, lässt alles zusammen weichkochen, streicht die Suppe durch ein Sieb, lässt sie noch einmal aufkochen und schmälzt sie beim Anrichten mit brauner Butter.

Brotsuppe II

Zutaten: 125 g in dünne Scheiben geschnittenes Vollkornbrot, 1 1/4 l Wasser, 1 Kaffeelöffel Salz; 4 Esslöffel saure Sahne oder Buttermilch.
Zubereitung: In dem kochenden Salzwasser lässt man die Brotschnittchen einmal aufkochen und richtet die Suppe mit Sahne oder Buttermilch an.

Schwarzwäldersuppe (besonders sättigend)

Zutaten: 4 mittelgroße Kartoffeln, etwa 60 g altbackenes, in kaltem Wasser eingeweichtes, ausgedrücktes Vollkornbrot, reichlich gedünstete Zwiebeln und Petersilie, 2 Knoblauchzehen, 1 Kaffeelöffel Salz, einige zerstoßene Korianderkörner, 1 Leberwurst, 1 1/2 l Wasser; 40 g Butter zum Schmälzen.
Zubereitung: Die gedünsteten Zwiebeln und Petersilie löscht man ab, gibt die roh geschälten, grob zerkleinerten Kartoffeln, den Knoblauch, Salz und Koriander hinein und lässt die Kartoffeln weichkochen. Dann gibt man das Brot und die ausgedrückte Leberwurst dazu, lässt beides mit aufkochen, streicht die Suppe durch ein grobes Sieb und schmälzt sie beim Anrichten mit brauner Butter.

Hülsenfruchtsuppe (besonders sättigend)

Zutaten: 150 g Erbsen, Linsen oder Bohnen, 40 g Fett oder geräucherter Speck, 40 g Mehl, 1 große Zwiebel, etwas Majoran oder Basilikum, 1 1/2 l Wasser, 1 Kaffeelöffel Salz, 1 rote Wurst oder 100 g Schinkenwurst.
Zubereitung: Die über Nacht eingeweichten Hülsenfrüchte werden in kochendem Wasser ohne Salz zugesetzt, weichgekocht und durch ein Sieb geschlagen. Aus Fett, Mehl und Zwiebeln macht man eine gelbliche oder mittelbraune Mehlschwitze (siehe Soßen, Seite 36), löscht mit den durchgeschlagenen Hülsenfrüchten ab, lässt die Suppe aufkochen, gibt die in Scheiben oder Würfelchen geschnittene Wurst hinein, schmeckt mit Kräutern und Tomatenmark ab und richtet sie an.
Statt frischgekochten Hülsenfrüchten kann man auch übrige Erbsen usw. verwenden.

Süße Suppen

Im Gegensatz zu den Kaltschalen werden süße Suppen heiß serviert und mit Schneeeiern (Seite 172), kleinen Grießklößchen, würflig geschnittenen Semmel- oder Biskuitschnitten gereicht. Sie ähneln nach Zutaten und Zubereitung den Kaltschalen und können wie diese auch ebenso gekühlt gegessen werden.

Weinsuppe

Zutaten: 40 g Butter, 40 g Mehl, 1/2 l Wasser, 3–4 Esslöffel Zucker, nach Belieben 1 Stück Zitronenschale oder 1 kleine Stange Zimt, 1/2 l Weißwein; – 1–2 Eigelb.
Zubereitung: In der zerlassenen Butter dünstet man das Mehl zart gelb, löscht ab, gibt Zucker und Gewürze hinein und lässt die Suppe durchkochen. Dann gibt man den Wein hinein, lässt ihn mit der Suppe einmal aufkochen und zieht sie beim Anrichten mit zerquirltem Eigelb ab.

Biersuppe I

Zutaten: 1/4 l Milch, 1 Stück ganzen Zimt, 1 Stückchen Zitronenschale; – 20 g Stärkemehl, 1/8 l Wasser, 2–3 Esslöffel Zucker, 1 Prise Salz, 3/4 l Bier, 1 Eigelb.
Zubereitung: Zimt und Zitronenschale werden in der Milch aufgekocht, mit dem kalt angerührten Stärkemehl gebunden, kurz durchgekocht, gesüßt, mit dem Bier vermischt, abermals bis zum Kochen gebracht und mit Eigelb abgezogen. Sie kann heiß oder kalt gereicht werden.

Biersuppe II

Zutaten: 3/4 l Bier, 1/4 l Wasser, 20 g Stärkemehl, 100 g Zucker, 1 Prise Zimt, 2 Eigelb.
Zubereitung: Man rührt alle Zutaten kalt an, bringt sie unter Schlagen zum Kochen und stellt sie kalt.

Süße Obstsuppen werden wie die Kaltschalen bereitet und heiß aufgetragen.

KALTSCHALEN

Kaltschalen werden am besten aus frischem Obst hergestellt. Sie sind – namentlich im Sommer – erfrischend und ungemein leicht verdaulich. Sie können zu Beginn der Mahlzeit oder als Nachspeise gereicht werden.

Beerenobstkaltschale

Zutaten: 500 g Beeren, 60–80 g Zucker, 1 l Milch oder Wasser, 20 g Stärkemehl zum Binden, nach Belieben Zitronensaft.
Zubereitung: Die gekochten oder rohen Beeren werden durch ein Sieb gestrichen, damit Häutchen und Kerne zurückbleiben, dann wird das so gewonnene Mus mit Zucker vermengt, beliebig gewürzt, mit der angedickten Milch oder dem gebundenen Wasser verrührt und kalt gestellt. – Man reicht kleine Makronen oder Zwiebäcke dazu.

Aprikosen-Kaltschale

Zutaten: 500 g von Haut und Steinen befreite Aprikosen, 1 l Milch, 20 g Stärkemehl, 100 g Zucker; nach Belieben 2–3 Esslöffel süße Sahne mit 1 Eigelb zerquirlt.
Zubereitung: Die vorgerichteten Aprikosen werden durch den Fleischwolf gedreht. Milch, Zucker und Stärkemehl bringt man unter Schlagen zum Kochen, kocht die Suppe einige Minuten, kühlt sie ab, zieht sie mit Ei und Sahne ab, gibt die Aprikosenmasse dazu und stellt sie kalt. – Beim Anrichten gibt man kleine Makronen dazu.

Stachelbeeren-Kaltschale

Zutaten: 500 g Stachelbeeren, 1 l Wasser, 20 g Stärkemehl, Zucker nach Geschmack, 2–3 Esslöffel süße Sahne, 1 Eidotter. – Nach Belieben 1 Prise Zimt.
Zubereitung: Die Beeren werden mit Wasser und Zucker weichgekocht, durch ein Sieb gestrichen, kurz mit Stärkemehl, das man mit etwas kaltem Wasser verrührt hat, angedickt, aufgekocht, mit Eigelb und Sahne abgezogen, kaltgestellt und mit kleinen Makronen gereicht.

Kirschkaltschale

Zutaten: 500 g süße Kirschen, 250 g Sauerkirschen, 250 g Zucker; – 1 l Milch, 20 g Stärkemehl, Zitronenschale oder Zimt; 2–3 Esslöffel Sahne, 1 Eigelb.

Zubereitung: Die Kirschen werden entkernt, im Mixer zu Mus gerührt und mit dem Zucker gemischt. Die Milch wird wie üblich angedickt, mit Ei und Sahne abgezogen, abgekühlt, mit dem Kirschenmus vermischt und kaltgestellt.

Apfelkaltschale

Zutaten: 750 g Äpfel, am besten Boskop, 180 g Zucker, 1 l Wasser, 1 Stückchen ganzen Zimt, 20 g Stärkemehl; – 1/8 l süße Sahne, 1 Eigelb.
Zubereitung: Die geschälten Äpfel werden mit Wasser, Zucker und Zimt weichgekocht, letzterer hierauf entfernt, das Mus durch ein Sieb gestrichen, mit Stärkemehl angedickt, abgekühlt, mit Eigelb und Sahne abgezogen und kaltgestellt.

Rhabarber-Kaltschale

Zutaten: 500 g kleinwürflig geschnittener Rhabarber, 3/4 l Wasser, 200 g Zucker, 1 Stück ganzen Zimt. – 20 g Stärkemehl.
Zubereitung: Man kocht die Rhabarberstückchen, wie zu Kompott (Seite 188), in etwa 5 Minuten fest zugedeckt weich, gibt das mit kaltem Wasser angerührte Stärkemehl hinein, lässt es kurz mitkochen, lässt die Masse abkühlen, schmeckt ab und stellt sie kalt.

Joghurt-Kaltschale

Zutaten: 3/4 l Joghurt, 1/4 l süße Milch, 1/8 l süße Sahne; Zucker nach Geschmack; nach Belieben eingezuckerte rohe oder gedünstete Früchte oder 2–3 Esslöffel Sanddornsaft.
Zubereitung: Die Zutaten werden tüchtig durchgequirlt und kaltgestellt.

Quark-Kaltschale

Zutaten: 250 g Sahnequark, 3/4 l Milch, 1/8 l Sahne, Zucker und Vanillin nach Geschmack.
Zubereitung: Der Quark wird durch ein Sieb gestrichen, mit den übrigen Zutaten verquirlt und kalt gestellt.

Sauermilch-Kaltschale

Zutaten: 1 l Sauermilch, 2–3 Esslöffel Zucker, 100 g geriebenes Schwarzbrot, nach Belieben etwas Zimt.
Zubereitung: Die Sauermilch wird mit dem Zucker tüchtig schaumig geschlagen, mit dem Brot vermischt und mit Zimt abgeschmeckt.

Sauermilch-Kaltschale mit Erdbeeren

Zutaten: 1 l Sauermilch, 500 g zerdrückte eingezuckerte Wald- oder Gartenerdbeeren, nach Belieben etwas Zitronensaft.
Zubereitung: Die Zutaten werden tüchtig zerquirlt, abgeschmeckt und kaltgestellt.

Buttermilch-Kaltschale

Zutaten: 1 l Buttermilch, 3 Esslöffel Zucker, 3 Esslöffel Sultaninen, 3 Esslöffel geriebenen Pumpernickel, etwas abgeriebene Zitronenschale.
Zubereitung: siehe oben.

Vanille-Kaltschale

Zutaten: 1 l Milch, 20 g Stärkemehl, 150 g Zucker, 1/2 aufgeschnittene, entkernte Vanilleschote, 1–2 Eigelb. – Schnee von 2 Eiweiß.
Zubereitung: Man bereitet aus den erstgenannten Zutaten eine dünne Vanillesoße (Seite 172).
Der Eischnee wird mit etwas Zucker leicht gesüßt, kleine Klöße auf die kochende Flüssigkeit gegeben, sofort zugedeckt und 3–5 Minuten ziehen gelassen.

Schokolade-Kaltschale

Zutaten: 1 l Milch, 20 g Stärkemehl, 100 g geriebene Schokolade, 150 g Zucker. Zubereitung: siehe Schokoladesoße Seite 173.

DIE SPEISEFETTE

Die Fette sind neben den Kohlehydraten die Hauptkalorienträger für unseren Körper. Die Fette haben aber außerdem ganz bestimmte Aufgaben als Baustoffe zu erfüllen. Sie sind in ihrer Zusammensetzung und ihrer Bekömmlichkeit sehr verschieden. Je höher der Schmelzpunkt der Fette liegt, desto schwerer sind sie verdaulich. So ist z. B. das Stearin, das einen sehr hohen Anteil an Kohlenstoff enthält, für den Körper unverdaulich, während Öle sehr leicht verdaulich sind. Alle unsere Speisefette setzen sich aus Glyzerin und Fettsäure zusammen, und zwar unterscheidet man gesättigte und ungesättigte, sogenannte essentielle, d. h. unentbehrliche Fettsäuren, zu denen z. B. die Oleinsäure, Linolsäure und Linolensäure gehören. Einen besonders hohen Anteil an Linolsäure haben z. B. Mohnöl, Walnussöl, Leinöl und Sonnenblumenöl, während das Olivenöl 81,6 % Oleinsäure enthält. Tierische Fette sind reicher an gesättigten, pflanzliche Fette reicher an ungesättigten Fettsäuren und sind deshalb besonders zu bevorzugen. Unter den tierischen Fetten nimmt die Butter ihres hohen Vitamingehalts und ihres niedrigen Schmelzpunkts wegen einen besonders wichtigen Rang ein. Auch ist sie ihrer Zusammensetzung wegen besonders leicht verdaulich und für Gallen- und Leberdiät besonders gut geeignet. Als Ersatz für Butter dient die Margarine, die heutzutage meist auch mit Vitaminen angereichert ist. Die gewöhnlichen Margarinen werden großenteils aus gehärteten Ölen gewonnen. Durch das Härten werden ungesättigte Fettsäuren gesättigt. Sie enthalten aber alle mindestens 30 % ungesättigte essentielle Fettsäuren und erfüllen somit für den gesunden Menschen die Anforderungen an ein gesundes Nahrungsmittel. Für die Krankenkost und namentlich für Leber- und Gallenkranke sind Butter und Öle unbedingt allen anderen Fetten vorzuziehen. Wichtig ist ferner der Erhitzungsgrad der Fette bei der Zubereitung der Nahrung. Der Siedepunkt der Fette liegt bei 200–300 °C. Man sollte eine Überhitzung der Fette vermeiden, weil sie sich dann zersetzen und das schwerverdauliche Akrolein bilden. Gebräuntes Fett ist schwerer verdaulich als nur flüssig gemachtes Fett, was bei der Zubereitung von Gemüsen, Suppen und Soßen beachtet werden muss. Durch die Einwirkung von Licht, Luft und Wärme werden die Fette ranzig. Es bilden sich freie Fettsäuren, die sich an der Luft weiter zersetzen. Fette sollen deshalb dunkel, kühl und zugedeckt aufbewahrt werden.

Kommt es einmal vor, dass Kochfett nicht mehr ganz frisch riecht, kann man es auf folgende Weise verbessern: Man setzt es mit einigen geschnittenen Zwiebeln oder rohen, grob zerkleinerten Äpfeln auf den Herd und kocht es so lange, bis sich Zwiebeln oder Äpfel leicht bräunen. Dann lässt man es abkühlen, gießt es, solange es noch flüssig, aber kalt ist, durch ein Sieb in ein Gefäß mit frischem Wasser, lässt das Fett darin erstarren, hebt es hierauf ab und schmilzt es um.

Mehrmals benutztes Ausbackfett kann man wieder gebrauchsfähig machen, wenn man es in erkaltetem Zustand mit der gleichen Menge kalten Wassers aufsetzt, 1–2 Minuten durchkocht und durch ein Sieb abschüttet. Nach dem Erkalten hebt man die Fettplatte ab, entfernt braune Fettteilchen an der Unterseite und schmilzt dann das gereinigte Fett neu ein. Da das hochwertigste Kochfett, die Butter, durch ihren Gehalt an Eiweiß, Wasser und leicht zersetzlichen Fettsäuren besonders rasch ranzig wird, empfiehlt es sich, sie zu Kochzwecken auszukochen und Butterschmalz daraus herzustellen. Man kann durch eine Mischung verschiedener Speisefette mit einem bestimmten Anteil an Butterfett vorzügliche Kochfette gewinnen gewinnen und sich damit kleinere gut haltbare Vorräte für den täglichen Gebrauch anlegen.

Es folgen einige erprobte Fettmischungen. Sie werden alle am besten in vorgewärmte Steinzeugtöpfe gefüllt, nach dem Erkalten mit Pergamentpapier zugebunden und kühl und dunkel aufbewahrt.

Butterschmalz

Zutaten: 1 kg Kochbutter, 1 Zwiebel.
Zubereitung: Man setzt die Butter mit der geschälten halbierten Zwiebel oder einem halbierten Apfel in einem hohen eisernen Brattopf auf und lässt sie ganz langsam, damit sie nicht überkocht, an der Seite des Herdes oder bei schwacher Hitze so lange kochen, bis die Zwiebel gelb wird und sich unten im Topf ein gelblicher Satz niederschlägt. Dieser rührt von Eiweißbestandteilen her, die in der frischen Butter enthalten sind und die deren Haltbarkeit sehr beeinträchtigen. Oben bildet sich Schaum, der anfänglich weiß, später, wenn das Schmalz fertig ist, gelblich wird. Dieser wird sorgfältig abgenommen und das fertige Schmalz vorsichtig abgeseiht, so dass die Zwiebel und der Satz zurückbleiben. Es wird in einen vorgewärmten Steinzeugtopf gefüllt, nach dem Erkalten mit Pergamentpapier zugebunden und trocken und kühl aufbewahrt. – Den Rückstand kann man heiß als Brotbelag oder zur Herstellung von Bratkartoffeln nehmen.

Mischfett I

Zutaten: 1 Teil Butter, 1–2 Teile Kokosfett, Zwiebeln.
Zubereitung: Man schneidet das Kokosfett in Stücke, übergießt diese mit noch heißem, frischausgekochtem Butterschmalz, rührt die Mischung ein paarmal durch und bewahrt sie wie Butterschmalz auf.

Mischfett II

Zutaten: 1 Teil Butter, 1 Teil Kokosfett, 1 Teil Bucheckern-, Mohn- oder Sonnenblumenöl.
Zubereitung: Man gibt das frischgekochte Butterschmalz zu den beiden übrigen Fetten, rührt das Gemisch ein paarmal durch und bewahrt es wie Butterschmalz auf.

Mischfett III

Zutaten: 1 Teil Butter, 1 Teil Kokosfett, 1 Teil Schweinespeck.
Zubereitung: Man schneidet den Speck in kleine Würfelchen und setzt sie mit einer Bodendecke Wasser in einem eisernen Brattopf auf den Herd auf. Man kocht den Speck so lange aus, bis die Würfelchen einschrumpfen und gelb werden (Grieben bilden!). Dann seiht man das Fett ab, drückt die Grieben aus und mischt das Schweineschmalz mit dem frischausgekochten Butterschmalz und dem zerlassenen Kokosfett gut durch. Man bewahrt es wie Butterschmalz auf. – Die Grieben kann man zu Bratkartoffeln verwenden.

SOSSEN

Eine gute Soße zu bereiten ist ein Kunststück. Sie verlangt von der Köchin ausgesprochenes Fingerspitzengefühl und einen kultivierten Geschmack. Beim Würzen muss man ganz besonders sorgfältig und vorsichtig verfahren, damit der Eigengeschmack jeder Soße nicht verdeckt wird, sondern zu voller Wirkung gelangt. Entscheidend ist auch die Güte der Zutaten, namentlich die des Fettes. Wesentlich ist ferner die richtige Zubereitung einer guten Mehlschwitze. Sie muss richtig in der Farbe sein, darf keine Klumpen bilden, was man verhindern kann, wenn man das gedünstete oder geröstete Mehl nach und nach mit der Flüssigkeit ablöscht und jedesmal wieder vollkommen glatt rührt. Am schnellsten geschieht dies mit dem Schneebesen.

Gesalzene, helle und dunkle Soßen entstehen, wenn man die Flüssigkeitsmenge von Suppen um die Hälfte kürzt.

Grundmenge für 4 Personen:

40 g Fett, 40–60 g Mehl, 1/2–3/4 l Flüssigkeit, Gewürze.

Heiße, gesalzene Soßen gibt man entweder als Beilage zu Fleisch-, Fisch-, Kartoffel-, Reisspeisen und Klößen, oder als Grundlage für Gemüse aller Art. Zum Gelingen müssen unbedingt folgende Regeln bei der Zubereitung beachtet werden:

1. Benütze für helle Soßen vorwiegend Butter oder Margarine, oder halb Butter, halb Kokosfett, das geschmack- und geruchlos ist, weil bei hellgedünstetem Mehl der Fettgeschmack vorherrscht. Beachte bei Fettknappheit die Sparregel Seite 13!
2. Alle hellen Soßen verlieren an Wohlgeschmack, wenn sie länger als 10 Minuten kochen, da das Butteraroma verschwindet.
3. Zieht man helle Soßen mit Eigelb ab, muss dieses zuvor mit genügend kalter Flüssigkeit (auf 1 Eigelb 2 Esslöffel voll) zerquirlt und dann nach und nach mit der heißen Soße verrührt werden, sonst entstehen durch das gerinnende, im Dotter enthaltene Eiweiß Flocken, die um so größer werden, je weniger Flüssigkeit man zum Zerquirlen genommen hat. Aus demselben Grunde dürfen „abgezogene" Soßen nicht mehr kochen. Zum Warmhalten oder Aufwärmen müssen sie im Wasserbad warmgestellt werden.
4. Benütze für dunkle Soßen, die sehr heißes Fett erfordern, Stahlbräter. Aluminiumtöpfe verbiegen sich, und Email springt ab. Nimm zum Rösten außerdem statt des Holzlöffels die Bratschaufel, da Holz in heißem Fett dunkel wird.
5. Röste bei Fettknappheit das Mehl ohne Fett, lasse es auskühlen und rühre es mit etwas Wasser angequirlt in die kochende Brühe, der man etwas Fett zugesetzt hat.
6. Da beim Rösten des Mehles ein Teil der Stärke in wasserlösliches Dextrin übergeht, lässt die Bindekraft des Mehles nach, weshalb man die Mehlmenge etwas erhöhen muss.
7. Will man dunkle Soßen geschmacklich durch Zwiebeln heben, dürfen diese nur kurz mitdünsten. Man darf sie deshalb erst dann zusetzen, wenn die Mehlschwitze die gewünschte braune Farbe hat und kurz darauf abgelöscht werden kann. Gibt man die Zwiebeln früher dazu, hört das Mehl solange auf, sich weiterzubräunen, bis der ganze Wassergehalt derselben verdunstet ist. Röstet man dann beides zusammen weiter, so werden die Zwiebeln dunkel, bis das Mehl mittelbraun ist. Dunkle Zwiebeln hinterlassen in der Soße einen bitteren Nachgeschmack.
8. Dunkle Soßen gewinnen an Wohlgeschmack durch langes Kochen, weil dadurch das Aroma der Gewürze stärker zur Geltung kommt. Braune Mehlschwitzen dunkeln beim Kochen nach, was man beim Rösten berücksichtigen muss.
9. Nimm vor dem Anrichten die Gewürze heraus, spüle sie ab und trockne sie zu mehrmaliger Verwendung.
10. Man kann alle Soßen verfeinern und aufwerten durch Abziehen mit Ei und Sahne.

Buttersoße

Zutaten: 40 g Fett, 40 g Mehl, 1/2 l Brühe, Salz. Nach Belieben 1 Eigelb zum Abziehen.
Zubereitung: In dem zerlassenen Fett (Butter oder Margarine) dünstet man das Mehl so lange, bis sich reichlich Bläschen bilden, löscht, ehe das Mehl anfängt gelblich zu werden,

ab und kocht die Soße höchstens 10 Minuten. Bei längerem Kochen verliert sie sehr an Wohlgeschmack. Beim Anrichten kann man sie mit Eigelb abziehen und einige Tropfen Zitronensaft zusetzen.
Man nimmt Buttersoße zu folgenden Gemüsen: Spargel, Blumenkohl, Schwarzwurzeln, Rosenkohl, Topinambur, Kartoffeln, Kohlrabi u. a.

Kümmelsoße

bereitet man wie Buttersoße und kocht sie mit Kümmel durch.

Kräutersoße

Zutaten wie zu Buttersoße, 1 Esslöffel gewiegte Petersilie, etwas Pimpinelle, 1/2 Esslöffel gewiegter Estragon, oder Dill, oder Kerbel, oder Borretsch, oder Bohnenkraut, oder Schnittlauch, oder 2 Esslöffel gemischte Kräuter (vgl. Petersiliensuppe, Seite 23).
Zubereitung: Man gibt die feingewiegten rohen Kräuter kurz vor dem Anrichten in die fertige Buttersoße, lässt sie aber nicht mehr mitkochen.

Weiße Zwiebelsoße

Zutaten: 200 g in Scheiben geschnittene Zwiebeln, 20 g in Würfel geschnittenes Rauchfleisch, 6 Pfefferkörner, 2 Esslöffel Butter, 1–2 Esslöffel Mehl, 1/8 l Fleischbrühe, 1/8 l Milch oder Sahne, Salz.
Zubereitung: Die Zwiebeln werden mit kaltem Wasser zugesetzt, einmal aufgekocht und abgegossen. Dann dünstet man in der zerlassenen Butter erst die Zwiebeln und das Rauchfleisch an, gibt, wenn erstere weich sind, das Mehl hinzu, löscht ab, lässt die Soße dick kochen, streicht sie durch ein Sieb, kocht sie nochmals kurz auf und gibt vor dem Anrichten einen Stich Butter hinein. Die Soße schmeckt zu Siedfleisch und Hammelfleisch besonders gut.

Holländische Soße

Zutaten: 50 g Butter; – 2 Esslöffel Mehl, 2 Eigelb, 1/4 l kalte Fleischbrühe, Salz, Pfeffer, Zitronensaft nach Geschmack; 1/8 l süße Sahne.
Zubereitung: Die Butter schneidet man in kleine Stückchen und gibt sie in kaltes Wasser. Mehl, Eigelb und Gewürze rührt man, kurz vor Gebrauch, mit der kalten Brühe glatt an, schlägt sie im Wasserbad, bis sie anfängt, dick zu werden, gibt dann nach und nach unter Schlagen die Butterstückchen dazu und mischt vor dem Anrichten die steifgeschlagene Sahne darunter.
Die Soße eignet sich vorzüglich zu hellen Gerichten wie Blumenkohl, Spargel, gedünsteter Fisch und anderes.

Käsesoße

Zutaten: 40 g Butter, 40 g Mehl, 1/4 l Milch, 1/4 l Brühe, Salz, 2–3 Esslöffel geriebener Parmesankäse.
Zubereitung: Man macht eine helle Mehlschwitze, löscht mit Milch ab, verdünnt mit Brühe, kocht die Soße gut durch und gibt vor dem Anrichten den Käse darunter.

Kapernsoße

Zutaten: 40 g Fett, 40 g Mehl, 1/2 l Brühe, 2 Zitronenscheiben, 1 Esslöffel Kapern, Salz; – 1–2 Eigelb.
Zubereitung: Man macht aus Fett, Mehl und Brühe eine helle Buttersoße, kocht die Zitronenscheiben mit, schlägt die Soße durch ein Sieb, würzt sie mit Salz, Kapern und nach Belieben etwas Weißwein und zieht sie mit Eigelb ab.

Weißweinsoße

wird ebenso bereitet, aber mit Weißwein und süßer Sahne abgeschmeckt.

Currysoße

Eine helle Buttersoße wird mit 1 Kaffeelöffel Currypulver, Salz und Zitronensaft abgeschmeckt.

Helle Fischsoße

Zutaten: 40 g Fett, 40 g Mehl, 1 feingeschnittene Zwiebel, 1/2 l Fischsud, 1 Zitronenscheibe, 1 Kaffeelöffel Senf, 1 Esslöffel Essig, einige Tropfen Suppenwürze.
Zubereitung: In einer hellen Mehlschwitze dünstet man die Zwiebel glasig, löscht ab, gibt die Gewürze hinein und schmeckt kräftig ab. Kochzeit 15 Minuten.

Englische Buttersoße

Zutaten: 40 g Butter, 40 g Mehl, 1/4 l Milch oder halb Wasser, halb Milch, 1 Lorbeerblatt, 1 Zweigchen Thymian, einige Blättchen Petersilie, 1 Stückchen Zwiebel, 1 Scheibe Sellerie, 1 Scheibe Kohlrabi; 1 Prise weißer Pfeffer, Zitronensaft, 1 Stich Butter.
Zubereitung: Man kocht die Gewürze, Kräuter und Gemüse in der Flüssigkeit 1 Viertelstunde, seiht sie ab und hält sie warm. Nun bereitet man aus Butter und Mehl eine helle Mehlschwitze, löscht mit dem Milchgemisch nach und nach ab und kocht die Soße 5 Minuten auf. Dann schmeckt man sie mit Zitronensaft und Pfeffer ab, gibt einen Stich Butter dazu und richtet die Soße an.
Man kann sie als Grundlage zu Gemüsen oder als Beilage zu Fisch verwenden. Man kann die Soße auch über Scheiben von hartgekochten Eiern anrichten. Sie darf dann aber nur mit Milch zubereitet sein.

Tomatensoße

Zutaten: 40 g Fett, 40 g Mehl, 4 große Tomaten, 1 Zwiebel, 1/2 l Wasser, oder 1/2 l Fleischbrühe, nach Belieben 2 Pfefferkörner, 1/4 Lorbeerblatt, 1 Nelke, etwas Salz, etwas Zucker, 1 Stückchen Zitronenschale. Zitronensaft oder Essig, 2–3 Esslöffel süße Sahne oder Kondensmilch.
Zubereitung: In dem zerlassenen Fett dünstet man erst die Zwiebel-, dann die Tomatenscheiben gut durch, streut das Mehl darauf, verrührt es damit, löscht ab, gibt die Gewürze hinein und lässt die Soße 20 Minuten durchkochen. Vor dem Anrichten streicht man sie durch ein Sieb und macht sie nochmals heiß. – Man kann die Soße verfeinern, wenn man etwas gewiegten Abfallschinken oder Schinkenwurst mitdünstet. Statt frischer Tomaten kann man 1–2 Esslöffel Büchsentomatenmark oder 1 große Tasse eingedünstetes Tomatenmark verwenden. In diesem Fall dünstet man erst das Mehl, dann die feingeschnittene Zwiebel, zuletzt das Tomatenmark (vgl. Tomatensuppe, Seite 25).
Siehe Fisch in Tomatensoße (Seite 123).

Meerrettichsoße

Zutaten: 2–3 Esslöffel geriebener Meerrettich, 40 g Fett, 40 g Mehl, 3/8 l Brühe, 1/8 l Milch, 1 Prise Zucker, etwas Salz, nach Belieben einige Esslöffel süße Sahne.
Zubereitung: Fett und Mehl röstet man hellgelb, dünstet den feingeriebenen Meerrettich kurz mit, löscht ab, gibt die übrigen Zutaten hinein und lässt die Soße kurz aufkochen. Durch langes Kochen verliert der Meerrettich an Aroma.
Man kann den geriebenen rohen Meerrettich auch erst kurz vor dem Anrichten in die fertige helle Buttersoße geben.

Bechamelsoße

Zutaten: 40 g Fett, 40 g Mehl, 40 g gewiegter Abfallschinken oder in Würfel geschnittene Schinkenwurst, 40 g geriebener Käse, 1/4 l Brühe, 1/4 l süße oder saure Milch oder Buttermilch; 1/2 Zwiebel, 2 Pfefferkörner, 1 Nelke, 1/2 Lorbeerblatt.
Zubereitung: In dem zerlassenen Fett röstet man die feingeschnittene Zwiebel, Schinken oder Wurst und das Mehl hellgelb, löscht mit Brühe und Milch ab, gibt die Gewürze und den Käse hinein, lässt die Soße durchkochen und seiht sie vor dem Anrichten ab.

Dillsoße

Zutaten: 40 g Fett, 40 g Mehl, 2 Esslöffel feingewiegtes Dillkraut, Salz, 1/2 l Milch oder halb Brühe, halb Milch, 1 Esslöffel Essig.
Zubereitung: Man lässt die Flüssigkeit mit Fett und Salz aufkochen, lässt das mit etwas Wasser angerührte Mehl unter Rühren einlaufen, kocht es durch, lässt das feingehackte Dillkraut und etwas Essig noch kurz mitkochen und richtet die Soße an. Sie schmeckt ausgezeichnet zu Fischgerichten und Knödeln.

Senfsoße, einfache

Zutaten: 40 g Fett, 40 g Mehl, 1/2 l Brühe, 1 Esslöffel Senf, Salz, einige Tropfen Zitronensaft.
Zubereitung: Fett und Mehl röstet man goldgelb, löscht ab, gibt Senf und Gewürze hinein und kocht die Soße 10 Minuten.

Senfsoße, feine

Zubereitung: Man rührt alle Zutaten, mit Ausnahme der Butter, mit der kalten Brühe glatt an, gibt 1 Eigelb dazu und schlägt die Soße im Wasserbad, bis sie anfängt, dick zu werden. Dann rührt man die in Flöckchen geschnittene Butter hinein und richtet sie an.

Zwiebelsoße (oder Saure Soße)

Zutaten: 40 g Fett, (Kokosfett oder Öl), 60 g Mehl, 1 große, feingeschnittene Zwiebel, 3/4 l Brühe, 1 Esslöffel Essig, Salz, 2 Pfefferkörner, 1/2 Lorbeerblatt, 1 Nelke.
Zubereitung: In dem rauchheißen Fett röstet man das Mehl hellbraun, gibt *dann erst* die Zwiebeln hinein, dünstet diese noch ein Weilchen mit, löscht nach und nach ab, gibt die Gewürze und den Essig hinein und kocht die Soße 30 Minuten. Vor dem Anrichten seiht man sie durch (vgl. braune Mehlsuppe, Seite 27).
Man nimmt braune oder Zwiebelsoße zu: Linsen, Kartoffelgemüse, sauren Kutteln, Haschee, Pilzgerichten, Gurkengemüse usw.

Madeirasoße

Zutaten: 20 g Kochfett, 40 g geräucherter, würflig geschnittener Speck, 1 Messerspitze Zucker, 1 feingeschnittene Zwiebel, 2 Esslöffel Mehl, 1/2 l Brühe, 1/8 l Rotwein, 1/16 l Madeira, 1 Nelke, 1/2 Lorbeerblatt, 2 Pfefferkörner.
Zubereitung: Man bereitet mit Fett, Speck, Mehl und Zucker eine braune Mehlschwitze, dünstet darin die Zwiebel glasig, löscht mit Brühe und Rotwein ab, kocht die Soße 1/2 Stunde, gibt sie durch ein Sieb und schmeckt sie mit Madeira ab.

Gurkensoße

Zutaten und Zubereitung wie Zwiebelsoße. Man gibt vor dem Anrichten 1–2 kleinwürflig geschnittene Salz- oder einige Essiggurken hinein, *ohne sie aber mitkochen zu lassen*. Die Soße schmeckt sehr gut zu Schalkartoffeln.

Pilzsoße

Zutaten: 40 g Butter oder Margarine, 40 g Mehl, 50–100 g Champignon, Herrenpilze, Reizker oder Pfifferlinge, etwas Kümmel, etwas Salz, 1/2 l Wasser, Sahne.
Zubereitung: Die Pilze werden sauber geputzt, gründlich gewaschen und in dünne Scheiben geschnitten. Nun röstet man das Mehl in der Butter hellgelb, dünstet die Pilze kurz mit, löscht ab, lässt die Soße so lange kochen, bis die Pilze weich sind und schmeckt sie vor dem Anrichten mit Sahne ab.

Ölsoßen (Mayonnaisen)

Kalte Ölsoßen spielen in der vegetarischen Küche und bei der Bereitung von Rohkostspeisen eine große Rolle, weil man damit die fett- und eiweißarmen Rohgemüse aufwerten kann. Ölsoßen finden auch Verwendung bei der Herstellung von Vorspeisen, belegten Brötchen und Salaten und sind eine beliebte Beilage zu Fischgerichten.

Merke für die Herstellung folgende Regeln:

1. Verwende nur frische Eier.
2. Wärme das Öl ganz schwach an, sonst „gerinnt“ die Soße, wird unansehnlich und nicht steif.
3. Wärme deshalb auch die zum Schlagen der Soße verwendete Schüssel ganz leicht vor.
4. Rühre „gerinnende“ Ölsoßen durch Zugabe von 1–2 Esslöffel kochenden Wassers wieder glatt und steif.
5. Würze immer vorsichtig. Mit kleinsten Gewürzmengen und den verschiedenartigsten Zusammenstellungen werden die feinsten Wirkungen erzielt.
6. Stelle Speisen, die mit Ölsoßen angemacht oder verziert sind, bis zum Gebrauch kalt.
7. Bereite nicht mehr Soße, als bald verbraucht wird. Ölsoßen eignen sich nicht zu längerer Aufbewahrung.
8. Verwende in mageren Zeiten oder bei empfindlichem Magen die gestreckten Ölsoßen.

Grundmenge für 4 Personen:

1–2 Eigelb, 1/4 l Öl, 1 gestrichener Kaffeelöffel Salz, 1 Kaffeelöffel Senf, 1 Esslöffel Essig oder Zitronensaft, 1 Prise Zucker, etwas Sahne, einige Tropfen Suppenwürze.

Die Menge reicht zum Anmachen von 1 kg Kartoffel- oder italienischem oder Gemüsesalat.
Zubereitung: Man gibt die Eigelb in die erwärmte Schüssel, gibt Salz, Senf, Sahne, Essig oder Zitronensaft und Suppenwürze dazu und schlägt alles zusammen mit dem Schneebesen oder im Mixgerät schaumig. Gleichzeitig lässt man das schwach vorgewärmte Öl langsam in ganz dünnem Strahl eintropfen und schlägt die Masse so lange, bis sie steif wie schaumig gerührte Butter ist. Man darf während der ganzen Zubereitung das Schlagen nicht unterbrechen.

Kräutersoße

Zutaten wie beim Grundrezept, dazu ein Teelöffel Schnittlauch, 1 Teelöffel Petersilie, 1 Blättchen Borretsch, 1/2 Teelöffel Estragon, 1/2 Teelöffel Basilikum, nach Belieben 1/2 Teelöffel feingeriebener Meerrettich.
Zubereitung: Man bereitet die Ölsoße nach dem Grundrezept und gibt zuletzt die sehr feingehackten Kräuter und den Meerrettich darunter.

Tartarensoße
Zutaten: Grundrezept von Mayonnaise; dazu einige feingehackte Schalottenzwiebelchen, einige Sardellenfilets, nach Belieben feingehackte Petersilie und Schnittlauch.
Zubereitung: Die Mayonnaise wird mit den oben angegebenen Zutaten kurz vor Gebrauch gemischt. Sie eignet sich als Beilage zu Aufschnitt.

Schaumsoße
Zutaten: Grundrezept von Mayonnaise: 5–6 Esslöffel steife Schlagsahne.
Zubereitung: Die Schlagsahne wird kurz vor dem Auftragen mit der fertigen Mayonnaise gemischt und zu Fischspeisen gereicht.

Gestreckte Ölsoße
Zutaten: 20 g Butter, 20 g Mehl, 1/8 l Milch, Salz, 1–2 Eigelb, 2–4 Esslöffel Öl, Zitronensaft, Senf, Salz, Pfeffer, Zucker, 1–2 Esslöffel kondensierte Milch; nach Belieben gehackte Kräuter.
Zubereitung: Man stellt aus Fett, Mehl, Milch und Salz eine helle Soße her und schlägt sie kalt. Nun rührt man die Eigelb in einer leicht erwärmten Schüssel schaumig, gibt tropfenweise das Öl hinzu und gibt in kleinen Mengen von der erkalteten, gekochten Soße dazu. Man verdünnt mit dieser nach Belieben und schmeckt mit den oben angegebenen Zutaten ab. Diese Ölsoße ist billig und sehr viel leichter verdaulich als echte Ölsoße.

Gekochte Ölsoße I
Zutaten: 1/4 l Wasser oder Milch (knapp), 40 g Butter, 25 g Mehl oder Kartoffelmehl, 2 Esslöffel Öl, 1–2 Esslöffel Essig, Salz, 1 Prise Zucker, 1 Eigelb, etwas Senf.
Zubereitung: Man verrührt in der zerlassenen – nicht heißen – Butter das Mehl, löscht sofort mit Wasser oder Milch ab, gibt den Essig dazu und rührt die Masse, bis sie glatt ist und kocht. Nun nimmt man sie vom Feuer, gibt Öl, Salz, Zucker und Pfeffer hinein und rührt sie kalt. Zuletzt gibt man das Eigelb hinzu und schmeckt nach Belieben mit Kräutern ab. Die Soße ist sehr ausgiebig und viel leichter verdaulich als echte Ölsoße. Man kann auch sämtliche Zutaten kalt anrühren, auf dem Feuer bis zum Kochen schlagen und kaltrühren.

Gekochte Ölsoße II ohne Ei
Zutaten: 25 g Sojamehl, 25 g Kartoffelmehl, 1/2 l Magermilch, Essig, Salz, Pfeffer, Senf nach Geschmack, 2 Esslöffel Öl.
Zubereitung: Man rührt mit der Hälfte der Milch das Mehlgemisch glatt an, lässt es in die übrige kochende Milch einlaufen, kurz aufkochen, rührt kalt, gibt etwas Öl hinein und schmeckt die Soße kräftig ab.

Remouladensoße
Zutaten: 1 gekochtes Eigelb, 1 rohes Eigelb, 1/4 l Öl, 1 Kaffeelöffel Senf, 1 Esslöffel Sahne, 1 Prise Pfeffer, Salz, Zucker, 1 Esslöffel Essig, 1 gewiegte Sardelle, 1 Esslöffel feingewiegte Kräuter (Petersilie, Dill, Estragon, Borretsch, Schnittlauch).
Zubereitung: Das durch ein feines Sieb gedrückte gekochte Eigelb wird mit dem rohen Eigelb und allen angegebenen Gewürzen, mit Ausnahme der Kräuter, verrührt und mit dem langsam zutropfenden, leicht erwärmten Öl so lange geschlagen, bis die Masse steif wie schaumig gerührte Butter ist. Dann mischt man die Kräuter und zuletzt das feingehackte, gekochte Eiweiß darunter. Die Soße eignet sich besonders gut als Beilage zu gebratenem Fisch.

Quarkremouladensoße
Zutaten: 2 rohe Eigelb, 1/4 l Öl, 1 Kaffeelöffel Senf, 1 Prise Pfeffer, etwas Salz, 1 Prise Zucker, etwas Essig oder Zitronensaft, 250 g Speisequark.

Zubereitung: Das rohe Eigelb und die Gewürze schlägt man unter langsamer Zugabe des schwacherwärmten Öles mit dem Schneebesen dick schaumig, gibt nach und nach den glattgerührten Quark löffelweise darunter, schmeckt ab und mischt zuletzt nach Belieben Schnittlauch oder sonstige gehackte Kräuter darunter.

Gestreckte Quarkremouladensoße

Zutaten: 20 g Butter, 20 g Mehl, knapp 1/4 l Milch, 1 Esslöffel Essig, 1 Prise Zucker, Salz, etwas Suppenwürze, 1 Prise Pfeffer, 1 feingehackte Essiggurke, 1 Esslöffel gehackte Kräuter, 250 g Speisequark, 1 hartgekochtes Ei.
Zubereitung: Man macht aus Butter, Mehl und Milch eine helle dicke Soße, rührt das durch ein Sieb gestrichene Eigelb, den glattgerührten Quark darunter und schmeckt mit den angegebenen Gewürzen kräftig ab. Zuletzt mischt man die Kräuter und das feingehackte Eiweiß darunter. Man stellt die Soße bis zum Gebrauch kalt.

Sahnesoße

Zutaten: 1 Tasse saure Sahne, etwas Zitronensaft, 1 Prise Salz, 1 Prise Zucker.
Zubereitung: Die Zutaten werden tüchtig zerquirlt und abgeschmeckt.
Wer will, kann die Soße mit Senf, Kräutern oder geriebenem Meerrettich abschmecken.

Heringsahnesoße

Zutaten: 1 Tasse dicke saure Sahne, 2 Esslöffel Olivenöl, 2 Esslöffel Essig, 1 Teelöffel Senf, 1 große feingeschnittene Zwiebel, 1 Prise Pfeffer, 1–2 Salzgurken, Heringsmilch von 2 bis 3 Heringen, 2–4 Salzheringe, geriebener Meerrettich.
Zubereitung: Die geputzten, entgräteten, 24 Stunden gewässerten Salzheringe werden in schmale Streifen geschnitten, diese nochmals einige Stunden in Milch gelegt, mit der aus obigen Zutaten angequirlten Sahnesoße übergossen, 1 Stunde stehen gelassen und zu kaltem Braten oder Schalenkartoffeln gereicht.

Meerrettichsahnesoße

Zutaten: 1/4 l ungesüßte Schlagsahne, 2–3 Esslöffel geriebener Meerrettich, 2 Esslöffel Essig, etwas Salz, 1 Prise Zucker.
Zubereitung: Mit der ungesüßten Schlagsahne mischt man die übrigen Zutaten, schmeckt kräftig ab und stellt die Soße bis zum Gebrauch kalt. Sie ist eine vorzügliche Beilage zu Siedfleisch oder – für Vegetarier – zu Salzkartoffeln.

Salatsoße (Marinade)

Zutaten: 2–3 Esslöffel Salatöl, 1–2 Esslöffel guter Weinessig oder Saft 1/2 Zitrone, 1 Löffelspitze Salz, 1 Prise Zucker, 1 Teelöffel Senf, nach Belieben 1 Esslöffel Kondensmilch.
Zubereitung: Man rührt alle Zutaten kräftig durch, bis sich Salz und Zucker aufgelöst haben und die Soße dicklich wird. Wer will, kann feingeschnittene Zwiebeln dazu mischen.

Salat-Kräutersoße

Zutaten und Zubereitung wie zu Salatsoße, dazu 1 Teelöffel gemischte gehackte Kräuter, vor allem Borretsch, Dill und Estragon; zum Überstreuen: feingeschnittenen Schnittlauch.

Grüne Soße

Zutaten: 4 hartgekochte, mit der Gabel zerdrückte Eier, verschiedene gehackte Kräuter: Petersilie, Borretsch, Dill, Kerbel, Majoran, Thymian, Basilikum, Schnittlauch und Pimpinelle; Salatsoße aus Essig, Öl, Salz und Senf.
Zubereitung: Man mischt alle Zutaten kräftig durch und schmeckt gut ab.

Cumberlandsoße (zu Wild)

Zutaten: 2 Esslöffel Johannisbeergelee, Saft von 1 Apfelsine, 1 Kaffeelöffel Senf, 1 Esslöffel Hagebuttenmark, einige Esslöffel Rotwein, in Streifen geschnittene Apfelsinenschale, die man zuvor mit kochendem Wasser überbrüht hat, Salz, Paprika, Pfeffer nach Geschmack.
Zubereitung: Das Johannisbeergelee lässt man zerlaufen, mischt die angegebenen Zutaten darunter und schmeckt ab.
Man reicht die Soße zu kaltem Wild oder sonstigem kaltem Braten.

VORSPEISEN

Festliche Mahlzeiten erhalten ihre besondere Prägung durch eine besonders sorgfältige Zusammenstellung der einzelnen Gerichte. Zwischen Suppe und Hauptgericht gibt man stets eine leckere warme Vorspeise. Statt warmen kann man auch kalte Vorspeisen geben, serviert sie dann aber *vor* der Suppe. Hierzu eignen sich z. B. die mit Mayonnaise angemachten feinen Salate. Zu den warmen Vorspeisen gehören vor allem Pasteten mit den verschiedensten Füllungen, feine salzige Aufläufe und Puddinge, Muschelgerichte, überbackene Käseschnitten, Ragouts, gefüllte Gemüse; ferner getoastete Brote mit allerlei Belägen, von denen einige Beispiele, die sich beliebig vermehren lassen, folgen sollen. Da die erstgenannten Gerichte auf verschiedenen Grundlagen beruhen, sind sie dem Charakter eines Grundrezeptkochbuchs entsprechend den einzelnen Rezeptgruppen zugeordnet. Um jedoch einen kleinen Überblick über die als warme Vorspeisen geeigneten Gerichte zu gewinnen, seien die wichtigsten nachfolgend aufgezählt. (Warme Vorspeisen kann man auch als Zwischengerichte bezeichnen.)

Kleine Pastetchen mit
  Brieschenragout (s. Seite 101)
  Zungenragout (s. Seite 96)
  Pilzragout (s. Seite 64)
  Fischragout (s. Seite 123)
  Geflügelfrikassee (s. Seite 114)
Hohlpastete mit verschiedenen
  Füllungen (s. Seite 263)
Schinkenkrapfen (s. Seite 264)
Schinkenhörnchen (s. Seite 259)
Kalbfleischpastetchen (s. Seite 260)
Fleischpastete mit Makkaroni (s. Seite 264)
Fleischtorte (s. Seite 265)
Römische Pastetchen (s. Seite 147)
Muschelgericht (Ragout fin) (s. Seite 101)
Gefüllte Tomaten (s. Seite 95)
Gefüllte Gurken (s. Seite 95)
Gefüllte Paprika (s. Seite 94)
Gefüllte Kartoffeln (s. Seite 94)
Fischauflauf (s. Seite 123)
Blumenkohlauflauf (s. Seite 44)
Englischer Rindfleischpudding (s. Seite 74)
Käsepudding (s. Seite 161)
Überbackene Käsebrote (s. unten)
Getoastete Brote mit allerlei
  Belägen (s. Seite 41)
Spiegeleier im Rand (s. Seite 127)
Poschierte Eier (s. Seite 127)

Überbackene Käsebrote

Zutaten: 1–2 Tage altes Kastenbrot, Velveta-Käse, Butter.
Zubereitung: Man schneidet etwa 1½ cm dicke Weißbrotschnitten ab, streicht sie erst mit Butter, dann dick mit Velveta-Käse (1 Ecke für ewa 3 Schnitten), bestreut sie mit etwas Paprika oder Kümmel, setzt die Schnitten dicht nebeneinander auf ein dick mit Butter bestrichenes Blech und überbäckt sie im Backofen, bis die Schnitten unten hellbraun sind und der Käse oben schmilzt. Dann werden sie sofort aufgetragen. Sie eignen sich auch als Beilage zu Wein.

Toastbrote

Man verwendet dazu am besten etwa 1–2 Tage altes weißes Kastenbrot, schneidet dieses in 1 1/2 cm dicke Scheiben, röstet sie auf beiden Seiten, bestreicht sie mit Butter, stellt sie zur Wärme und belegt sie so rasch als möglich.

Tomaten auf Toast

Zutaten: 8 Tomaten, 1 Zwiebel, 1 Knoblauchzehe, Öl.
Zubereitung: Die Tomaten werden halbiert, in Sonnenblumenöl halbweich gedünstet, gesalzen und auf die Toastscheiben gelegt. In dem Ölrückstand dünstet man eine feingeschnittene Zwiebel und eine ebenso geschnittene Knoblauchzehe glasig und verteilt dies über die Tomaten.

Champignons auf Toast

Zutaten: 500 g Champignon, Öl, Salz.
Zubereitung: Champignon werden gewaschen, in feine Scheibchen geschnitten, in Öl gedünstet, gesalzen und auf gebutterten Toastscheiben verteilt.

Geflügelleber auf Toast

Zutaten: 2 Gänselebern oder die entsprechende Menge Hühnerlebern, 50 g Butter, Salz.
Zubereitung: Die Lebern werden in dünne Scheiben geschnitten, in Butter ganz hell geröstet, gesalzen, auf die vorbereiteten gebutterten Toastscheiben verteilt und sofort serviert.

Pökelzunge auf Toast

Zutaten: In Würfelchen geschnittene gekochte Pökel- oder Räucherzunge, etwas übrige Bratensoße.
Zubereitung: Die in der Soße erhitzten Zungenwürfelchen werden auf die vorbereiteten, gebutterten Toastscheiben verteilt und sofort aufgetragen.

Räucherfisch auf Toast

Zutaten: 4 Bücklinge, 40 g Butter.
Zubereitung: Die Bücklinge werden entgrätet, die Filetstücke in Butter gedünstet und auf heiße, frisch gebutterte, mit etwas Senf bestrichene Toastschnitten gelegt.

Schinkenrührei auf Toast

Zutaten: 4 Eier, 2 Esslöffel Milch, 125 g Schinken, 40 g Butter, Salz.
Zubereitung: Der in Würfelchen geschnittene Schinken wird mit den zerquirlten Eiern vermischt, leicht gesalzen, in heißer Butter leicht gestockt und sofort auf die vorgerichteten heißen gebutterten Toastschnitten verteilt.

Falsche Austern

Zutaten: 500 g gekochter, entgräteter Fisch, helle Soße von 40 g Butter, 40 g Mehl, 1 kleine Tasse Milch, 1 kleine Tasse Wasser, Salz, Pfeffer, Zitronensaft und etwas Senf nach Geschmack; – 50 g geriebener Schweizer Käse.
Zubereitung: Der Fisch wird in kleine Stückchen zerteilt, aus den übrigen Zutaten eine kräftig abgeschmeckte dicke Soße bereitet. Nun verteilt man die Fischstückchen auf die gut gefetteten Muschelförmchen, gibt die Soße und den geriebenen Käse, sowie kleine Butterflöckchen darüber und überbäckt die Muscheln im Backofen etwa 15–20 Minuten zu hellbrauner Farbe.

GEMÜSE

Allgemeines

Eine moderne Küche lässt sich heutzutage ohne reiche Verwendung von Gemüsen und Salaten nicht denken. Ganz abgesehen von deren reichem Vitamin- und Mineralstoffgehalt erfreuen sie Augen und Gaumen durch ihre Vielfalt an Farben, Formen und Geschmackstoffen, die in der einfachen und festlichen Küche gleich hoch geschätzt sind. Zwar sind die Gemüse arm an eigentlichen Grundnährstoffen wie Eiweiß, Fett und Kohlenhydraten, dafür sind sie reich an Ergänzungsstoffen, die wir für die Gesunderhaltung des Körpers dringend brauchen. Sie liefern uns die Mineralstoffe des Bodens, die wir beim gesamten Stoffwechsel, insbesondere zur Blut- und Knochenbildung brauchen, ferner Säuren und Faserstoffe, die Magen und Darm zur Tätigkeit anregen und die Vitamine, die zum Leben und zur Gesunderhaltung unbedingt notwendig sind. Außerdem enthalten sie noch kleine Mengen von Eiweiß und Kohlenhydraten und sehr viel Wasser, etwa 80–90 v. H. ihres Gewichts. Besonders reich an wichtigen Vitaminen sind unsere Wildgemüse, die uns fast das ganze Jahr, besonders aber im Frühjahr zur Verfügung stehen, wo unser Körper die Vitamine am nötigsten braucht. Die Frühjahrsmüdigkeit ist ein deutlicher Beweis für die Folgen der vitaminarmen Winterkost. Bei der Zubereitung muss man besonders darauf achten, dass ihr voller Nährwert erhalten bleibt und nicht durch Unkenntnis oder Gleichgültigkeit vergeudet wird. Der Wert der Gemüse für den Körper kann noch unterstützt werden durch die regelmäßige Verwendung unserer einheimischen Würzkräuter. Sie enthalten ebenfalls Vitamine und außerdem ätherische Öle, die eine anregende Wirkung auf die Verdauungsorgane und einen beruhigenden Einfluss auf das Nervensystem ausüben. Manche von ihnen sind geradezu Heilkräuter (Fenchel, Anis, Kümmel u. a.). Bei der Verwendung kommt es nicht darauf an, den Speisen große Mengen zuzusetzen, sondern die Kräuter geschmacklich zueinander und zu der betreffenden Speise abzustimmen, so dass der Geschmack des Gerichts abgerundet und nicht durch sie übertönt wird. Wichtig ist ferner, Blätter und Kräuter in rohem Zustand zu verwenden, damit die Vitamine und die Geschmackstoffe möglichst erhalten bleiben. Es bewährt sich, bei Kräutermischungen nicht mehr als fünf auf einmal zu verwenden, diese aber auf die verschiedenartigste Weise zusammenzustellen. Durch die Verwendung unserer Würzkräuter können wir der Gesundheit dienen.

Die Gemüse können auf die verschiedenste Weise zubereitet werden. Ihr hoher Gehalt an Mineralstoffen und Vitaminen bleibt am besten erhalten, wenn man sie roh als Salat genießt oder nur kurz in wenig Wasser dämpft oder dünstet. Sie schmecken aber nur dann gut, wenn sie aus einem natürlich gedüngten Boden kommen und nicht lange gelagert sind. Bei jeder Zubereitungsart ist es notwendig, Öl oder Fett zu verwenden. Die Gemüse sind alle fettarm und müssen deshalb aufgewertet werden. Auch die Geschmackstoffe werden durch den Fettzusatz stark gehoben. Da die Gemüse arm an Eiweiß sind, gibt man sie entweder als Beilage zu eiweißreichen Nahrungsmitteln (Fleisch, Ei, Fisch) oder man wertet sie auf durch eiweißhaltige Zusätze, wie Sahne, Sauermilch oder Buttermilch usw. Um die beim Kochen zerstörten Vitamine wieder zu ersetzen, gibt man stets beim Anrichten etwas rohes Gemüse darunter.

Damit bei der Zubereitung von Gemüse möglichst wenig an Nährwert verloren geht, merke man sich folgende Regeln:

1. Verwende alles Gemüse so frisch als möglich. Durch das Lagern geht der Vitamingehalt – namentlich des Vitamins C – stark zurück.
2. Beachte beim Einkauf die Handelsklassen, die die Güte der Ware kennzeichnen. Man unterscheidet: Auslese, A, B, C.
3. Wasche alles Gemüse unzerschnitten und rasch und lasse es nie in zerkleinertem Zustand im Wasser liegen, da kaltes Wasser stark auslaugt.

4. Verwende zum Vorkochen (falls man es nicht roh dämpfen oder dünsten kann) stets kochendes, leicht gesalzenes Wasser, da dieses wenig auslaugt.
5. Lasse Gemüse nicht unnötig lange kochen, dämpfen oder dünsten, damit die Vitamine möglichst wenig geschädigt werden.
   Rühre Gemüse deshalb auch nie unnötig um und gare sie möglichst zugedeckt, weil durch den Luftsauerstoff das Vitamin C zerstört wird.
6. Verbrauche gutes Gemüsewasser zu Suppen und Soßen.
7. Mische allen Blatt- und Wurzelgemüsen vor dem Anrichten etwas rohes Gemüse, feinst gehackt oder gerieben, unter. Nährwert, Geschmack und Vitamingehalt werden dadurch erhöht.
8. Verwende die Gemüse so viel als möglich roh als Salate mit Ausnahme von grünen Bohnen (giftig) und iss stets etwas Rohes zu Beginn der Mahlzeit, wodurch deren Wert erhöht wird.
9. Nimm zum Anmachen von Salaten guten Weinessig oder Zitronensaft und bestreue sie mit frischgehackten Kräutern.
10. Verwende zum Dünsten von Gemüse am besten gutes Öl oder Butter, es wird dadurch besonders leicht bekömmlich.

Grundmenge für 4 Personen:

Bei Gemüsen rechnet man als Grundmenge für 4 Personen 1 kg Gemüse. Bereitet man das Gemüse ohne Soße oder ohne Bindemittel zu, so muss man die eineinhalbfache bis doppelte Menge an Rohgemüse nehmen. 40 g Fett oder Öl, zum Binden 20 g Mehl, Flüssigkeit nach Bedarf, als Würzen Salz, Zucker, Essig, Wein, Senf, Reibkäse, Quark, Sauer- oder Buttermilch u. dgl.

Zubereitung: Nachdem die Gemüse sachgemäß und ihrer Art nach vorgerichtet sind, kann man sie auf verschiedene Weise garen. Üblicherweise werden sie entweder in wenig Wasser vorgekocht und mit einer Soße, die mit Gemüsewasser abgelöscht wurde, fertiggemacht, oder sie werden in Fett angedünstet, abgelöscht und gargekocht. Am leichtesten verdaulich werden sie, wenn man sie mit einer ganz kleinen Menge Wasser dünstet und nur mit etwas heißer, nicht gebräunter Butter übergossen anrichtet. Das Fett dringt auf diese Weise nicht so tief in die Gemüsezellen ein, und es wird leichter abgebaut. Allerdings gibt nichtgebundenes Gemüse weniger aus.

Blumenkohl

Zubereitung I: Ein mittelgroßer Blumenkohl wird gewaschen, fleckige Stellen weggeschnitten, der Strunk geschält und in Scheiben geschnitten, die Blättchen entfernt. Damit etwaiges Ungeziefer oder Schmutz im Innern entfernt wird, legt man ihn kurz in Essig- oder sehr starkes Salzwasser, da dieses kaum auslaugt. Dann wird er mit den Strunkscheiben in wenig kochendes, leicht gesalzenes Wasser gegeben, vorsichtig weichgekocht, was je nach Größe 20–30 Minuten braucht, und mit der Blüte nach oben in eine Schüssel gelegt. Aus Fett, Mehl und Gemüsewasser macht man eine Buttersoße und richtet sie über den Blumenkohl an oder man richtet ihn mit holländischer Soße an.
Man kann den weichgekochten Blumenkohl statt mit Soße auch mit zerlassener Butter oder mit in Butter gerösteten Semmelbröseln schmälzen.

Zubereitung II: Man kann den Blumenkohl auch in einzelne Röschen teilen und auf obige Art fertigstellen. Dadurch wird die Kochzeit entsprechend verkürzt.
Zubereitung III: Man kann die zerteilten Röschen in dem Fett leicht andünsten, mit 1/4 l Wasser ablöschen und so lange zugedeckt kochen, bis das Wasser nahezu eingedampft und der Blumenkohl weich ist. Kochdauer 20–25 Minuten.
Bei dieser Zubereitungsart kann man das Kochsalz als Gewürz gut entbehren, der Eigengeschmack des Gemüses kommt viel stärker zur Geltung.

Blumenkohlauflauf

kann man herstellen, indem man einen halb weichgekochten Blumenkohl in eine gefettete Auflaufform gibt, mit Buttersoße (40 g Fett, 40 g Mehl, knapp 1/2 l Blumenkohlwasser oder Milch, Zubereitung siehe Seite 33), die man mit Eigelb abgezogen hat, übergießt, mit geriebenem Schweizer Käse und Butterflöckchen bestreut und im Backofen 20 Minuten aufzieht. Man kann die fertige Buttersoße noch mit 250 g Speisequark mischen und damit an Eigelb sparen.

Wie man Spargel vorrichtet

Spargel

ist das vornehmste und teuerste unter den Gemüsen. Er soll zart gelblich-weiß aussehen, möglichst gleichmäßig groß sein, an den Bruchstellen saftig aussehen und sich leicht brechen lassen. Man schält ihn vorsichtig von oben nach unten und schneidet alle holzigen Teile ab. Dann bindet man ihn in kleinen Büscheln zusammen, damit er sich nach dem Weichkochen leicht herausnehmen lässt, gibt ihn in leicht gesalzenes kochendes Wasser und kocht ihn etwa 30 Minuten. Dann nimmt man ihn mit dem Schaumlöffel heraus, richtet ihn auf einer flachen Schüssel an, entfernt die Fäden und reicht ihn mit zerlassener Butter oder mit Buttersoße, die man mit Spargelkochwasser abgelöscht, mit Eigelb abgezogen und mit Zitronensaft und einem Stich Butter abgeschmeckt hat. Kochzeit insgesamt 1 Stunde.

Brechspargel

Man verwendet dazu den billigeren Suppenspargel, schneidet ihn nach dem Vorrichten in fingerlange Stückchen, kocht ihn in wenig kochendem Salzwasser weich und macht das Gemüse mit Buttersoße fertig.

Schwarzwurzeln

Zubereitung: Die Schwarzwurzeln werden gewaschen, mit kochendem Wasser überbrüht, geschabt, mit kaltem Wasser abgespült, in Stückchen geschnitten und in Essigwasser gelegt, damit sie schön weiß bleiben. Dann werden sie in wenig Salzwasser weichgekocht und wie Blumenkohl und Spargel mit Buttersoße (s. Seite 33) angerichtet. Kochdauer etwa 30 Minuten.

Fenchelknollen

I. Zubereitung: 4–6 Fenchelknollen befreit man von der äußersten derben Schicht, wäscht sie gründlich, halbiert sie und dünstet sie mit Butter durch. Dann löscht man mit wenig Wasser oder Brühe ab, würzt mit wenig Salz und lässt sie etwa 30 Minuten zugedeckt garen. Dann richtet man sie an, schmälzt sie mit zerlassener Butter und streut feingehacktes Fenchelkraut darüber.
II. Man kann sie auch wie Blumenkohl in wenig Salzwasser weichkochen und mit Buttersoße fertigmachen. Wer will, kann beim Anrichten geriebenen Schweizer Käse darüber streuen.

Rosenkohl

Zubereitung I: Man braucht 2–3 Stangen oder 500 g abgelöste Röschen. Diese werden von unschönen Blättchen befreit, sauber gewaschen, in 1 l Salzwasser knapp weich und in Buttersoße (siehe Seite 33) vollends gargekocht. Kochdauer 15–25 Minuten.
Zubereitung II: Man kann die geputzten, gewaschenen Röschen auch in Butter andünsten, ablöschen und zugedeckt so lange schmoren, bis das Wasser fast eingekocht ist und die Röschen weich sind. Man kann das Kochsalz fast ganz entbehren oder auch ganz weglassen. Kochdauer etwa 20 Minuten.
Zubereitung III: Man kann die Röschen auch in wenig Salzwasser weichkochen, anrichten und mit in Butter gebräunten Zwiebeln abschmälzen.

Topinambur

Zubereitung: Die sauber gewaschenen Knollen werden roh geschält, in längliche Stifte geschnitten, in wenig Salzwasser weich- und in einer aus Mehl, Fett und Gemüsebrühe hergestellten Buttersoße (Zubereitung siehe Seite 33) fertiggekocht.
Kochdauer 10–15 Minuten.

Chicorée

Zubereitung: 4–6 Chicorée, je nach Größe, werden von schlechten Blättern befreit, längs durchgeschnitten, der Strunk entfernt, da er viele Bitterstoffe enthält, in w e n i g kochendes Salzwasser gegeben und weichgekocht. Es muss glasig aussehen. Dann wird es abgegossen, auf flacher Platte angerichtet und mit zerlassener oder brauner Butter übergossen. Garzeit 15–20 Minuten.

Sellerie

Zubereitung: 3–4 große Sellerieknollen werden sauber gebürstet und gewaschen, dünn geschält, in Scheiben geschnitten und in wenig Salzwasser knapp weichgekocht. Nun dünstet man sie in Fett leicht durch, stäubt sie mit Mehl und löscht mit dem Selleriewasser ab. Beim Anrichten kann man das Gemüse mit feingehacktem Selleriekraut bestreuen. Zubereitungszeit 10–25 Minuten.

Gebackene Selleriescheiben

Zubereitung: Rohgeschälte, in wenig Salzwasser halbweichgekochte Sellerieknollen werden in zentimeterdicke Scheiben geschnitten, diese erst in Mehl, dann in zerquirltem Ei, dann in Semmelmehl gewendet und in heißem Fett auf beiden Seiten schön braun gebacken. Zubereitungsdauer 30 Minuten.

Lauch (Porree)

Zubereitung I: Man nimmt je nach Größe 6–8 Lauchstangen, schneidet die welken Teile ab und wäscht sie sehr gründlich, damit alle erdigen oder sandigen Bestandteile entfernt werden. Dann kocht man die Lauchstangen in wenig Salzwasser weich und schmälzt sie entweder mit brauner Butter oder reicht Buttersoße dazu.

Zubereitung II: Oder man schneidet die Stengel in 2–3 cm lange Stücke, kocht sie in wenig Salzwasser weich und gibt sie in eine Butter- oder holländische Soße (siehe Seite 33/34), die man mit dem Gemüsewasser abgelöscht hat. Zubereitungszeit 20–30 Minuten.

So werden Kohlrabi vorgerichtet

Kopfkohlrabi

Zubereitung I: 8–12 Kohlrabi (je nach Größe) werden von den Blättern befreit und geschält; die inneren, zarten Blätter werden von den Stielen abgestreift, gewaschen und mit den Knollen zusammen in wenig Salzwasser weichgekocht, was je nach Größe und Güte 15–20 Minuten dauert. Nach dem Abschütten werden die Blätter gewiegt und die Knollen in Scheiben geschnitten. Nun dünstet man Fett und Mehl hellgelb, dünstet die Blätter kurz mit, löscht mit Gemüsebrühe ab, lässt die Soße aufkochen und gibt die Kohlrabischeiben hinein. Man würzt mit Salz und Muskat und lässt das Gemüse noch einmal aufkochen.
Zubereitung II: Man kann auch die Blätter, in Streifen geschnitten, zu einer Gemüsesuppe verwenden und die weichgekochten Kohlrabischeiben in Buttersoße (siehe Seite 33) fertigmachen. Keinesfalls dürfen die Blätter weggeworfen werden, weil sie besonders vitaminreich sind.
Zubereitung III: Man kann die rohen Kohlrabischeiben auch in Butter und etwas Brühe weichdünsten, mit etwas Mehl bestäuben und mit Brühe und Sahne kurz aufkochen lassen.
Zubereitungszeit 25–35 Minuten.

Steck- oder Kohlrüben

Zubereitung: Eine etwa zweipfündige Kohlrübe wird gewaschen, geschält, in fingerlange und fingerdicke Stückchen geschnitten oder auf dem Lochhobel in grobe Stifte gehobelt. Diese kocht man mit wenig Salzwasser weich. Aus Fett, Mehl, feingeschnittener Zwiebel und Gemüsebrühe macht man eine helle Soße und lässt das Gemüse noch ein Weilchen darin kochen. Wer will, kann das Gemüse mit Essig abschmecken.
Eintopf: Zutaten: 1 kleine Kohlrübe, 1 Sellerieknolle, 250 g Möhren, 1 Stück Lauch (Porree), 1 Zwiebel, 750 g Kartoffeln, 250 g Schweinefleisch, 1 Esslöffel Fett, 1 1/2 Esslöffel Salz, 1 1/2 l Wasser. – Zubereitung: Siehe Pichelsteiner, Seite 74.

Möhren (Gelbe Rüben)

Zubereitung: Die gewaschenen, geschabten, in Stifte oder Scheibchen geschnittenen Möhren werden in Fett mit gewiegter Zwiebel und Petersilie zusammen gedünstet, nach Belieben mit wenig Mehl überstäubt, abgelöscht, mit Salz gewürzt und weichgekocht. Wer will, kann etwas Zucker und rohgeriebene Möhren zusetzen. – Karotten macht man ebenso fertig, doch unterlässt man das Schaben und bürstet sie statt dessen mit einer groben Bürste ab.
Zubereitungszeit 20–30 Minuten.

Pastinaken bereitet man ebenso zu.

Junge Erbsen

Zubereitung I: Man dünstet die enthülsten Erbsen mit gewiegter Zwiebel und Petersilie leicht an, löscht mit Wasser oder Brühe ab, würzt mit Salz und lässt sie weichkochen.
Zubereitungszeit 20–25 Minuten.
Zubereitung II: Man kann sie auch in wenig Salzwasser oder Brühe weichdämpfen und, wenn die Flüssigkeit verdampft ist, in Butter nachdünsten.
Zubereitung III: Man kann auch Möhren und Brockelerbsen zusammen mit gewiegter Zwiebel und Petersilie in Fett dünsten, ablöschen und weichkochen. Nach Belieben kann man sie mit Mehl binden.
Zubereitung IV: Man kann Möhren und junge Erbsen je getrennt zubereiten und so anrichten, dass man eines der beiden Gemüse in der Mitte der Schüssel anrichtet und das andere kranzförmig darum schichtet.

Rote Beete (Rote Rüben)

Zubereitung: Die gewaschenen roten Rüben, deren Blätter und Wurzeln beschnitten sind, werden mit kaltem Wasser aufgesetzt und so lange gekocht, bis sich die Haut bei leichtem Aufdrücken mit dem Finger löst. Man darf sie ja nicht durchstechen oder sonst an der Haut verletzen, auch die Stiele oben nicht zu kurz schneiden, sonst bluten sie aus und werden fade und in der Farbe unansehnlich. Kochdauer je nach Größe und Alter 1/2–1 1/2 Stunden. Dann schält man sie und schneidet sie auf dem Lochhobel ein oder schneidet sie in Scheiben. Nun dünstet man in Fett eine große, feingeschnittene Zwiebel glasig, dünstet die roten Rüben mit, stäubt sie mit Mehl, gibt eine Tasse saure Sahne oder Sauer- oder Buttermilch dazu und füllt mit Brühe nach. Man würzt mit Salz und etwas Zucker und lässt alles zusammen noch ein Weilchen schmoren.

Grüne Bohnen

Zubereitung I: Die gewaschenen, abgefädelten, abgehobelten Bohnen werden in Streifen geschnitten oder in Stücke gebrochen. Nun dünstet man sie mit einer zerriebenen Knoblauchzehe und feingeschnittenen Zwiebeln, 1 Stück Bohnenkraut, nach Belieben auch mit Scheiben von 1 bis 2 Tomaten tüchtig durch, löscht mit wenig Wasser ab und lässt sie darin langsam weichkochen. Dann stäubt man sie nach Belieben mit Mehl, verrührt es mit den Bohnen, löscht ab und lässt das Gemüse noch eine Zeitlang schmoren. Beim Anrichten nimmt man den Bohnenkrautstengel heraus und streut nach Belieben noch frischgehacktes Bohnenkraut und feingehackte Petersilie darüber. Zubereitungszeit 1–1 1/2 Stunden.

Zubereitung II: Man kocht die vorgerichteten Bohnen in wenig Salzwasser knapp weich, schüttet sie ab, dünstet sie mit feingewiegten Zwiebeln, Knoblauch und Petersilie in Fett durch, löscht mit Gemüsewasser ab, gibt das Bohnenkraut dazu und lässt alles zusammen noch ein Weilchen schmoren. Merke: Grüne Bohnen eignen sich nicht zum Rohessen.

Gurken

Zubereitung I: 2 mittelgroße Gurken werden geschält (von der Spitze zum Stiel) und in Scheiben oder mit dem Lochhobel in Stifte geschnitten. Nun dünstet man eine große, feinzerkleinerte Zwiebel in Fett glasig und dünstet die Gurken mit. Dann rührt man 1 Esslöffel Mehl mit einer Tasse saurer Sahne oder Buttermilch an, verdünnt mit wenig Wasser und gibt dies an die vorgedünsteten Gurken. Man würzt leicht mit Salz und etwas Essig und lässt die Gurken vollends weich werden. Zubereitungszeit 15–20 Minuten.

Zubereitung II: Oder: Man macht aus Fett und Mehl eine braune Mehlschwitze, dünstet darin erst eine feingeschnittene Zwiebel, dann die eingehobelten Gurken durch, löscht ab, gibt Salz und Essig dazu und kocht die Gurken weich. In manchen Gegenden mischt man vor dem Anrichten Spätzle darunter und zieht das Ganze mit saurer Sahne oder Buttermilch ab. Zubereitungszeit 30 Minuten.

Tomaten

Zubereitung: In dem zerlassenen Fett dünstet man eine feingeschnittene Zwiebel glasig, gibt die quer durchgeschnittenen, zuvor gewaschenen Tomaten mit der Schnittfläche nach oben hinein, bestreut sie mit feingewiegter Petersilie und Salz, lässt sie ein Weilchen dünsten, verteilt eine kleine Tasse saure Sahne oder Buttermilch darüber, lässt kurz anziehen und richtet das Gemüse an. (Neue Kartoffeln schmecken besonders gut dazu.)
Zubereitungszeit 20 Minuten.

Kastanien, gedünstet

Zutaten: 1 kg Kastanien, Salzwasser; – 1–2 Esslöffel Fett, 1 Prise Zucker, 1 Prise Salz, 1 Tasse Wasser oder Milch.

Zubereitung: Die Kastanien werden kreuzweise eingeschnitten, in kochendes Salzwasser gegeben und so lange gekocht, bis man die äußere Schale und die innere braune Haut leicht abziehen kann. Nun dünstet man die auf die angegebene Weise vorgerichteten Kastanien mit Butter, Gewürz und Flüssigkeit in milder Hitze weich. Schmeckt vorzüglich zu Braten jeder Art.

Kastanien mit Äpfeln

Zutaten: 750 g Kastanien, 500 g Äpfel, 40 g Butter; 1/4 l Weißwein, Zucker nach Geschmack; nach Belieben 50 g gewaschene, in Zuckerwasser weichgekochte Sultaninen.
Zubereitung: Die wie oben vorgerichteten, geschälten und enthäuteten Kastanien werden in Butter gedünstet, die Äpfel geschält, fein geschnitzelt und in gesüßtem Wein weichgekocht. Vor dem Anrichten mischt man Kastanien, Äpfel und Sultaninen leicht durch.
Beilage: Fettes Geflügel, Schweinebraten.

Paprika

Die mildesten Sorten sind hellgrün und von stumpfer Form. Je dunkler und spitzer sie sind, desto schärfer ist der Geschmack.

Zubereitung I: 6–8 Schoten je nach Größe werden in Viertel geschnitten, sorgfältig von den Samenkörnchen befreit, ganz kurz in wenig kochendem Salzwasser abgewellt, abgegossen und mit brauner Butter angerichtet.

Zubereitung II: Die halbierten Schoten werden entkörnt und in ganz schmale Streifen geschnitten. Nun dünstet man eine große feingeschnittene Zwiebel in 40 g Fett glasig, dünstet die Schoten und etwa 6–8 in Scheiben geschnittene Tomaten mit, löscht ab, würzt mit Salz und gibt eine Zeitlang vor dem Anrichten eine kleine Tasse saure Sahne dazu. Wer will, kann 100 g in Würfel geschnittene Hartwurst mitdünsten.

Artischocken

Zutaten: 6–8 Artischocken, Zitronensaft; kochendes Salzwasser; zerlassene Butter, Buttersoße oder holländische Soße. (Siehe Seite 34)
Zubereitung: Man beseitigt zunächst die harten Blätter am unteren Teil und schneidet die Spitzen der Artischockenblätter mit einer Schere flach ab. Nun legt man mit einem spitzen Messer den Boden der Artischocken frei und reibt ihn mit Zitronensaft ein, damit er sich nicht verfärbt. Bis zum Zusetzen legt man sie aus demselben Grund in Essigwasser ein. Nun gibt man die Artischocken in kochendes, mit Zitronensaft angesäuertes Salzwasser und lässt sie so lange kochen, bis man die unteren Blätter und alles Faserige und Rauhe leicht herausziehen kann, was etwa 1 1/2 Stunden dauert. Dann lässt man sie mit den Blattspitzen nach unten auf einem Sieb abtropfen und richtet sie stehend auf einer heißen Platte an. Man reicht zerlassene Butter oder eine feine Butter- oder holländische Soße dazu.

Eierfrüchte (Auberginen)

Zutaten: 4–6 Eierfrüchte, 40 g Fett, Salz, etwas Wasser, 4 Esslöffel saure Sahne.
Zubereitung I: Die Eierfrüchte werden geschält, in 5 cm lange, 1/2 cm breite Streifen geschnitten, mit Fett angedünstet, mit wenig Wasser abgelöscht, mit etwas Sahne abgeschmeckt und in etwa 15 Minuten weichgeschmort. Wer will, kann 50 g Speckwürfel mitdünsten.
Zubereitung II: Man kann die in Streifen geschnittenen Eierfrüchte auch in Mehl wenden, leicht salzen, in heißem Öl ausbacken und mit gehackter Petersilie bestreut zu Tisch geben.
Beilage: grüner Salat oder Tomatensoße.

Spinat

Zubereitung: Der gewaschene, verlesene Spinat wird ohne Wasser in einem Aluminiumtopf weichgedämpft, abgeschüttet, ausgedrückt und fein gewiegt oder durchgetrieben. Nun dünstet man in dem zerlassenen Fett Mehl und feingeschnittene Zwiebeln hellgelb, dünstet den Spinat mit, löscht mit dem Dünstwasser, sofern es nicht bitter schmeckt, ab, gibt eine kleine Tasse Milch und etwas Salz dazu und lässt ihn noch ein paarmal aufkochen. Vor dem Anrichten gibt man etwas feingehackten rohen Spinat darunter. Zubereitungszeit 30 Min.

Brennesselgemüse

wird genau so zubereitet. Es schmeckt vorzüglich und ist ein ausgezeichneter Ersatz für Spinat. Man verwendet junge, frische Brennesseln dazu. Man kann auch halb Brennesseln, halb Giersch oder Spinat zusammen verwenden.

Mangold

Zubereitung: Mangoldblätter kocht man (ohne Stiele) in wenig Salzwasser weich und macht sie wie Spinat fertig. Die Stiele werden abgezogen, in fingerlange Stückchen geschnitten, in wenig Salzwasser weichgekocht und in Buttersoße gegeben (siehe Seite 33).
Zubereitungszeit etwa 30 Minuten.

Winterkohl (Grünkohl)

bereitet man wie Mangold zu, jedoch ohne die Stiele. Er schmeckt milder, wenn er vor der Verwendung Frost bekommen hat.

Wirsing

Zubereitung I: Der Wirsing wird geputzt, von den äußeren Blättern und dicken Blattrippen befreit, in Stücke geschnitten, in wenig Salzwasser weichgekocht, abgeschüttet und je nach Geschmack grob oder fein gewiegt. Nun dünstet man Fett, Mehl und feingeschnittene Zwiebeln hellgelb, dünstet den Wirsing mit, löscht mit Gemüsewasser ab, würzt mit Salz, nach Belieben mit Muskat und kocht alles zusammen kurz auf. Zubereitungszeit 30–40 Minuten.

Zubereitung II: Man kann den Wirsing auch nach dem Abkochen mit wenig Brühe anrichten und mit Fett und Zwiebeln schmälzen. Zubereitungszeit 20–30 Minuten.

Weißkraut (Weißkohl)

Zubereitung: Das Gemüse wird wie Wirsing zubereitet (siehe Zubereitung I). Man würzt das Ganze mit Kümmel, statt mit Muskat.

Bayrisch Kraut

Zubereitung I: Das von Strunk und Außenblättern befreite Kraut wird fein eingehobelt. Nun dünstet man in zerlassenem Schmalz eine feingeschnittene Zwiebel glasig, gibt das Kraut dazu und dünstet es so lange, bis es zusammenfällt. Dann löscht man mit Wasser, etwas Essig und einem Glas Most ab, gibt einige feingeschnitzelte Äpfel dazu und lässt alles zusammen weichschmoren. Wenn die Flüssigkeit eingekocht ist, streut man etwas Mehl darüber, verrührt es mit dem Kraut, würzt mit Salz, Zucker und Wein und lässt es noch einmal kurz aufkochen. Man kann das Mehl auch weglassen. (Salzt man das Kraut gleich beim Zusetzen, braucht es wesentlich länger zum Weichwerden.) Zubereitungszeit 1 1/2 bis 2 Stunden.

Zubereitung II: Das fein eingeschnittene Kraut wird ohne Salz mit wenig Wasser im Kartoffeldämpfer weichgedämpft, was etwa 30 Minuten dauert. Dann macht man mit viel Zwiebeln und 1/2 Esslöffel Mehl eine hellbraune Mehlschwitze, löscht mit dem Dämpfwasser ab, gibt das Kraut und einige feingeschnittene Äpfel und 1 Glas Wasser dazu herein und lässt alles zusammen noch gut durchschmoren.

Rotkraut (Rotkohl)

Zubereitung I: Rotkraut kocht man wie Bayrisch Kraut I (der Essig erhält dem Kraut die rote Farbe). Zubereitungszeit 1 1/2–2 Stunden.

Zubereitung II: Man setzt das eingeschnittene Rotkraut mit 1 Esslöffel Fett, der kleingeschnittenen Zwiebel, 1 Tasse Wasser, einigen Esslöffeln Essig, evtl. Wein, 1 Esslöffel Salz, 1–2 Nelken und 1/4 Lorbeerblatt auf und lässt es zugedeckt an der Seite des Herdes oder auf der Sparflamme weich werden. Eine halbe Stunde vor dem Anrichten setzt man feingeschnitzelte Äpfel nach Geschmack zu.

Sauerkraut (Sauerkohl)

Zubereitung I: Man setzt das Sauerkraut mit kochendem Wasser zu, damit es schön weiß bleibt, und lässt es weichkochen. Dann dünstet man eine große, feingeschnittene Zwiebel mit Fett und Mehl zusammen hellgelb und verrührt diese Mehlschwitze mit dem Kraut. Besonders schmackhaft wird das Kraut, wenn man 1 Stunde nach dem Zusetzen 1 Stück mit Salz eingeriebenes Schweinefleisch (Bauchlappen oder Hals) dazwischen legt.

Zubereitung II: Man kann das Kraut auch mit feingeschnittenen Zwiebeln in heißem Schmalz andünsten, mit kochendem Wasser ablöschen und 1/4 Stunde vor dem Anrichten mit einem aus Mehl und Wasser angerührten Teiglein oder mit einer hellen Mehlschwitze oder einer rohgeriebenen Kartoffel binden.

Zubereitung III, Resteverwertung: Übriges Kraut kann man wieder heiß machen, mit frischen Spätzle oder abgekochten breiten Nudeln schichtenweise auf eine tiefe Platte legen und mit in Fett gebräunten Zwiebelscheiben schmälzen.

SALATE

Rohe, gekochte, gedünstete, gemischte Salate

Sie alle haben ihren besonderen Reiz und lassen sich abwechslungsreich und appetitlich anrichten. Auch für sie gelten einige goldene Regeln, wenn sie köstlich schmecken und eine Zierde der Tafel sein sollen:

1. Verwende stets guten Wein- oder Kräuteressig, am besten Markenware.
2. Wasche rohe Salate gründlich, Blattsalate aber besonders behutsam, dass die Blätter nicht zerdrückt werden, sonst fällt der Salat rasch zusammen und wird unansehnlich. Bringe Salatblätter vor dem Zerteilen in bereitgestelltes kaltes Salzwasser, damit alle erdigen Bestandteile und etwaige Schädlinge weggeschwemmt werden. Spüle die Salatblätter einzeln nach und teile sie d a n n e r s t nach Vorschrift.
3. Lasse den Salat durch Schwingen abtropfen und verwende dazu ein lose gewebtes Safttuch oder einen Nylonkorb.
4. Mache grüne Salate stets kurz vor dem Anrichten an, damit sie nicht zusammenfallen.
5. Verwende zum Mischen nie Metalllöffel, sondern stets Holz- oder Kunststoffbestecke.
6. Vermische grüne Salate stets mit etwas Öl, ehe du sie mit der Salatsoße anmachst, weil das Öl das Eindringen der Säure in das Blatt verhindert und die Blätter länger grün und steif bleiben.

Man lässt die Blätter auf einem Sieb abtropfen

7. Verwende immer wieder neue Zusammenstellungen von gehackten Kräutern, da diese große Abwechslung beim Abschmecken der Salate bringen.
8. Feuchte gekochte Salate stets mit Salatsoßen an, ehe du Mayonnaise darangibst. Sie bleiben dadurch leichter verdaulich.
9. Lasse alle gekochten Gemüse-, Kartoffel-, Hering-, Fleisch-, Eier-, Fischsalate usw. stets eine Zeitlang vor dem Auftragen durchziehen, weil sie dadurch an Geschmack wesentlich gewinnen.
10. Bedenke stets, dass fein abgeschmeckte Salate der Prüfstein für die kultivierte Kochkunst der Hausfrau ist.

So zerteilt man Salatblätter

Hier wird die Salatsoße bereitet

Lattich, Kresse und Ackersalat
Regel: Zu allen grünen Salaten bereitet man folgende Marinade: Man zerquirlt auf 1 Esslöffel Essig, 2 Esslöffel Öl, etwas Salz, Zucker und gehackte Kräuter nach Geschmack. (Siehe Salatsoßen Seite 39)
Zubereitung: Die grünen Blättchen werden verlesen, von kleinen Würzelchen oder welken Blättchen befreit, rasch gewaschen, gut abgeschmeckt und mit der Marinade kurz vor Gebrauch angemacht.

Löwenzahnsalat
macht man ebenso an. Man verwendet nur junge, zarte Blättchen.

Kopfsalat
Zubereitung: Man braucht 2–3 schöne feste Köpfe Salat. Dieser wird „geputzt", indem man die harten Außenblätter, die dunkelgrünen Teile der darunterliegenden Blätter entfernt und die Blätter zunächst unzerkleinert kurz in scharfes Essig- oder Salzwasser legt, damit sie völlig „sauber" werden. Dann spaltet man die schönen Blätter in der Mitte und teilt sie je nach Größe noch ein- bis zweimal. Die zarten Blattrippen lässt man daran, weil der Salat dann weniger zusammenfällt und weil sie außerdem reich an Nährsalzen sind. Die innersten Blättchen, „das Herz", lässt man ganz. Nun wird der Salat vorsichtig gewaschen (nicht direkt unter die Wasserleitung gehalten, sonst werden die Blätter durch den Wasserdruck zerknittert), bis das Wasser klar bleibt, gut abgetropft, was man am besten durch Schwingen in einem lose gewebten Tuch oder Sieb macht, und mit Öl, Essig, etwas Senf und 1 Prise Zucker kurz vor dem Gebrauch angemacht. Die Marinade wird ohne Wasser vorher durchgemischt. – Zu festlichen Gelegenheiten kann man den Salat mit Scheiben oder Schnitzen von hartgekochten Eiern verzieren.
Nach Belieben kann man ihn mit feingeschnittenem Schnittlauch, Borretsch, gewiegtem Estragon und Dill oder Tomatenscheiben mischen.

Endiviensalat
Zubereitung: Die gelben und hellgrünen Blätter werden gewaschen, büschelweise aufeinandergelegt, in möglichst schmale Streifen geschnitten und kurz vor Gebrauch mit einer Marinade aus Öl, Essig oder Zitronensaft und Salz angemacht. Nach Belieben kann man die Marinade mit 1 Kaffeelöffel Senf und 1 Prise Zucker mischen. Das Einlegen des vorgerichteten Salats in warmes Wasser sollte man unterlassen, weil es die Blätter zu stark auslaugt. Gerade die Bitterstoffe, die sich im warmen Wasser lösen, sind dem Körper besonders zuträglich.

Mischsalat
Zubereitung: Man nimmt 1/2 Kopf Wirsing, 4 Tomaten, 1 kleine Gurke, 1 Rettich, 1 Kopfsalat, richtet die einzelnen Sorten wie üblich zu und macht alles zusammen mit Öl, etwas Essig, Kräutern und Salz oder mit Ölsoße an. Die verschiedenen Gemüsesorten und Kräuter (Borretsch, Dill, Estragon, Liebstöckel, Schnittlauch, Petersilie) ergänzen einander geschmacklich ausgezeichnet.
Mischsalate lassen sich beliebig zusammenstellen.

Rettichsalat
Zubereitung: Die Rettiche (2–3 je nach Größe) werden geschält, in dünne Scheiben geschnitten oder mit dem Lochhobel eingehobelt. Dann gibt man kurz vor dem Anrichten erst das Öl, dann den Essig und zuletzt das Salz daran, macht ihn untereinander und bringt ihn sofort zu Tisch. Gibt man nämlich das Salz zuerst daran, oder bleibt der Salat an-

gemacht lange stehen, zieht das Salz den Rettichsaft (der eine besonders günstige Einwirkung bei Gallensteinen und blutreinigende Eigenschaften hat) heraus, das Rettichgewebe schrumpft durch den Saftverlust zusammen und wird schwerverdaulich.
Zubereitung II: Man kann statt Öl auch saure Sahne oder Buttermilch zum Anmachen nehmen. Die Schärfe des Rettichs wird bedeutend verringert und er ist leichter verdaulich.
Zubereitung III: Man kann Gurken- und Rettichscheiben zusammen mit Öl oder Sahne (Buttermilch), Essig und Salz anmachen.
Zubereitung IV: Man kann Rettiche auf dem Reibeisen fein reiben und mit geriebenen kalten Kartoffeln, feingeschnittenen oder geriebenen Zwiebeln, Essig, Öl oder Sahne, etwas Brühe und Salz anmachen.
Zubereitung V: Vorzüglich schmeckt eine Mischung von in Stifte gehobelten Rettichen und in feine Streifen geschnittenen Spinatblättern, die man mit einer Marinade aus Öl, Essig und Salz anmacht.

Radieschensalat
Zubereitung: Man schneidet die Radieschen in dünne Scheiben, deren Blätter in schmale Streifen und macht beides zusammen wie Rettichsalat an. Radieschenblätter sind besonders vitaminreich und sollten deshalb stets mitverwendet werden.

Tomatensalat
Zutaten: 500 g Tomaten, 1 Zwiebel, Salatsoße Seite 39.
Zubereitung: Die sauber abgeriebenen reifen, aber festen Tomaten werden mit einem scharfen Messer in dünne Scheiben geschnitten, in eine Schüssel gelegt, mit der feingeschnittenen Zwiebel bestreut und mit Salatsoße übergossen. Man lässt den Salat gut durchziehen, indem man den sich bildenden Saft immer wieder abgießt und darüber gibt. Vor dem Auftragen bestreut man den Salat mit feingehackter Petersilie.
O d e r : Man macht den Salat mit dicker saurer Sahne an.
Man kann den Tomatensalat verfeinern, wenn man die Tomaten vor dem Schneiden in einem Sieb einen Augenblick in kochendes Wasser hängt und die Haut abzieht.

Spinatsalat
Zutaten: 500 g Spinat, Salatsoße, 1 feingeschnittene Zwiebel.
Zubereitung: Die sauber gewaschenen Spinatblätter werden nudelartig fein geschnitten und mit Marinade und feingeschnittenen Zwiebeln angemacht.

Gurkensalat
Zutaten: 1 große, schlanke Salatgurke. Salatsoße Seite 39.
Zubereitung: Die Gurke wird von der Blüte zum Stiel geschält, etwa bitter schmeckende Teile entfernt und in Stifte oder dünne Scheiben geschnitten und kurz vor Gebrauch mit Salatsoße angemacht. Auf diese Weise zubereitet, bleibt der Saft mit Mineralstoffen und Vitaminen erhalten und der Salat wird leicht verdaulich. Werden Gurken, wie es leider noch vielfach geschieht, eingesalzen und ausgedrückt, gehen die wichtigsten Nährstoffe verloren, das Gurkenfleisch schrumpft zusammen und der Salat wird schwer verdaulich.
O d e r : Man kann den Salat statt mit Öl mit saurer Sahne oder Kondensmilch, etwas Zitronensaft und Salz unmittelbar vor Gebrauch anmachen und sofort anrichten. Er wird durch dieses Verfahren wesentlich leichter verdaulich.

Paprikasalat
Zutaten: 4–6 entkernte Schoten, 4–6 Tomaten, Sahne, Essig, Salz; nach Belieben Zwiebeln.
Zubereitung: Die Schoten werden nudelartig fein geschnitten, die Tomaten schneidet man

in Scheiben. Dann macht man beides mit den angegebenen Zutaten schmackhaft an. Paprika und Tomaten ergänzen sich im Geschmack vorzüglich.

Fenchelsalat

Zutaten: 4–6 Fenchelknollen. Salatsoße Seite 39.
Zubereitung: Die gesäuberten, von den derben Außenblättern befreiten Knollen werden nudelartig fein geschnitten und wie Endiviensalat angemacht.

Chicoréesalat

Zutaten: 3–4 Chicorée, Salatsoße oder Sahne.
Zubereitung: Die Chicorée werden, nachdem man den bitter schmeckenden Strunk entfernt hat, in schmale Scheiben geschnitten und sofort – damit der Salat nicht rot wird – mit Essig, Öl, Salz, Zucker und, wer mag, mit Zwiebeln oder statt mit Öl mit saurer Sahne angemacht.

Gelberübensalat (Möhrensalat)

Zutaten: 500 g Möhren, Salatsoße oder Sahne.
Zubereitung I: Rohe junge Möhren oder Karotten werden gewaschen, mit einer rauhen Bürste abgerieben oder geschabt, ganz fein gerieben und mit Salz, Zucker, Zitronensaft und saurer Sahne oder Mayonnaise angemacht.
Zubereitung II: Man kann den Salat auch aus gekochten Möhren bereiten: Die noch warmen, wie Kartoffeln im Dämpfer weichgekochten Möhren werden abgezogen, in dünne Scheiben geschnitten und mit Öl, Essig, Salz und Zwiebeln schmackhaft angemacht.

Blumenkohlsalat

Zutaten: 1 Blumenkohl, Salatsoße oder Mayonnaise.
Zubereitung I: Der sauber geputzte Blumenkohl wird ganz fein geraspelt und mit säuerlich abgeschmeckter Mayonnaise angemacht.
Zubereitung II: Der gewaschene, in kleine Röschen zerteilte Blumenkohl wird in wenig kochendes Salzwasser gegeben, weichgekocht, abgegossen, abgekühlt und mit Salatsoße oder Mayonnaise angemacht. Man lässt ihn vor dem Auftragen gut durchziehen.

Spargelsalat

Zutaten: 500 g Spargel, Salatsoße oder Mayonnaise.
Zubereitung: Die wie zu Gemüse vorbereiteten, in daumenlange Stücke geschnittenen, noch warmen Spargel lässt man mit Salatsoße gut durchziehen, dann abtropfen; hierauf werden sie mit Mayonnaise vermischt.
Ganze Spargel reicht man gesondert mit Mayonnaise.

Selleriesalat

Zutaten: 1–2 Sellerieknollen, Salatsoße oder Mayonnaise.
Zubereitung I: Die sauber vorgerichteten, geschälten rohen Sellerieknollen werden auf der Gemüsereibe ganz fein eingeraspelt und mit Mayonnaise angemacht.
Zubereitung II: 1–2 kleinere, weichgekochte Sellerieknollen werden noch warm halbiert, in dünne Scheiben geschnitten und mit Salatsoße angemacht. Wer will, kann feingeschnittene Zwiebeln untermischen. Man kann die Sellerie auch in Würfel schneiden und mit der gleichen Menge Apfelwürfelchen mischen.
Zubereitung III: Man kann die gekochten warmen Selleriescheiben auch mit warmem Kartoffelsalat mischen.

Rote Rüben-(Rote Beeten-)Salat

Zutaten: 500 g rote Rüben, 250 g Äpfel, Marinade, Gewürze.

Zubereitung I: Die gesäuberten roten Rüben und die Äpfel werden roh geschält, sehr fein gerieben und mit Zitronensaft, Salz, etwas Zucker und saurer Sahne oder Mayonnaise angemacht.

Zubereitung II: Die gewaschenen Rüben werden mit den bis auf 3 cm abgeschnittenen Stielen und den sauber gebürsteten Wurzeln in etwa 1 Stunde weichgekocht, noch warm geschält, in dünne Scheiben geschnitten und mit Essig, Zucker, Salz, einigen Pfefferkörnern, dünnen Meerrettichscheibchen und einem Stückchen Lorbeerblatt angemacht. Der Salat soll möglichst 1–2 Tage durchziehen.

Wirsingsalat

Zutaten: 1 mittelgroßer Wirsingkopf, Salatsoße Seite 39, reichlich feingeschnittene Zwiebeln.

Zubereitung: Man entfernt die äußeren, dunkelgrünen Blätter, löst die inneren, gelben Blätter heraus und schneidet alle dicken Blattrippen weg. Nun legt man die gewaschenen Blätter büschelweise aufeinander, schneidet sie in ganz schmale Streifen und macht sie mit Salatsoße an, der man reichlich Öl zusetzt. Man lässt den Salat mindestens 1/2 Stunde durchziehen, ehe man ihn aufträgt.

Weißkohlsalat

Zutaten: 1 kleiner Weißkohl, Salatsoße mit viel Zwiebeln.

Zubereitung: Die äußeren Blätter werden weggenommen, der Strunk entfernt, der Kohl fein eingehobelt und mit dem Erbsdrücker solange gestampft, bis er weich ist und zusammenfällt. Dann gibt man die Salatsoße daran und lässt ihn einige Stunden ziehen.

Rotkohlsalat

bereitet man ebenso zu. Man kann den Salat durch Zugabe von feingeraspelten Äpfeln verfeinern.

Sauerkrautsalat

Zutaten: 500 g Sauerkraut, 3–4 Esslöffel Sonnenblumenöl, 2–3 feingeriebene Äpfel, 1 feingeschnittene Zwiebel.

Zubereitung: Das rohe Sauerkraut wird klein geschnitten, mit zwei Gabeln etwas aufgeschüttelt und mit dem heißen Öl und der Zwiebel angemacht. Wer will, kann den Salat mit etwas Kümmel würzen.

Sauerkrautsalat ist im Winter eine billige Vitamin-Quelle.

Bohnensalat

Zutaten: 500 g weichgekochte grüne Bohnen, 1 feingeschnittene Zwiebel, eine Spur Knoblauch, Salatsoße Seite 39, feingehacktes Bohnenkraut.

Zubereitung: Die Schüssel, in der der Salat angemacht werden soll, reibt man mit einer Knoblauchzehe aus, gibt die Bohnen mit Zwiebeln und Salatsoße hinein, mischt alles gut durch und lässt den Salat etwas durchziehen.

Gemüsesalat

Zubereitung: Man verwendet dazu alle Gemüse, die die Jahreszeit bietet und die in Form und Farbe gut zusammenpassen. Man putzt und zerkleinert sie, dünstet sie in Öl oder dämpft sie in wenig kochendem Salzwasser weich, lässt sie abkühlen und macht sie je getrennt mit Salatsoße II und Mayonnaise an. Der Salat muss gut durchziehen.

Salatplatte

kann man aus gekochten, gedünsteten oder aus rohen Gemüsen und Blattsalaten herstellen. Sie sollten nach Farbe und Geschmack möglichst voneinander abstechen, aber dennoch im Geschmack zusammmenpassen. Sie werden je einzeln vorgerichtet, angemacht und möglichst hübsch angerichtet.

Kartoffelsalat

Regel: Das Öl gibt man bei Kartoffelsalat stets zuletzt daran, damit die Kartoffeln vorher Feuchtigkeit ansaugen können und sich das Öl gleichmäßiger verteilt.
Zutaten: 1 kg Kartoffeln, Salz, 1 Prise Pfeffer, 1 Zwiebel, 1 Tasse heiße Brühe, 2 Esslöffel Essig, 3 Esslöffel Öl.
Zubereitung I: Die im Dampf gekochten, noch handwarmen Kartoffeln werden geschält und in Scheiben geschnitten. Nun streut man erst das Salz, dann die feingeschnittenen Zwiebeln und nach Belieben eine Prise Pfeffer darauf, schüttet die mit 2 Esslöffeln Essig vermischte heiße Brühe darüber und gibt zuletzt 2–3 Esslöffel Öl, Buttermilch oder Sahne daran. Die heiße Brühe nimmt den Zwiebeln die Schärfe, löst das Salz und verteilt den Pfeffer. Man macht alles vorsichtig untereinander, damit die Kartoffeln möglichst wenig zerfallen, und lässt den Salat in der Wärme eine Zeitlang durchziehen. Wer will, kann mit Essig und Brühe noch einen Teelöffel Senf und etwas Zucker verrühren.
Will man ihn verfeinern, mischt man unter den fertigen Kartoffelsalat die halbe oder ganze Menge des Grundrezepts für Mayonnaise.
Zubereitung II: Man kann Kartoffelsalat auch mit folgender Soße anmachen: Man rührt 1 Kaffeelöffel voll Kartoffelmehl mit kaltem Wasser glatt an, lässt es in 1/4 l kochende, kräftig abgeschmeckte Brühe einlaufen, kurz aufkochen, mischt die Soße mit Essig und gibt 1–2 Esslöffel Öl oder nach Belieben noch 1 Stückchen Butter hinein. Auf diese Art angemacht zerfallen die Kartoffeln weniger leicht.

Zubereitung III: Man kann den Kartoffelsalat auch mit heißer Milch, in der man ein Stückchen Butter verflüssigt hat, anmachen und dann mit Essig, Salz und Zwiebeln würzen, oder mit einer Specksoße anmachen (siehe Kartoffel- und Gurkensalat).

Geriebener Kartoffelsalat

Zutaten: übrige gekochte, kalte, geriebene Kartoffeln, 1 feingeschnittene Zwiebel, geriebener roher Meerrettich nach Geschmack, Salz, mit heißem Wasser verdünnter Essig, Öl.
Zubereitung: Die angegebenen Zutaten mischt man kräftig durch. Genaue Mengen lassen sich nicht angeben, da Kartoffeln sehr verschieden sind und teils mehr, teils weniger Flüssigkeit aufnehmen. Die Menge des Meerrettichs hängt vom persönlichen Geschmack ab.
Statt Meerrettich kann man auch frischen Rettich nehmen.

Kartoffel- und Gurkensalat

Zutaten: 1 kg gekochte, in Scheiben geschnittene Kartoffeln, 1 Gurke, 1 feingeschnittene Zwiebel, 2–3 Esslöffel Öl, 3 Esslöffel Essig, etwas Wasser, 1 Kaffeelöffel Salz, nach Belieben 1 Prise Zucker.
Zubereitung: Auf die in Scheiben geschnittenen Kartoffeln gibt man die geschälten, feineingeschnittenen Gurken, die Zwiebel, das Öl und den etwas verdünnten Essig und mischt alles gut untereinander. Zuletzt würzt man mit Salz. Gibt man das Salz gleich bei, entzieht es der Gurke zuviel Wasser, macht sie dadurch schwer verdaulich und den Salat zu feucht. Statt mit Öl kann man den Salat auch mit dicker, saurer Sahne oder Specksoße anmachen. Dazu dünstet man 50 g in Würfelchen geschnittenen, geräucherten Speck gut durch, löscht mit dem verdünnten Essig ab und verwendet diese Soße statt des Öls.

Heringsalat

Zutaten: 750 g Kartoffeln, 1 Salzhering (oder 2 marinierte Heringe), 1 Zwiebel, 1 Tasse saure Sahne, 1 Tasse Fleisch- oder Würfelbrühe, 1 Teelöffel Senf (wenig Salz), einige Essiggurken, etwas Essig und Zucker.

Zubereitung: Der Hering wird geschuppt, „geköpft“, gehäutet, ausgenommen und in der Weise zerteilt, dass man den Hering mit beiden Händen an der Schwanzflosse möglichst tief unten fasst, ihn zu sich her schwingt und vorsichtig auseinanderzieht. Auf diese Weise wird der Hering gleichzeitig nahezu entgrätet. Nun schneidet man die 4 Heringsstücke in Würfelchen, ebenso die Essiggurken und die Zwiebel. Die „Heringsmilch“ (der männliche Fisch heißt Milchner) wird durch ein Sieb gestrichen oder mit dem Messer so geschabt, dass die Haut zurückbleibt. Nun rührt man die vorgenannten Zutaten mit Senf, Sahne, Essig und heißer Brühe an und mischt die geschälten, in Würfelchen geschnittenen, noch warmen Kartoffeln darunter. Man lässt den Salat noch eine Zeitlang durchziehen und richtet ihn in einer Glasschale an.

Man kann ihn zu festlichen Gelegenheiten mit Eierscheiben und fächerartig geschnittenen Essiggurken verzieren.

Italienischer Salat

Zutaten: 250 g Kalbsbraten, 50 g Schinken, 500 g gekochte warme Kartoffeln, 250 g Äpfel, 100 g Gewürz- oder Essiggurken und 50 g gekochte Rote Beete, 1 Kaffeelöffel Senf, je 1/2 Kaffeelöffel Salz und Zucker, 1 Prise Pfeffer oder Paprika, Essig, Sahne oder Buttermilch nach Bedarf, oder fertige Ölsoße (siehe Seite 37 und folgende), zum Garnieren 1–2 hartgekochte Eier.

Zubereitung: Schinken, Braten, Kartoffeln, Gemüse und Äpfel werden in Würfelchen geschnitten und mit Essig, etwas Brühe und den Gewürzen angemacht. Man lässt den Salat an kühlem Ort etwas durchziehen, mischt ihn mit gut abgeschmeckter Mayonnaise, richtet ihn bergig in einer Glasschale an und garniert ihn nach Gutdünken.

Russischer Salat

Zutaten: 750 g gekochte Kartoffeln, 2 gekochte Möhren, 3–4 kleine gekochte Rote Beete, 1 kleine gekochte Sellerieknolle, 4–6 kleine Essiggurken, 100 g roh geriebenen Meerrettich; Grundrezept von Mayonnaise (Seite 37), Salz und Zwiebeln nach Geschmack.

Zubereitung: Die noch warmen Kartoffeln, Gemüse und Gurken schneidet man in gleichmäßige Würfelchen, gibt den Meerrettich und die Mayonnaise daran und schmeckt den Salat kräftig ab. Er schmeckt köstlich. (Reicht für 6–8 Personen.)

Reissalat

Zutaten: 200 g Reis, Salzwasser; 100 g in Würfelchen geschnittener Schinken; Grundrezept von Mayonnaise (Seite 37), Essig, Salz; – zum Garnieren Tomatenscheiben nach Belieben.

Zubereitung: Der Reis wird in kochendes Salzwasser gegeben, 15–18 Minuten gekocht, auf ein Sieb geschüttet, mit kaltem Wasser abgeschwenkt und mit Essig gewürzt. Nun wird er mit kräftig abgeschmeckter Mayonnaise und dem Schinken vorsichtig gemischt und bergig in einer Glasschale mit Tomatenscheiben oder Eierscheiben angerichtet. Wer will, kann eine in schmale Streifen geschnittene Paprikaschote unter den Reis mischen.

Dänischer Salat

Zutaten: 125 g in Stücke gebrochene, abgekochte Makkaroni, 125 g Möhren, 125 g Schinkenwurst, 125 g grüne Erbsen, 1 Sellerieknolle, 2 Äpfel, 4 kleine Tomaten. Dazu: Grundrezept für Ölsoße oder falsche Ölsoße.

Zubereitung: Die Möhren und die Sellerieknolle schneidet man in Würfelchen und dünstet

Was man zum Dänischen Salat braucht und wie man die Zutaten vorrichtet

sie je getrennt in etwas Fett weich. Ebenso bereitet man die Erbsen vor. Die rohen Äpfel werden geschält und in Würfelchen, die Tomaten in Scheiben geschnitten. Nun werden alle Zutaten mit den Makkaroni vermischt und mit Ölsoße angemacht. Man lässt den Salat gut durchziehen.

Fleischsalat

Zutaten: 250 g übriges, mageres, in feine Scheibchen geschnittenes Rindfleisch, 1 feingeschnittene Zwiebel, Salatsoße Seite 39, nach Belieben Scheiben aus 2–3 hartgekochten Eiern.

Zubereitung: Man mischt die Zutaten gut durch, schmeckt kräftig ab und lässt den Salat gut durchziehen.

Fleischsalat, andere Art

Zutaten: 250 g gekochtes Kalbfleisch, 125 g magerer Schinken oder Schinkenwurst, 1–2 Salzgurken, Marinade von 2 Esslöffeln Essig, 1 Esslöffel Öl, 1 Teelöffel Salz; – Mayonnaise von $1/8$ l Öl (siehe Grundrezept), einige Tropfen Suppenwürze.

Zubereitung: Fleisch, Schinken oder Wurst und Gurken werden in dünne, schmale Streifen geschnitten, die Marinade wird gut durchgequirlt, bis sie sämig ist, darübergegossen und eine Stunde zum Durchziehen beiseite gestellt. Dann wird die fertige Mayonnaise daruntergemischt und kräftig abgeschmeckt.

Wurstsalat

Zutaten: 250 g in Würfelchen geschnittene Wurst, 1 feingeschnittene Zwiebel, Salatsoße.

Zubereitung: Man mischt die Zutaten gut durch und lässt den Salat 1 Stunde ziehen.

Fischsalat

Zutaten: 500 g gekochter, entgräteter, in Stückchen geschnittener Fisch – entweder eine gut abgeschmeckte Salatsoße aus Essig, Öl, Salz, Pfeffer oder fertige Mayonnaise von 1/8 l Öl; – 1–2 Salz- oder Gewürzgurken, 1 hartgekochtes Ei, 1/2 gekochte Sellerieknolle, 2 Tomaten, 1 feingeschnittene Zwiebel, 2 kleine Äpfel, nach Belieben etwas Senf und 1 Prise Zucker.
Zubereitung: Gurken, Sellerie, Tomaten, Äpfel und Eier werden in kleine Würfelchen geschnitten, zum Fisch gegeben und mit der Salatsoße oder der mit etwas Milch verdünnten Mayonnaise angemacht.

Fischfiletsalat mit Früchten

Zutaten: 500 g Fischfilet von Schellfisch oder Seelachs, 2 Gewürzgurken, 2 Zwiebeln, 2 Tomaten, 2 Apfelsinen, 2 Bananen, 2 Äpfel, 2 hartgekochte Eier; – Marinade aus Salz, Pfeffer, Saft und Schale 1/2 Zitrone, 1 Prise Zucker, 1 Tasse saure Sahne.
Zubereitung: Das mit Salz und Zitronensaft vorbereitete Fischfilet wird in ganz wenig Essigwasser gargedünstet, abgekühlt und in Stückchen gepflückt. Gurken, Eier und Apfelsinen, Zwiebeln in Würfelchen, Tomaten und Bananen in dünne Scheiben geschnitten, die geschälten Äpfel fein geraspelt. Die Zutaten zur Marinade werden zerquirlt, abgeschmeckt und die vorgerichteten Zutaten damit angemacht. (Man kann die Eier auch zur Verzierung verwenden.)

Waldorfsalat

Zutaten: 250 g Äpfel, 250 g gekochte Möhren oder Sellerie, 125 g grobgehackte Hasel- oder Walnüsse, 3 Scheiben Ananas, Salz, Zucker, Zitronensaft; – Grundrezept von Mayonnaise.
Zubereitung: Die Äpfel, Möhren oder Sellerie und Ananas werden in kleine Würfelchen geschnitten und mit den übrigen Zutaten vermischt. Man lässt den Salat gut durchziehen.

Eiersalat

Zutaten: 4–6 hartgekochte, in Scheiben geschnittene harte Eier, Marinade aus Essig, Öl, Senf, Salz, Zucker, einigen Esslöffeln Brühe, gehackten Kräutern.
Zubereitung: Man schichtet die Eier in eine Schale, gießt die gut abgeschmeckte Marinade darüber und lässt den Salat einige Stunden durchziehen.

Käsesalat

Zutaten: 250 g feingeraspelter Schweizer Käse, 1 feingeschnittene Zwiebel, Marinade aus Essig, Öl, Salz, Senf, Pfeffer, nach Belieben 1 kleine zerdrückte Knoblauchzehe.
Zubereitung: Die Zutaten werden vermengt und 1 Stunde zum Durchziehen stehen gelassen.

HÜLSENFRÜCHTE

Allgemeines

Hülsenfrüchte sind die getrockneten Samen von Erbsen, Linsen und Bohnen. Im Gegensatz zu den frischen Gemüsen sind sie arm an Wasser und reich an Nährstoffen. Sie enthalten etwa 23 v. H. Eiweiß, 57 v. H. Kohlenhydrate, 1 v. H. Fett, knapp 3 v. H. Nährsalze, darunter Eisen, 12 v. H. Wasser und etwa 4 v. H. Zellulose. Der außergewöhnlich hohe Eiweißgehalt, der von den in den Wurzeln der Pflanzen lebenden Stickstoffbakterien herrührt, darf nicht überschätzt werden, weil das Hülsenfruchteiweiß (Legumin) für die menschliche Ernährung nicht vollwertig ist und weil es, da es unmittelbar unter der zähen Oberhaut liegt, mit dieser zum Teil unverdaut abgeht. Außerdem geht das Hülsenfruchteiweiß mit dem Kalk des harten Wassers und mit dem Kochsalz unlösliche Verbindungen ein, die vom Körper nicht ausgenützt werden können und die das Weichwerden des stärkehaltigen Fruchtinnern verhindert. Ein weiterer Nachteil ist der hohe Zellulosegehalt. Da er unverdaulich ist, belastet er Magen und Darm, besonders belästigt er Leute mit sitzender Lebensweise. Die äußere Zellulosehaut enthält blähende Bestandteile, die nebenbei den Geschmack der Hülsenfrüchte beeinträchtigen. Aus allen diesen Umständen ergeben sich für die Zubereitung folgende Regeln:

1. Weiche die verlesenen, gewaschenen Früchte über Nacht in weiches (abgekochtes) Wasser ein. Dieses zieht die laugenhaften Bestandteile der Schalen heraus und bringt dabei die Früchte zum Quellen, was die Zubereitungszeit verkürzen und Brennstoff sparen hilft.
2. Setze die Früchte stets mit kochendem, kochsalzfreiem Wasser zu, damit sie rasch weich werden. Mit Soda oder Natron weichgemachtes Wasser ist nicht empfehlenswert, da es den ohnehin bescheidenen Vitamingehalt der Früchte herabsetzt.
3. Treibe Erbsen durch ein Sieb und schmecke Linsen und Bohnen mit Essig ab, um ihre Bekömmlichkeit zu erhöhen.
4. Werte das nicht vollwertige Hülsenfruchteiweiß durch vollwertige Zuspeisen auf. Das Klebereiweiß des Weizenmehls ergänzt das nicht vollwertige Hülsenfruchteiweiß besser als z. B. das hochwertige Kartoffeleiweiß.
5. Ergänze den geringen Fettgehalt der Hülsenfrüchte durch passende Beilagen wie Speck oder fettes Fleisch oder durch Fertigstellung des Gemüses mit fetthaltiger Mehlschwitze.
6. Koche Hülsenfrüchte in Email- oder Aluminiumgeschirren, nie in gusseisernen, da sie sich beim Kochen in diesen dunkel färben.
7. Verwende das stärke- und eiweißhaltige Kochwasser zum Ablöschen der Mehlschwitze und zum Verdünnen der Soße.

Grundmenge für 4 Personen:

300–350 g Hülsenfrüchte und Grundmenge einer Soße.
(Siehe Seite 33)
Als Hauptspeise ohne Fleisch oder Wurst doppelte Menge.

Erbsen

Zutaten: 300–350 g grüne oder gelbe getrocknete Erbsen, 40 g Fett, 40 g Mehl, 1 Zwiebel, Brühe nach Bedarf, Salz.
Zubereitung: In einer hellen Mehlschwitze dünstet man die feingeschnittene Zwiebel glasig, löscht mit den weichgekochten, durchgestrichenen Erbsen samt Kochbrühe ab, würzt mit Salz und lässt alles zusammen noch ein Weilchen kochen. Beilage: Salz- oder Rauchfleisch.

Erbseneintopf

Man kann die über Nacht eingeweichten Erbsen auch mit Würfeln von etwa 100–250 g Rauchfleisch oder Speck mit dem Einweichwasser aufsetzen, weich kochen und 1/2 Stunde vor dem Anrichten 1 kg rohgeschälte, in Scheiben geschnittene Kartoffeln darin weichkochen. Wer will, kann vor dem Anrichten 1 Esslöffel Fett zusetzen.

Linsen

Zutaten: 350 g Linsen, 40 g Fett, 40 g Mehl, 1 Zwiebel, Brühe, Salz, als weiteres Gewürz Essig.

Zubereitung: Eine braune Mehlschwitze, in der man die Zwiebel glasig gedünstet hat, löscht man mit Linsenkochbrühe ab, gibt Linsen, Gewürze und Essig dazu und lässt alles zusammen noch kurz kochen. Das Gemüse wird nicht durchgetrieben. Man kann 1/4 Stunde vor dem Anrichten noch Saiten- oder Knoblauchwürstchen darin heißmachen. Eine ausgezeichnete Beilage ist weichgekochtes, fettes Rauchfleisch, das jedoch gesondert gekocht wird.

Bohnen
Zutaten: Siehe oben. Statt der Erbsen kleine weiße Bohnen.
Zubereitung: Wie Erbsen, nur macht man die Mehlschwitze hell wie bei Buttersoße. Wer will, kann sie mit Essig würzen. Auch Bohnen kann man mit Rauch- oder Salzfleisch und Kartoffeln zusammen als Eintopfgericht kochen.
Siehe Erbseneintopf.

PILZE

Allgemeines
Ein billiges, weil wild wachsendes Nahrungsmittel spendet uns der Wald mit seinem Reichtum an Pilzen aller Art. Um diesen Reichtum wirklich auszuwerten, muss man freilich die Pilze sehr genau kennen, damit man die Speisepilze nicht mit den giftigen Pilzen verwechselt. Die Furcht, einer solchen Täuschung anheimzufallen, hindert viele Menschen daran, Pilze zu sammeln oder gar Pilze zu kaufen, die andere gesammelt haben. Es lohnt sich aber, sie kennen zu lernen, und man sollte jede Gelegenheit benutzen, Pilzführungen mitzumachen. Der Wald spendet uns Pilze der verschiedensten Art, und zwar fast das ganze Jahr durch. Die wichtigsten Monate zum Sammeln sind Juni bis Oktober, die größte Pilzernte ist je nach Witterung im August und September.
In ihrem Nährwert ähneln sie den Gemüsen. Sie enthalten knapp 4 v.H. Eiweiß, 3,5–4,5 v.H. Kohlenhydrate, Spuren von Fett, etwa 90 v.H. Wasser und die Vitamine B und D. Letzteres auch in dessen Vorstufe als Ergosterin, das im Körper durch ultraviolette Strahlen in Vitamin D umgewandelt wird. Der Eiweißgehalt der Pilze ist im Vergleich mit dem Gemüse hoch, ist aber im Körper nur zu etwa 4/5 ausnutzbar, da es unverdauliche Bestandteile enthält. Je jünger die Pilze sind, desto höher ist ihr Eiweißgehalt und desto leichter können sie vom Körper ausgenützt werden. Alte Pilze sind schwerverdaulich, auch insofern schädlich, als das Pilzeiweiß leicht zersetzlich ist, wodurch es Magen- und Darmerkrankungen hervorrufen kann. Junge frische Pilze können auf die verschiedenste Weise zubereitet werden. Sie regen durch ihren eigenartigen Geschmack den Appetit an und bringen eine vielfältige Abwechslung in unseren Speisezettel. Sammelt man sie selbst, sollte man alte, unschöne oder angefaulte Pilze stehen lassen. Junge Pilze dreht man vorsichtig am Boden ab, damit man das im Boden liegende Fadengeflecht und etwaige junge Pilzknospen nicht zerstört. Unbrauchbare oder angefressene Pilze lässt man stehen; die ausfallenden Sporen reifen nach und bilden neue Pilze, während die sich zersetzenden Pilze dem Boden neue Nahrung zuführen. Man putzt deshalb die Pilze am besten nach dem Sammeln im Wald selbst. Man entfernt anhaftende Erde, etwaige Maden oder kleine Schnecken, lässt aber Röhren und Lamellen an der Unterseite der Pilzhüte stehen, weil gerade diese reich an Nährstoffen sind. Man kann die Pilze zu Gemüse, Suppen und Soßen, zu Bratlingen, Füllungen und – in getrocknetem Zustand – als Pilzpulver zum Würzen von Suppen und Soßen verwenden. Die wichtigsten essbaren Pilze sind: Champignons, Steinpilze, Rothäubchen, Trüffel, Butter-, Schirm-, Habichts-, Semmelpilze, Pfifferlinge, Reizker, junge Bofiste und viele andere.
Für ihre Verwendung in der Küche merke folgende Regeln:

1. Genieße alle essbaren Pilze so frisch als möglich (innerhalb 24 Stunden), weil sie sich sehr rasch zersetzen und dadurch giftig werden.

2. Meide alte, angefressene und solche Pilze, bei denen man nicht sicher ist, ob sie essbar sind.
3. Reinige sie gründlich, ohne sie zu wässern.
4. Koche oder dünste sie nie länger als 1/2 Stunde und salze sie erst kurz vor dem Anrichten, sonst werden sie durch das schrumpfende Zellulosegewebe schwer verdaulich.
5. Genieße sie nie in rohem Zustand, da sie sehr schwer verdaulich sind und manche Arten sogar giftig wirken.
6. Verschaffe dir für den Winter einen Vorrat getrockneter Pilze. Sie sind hervorragend zur Herstellung von Suppen und Soßen.

Grundmenge für 4 Personen:

beträgt (wenn Pilze das Gemüse ersetzen sollen) 500–1000 g Pilze, 40 g Fett, 1 Esslöffel Mehl, Brühe nach Bedarf, als Würzen Salz, Petersilie, Zwiebeln, Zitronensaft, Sahne, Wein.

Pfifferlinge, Reizker, gedünstet

Zubereitung: Die Pilze werden an der Unterseite und am Strunk sauber geschabt, von allen weichen, angefressenen, wurmstichigen Stellen befreit, rasch gewaschen und in kleine Stückchen zerteilt. Nun dünstet man sie in dem zerlassenen Fett gut durch, überstäubt sie mit Mehl, löscht mit Brühe ab, würzt mit Salz und Essig oder Zitronensaft und lässt sie 1/4 Stunde kochen. Kurz vor dem Anrichten mischt man gewiegte Zwiebeln und Petersilie darunter oder dünstet beides zusammen mit den Pilzen.

Steinpilze, Braun- oder Rothäubchen

Zutaten: 500 g Steinpilze, 40 g Butter, 1 feingeschnittene Zwiebel, 1 Esslöffel Mehl, Salz, Pfeffer, feingehackte Petersilie, Sahne nach Geschmack, etwas Brühe zum Ablöschen und Abschmecken.
Zubereitung: Beim Putzen trennt man Strunk und Hut, schabt und putzt sie und schneidet sie in Scheiben. Dann werden sie wie Pfifferlinge gedünstet, kurz vor dem Anrichten mit gehackten Kräutern gemischt, mit etwas Mehl überstäubt und mit Sahne oder Buttermilch abgezogen.

Champignons

Zutaten: 500 g Champignons, 40 g Butter, 1/2–1 Esslöffel Mehl, etwas Brühe, Salz, Pfeffer, Zitronensaft nach Geschmack, 2–3 Esslöffel süße Sahne; gehackte Petersilie.
Zubereitung: Die Pilze werden tüchtig gewaschen, geputzt und sofort in leichtes Essigwasser gelegt, damit sie nicht verfärben. Dann werden sie fein geschnitten, in Butter etwa 15 Minuten gedünstet, mit Mehl etwas angedickt, durchgekocht, abgeschmeckt, angerichtet und mit gehackter Petersilie bestreut. Wer will, kann die Soße mit 1 Eigelb abziehen.

Pilzgulasch

Zutaten: 500 g Pilze (besonders gut schmecken Schirmpilze und junge Bofiste), 750 g Kartoffeln, 2–3 Zwiebeln, 40 g Fett, Salz, Paprika, Brühe.
Zubereitung: In dem heißen Fett dünstet man erst die feingeschnittenen Zwiebeln, dann die geputzten, grobzerkleinerten Pilze und die in Würfel geschnittenen Kartoffeln, löscht ab, würzt mit Salz und Paprika und lässt alles zusammen zugedeckt weichschmoren.

Pilzeintopf

Zutaten: 500 g Pilze, Zwiebeln, Petersilie, 500 g Möhren, 1 große Sellerieknolle, 1 Stange Porree (Lauch), 750 g Kartoffeln, 50 g Fett, 1 Esslöffel Salz, Paprika, 1/2 l Brühe.

Zubereitung: Man schichtet in einen gutschließenden Topf abwechselnd die vorgerichteten kleingeschnittenen Pilze, die in Würfel geschnittenen Gemüse und Kartoffeln, streut die fein gehackten Zwiebeln und die Petersilie dazwischen, verteilt das Fett darauf, gießt die Brühe daran und lässt alles zusammen 3/4 Stunden schmoren.

Pilzauflauf I

Zutaten: 500 g geputzte, in Scheiben geschnittene Pilze, 750 g Kartoffeln, Zwiebeln, Petersilie, Salz, Paprika, 40 g Fett, 1/4 l Sahne, Semmelmehl, Butterflöckchen.

Zubereitung: Die Kartoffeln werden mit der Schale halbgar gekocht, geschält und in dünne Scheiben geschnitten. Nun gibt man in die gefettete Auflaufform abwechselnd Kartoffelscheiben, Pilze, Zwiebeln, Petersilie und Gewürze, übergießt das Ganze mit Sahne, streut Semmelmehl und Butterstückchen darauf und bäckt den Auflauf bei 225 °C etwa 30 Minuten.

Pilzauflauf II

Zutaten: 1 kg Steinpilze, Salzwasser; – 40 g Butter oder Speckwürfelchen, 1 Zwiebel, Petersilie, beides gehackt, 1 Esslöffel Mehl, 1/4 l Brühe oder Sauermilch; – 200 g gequollener, in Fett nachgedünsteter Reis.

Zubereitung: Die feinblättrig geschnittenen Pilze werden rasch in kochendem Salzwasser abgewellt, in Fett oder Speck mit Zwiebeln und Petersilie durchgedünstet, mit Mehl bestäubt, abgelöscht und abgeschmeckt.

Nun gibt man in eine gefettete Auflaufform schichtweise Reis und Pilze, bis die Form voll ist. Oberste und unterste Schicht muss Reis sein. Man gibt noch Butterflöckchen darauf und überbäckt den Auflauf bei 225 °C 20 Minuten. Beilage: Tomatensoße, grüner Salat.

Pilzküchlein

Zutaten: 1 kg Pilze, Zwiebeln, Petersilie, 40 g Fett, 2 Brötchen, 1 Ei, Salz, nach Bedarf noch etwas Semmelmehl oder Haferflocken. – Backfett.

Zubereitung: Die saubergeputzten Pilze werden durch die Hackmaschine getrieben, mit der feingewiegten Zwiebel und Petersilie durchgedünstet, abgekühlt, mit den eingeweichten, festausgedrückten Brötchen, dann mit Ei und Salz vermischt und kräftig abgeschmeckt. Nun legt man mit einem Esslöffel längliche Küchlein in heißes Fett und brät sie auf beiden Seiten hellbraun.

FLEISCH

Ein in seinem Wert vielumstrittenes Nahrungs- und Genussmittel ist das Fleisch. Wohl ist der menschliche Körper auf gemischte Kost eingestellt, aber es ist trotzdem bis heute eines der geschätztesten Nahrungsmittel geblieben. Es ist reich an vollwertigem, leichtverdaulichem Eiweiß und führt dem Körper mit verhältnismäßig geringen Mengen die notwendigen Kalorien zu. Allerdings ist es arm an Vitaminen, was sich aber von der geschulten Hausfrau ohne Mühe durch Zuspeisen von Gemüse, Obst und Rohsäften leicht ausgleichen lässt. Es enthält etwa 17–25 % Eiweiß, je nach Stück und Sorte 4–30 % Fett, 1 % Mineralstoffe und Wasser; Spuren von Vitaminen.

Ein gewisser Nachteil besteht darin, dass es leicht verderblich ist, und dass namentlich Innereien, vor allem Leber und auch Leberwurst in der heißen Jahreszeit bei unsachgemäßer Aufbewahrung zu Fleisch- und Wurstvergiftungen führen können. Durch die immer stärker werdende Verbreitung von Kühlschränken tritt diese Gefahr immer mehr zurück. Aber selbst ohne Kühlschrank kann das Fleisch einige Tage frisch gehalten werden, wenn man es kühl aufbewahrt und entweder in ein mit Essig getränktes Tuch einwickelt, vor Fliegen mit einem Drahtgitter schützt oder indem man es in eine Essigbeize oder in Sauermilch einlegt. Da es leicht fremde Gerüche annimmt, sollte man es am besten in Glas-, Porzellan- oder unbeschädigte Emailgefäße einlegen und zudecken. Man sollte es nie auf Holzbretter legen, da das Holz den Fleischsaft ansaugt.

Um Fleisch richtig einkaufen zu können, muss man sowohl die verschiedenen Sorten als auch von jedem Schlachttier die einzelnen Teile genau kennen, damit man für die Zubereitung der einzelnen Gerichte immer das passende Stück beim Metzger erhält.

Neben einem großen Angebot an Frischfleisch steht heute auch Gefrierfleisch zur Verfügung, das bei der Zubereitung besonderer Aufmerksamkeit bedarf, wenn es seine gute Qualität behalten soll. Da beim Auftauen der Saft leicht austritt, sollte man es stets beim Braten und Schmoren in sehr heißem Fett zusetzen, damit das Eiweiß rasch gerinnt. Auch sollte man es stets erst nach dem Anbraten salzen, um ein Austreten des Fleischsaftes zu verhindern. Will man Gefrierfleisch sieden oder dünsten, überbrüht man es mit kochendem Wasser, damit sich die Poren sofort schließen und gibt das Fleisch erst dann zu der vorbereiteten Kochbrühe, wenn diese bereits wieder kocht, so dass die Gerinnung der äußeren Eiweißschicht sofort weitergehen kann. Kauft man das Fleisch in hartgefrorenem Zustand, lässt man es langsam, am besten im Kühlschrank auftauen. (Vergleiche: Verwendung gefrorener Nahrungsmittel Seite 225 u. folgende.)

Das Fleisch lässt sich auf die verschiedenste Weise zubereiten. Die einfachste ist wohl das Kochen.

Man versteht darunter das Zusetzen und Garen im kochenden Wasser unter Zugabe von Suppengemüsen und Gewürzen. Merke dazu folgendes:

1. Setze die Knochen stets mit kaltem Wasser zu, damit sie gut ausgelaugt werden.
2. Bringe das Fleisch in stark strudelndes Wasser, damit die Oberfläche des Fleisches gerinnt und der Fleischsaft am Ausfließen verhindert wird.
3. Gib vor dem Zusetzen des Fleisches das Salz und grobzerkleinertes Suppengemüse, wie Sellerie, Möhre, Porree (Lauch), Zwiebel, Tomate, sowie Gewürze wie Pfefferkörner, Muskatblüte, Lorbeerblatt hinein.
4. Lasse das Fleisch langsam weiterkochen, sonst wird die Brühe trüb und milchig aussehend.
5. Gib Petersilie nur kurze Zeit hinein, sonst wird die Brühe grünlich.
6. Lasse das Fleisch vor dem Aufschneiden noch eine Viertelstunde nach dem Kochen in der Brühe liegen, damit es sich leichter schneiden lässt und saftiger bleibt.
7. Setze Suppenfleisch nur dann in kaltem Wasser zu, wenn nur eine kräftige Brühe gewonnen werden soll und die Güte des Fleisches, das dabei ausgekocht wird, keine Rolle spielt.

Die wichtigste Zubereitungsart für alle Fleischsorten ist das Braten, was auf verschiedene Weise gemacht werden kann.

Das Schmoren

Dies eignet sich vor allem für kleinere Fleischstücke bis zu 1 kg, wobei man gleichzeitig eine größere Menge kräftiger Soße bereiten kann, die namentlich in der kinderreichen Familie das Fleisch „strecken“ hilft. Außerdem macht man gerne Schmorbraten mit viel Soße, wenn als Zuspeise Teigwaren, Reis oder Klöße gegeben wird.

Man setzt das vorgerichtete Fleisch in reichlich heißem Fett (Palmin, Öl oder Butter) mit dem grob zerkleinerten Suppengemüse zu, brät das Fleisch auf allen Seiten schön braun an, röstet dann etwas Mehl mit, löscht ab und lässt das Fleisch fest zugedeckt im Backofen oder auf der Platte weich schmoren. – Man kann die Soße auch erst kurz vor dem Anrichten mit kalt angerührtem Stärkemehl binden. Die Soße hängt dann weniger leicht an.

Das Braten im Brattopf

Hier unterscheidet man Mager- und Fettbraten.
Magerbraten setzt man im Brattopf mit dem grobzerkleinerten Suppengemüse in rauchheißem Fett zu, brät es von allen Seiten braun an, löscht mit wenig Wasser oder Brühe ab und lässt den Braten offen unter fleißigem Begießen im Backofen gar und knusprig werden.

Fettbraten setzt man mit etwas kochendem Wasser und Suppengemüse zu und brät das Fleisch auf obige Weise erst dann an, wenn das Wasser ganz eingedampft und soviel fett aus dem Fleischstück ausgeschmolzen ist, als zum Anbraten notwendig ist.

Das Braten im Backofen

kommt vor allem für größere Fleischstücke in Frage. (Kleine Stücke sind in Gefahr, bei der sie allseitig umgebenden Hitze auszutrocknen.) Auch hier unterscheidet man Fett- und Magerbraten.
Magerbraten belegt man entweder mit Butterflöckchen, oder umwickelt sie mit dünnen Fettscheiben, legt sie auf einen Rost über der Auffangschale und setzt das Fleisch im sehr gut vorgeheizten Backofen mit etwas Suppengemüse zu und lässt das Fleisch von allen Seiten bräunen. Dies muss rasch geschehen, dass sich die Poren schließen und der Braten saftig bleibt.
Fettbraten setzt man statt mit Fett mit etwas kochendem Wasser zu. Sobald das Fleisch von allen Seiten braun und knusprig ist, mindert man die Temperatur des Backofens herab und brät das Fleisch unter häufigem Begießen mit Soße in milder Hitze gar. Von Zeit zu Zeit löst man den am Boden der Auffangschale sich bildenden Satz durch Nachgießen von etwas Wasser, Brühe oder Weißwein los, damit die Soße nicht zu dunkel wird. Kann man die Oberhitze im Backofen nicht genügend abdrosseln, deckt man das Fleisch mit Pergamentpapier ab.

Um eine ausreichende Menge kräftiger Soße zu erhalten, brät man die Knochen mit Zwiebeln, Möhren, Petersilienwurzeln und, nach Belieben einem Stück Knollensellerie in heißer Butter braun an, löscht ab und kocht diese tüchtig aus. Mit dieser Flüssigkeit löst man von Zeit zu Zeit den in der Auffangschale sich bildenden Satz und gibt vor dem Anrichten beide Soßen zusammen. Wer will, kann sie mit etwas kalt angerührtem Stärkemehl binden.

Das Grillen geschieht am besten nach den zu den Grillgeräten gegebenen Anweisungen für die einzelnen Stücke.

Regeln für das Braten von Fleisch

1. Brate große, fette Fleischstücke im Bratofen auf dem Rost über der Auffangschale, damit Fett und Fleischsaft aufgefangen und zur Soße verwendet werden können.
2. Brate große und kleinere Braten in der Bratpfanne im Backofen unter Zusatz von Fett und Suppengemüse.
3. Brate kleine Braten am besten in der Bratpfanne auf der Platte nach Vorschrift.
4. Heize zum Grillen den Bratofen und die Geräte gut vor und brate bei geöffneter Tür, damit die Dämpfe abziehen können. Beachte die zu den Grillgeräten abgegebenen Gebrauchsanweisungen.
5. Wasche das Fleisch zum Braten ganz kurz, trockne es mit reinem Tuch ab und salze es erst kurz vor dem Anbraten, damit es sich rasch bräunt.

6. Vermeide das Waschen kleiner Fleischstücke, damit sie rasch anbraten und saftig bleiben.
7. Paniere kleine Fleischstücke erst unmittelbar vor Gebrauch und lege sie stets neben-, nicht aufeinander, damit die Bröselschicht beim Braten nicht abfällt.
8. Verbessere sehr fettarmes Fleisch durch Spicken mit schmalen Streifen geräucherten Specks.
9. Brate alles Fleisch nicht zu lange, sonst wird es trocken und zäh.

Grundmenge für 4 Personen:

500–750 g Fleisch (zulässige Knochenmenge 100 g auf 500 g Fleisch), Fett und Flüssigkeitsmenge, sowie Art und Menge der Gewürze hängen von der Art des Fleisches und der Zubereitung ab.

1. Das Rindfleisch

Gutes, junges Rindfleisch hat eine frischrote Farbe, zarte Fasern und kernigweißes Fett. Junges Ochsenfleisch ist kräftig rot, hat mittelfeine Fasern und gelblich-weißes Fett. Das Fleisch von älteren Tieren, namentlich altes Kuhfleisch, ist dunkel- oder bläulich-rot, was daher rührt, dass sich im Muskelgewebe älterer Tiere mehr Blutfarbstoff abgesetzt hat als bei jungen Tieren.

Nach dem Schlachten wird das Tier systematisch zerlegt und nach verschiedenen Güteklassen verkauft. Stark beeinflusst wird Aussehen und Qualität des Fleisches durch das richtige Lagern bei entsprechender Temperatur. Ungenügend gelagertes Fleisch schmeckt stets zäh, trocken und fade.

1. Die verschiedenen Stücke

   a) Zum Kochen eignen sich: unteres Schwanzstück, Bug, Schoß, Wade (mageres Fleisch), Querrippe, Überzwerch, Brustkern, Bruststpitze, Bauchlappen (durchwachsenes, mehr fettes Fleisch), Kopf.
   b) Zum Braten eignen sich: Schlachtbraten oder Lende, mürbe und Spickschoß, Schwanzstücke, mittlere Rippe, Oberschale, Kamm.
   c) Zu Gulasch und Rouladen: Mürbe Schoß.

2. Die Lagerungszeit

   soll bei Stücken zum Kochen 2–3 Tage, zum Braten 4–6 Tage, zu Gulasch und Fleischrollen (Rouladen) 6–10 Tage, beim Filetstück 2–3 Wochen betragen. (Das Lagern ist deshalb nötig, weil nach dem Schlachten der Muskelfaserstoff gerinnt und das Fleisch zäh und steif macht. Durch beginnende Zersetzung, die von Bakterien herrührt, wird das Fleisch wieder weich und zart.) Man erkennt abgelagertes Fleisch an seiner dunkelroten Farbe.

Siedfleisch

Zutaten: 500 g Fleisch (siehe die verschiedenen Stücke oben), 2 l Wasser, 1/2 Esslöffel Salz, reichlich Suppengemüse und Gewürze (siehe Fleischbrühe Seite 18).
Zubereitung: Die gewaschenen, kleinzerschlagenen Knochen und das vorgerichtete Suppengemüse setzt man mit kaltem Wasser zu, gibt, wenn die Brühe kocht, das Salz und das

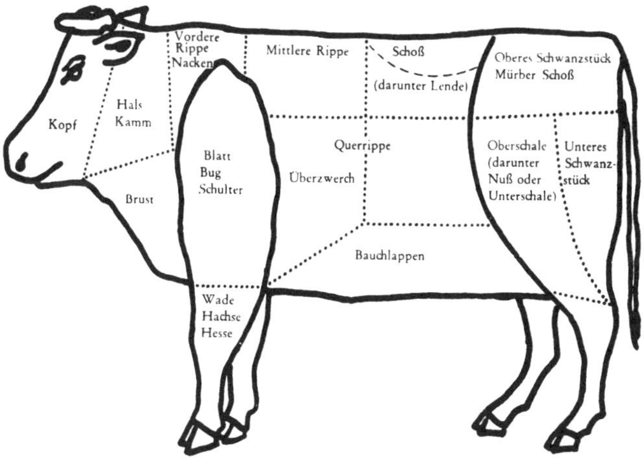

gewaschene, geklopfte Fleisch dazu und lässt es zugedeckt langsam weichkochen. Zubereitungsdauer etwa 2, bei Ochsenfleisch 3 Stunden. Für jede weitere 500 g, um die das Stück größer ist, rechnet man 1/4 Stunde mehr Kochzeit. – Man schneidet das Fleisch quer zur Faser in schöne Scheiben, legt diese schuppenartig auf eine vorgewärmte Platte, gibt etwas heiße Fleischbrühe darüber und verziert die Platte mit Petersilie. Beilagen: z.B. Bratkartoffeln, Meerrettichsoße oder andere pikante Soßen, Preiselbeeren,

Rinderschmorbraten

Zutaten: 500 g Fleisch (Schoß), 1 Esslöffel Fett oder Öl, 1 große Zwiebel, 1–2 Möhren, 1 Tomate, 1 Kaffeelöffel Salz, nach Belieben 1 Prise Pfeffer oder Basilikumpulver, 1 Kaffeelöffel Mehl, etwas Wasser.

Zubereitung: Das gewaschene, abgetrocknete, geklopfte Fleisch wird mit Salz (und Pfeffer oder Basilikumpulver) eingerieben, mit den vorgerichteten Gemüsen, die man grob zerkleinert hat, in rauchheißem Fett zugesetzt und auf allen Seiten schön braun angebraten. Nun streut man an der Seite des Brattopfes (nicht auf das Fleisch) etwas Mehl, lässt es mit anbräunen und löscht den Braten nach und nach, aber nicht über das Fleisch, mit Wasser ab. Man lässt den Braten unter öfterem Begießen weich werden. Hat man einen Backofen zur Verfügung, so stellt man den Braten offen hinein und begießt ihn immer wieder mit Soße. Er erhält dadurch eine schöne Farbe und bleibt saftig. Hat man jedoch nur einen Plattenkocher, so wird er zugedeckt gargemacht. Bratzeit 2 Stunden, die sich für jede weitere 500 g um 1/4 Stunde erhöht.

Beilagen: Teigwaren, Klöße, grüne Salate.

Sauerbraten

Zutaten: 500 g Rind- oder Ochsenfleisch (mürbe Schoß), 1 Esslöffel Fett, 1 Esslöffel Mehl, 1 Kaffeelöffel Salz, 1 Brotrinde, 1 kleine Tasse saure Sahne. – Zur Beize: Mit Wasser verdünnter Essig, reichlich Suppengemüse, einige Pfefferkörner, 1 Lorbeerblatt, 1–2 Nelken, 1 Zitronenscheibe.

Zubereitung I: Man legt das gewaschene, geklopfte Fleisch in eine enge Schüssel oder einen Steintopf, gießt die abgekochte und abgekühlte Beize darüber (dass das Fleisch gerade bedeckt ist) und lässt es 1–2 Tage darin liegen. Dann trocknet man es ab, reibt es mit Salz und nach Belieben mit etwas Pfeffer ein, setzt es in rauchheißem Fett samt Zwiebel,

Suppengemüse und Brotrinde zu und brät es auf allen Seiten schön braun an. Dann nimmt man es heraus, röstet 1 Esslöffel Mehl mit, löscht mit einem Teil der Beize und, wenn diese zu scharf sein sollte, mit noch etwas Wasser ab, gibt das Fleisch wieder hinein und setzt nach etwa 1/2 Stunde die Sahne zu. Man lässt das Fleisch gut zugedeckt etwa 2 Stunden schmoren. Man kann die Soße auch erst 1/4 Stunde vor dem Anrichten mit Mehl binden.
Zubereitung II: Man kann Sauerbraten auch wie Rinderbraten zusetzen und mit Essigwasser ablöschen.

Schlachtbraten (Filet- oder Lendenbraten)

Das zarteste und feinste, aber auch teuerste Stück des ganzen Rindes ist das Filetstück, das im hinteren Teil des Rückens, unterhalb des Rückgrats zwischen den Nieren liegt. Es muss, wenn es zart und saftig sein soll, 2–3 Wochen bei 2 °C gelagert sein. Es wird meist im ganzen Stück zu festlichen Gelegenheiten gekauft und kann am Stück oder in Scheiben geschnitten als Beefsteak gebraten werden. Während man einfachen Rindsbraten als Schmorbraten herstellt, sollte man das Filet offen im Backofen braten.
Zutaten: 1 Filetstück, 50–80 g Butter, 1 große Zwiebel, 1 Stück Sellerieknolle, 1–2 Möhren, 1–2 Tomaten, 50 g geräucherter Speck zum Spicken; Salz, Pfeffer, 1 Tasse saure Sahne oder Wein, 1 Esslöffel Mehl, nach Bedarf etwas Brühe.
Zubereitung: Das Lendenstück wird gehäutet, mit dem in schmale Streifen geschnittenen Speck mit einer Spicknadel gleichmäßig gespickt und mit Salz bestreut. Nun setzt man ihn mit den grob zerkleinerten Suppengemüsen in rauchheißem Fett zu, lässt ihn anbraten, röstet an der Seite etwas Mehl mit, löscht ab, gibt die Gewürze und die Sahne dazu und schiebt den Braten offen in den Backofen, wo man ihn öfters mit Soße überträufelt. Zubereitungszeit je nach Größe etwa 3/4–1 1/2 Stunden. Soll das Fleisch innen rot bleiben, rechnet man für 1/2 kg 10–12 Minuten Bratzeit. Beim Anrichten schneidet man gleichmäßige Scheiben auf, legt sie dicht aneinandergereiht auf die Platte, gibt etwas Soße darüber und verziert das Ganze mit verschiedenen jungen Gemüsen oder mit gedämpftem Reis. Beilagen: Spätzle, Teigwaren oder Pommes frites. Man kann Schlachtbraten auch wie Rinderschmorbraten zubereiten, die Soße aber mit saurer Sahne abschmecken. Bratzeit 2–2 1/2 Stunden.

Filetbeefsteak

Zutaten: Fingerdicke Scheiben vom Filetstück (etwa 750 g), 80 g Butter, Salz, Pfeffer, 1 Zwiebel.
Zubereitung: Die Filetscheiben werden, sorgfältig enthäutet, mit dem flachen Messer vorsichtig breitgeklopft, wieder in Form gedrückt, damit sie beim Braten rund bleiben; man legt sie in die rauchheiße Butter und lässt sie rasch auf starker Hitze 2–3 Minuten braun anbraten. Dann erst dreht man sie um, brät sie auch auf der anderen Seite etwa 3 Minuten, salzt sie leicht und beträufelt sie während des Bratens mit dem ausgetretenen Fleischsaft. Dann nimmt man sie heraus, legt sie auf eine heiße Platte, kocht den Bratensatz mit etwas Brühe los und richtet die Soße mit den Beefsteaks an. Die in Scheiben geschnittene Zwiebel wird entweder zusammen mit den Beefsteaks oder gesondert mit Butter angebraten und die Beefsteaks damit garniert.
Besonders saftig werden die Beefsteaks, wenn man sie 1/2 Stunde vor dem Braten mit Öl bepinselt und aufeinander legt.

Gehacktes Beefsteak

Zutaten: 375 g Hackfleisch vom Rind, Pfeffer, Salz, 1 kleine gekochte geriebene Kartoffel oder 30 g Butter, 40 g Fett zum Braten, 1 Zwiebel.
Zubereitung: Man arbeitet mit den angegebenen Zutaten einen glatten Teig, formt runde

Küchlein und brät sie in heißem Fett auf beiden Seiten je 4 Minuten braun. Aus dem Fettrückstand macht man mit der feingeschnittenen Zwiebel und einer Messerspitze Mehl eine hellbraune Mehlschwitze, löscht ab und richtet die Soße mit den Zwiebeln über die Beefsteaks an. Man verziert mit Zitronenscheiben und Petersilie. Bratzeit 8–10 Minuten.

Beefsteak Tartare

Zutaten: 400 g feingehacktes fettarmes Ochsenfleisch bester Qualität; 2 Eigelb, Salz, Pfeffer, Paprika, 1 Teelöffel Senf, 1 feingehackte kleine Schalottenzwiebel, 3 kleine Essiggurken; – Sardellen und Petersilie zum Garnieren.

Zubereitung: Das Fleisch vermischt man mit Salz, Pfeffer, Senf und Eigelb, formt runde Laibchen daraus, setzt diese auf kleine Tellerchen, umgibt jedes mit den fein gehackten Zwiebelchen, den würflig geschnittenen Gurken, den zu kleinen Schneckchen gedrehten Sardellen, in deren Mitte man noch Kapern legen kann, und Paprikahäufchen und verziert das Beefsteak oben mit dem Messer mit kleinen Rillen. Wer will, macht in die Mitte der Beefsteaks eine kleine Vertiefung und gibt ein rohes Eigelb hinein.

Rostbraten oder Rumpsteak

Zutaten: 500 g = 2 große, fingerdicke Scheiben aus abgelagertem Ochsenfleisch (mürbe Schoß oder Rippenstück), Salz, Pfeffer, eine in Scheiben geschnittene Zwiebel, 50 g Butter, oder halb Butter, halb Öl oder Margarine, Wasser.

Zubereitung: Das Fleisch wird geklopft, die äußere Haut ein paarmal eingeschnitten (weil diese sich beim Braten zusammenzieht, so dass die Scheiben nimmer glatt in der Pfanne liegen) und auf die Stielpfanne in heißer Butter mit den Zwiebelscheiben zugesetzt und in 10 Minuten bei starker Hitze rasch auf beiden Seiten angebraten. Ehe man sie umwendet, werden sie leicht gesalzen und gepfeffert. Nun legt man sie auf eine heiße Platte, streut das Mehl in die Pfanne hinein, bräunt es mit, löscht ab, lässt die Soße aufkochen und schüttet sie mit den Zwiebelscheiben über das Fleisch. Es muss sofort aufgetragen werden. Keinesfalls darf man das Fleisch wieder in die Soße legen und mit dieser kochen lassen, sonst wird es zäh. Beilagen: Bratkartoffeln, grüner Salat.

Englisches Roastbeef

Zutaten: 1 kg gelagertes, von Knochen und Sehnen befreites Roastbeef (Hochrippe), Salz, Zwiebeln, Bratfett.

Zubereitung: Das Fleisch wird gut mit Salz eingerieben. Ist das Fleisch sehr fett, wird ein Teil vom Fett abgelöst, ausgeschmolzen und über das Fleisch gegossen; andernfalls nimmt man zusätzlich etwa 50 g Fett. Nun gibt man das Fleisch in den sehr heißen Backofen (mit der Fettseite nach oben), lässt es etwa 1/2 Stunde braten und begießt es während dieser Zeit einigemal mit dem ausgebratenen Fett.

Nun röstet man in dem Fettrückstand eine feingeschnittene Zwiebel, nach Belieben auch 1 Esslöffel Mehl, löscht ab und richtet die Soße, nachdem man sie abgeschmeckt hat, mit dem in Scheiben geschnittenen Braten an. Das Fleisch muss noch rosafarben (underdone) sein. Oder: Man brät das mit Salz eingeriebene Fleisch in der Bratpfanne mit heißer Butter auf beiden Seiten mit Suppengemüse und Zwiebeln schön braun an, löscht mit 1 Schöpflöffel Brühe ab und lässt es offen im heißen Backofen oder zugedeckt auf der Platte gar werden. Der Braten wird in dünne Scheiben geschnitten und mit der leicht angedickten Soße beträufelt. (Man rechnet auf 500 g Fleisch 12–15 Minuten Bratzeit, wenn es innen rosa bleiben soll.) Beilage: Gemüseplatte und Salzkartoffeln.

Rindsrollen (Rouladen)

Zutaten: Man rechnet für 1 Person 1 Scheibe abgelagertes Rindfleisch zu je 100 g von der

Keule, für 4 Personen etwa 500–625 g, 50 g Fett, 50 g geräucherten Speck, Zwiebeln, Salz, nach Belieben Pfeffer, 1–2 Esslöffel Mehl, Wasser.
Zubereitung: Die Fleischscheiben werden auf beiden Seiten leicht gesalzen (und gepfeffert). Der Speck wird in Würfelchen geschnitten und mit gewiegter Zwiebel zusammen gedünstet. Mit dieser Fülle bestreicht man die Fleischscheiben, schlägt sie von beiden Seiten herein, damit die Füllung nicht heraustreten kann, rollt sie auf, steckt sie mit spitzen Hölzchen oder einer Fleischnadel zu oder umwickelt sie mit Bindfaden, wendet sie in Mehl, setzt sie mit Zwiebelscheiben zusammen in rauchheißem Fett zu und lässt sie rasch Farbe nehmen.

Die mit Speck belegten Fleischscheiben werden aufgerollt und mit einer Fleischnadel zusammengehalten

Nun röstet man 1 Kaffeelöffel Mehl braun an, löscht ab, dass die Rollen halb bedeckt sind und lässt sie zugedeckt etwa 1 Stunde weiterschmoren. Beim Anrichten werden Hölzchen oder Fäden entfernt und die Rollen mit der Soße übergossen. – Man kann die Rollen auch mit Fleischteig bestreichen und mit gehackten Gewürzgurken oder einer dünnen Scheibe geräuchertem Speck belegen.
Beilagen: Salzkartoffeln oder Reis, grüner Salat oder Gemüse.

Gulasch

Zutaten: 500–750 g abgelagerte mürbe Schoß oder Lende, 50 g Fett, 2 Esslöffel Mehl, 1 Esslöffel Tomatenmark, 1 große Zwiebel, Salz, Paprika oder Pfeffer, 1/3 Lorbeerblatt, 1 Esslöffel Essig, Wasser oder Brühe.
Zubereitung I: Das Fleisch wird in daumendicke Würfel geschnitten und leicht gesalzen und gepfeffert. Die Zwiebel wird fein zerkleinert, zum Fleisch gegeben und beides zusammen

Gulasch im Reisrand

mit dem Mehl gut durchgemischt, damit sich die Poren schließen. Nun setzt man es in sehr heißem Fett zu und lässt es, ohne darin zu rühren, unten anbraten. Dann wendet man es um, lässt wieder anbraten und wiederholt dies noch einmal. Hierauf löscht man ab, gibt die Gewürze hinein und lässt das Ganze zugedeckt 1–1 1/2 Stunden langsam auf kleinem Feuer gar schmoren.
Wer will, kann die Soße mit Paprika und Sahne abschmecken.
Zubereitung II: Hat man nur eingedünstetes oder Büchsenfleisch zur Verfügung, so stellt man eine kräftig abgeschmeckte braune Soße (Seite 36) her und lässt das in Würfel geschnittene Fleisch noch kurz darin aufkochen.
Beilagen: z. B. Reis, Spätzle oder Salzkartoffeln, grüner Salat.

Ochsenschwanzragout

Zutaten: 1 abgezogener Ochsenschwanz, 2 l Wasser, 1 Esslöffel Salz, Suppengemüse, – 50–80 g Fett, 2 Esslöffel Mehl, 1/2 Zwiebel, in die man 2 Gewürznelken gesteckt hat, 1 Esslöffel Kapern, 2 Esslöffel Zitronensaft, 1 großes Glas Rotwein, nach Belieben 1 Schuss Madeira oder 1 Prise Zucker, 1 Esslöffel Tomatenmark.
Zubereitung: Man lässt den Ochsenschwanz vom Metzger in den Gelenken mit dem Messer durchteilen (ja nicht hacken). Dann setzt man die Stücke mit Suppengemüse und Salz in kochendem Wasser zu und lässt sie langsam in 2–3 Stunden weichkochen, wobei die Brühe stark einkocht. Nun nimmt man die Fleischstücke heraus, lässt sie abtropfen, wendet sie in Mehl und röstet sie bei starker Hitze von allen Seiten braun an. Dann löscht man mit der gewonnenen Brühe, die man auf die Hälfte eingedampft hat, ab, gibt den Rotwein und die Gewürze dazu und lässt alles zusammen noch 1/2 Stunde schmoren.
Eine vorzügliche Beilage ist gedünsteter Reis.

Pichelsteiner (Eintopfgericht)

Zutaten: 500 g abgelagertes Ochsenfleisch, 500 g Kartoffeln, 500 g Gemüse (Möhren), Wirsing, 1 Zwiebel, 1 Sellerieknolle), 50 g Fett, 1 Esslöffel Salz, 1/2 l Wasser.
Zubereitung: Man schichtet in einen gutschließenden Topf oder eine Puddingform erst die gewiegte Zwiebel und Petersilie, die würflig geschnittene Sellerie, dann das in grobe Würfel geschnittene Fleisch, die in Stifte geschnittenen Möhren, den feingehobelten Wirsing und obenauf die rohgeschälten, in Schnitze geschnittenen Kartoffeln. Auf diese verteilt man das Fett, gießt die Flüssigkeit daran und lässt alles zusammen zugedeckt 2 Stunden dämpfen. Man kann die Zutaten beliebig anders zusammenstellen, auch in eine große Puddingform schichtenweise einlegen und im Wasserbad 2 Stunden kochen.
Statt Rindfleisch kann man auch Schweine- oder Hammelfleisch oder alle drei Sorten zusammen nehmen.

Spanisch Friko

Zutaten: 500 g Rind- oder Schweinefleisch, 1 kg Kartoffeln, 2 Zwiebeln, 1 Kaffeelöffel Senf, 1 Kaffeelöffel Salz, 1 Lorbeerblatt, 1 Nelke, 2 Pfefferkörner, 40 g Butter, Sauermilch oder Fleischbrühe.
Zubereitung: Die Kartoffeln werden roh geschält und in Scheiben geschnitten. Das Fleisch wird in kleine Würfel geschnitten und beides abwechslungsweise in einer großen Puddingform oder in einem sonstigen gut verschließbaren Gefäß eingeschichtet. Oben darauf gibt man Butterstückchen. Nun füllt man das Gefäß in etwa 1/3 Höhe mit Flüssigkeit, die man gut abgeschmeckt hat und kocht das Gericht im Wasserbad etwa 2 Stunden.
Beilage: Gemüse oder Salate.

Englischer Rindfleischpudding

Zutaten: 1 kg abgelagertes Lendenstück, Salz, Pfeffer, 1 feingehackte Zwiebel; – zum Teig: 200 g rohgeriebenes Rindsnierenfett, 400 g Mehl, 1 Kaffeelöffel Salz, 1 Teelöffel Backpulver, kaltes Wasser.
Zubereitung: Man mischt die Zutaten zum Teig mit so viel Wasser, dass ein fester, aber geschmeidiger Teig entsteht. Diesen wellt man zu einer größeren und einer kleineren Platte aus. Mit der ersteren belegt man eine gefettete runde irdene Schüssel, gibt in diese das in Würfel geschnittene gesalzene Fleisch und die Zwiebel, dazu 1 große Tasse Wasser, das aber das Fleisch nur in 3/4 der Höhe decken darf, bedeckt die Schüssel mit der kleineren Teigplatte und bindet alles mit Pergamentpapier zu. Nun stellt man die Schüssel ins Wasserbad und kocht den Pudding 4 1/2–5 Stunden. Beilage: Kopfsalat.

2. Das Kalbfleisch

Gutes, frisches Kalbfleisch ist blassrot, hat zarte, feine Fasern, ein wasserreiches Gewebe und enthält ganz wenig Fett. Infolge seines Wassergehaltes schrumpft es beim Zubereiten stark ein. Am schmackhaftesten sind das Rückenstück, Keule und Bug. Alles Kalbfleisch ist sehr leichtverdaulich und hat seines zarten Muskelgewebes wegen eine kürzere Zubereitungsdauer als die meisten anderen Fleischarten. Die noch weichen Knochen enthalten Leimstoffe, die sich beim Kochen lösen, so dass man die Brühe zur Sülze nehmen kann.

1. Die verschiedenen Stücke.
   a) Zum Kochen für Krankensuppen eignen sich Kalbskopf, Kalbshachsen; für Sülze Kopf, Füße, Schwanz.

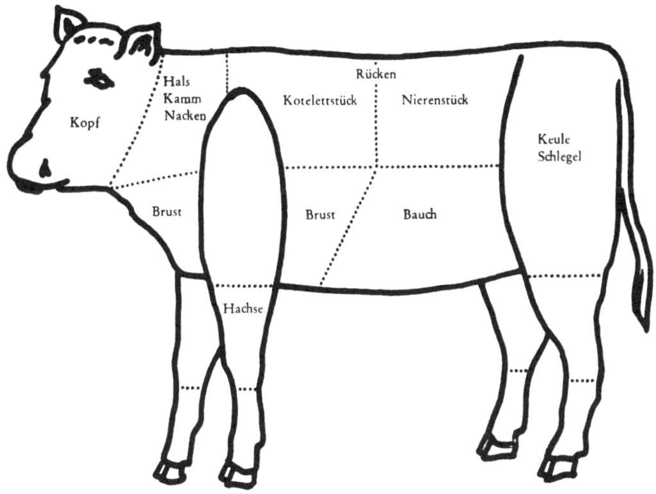

b) Zum Braten eignen sich Nierenstück, Keule, Brust, Schale (innere Keule), Bug, Kamm, Kotelettstück.
c) Zu Schnitzeln eignen sich Schale oder Nuss (beides von der Keule).
d) Zu eingemachtem Kalbfleisch und Frikassee nimmt man Bug, Rippchen, Brust oder Hals.

2. Die Lagerungszeit beträgt bei Kalbfleisch 2 oder mehrere Tage.

Kalbsbraten
Zutaten: 500–750 g Schale oder Bug, 1 Esslöffel Fett, 1 Zwiebel, 1 Möhre, 1 Tomate, etwas Salz und nach Belieben Pfeffer oder Paprika, unbedingt 1 Blättchen Salbei, Wasser oder Brühe.
Zubereitung: Siehe Rinderschmorbraten. Zubereitungszeit 1 Stunde.
Beilagen: Spätzle, Salate aller Art, feines Gemüse.

Kaninchenbraten
kann ebenso zubereitet werden. Da das Fleisch weniger schmackhaft als Kalbfleisch ist, wird es vor dem Anbraten mit reichlich Paprika eingerieben, was dem Fleisch einen kräftigen Geschmack und beim Braten eine schöne Farbe verleiht. – Man kann das Fleisch vor dem Braten auch 12–14 Stunden in Sauermilch legen, was den Wohlgeschmack stark erhöht. Als Soßenwürze eignen sich besonders gut: Salbei, Thymian, Zitronenmelisse, je $1/2$–1 ganzes Blatt. Die Blätter gibt man nach dem Ablöschen in die Soße.
Beilagen: Teigwaren oder Klöße, grüner Salat.

Kalbskeule in Rahmsoße
Zutaten für 8 Personen: 1 kg Kalbsnuss, 1 Zwiebel, 1 Möhre, 1 Tomate, Salz, Pfeffer, 50 g Butter, 50 g Spickspeck, 1 Tasse Brühe, 1 Kaffeelöffel Mehl, $1/8$ l Sahne.
Zubereitung: Das gehäutete Fleisch wird gespickt, mit Salz und Pfeffer eingerieben, mit heißer Butter und den Suppengemüsen von allen Seiten braun angebraten, das Mehl an der Seite des Brattopfes mitgebräunt und mit Brühe und Sahne abgelöscht. Man lässt den Braten unter häufigem Begießen offen im Backofen in 1 $1/2$ Stunden gar werden.
Beilage: Spätzle oder Kartoffelsalat, Kopfsalat oder Risotto.

Schön angerichteter Kalbsnierenbraten

Kalbslendchen

Zutaten: 1–2 Kalbslenden, 50 g Butter, Gewürz, 1 Kaffeelöffel Mehl, 1 Kaffeelöffel Tomatenmark, Wasser.

Zubereitung: Die Kalbslenden werden mit Salz und Pfeffer eingerieben, rasch in heißer Butter angebraten, abgelöscht, 25 Minuten gedünstet, die Soße kurz vor dem Anrichten gebunden und mit Tomatenmark und nach Belieben mit etwas Sahne abgeschmeckt.

Beilage: Junge Erbsen und Kartöffelchen.

Kalbsnierenbraten

Zutaten: 1 Nierenstück, 50–70 g Fett, Salz, nach Belieben Pfeffer oder Paprika, Zwiebeln, Suppengemüse, Tomaten, 1 Rosmarinzweig, 1 Esslöffel Mehl, Wasser oder Brühe.

Man kann den Braten gleich beim Metzger wickeln lassen oder selbst wickeln.

Zubereitung: Man reibt das ausgebeinte, gewaschene Nierenstück außen und innen mit Salz und Pfeffer (Paprika) ein und wickelt es so auf, dass die Nieren nach innen kommen. Man umwickelt das Ganze mit Bindfaden, setzt es mit den Suppengemüsen in rauchheißem Fett zu, lässt es anbraten, bräunt etwas Mehl mit, löscht ab und lässt den Braten offen unter fleißigem Begießen mit Soße im Backofen in etwa 2 Stunden weichschmoren. Beim Anrichten nimmt man die Schnur weg. Die Soße kann man mit Sahne abschmecken.

Gefüllte Kalbsbrust

Zutaten: 1 kg Kalbsbrust, Salz, nach Belieben Pfeffer; Füllung: 100–150 g altbackene, eingeweichte, verzupfte Brötchen oder halb Brötchen, halb Bratwurstbrät, 1 Esslöffel Fett, 2 Eier, reichlich gedünstete Zwiebeln und Petersilie, Salz, Muskat; zum Anbraten 40–50 g Fett, Suppengemüse, 1 Kaffeelöffel Mehl, Wasser.

Wie man gefüllte Kalbsbrust richtig aufschneidet

Zubereitung: Die Kalbsbrust wird an der unteren Seite aufgeschnitten, so dass zwischen Fleisch und Haut eine Tasche entsteht. Nun bereitet man die Füllung, gibt diese hinein, näht mit weißem Faden und grober langer Nadel zu, reibt die Kalbsbrust außen mit Salz und nach Belieben mit Pfeffer oder Paprika ein, setzt sie mit dem Suppengemüse in rauchheißem Fett zu, löscht ab und lässt sie 1 1/2 Stunden im Backofen, anfänglich zugedeckt, damit die Füllung schön aufgeht, dann offen unter fleißigem Begießen gar werden. (Sie darf nicht zu prall gefüllt werden, da sie beim Garen stark aufquillt.) Vor dem Anrichten entfernt man den Faden, schneidet die Scheiben mit einer Schere vor, dann mit einem scharfen Messer nach, damit die Füllung nicht gequetscht wird.
Beilagen: Kartoffel- und Kopfsalat.

Kalbsschnitzel

Zutaten: 500–750 g Kalbfleisch (Keule) ohne Knochen, Salz, nach Belieben Pfeffer oder Paprika, Mehl zum Wenden, 1–2 Esslöffel Fett, Wasser zum Ablöschen.
Zubereitung: Die leicht geklopften enthäuteten Schnitzel (= 4–5 Scheiben) bestreut man mit Salz (und Pfeffer oder Paprika), wendet sie in Mehl, gibt sie in rauchheißes Fett und brät sie auf beiden Seiten schön an. Dann löscht man ab und lässt die Schnitzel in der Soße in 1/4 Stunde zugedeckt gar werden.

Nelson-Schnitzel

Zutaten: 4 große Scheiben Kalbfleisch von der Keule, 1 knapper Esslöffel Salz, 1 Prise

Pfeffer, 50 g Butter; = Fleischteig von 200 g Schweinefleisch, 1 Ei, 1 eingeweichtes ausgedrücktes Brötchen, 1 Esslöffel feingewiegte Zwiebel und Petersilie, Salz, Pfeffer, Muskat. – Zum Bestreuen 2 Esslöffel geriebenen Schweizer Käse, 2 Esslöffel geriebenes Weißbrot, 2 Esslöffel Butter, 4 Esslöffel saure Sahne.
Zubereitung: Die Schnitzel werden geklopft, leicht gesalzen und gepfeffert. Aus den angegebenen Zutaten macht man einen kräftig abgeschmeckten Fleischteig, verteilt ihn auf die 4 Schnitzel, streicht ihn glatt und bergig darüber, gibt die Schnitzel dicht nebeneinander in eine mit Butter ausgepinselte niedrige Kasserolle, bestreut sie mit Käse und Bröseln, verteilt die zerlassene Butter darüber und brät sie im heißen Backofen bei 250° C schön hellbraun. Dann gibt man die mit etwas Brühe zerquirlte Sahne hinein und lässt die Schnitzel in der Soße weichschmoren. Bratzeit etwa 25 Minuten.

Schwalbennester

Zutaten: 4 Kalbsschnitzel, 4 Scheiben Schinken, 4 knapp hartgekochte Eier, Salz, Zitronensaft, Pfeffer; 40 g Butter oder halb Butter, halb Kokosfett zum Braten.
Zubereitung: Die leicht geklopften, mit Zitronensaft und Salz eingeriebenen Fleischscheiben werden je mit einer Scheibe Schinken belegt. Darauf gibt man die geschälten Eier, wickelt sie ein, umbindet die Fleischrollen mit weißem Faden und bestreut sie mit Salz und Pfeffer. Nun brät man die Rollen von allen Seiten schön braun an, löscht ab und lässt sie in etwa 20–30 Minuten zugedeckt gar werden. Vor dem Anrichten entfernt man die Fäden, schneidet die Rollen quer durch und richtet die „Schwalbennester“ mit Petersilie hübsch an. Man kann sie heiß mit Kopfsalat oder Spinat reichen. Will man sie kalt geben, kann man sie auch panieren und schwimmend in Fett ausbacken (8–10 Minuten).

Wiener Schnitzel

Zutaten: 500–750 g Kalbfleisch (Keule), Salz, nach Belieben Pfeffer oder Paprika, 1 Ei, etwas Semmelmehl und Mehl, 50 g Fett. – Zitronenscheiben, Petersilie.
Zubereitung: Das in Scheiben geschnittene enthäutete Fleisch wird geklopft, gesalzen und nach Belieben gepfeffert. Nun wendet man die Schnitzel erst in Mehl, dann in zerquirltem Ei, dann in Semmelmehl und brät sie in rauchheißem Fett braun und knusprig. Sie dürfen nicht abgelöscht werden. Man garniert sie mit Petersilie und Zitronenscheiben.
Bratzeit 10–15 Minuten.
Beilagen: Grüne Salate.

Kalbskoteletten, paniert

Zutaten: 4 Koteletten, Salz, nach Belieben Pfeffer oder Paprika, 1 Ei, Semmelmehl, 50 g Fett.
Zubereitung: Zuerst streift man das Fleisch an den Rippchen ab und hackt den unteren Teil des Knochens weg. Nun werden sie gut geklopft, mit Salz (und Pfeffer oder Paprika) bestreut und so zusammengeschoben, dass sie eine runde Form haben. Dann taucht man sie in zerquirltes Ei, dann in Semmelmehl und brät sie zugedeckt in heißem Fett braun und knusprig.
Bratzeit 15 Minuten.
Beilagen: Gemüse, Kartoffeln, Salat.

Kalbskoteletten, naturell

Zubereitung: Die Koteletten werden wie die panierten vorgerichtet, leicht gesalzen, in Weißmehl gewendet, in Butter auf beiden Seiten rasch angebraten und mit wenig Wasser abgelöscht. Man lässt sie zugedeckt in etwa 15 Minuten weich und gar werden. Man verziert sie beim Anrichten mit Zitronenscheiben und Petersilie.

Eingemachtes Kalbfleisch
Zutaten: 500–750 g Kalbfleisch (Hals oder Bug), 50 g Fett, 50 g Mehl, etwa $3/4$ l Wasser, 2–3 Esslöffel Weißwein oder Most, Zwiebeln und Petersilie, nach Belieben Zitronensaft und 1 Stückchen Zitronenschale, einige Pfefferkörner, $1/2$ Lorbeerblatt.
Zubereitung I: Man brät das in Stücke geschnittene, leicht gesalzene Fleisch in dem zerlassenen Fett hellgelb an, streut das Mehl und die gewiegten Zwiebeln und Petersilie darüber, lässt es ein Weilchen dünsten, löscht ab, gibt Wein und Gewürze hinein und lässt es weichschmoren. Beim Anrichten nimmt man die Gewürze heraus.
Zubereitung II: In dem zerlassenen Fett dünstet man erst das Mehl hellgelb, dünstet die gewiegten Zwiebeln und Petersilie kurz mit, löscht ab, gibt die Gewürze, den Wein (Most, im Notfall 1 Esslöffel Essig) und, wenn die Soße kocht, das in Stücke geschnittene, rohe Fleisch dazu hinein. Man lässt es in der Soße weichkochen, was etwa 1 Stunde dauert, und nimmt beim Anrichten die Gewürze heraus.
Beilagen: Reis, Spätzle, grüner Salat.

Kalbfleischragout
Zutaten: 500–750 g Kalbfleisch, Schlegel oder Filet, 50 g Fett, 1 Zwiebel, Petersilie, 2 Esslöffel Mehl, Salz, Pfeffer, 1 Stückchen Zitronenschale, Zitronensaft, Weißwein nach Geschmack; – 1 kleine Dose Champignons oder 250 g frische, in Butter gedünstete Pilze.
Zubereitung: Man schneidet das Fleisch in dünne Scheibchen, dünstet sie in heißer Butter mit gehackter Zwiebel und Petersilie leicht an, stäubt mit Mehl, löscht ab, gibt die Gewürze hinein und lässt das Fleisch darin weich schmoren. Kurz vor dem Anrichten gibt man die Champignons dazu.
Beilagen: Reis, Teigwaren, grüner Salat.

Gebackener Kalbskopf
Zutaten: 1 Kalbskopf, 3–4 l Wasser, 1 $1/2$ Esslöffel Salz, reichlich Suppengemüse, nach Belieben 1 Nelke, 1 Lorbeerblatt, einige Pfefferkörner, Ei, Semmelmehl, Backfett.
Zubereitung: Der sauber gewaschene Kalbskopf wird in die kochende Brühe gegeben und langsam weichgekocht, was etwa 2–2 $1/2$ Stunden dauert. Dann wird er herausgenommen, abgekühlt, entknöchelt, und das Fleisch zwischen 2 Holzbrettern gepresst und beschwert, damit es zum Braten eine glatte Oberfläche bekommt. Nach dem völligen Erkalten schneidet man es in passende Stücke, wendet sie in zerquirltem Ei und Semmelmehl und brät sie auf beiden Seiten braun und knusprig.
Beilagen: grüne Salate und Gemüsesalate.

Kalbskopf in brauner Soße (tortue)
Zubereitung: Der wie oben vorbereitete Kalbskopf wird in passende Stücke zerteilt und diese in eine gut abgeschmeckte braune Soße (siehe Zungenragout) oder Zwiebelsoße gegeben.
Beilagen: Teigwaren, Kartoffeln, grüne Salate.

Gesulzter Kalbskopf
Zubereitung: Der weichgekochte Kalbskopf wird nach dem Entknöcheln in Würfelchen geschnitten, diese mit kleinen Scheibchen aus Essiggurken und Scheiben aus hartgekochten Eiern in kleine Schüsselchen gegeben und mit der etwas eingekochten, abgeseihten entfetteten Kalbskopfbrühe übergossen. Wer will, kann die Brühe vorher auf folgende Weise klären: Man gibt in die abgeseihte, abgekühlte, entfettete Brühe 1–2 rohe Eiweiß und die zuvor sauber gewaschenen, zerdrückten Eischalen und erhitzt dies alles zusammen unter beständigem Schlagen mit dem Schneebesen solange, bis die Brühe anfängt zu kochen. Dann schüttet

man sie schöpflöffelweise durch ein aufgespanntes Seihtuch, so dass alle trüben Flöckchen und Schalen zurückbleiben und die Brühe völlig klar ist. Sollte die Sulz nicht genügend steif werden, muss man sie entweder vor Gebrauch noch länger einkochen, oder sie mit weißer Gelatine steifen. – Auf die gleiche Weise kann man Sulz herstellen aus Kopf, Füßen und Schwanz des Schweines.

Gefüllte Kalbsrolle, 8–10 Personen (warm zu geben)

Zutaten: 1 kg entknöchelte Kalbsbrust, Zitronensaft, Salz, Füllung: 150 g Schweinefleisch, 1 Brötchen (50 g), 2 kleine Eier, Fett, Zwiebeln, Petersilie, 1 gewiegte Sardelle, 1 Esslöffel Kapern, Salz, Muskat, evtl. Majoran.

Zum Braten: 30 g Fett, 1 Zwiebel, 1 kleine Möhre, Brühe, 1/8 l saure Sahne, 1 Esslöffel Mehl.

Man verwendet am besten das breite Stück der Kalbsbrust, es muss vollständig knochenfrei sein. Vor dem Füllen reibt man das Fleisch mit Zitronensaft und Salz ein. Zur Füllung stellt man einen Fleischteig her, den man pikant abschmeckt. Er wird auf die Mitte der Kalbsbrust aufgesetzt und diese von der Mitte aus nach beiden Seiten zugenäht. Nun wird das Fleisch auch von außen mit Zitronensaft und Salz eingerieben und gar gebraten.

a) Auf dem Herd: In rauchheißem Fett dreht man den Braten rasch auf allen Seiten um, bis er grau ist, d. h. die Poren geschlossen sind. Dann wird er auf allen Seiten schön angebraten. Nach zwei Dritteln der Bratezeit gibt man 1 grob geschnittene Zwiebel und 1 Tomate zu. Wenn alles schön braun ist, wird abgelöscht – 1/4 so hoch wie der Braten, etwa 2 cm – und der Braten unter fleißigem Begießen zugedeckt gargeschmort – etwa 1 1/2 Stunden. In der letzten Viertelstunde gibt man das mit Sahne angerührte Mehl nach und nach dazu. Dann wird der Braten herausgenommen und zugedeckt beiseite gestellt, damit der Saft etwas einzieht. Inzwischen wird die Soße durchgeseiht und abgeschmeckt. Der aufgeschnittene Braten wird auf warmer Platte angerichtet, mit Petersilie und Tomaten verziert und mit etwas Soße übergossen.

b) Im Backofen: Der vorbereitete, gewürzte Braten wird in wenig heißes Fett in die Brat- oder Grillpfanne gelegt und mit heißem Fett übergossen, damit sich die Poren schließen. Knochen und später auch Zwiebeln und Tomaten werden daneben gelegt und das Ganze im Backofen unter fleißigem Begießen schön braun und gar gebraten (im unteren Drittel des Backofens einschieben). Sollte der Braten und der Grund braun sein, bevor der Braten gar ist, so muss abgelöscht werden. In der letzten Viertelstunde der Garzeit wird das mit Sahne angerührte Mehl nach und nach zugegeben und weiter verfahren wie beim Braten auf dem Herd.

Gefüllte glasierte Kalbsrolle zu kaltem Aufschnitt

Zutaten wie bei der warm zu gebenden Rolle und außerdem:

60 g Räucherspeck in Streifen, 60 g gesalzene Ochsenzunge in Streifen, 2–3 Essiggürkchen in Streifen. Zum Sud: 2 l Wasser; Knochen und Abfälle von der Kalbsbrust, evtl. noch einige Kalbsknochen; 1/8 l Essig, 1 Teelöffel Salz, Suppengrün, Lorbeer, Nelke, Pfefferkörner. Kochzeit: 1 1/2 Stunden.

Die Kalbsrolle und die Füllung werden genau so vorbereitet wie zum warmen Aufschneiden. Zur Füllung wird lagenweise Fleischteig und Speck-, Zungen-, Gurkenstreifen eingelegt, zu unterst und oben Fleischteig. Dann wird die Rolle zugenäht, in ein Tuch eingebunden und in dem vorher schon ausgekochten Sud 1 1/2 Stunden langsam gekocht. Dann wird die Rolle herausgenommen und die Brühe durchgesiebt. Die Rolle wird ausgepackt, das Tuch leicht ausgewaschen, die Rolle wieder eingepackt und zum Abkühlen wieder in die Brühe hineingelegt. Am andern Tag wird die Brühe entfettet und eine klare Sulz daraus hergestellt. Die dünn aufgeschnittene Rolle wird auf einem Sulzspiegel angerichtet, übersulzt und mit Hacksulz, Zitrone, Petersilie, auch Essiggürkchen und hartgekochtem Ei verziert.

Geflügelrolle (Galantine)
Zutaten: 1 Poularde oder 1 Huhn – Salz, Zitronensaft. Füllung: 200–250 g gehacktes Kalbfleisch, 300 g gehacktes Schweinefleisch, 200 g gehackter grüner Speck, 2 Eier, 1 kleine Dose = 1–2 Trüffel. – Einlage: 60 g gekochte, gesalzene Ochsenzunge, 80 g geräucherten Speck, 8 Pistazien. Die Zunge und der Speck können in Streifen geschnitten werden und lagenweise eingelegt, wie bei der gefüllten Kalbsrolle, oder in Würfel geschnitten und unter die ganze Füllung gemischt werden.
Zum Sud: Wasser, Salz, Knochen, Suppengrün.
Zum Übersulzen: auf 1/2 l Brühe 10–12 Blatt Gelatine, zur Hacksulz 12–14 Blatt.
Zur Verzierung: Hacksulz, Petersilie, evtl. Ei, Trüffel oder Tomate.
Zubereitung: Das gerupfte, gesengte Huhn wird gewaschen, Kopf, Beine, Flügel im ersten Gelenk entfernt und das Tier auf folgende Weise entknöchelt: Man schneidet die Haut des Tieres am Rückgrat entlang mit einem scharfen Messer der ganzen Länge nach auf und löst sehr vorsichtig das Fleisch zu beiden Seiten des Brustkorbs ab, den man dann samt den Eingeweiden herausnehmen kann. Das Fleisch der Flügel und Schlegel wird bis zum Gelenk ebenfalls abgelöst, dort abgeschnitten und der Knochen von innen herausgelöst. – Nun breitet man die mit Zitronensaft eingeriebene Haut auf einem Brett aus, legt auf die dünnen Teile der Haut das Fleisch der Schlegel, Flügel und Brust. Nun bereitet man den Fleischteig, schneidet die Einlage in Würfelchen, mischt diese unter den Fleischteig und verteilt diesen auf dem vorbereiteten Huhn, das man mit der Haut überdeckt und zunäht. Man wickelt die Rolle fest in ein gebrühtes Tuch und bindet sie oben und unten zu. Nun legt man sie in den bereits durchgekochten Sud, kocht sie langsam 1–1 1/4 Stunden, lässt sie abkühlen und macht sie wie gesulzte Kalbsrolle fertig.

Falscher Salm
Zutaten: 1 kg Kalbfleisch von der unteren Keule, 1 Prise Zucker, 1 Kffl. Pökelsalz; dazu Beize aus verdünntem Essig oder halb Wein, halb Essig, 2 Schalottenzwiebelchen, einige Pfefferkörner, 2 Wacholderbeeren, 1 Lorbeerblatt, nach Belieben 1 Stück Ingwerwurzel.
Zubereitung: Das gewaschene und gehäutete Fleisch wird mit Salz und Zucker eingerieben, in einen engen Topf gebracht, mit Beize übergossen, die das Fleisch bedecken soll und 4–5 Tage darin gelassen. Man dreht es jeden Tag um, dass es von der Beize gleichmäßig durchzogen wird. Nun nimmt man es heraus, gibt es in soviel kochendes, leicht gesalzenes Wasser, das man zur Hälfte mit Beize gemischt hat, dass es knapp davon bedeckt ist und kocht es weich. Kochzeit 1 1/2–2 Stunden. Nun lässt man es in der Brühe erkalten, schneidet es in schöne Scheiben, legt sie schuppenförmig auf eine Platte, verziert sie mit Eierscheiben, fächerartig geschnittenen kleinen Essiggurken und überzieht das Ganze mit der aus dem Sud hergestellten Sulz oder mit Mayonnaise.

Einfache Haushaltsulz
Zutaten: 1 1/2 l Wasser, 1/2 l Weißwein, einige Zwiebelscheiben, 1 Lorbeerblatt, einige Pfefferkörner, 2 Esslöffel Zitronensaft, Salz, Maggi, 26 Blatt weiße Gelatine, 2 Eiweiß.
Zubereitung: Wasser und Gewürze kocht man durch. Das Eiweiß wird dann mit Zitronensaft geschlagen, unter Rühren in die Brühe gegeben, langsam damit aufgekocht, vom Feuer genommen, mit Gelatine und Wein gemischt und zugedeckt 15–20 Minuten beiseite gestellt. Dann wird die Sulz wie die Schnellsulz durch ein feines Tuch filtriert und wenn sie erkaltet, aber noch flüssig ist, verwendet.

Schnellsulz und Aspik
Zutaten: 1/2 l Wasser, 1/2 l Weißwein, 2 Essl. Madeira, 14 Blatt weiße Gelatine, Salz, Zitronensaft nach Geschmack; 2 Eiweiß zum Klären; – zu Aspik doppelte Gelatinemenge.

Zubereitung: Wasser und Wein werden aufgekocht und die eingeweichte, ausgedrückte Gelatine darin aufgelöst. Nun gibt man die Gewürze, den Madeira und das zerschlagene Eiweiß hinein, lässt dies unter tüchtigem Schlagen nochmals aufkochen, schmeckt kräftig ab und lässt die Masse zugedeckt 1/4 Stunde stehen. Dann filtriert man die Sulz durch ein zuvor angefeuchtetes feines Tuch. Merke: Schmeckt man die Sulz nach dem Klären ab, wird sie wieder trüb!
Die Sulz wird verwendet, wenn sie völlig erkaltet, aber noch flüssig ist.

3. Das Schweinefleisch

Das Schweinefleisch ist gegenüber Rind- und Kalbfleisch reich an Fett. Es hat eine hellrote Farbe. Das Muskelfleisch ist fast durchweg mit Fett durchsetzt und deshalb leicht von anderen Fleischarten zu unterscheiden. Stücke, bei denen das Fleisch verhältnismäßig mager und nur mit einer dicken Fettschicht bedeckt ist, ist der Schinken, das Rückenstück mit dem Filet oder Lenden. Das Fleisch ist sehr zart, wasserarm, aber durch seinen hohen Fettgehalt schwer verdaulich. Eine Ausnahme machen magerer Schinken und die Lenden. Am besten schmeckt das Fleisch von einjährigen Tieren. Im übrigen ist die Güte wieder weitgehend abhängig:

1. Vom Stück.
   a) Zum Kochen eignen sich: Kopf mit Ohren und Rüssel, Hachse, Fuß, Bauchlappen, Brust und Bug.
   b) Zum Braten eignen sich am besten: Hals, Rippen- oder Kotelettstück, Filet, Rückenstück, Bug und Keule.
   c) Zum Salzen und Räuchern: alle Stücke.
2. Von der Lagerung.
   Die Lagerung spielt beim Schweinefleisch eine geringe Rolle. Der hohe Fettgehalt hindert die Muskelfasern am Steifwerden. Es kann also gleich nach dem Schlachten verarbeitet und genossen werden, schmeckt aber zarter, wenn man es ebenfalls einige Tage abhängen lässt.

Schweinebraten

Zutaten: 500–750 g Fleisch (Hals), 1 Esslöffel Senf, 1 Kaffeelöffel Salz, nach Belieben 1 Prise Pfeffer oder Paprika, 1 Zwiebel, 1 Möhre, 1 Tomate, 1 Kaffeelöffel Mehl, Wasser.
Zubereitung: Das gewaschene, abgetrocknete Fleisch wird mit Senf eingerieben, samt den

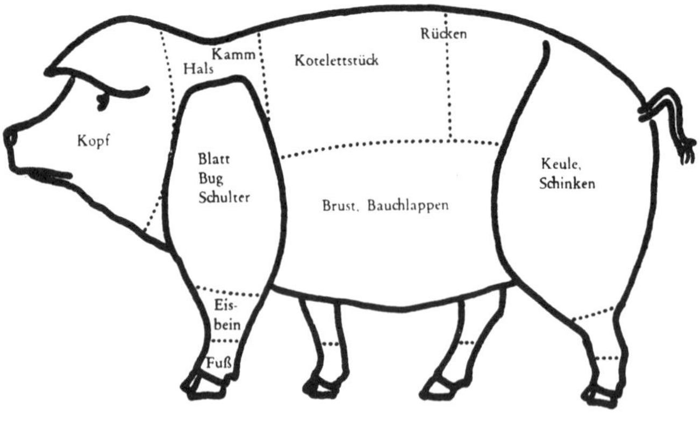

grob zerkleinerten Suppengemüsen mit einer Bodendecke Wasser aufgestellt und solange zugedeckt gehalten, bis das Wasser eingedampft und so viel Fett ausgetreten ist, dass man das Fleisch darin anbraten kann. (Bei mageren Stücken muss man gleich beim Zusetzen ein Stück Fett geben.) Nun brät man es schön an, gibt dann erst Salz und Pfeffer daran, röstet etwas Mehl mit und löscht nach und nach mit Wasser ab. Man stellt den Braten offen in den Backofen oder zugedeckt auf die Platte und lässt ihn unter fleißigem Begießen weich werden. Zubereitungszeit: 1–1 1/2 Stunden.
Beilagen: Gemüse, Kartoffeln oder Spätzle, grüner Salat, Kartoffelsalat.

Schweinerücken

Schweinerücken wird auch unter der Bezeichnung Schweinsnierenstück oder Schoß oder Karree bezeichnet. Es ist neben dem Schweinehals eines der besten Stücke zum Braten und wird meist zu festlichen Gelegenheiten in größerem Stück gekauft und als echter Braten – nicht als Schmorbraten – zubereitet.
Zutaten: 1–1 1/2 kg Fleisch mit Schwarte, 250 g kleine Perlzwiebeln, 2 Möhren, 1 Stück Sellerieknolle, 2 Tomaten, je 1 Zweigchen Majoran und Rosmarin, Wasser zum Ablöschen.
Zubereitung: Das Fleisch wird mit Salz und Pfeffer eingerieben, mit dem grob zerkleinerten Suppengemüse, den Kräutern und etwa 1/2 l kochendem Wasser mit der Schwarte nach unten in den sehr heißen Backofen geschoben. Sobald das Wasser eingedampft ist, dreht man das Fleisch um, schneidet die Schwarte in 3 cm breite Längs- und Querstreifen ein, so dass Vierecke entstehen. Nun brät man das Fleisch im Bratofen braun und knusprig, gießt immer wieder ganz wenig Wasser oder Wein nach, dass der Bratensatz nicht zu dunkel wird. Vor dem Anrichten bindet man die Soße mit kalt angerührtem Mehl oder Stärkemehl. Zubereitungszeit 2 Stunden.

Schweinslendchen

Zutaten: 1–2 Schweinslendchen, 1 Esslöffel Fett, Salz, Pfeffer, 1 kleine Zwiebel, 1 Messerspitze Mehl, Wasser.
Zubereitung: Das Fleisch wird mit Salz und Pfeffer eingerieben, in heißem Fett mit der grobzerschnittenen Zwiebel auf allen Seiten angebraten, das Mehl kurz mitgebräunt, abgelöscht und das Fleisch zugedeckt in 20–30 Minuten gargeschmort.
Beilagen: Junges Gemüse, Kartoffeln oder Reis und Kopfsalat oder Tomatensalat.

Schweinsschoß mit Filet

Zutaten: 1 Schoßstück mit Filet, 40 g Butter, 1 Zwiebel, Salz, Pfeffer, 1 Kaffeelöffel Mehl, Wasser oder Brühe, 1–2 Esslöffel Sahne.
Zubereitung: Das entknöchelte und gerollte Stück wird gesalzen, leicht gepfeffert und in heißer Butter mit Zwiebelscheiben braun überbraten. Dann nimmt man es heraus, röstet in dem Fettrückstand das Mehl, löscht ab, gibt die Sahne hinein, legt das Fleisch wieder zurück und lässt es in der Soße garschmoren. Zubereitungszeit je nach Größe etwa 1 1/2 Stunden.
Beilagen: Schwarzwurzeln oder Blumenkohl, Bratkartoffeln.

Filetschnitzel

Zutaten: Ein in Scheiben geschnittenes Schweinsfilet, Salz, Pfeffer, 40 g Fett, 1 Messerspitze Mehl, Brühe.
Zubereitung: Die Filetscheiben werden gesalzen, in Mehl gewendet, in heißem Fett rasch angebraten, abgelöscht, abgeschmeckt und weichgedünstet. Zubereitungszeit 20 Minuten. Sie werden geldrollenartig auf einer heißen Platte angerichtet und mit gefüllten Tomaten umlegt. Beilage: Reis.

St. Galler Filetschnitzel

Zutaten: 1 großes Schweinsfilet, Salz, Pfeffer, 1 Ei, 1 Kaffeelöffel Mehl, Semmelmehl, 100 g Butter; 500 g Äpfel, 1/8 l Weißwein, 1/8 l Wasser, 1 gehäufter Esslöffel Zucker, 1/4 Zitronenschale; zum Verzieren: Preiselbeeren.
Zubereitung: Das Filet wird in Scheiben geschnitten, diese leicht mit Salz und Pfeffer ausgerieben, erst in Mehl, dann in Ei und Semmelmehl gewendet und in heißer Butter auf beiden Seiten rasch in 15 Minuten gebraten. Die geschälten, entkernten, in Scheiben geschnittenen Äpfel werden mit den angegebenen Zutaten nebenher weich gedämpft. Man richtet die panierten Schnitzel schuppenförmig an, umlegt sie mit den Apfelscheiben und verziert diese in der Mitte mit Preiselbeeren.

Filetschnitzel oder Filetsteaks

kann man auch auf dem Rost braten. Man legt die in Scheiben geschnittenen Filetsteaks über der Auffangpfanne auf den Rost, bestreicht sie mit zerlassener Butter oder Öl, schiebt sie in den sehr heißen Backofen und lässt sie auf jeder Seite etwa 3 Minuten braten. Die Rippen des Grillrosts müssen als braune Zeichnung auf beiden Seiten zu sehen sein. Dann werden sie gesalzen angerichtet und zu jungem gedünstetem Gemüse gereicht. Man kann in die Grillpfanne einige Esslöffel Brühe oder Wein geben, kurz aufkochen und die Steaks damit beträufeln.

Falscher Aal

Zutaten: 750 g mageres Schweinefilet, Salz, Pfeffer, Salbeiblätter; 50 g Butter zum Braten, 1/8 l saure Sahne, 1 Teelöffel Stärkmehl, einige Esslöffel Wein.
Zubereitung: Das in dünne Scheiben geschnittene Fleisch wird geklopft, mit Salz und Pfeffer eingerieben, aufgerollt, mit Salbeiblättern umwickelt und in Butter hellbraun angebraten. Dann übergießt man die Rollen mit Sahne, gibt das mit Wein angerührte Stärkemehl dazu, lässt sie kurz weiterschmoren, entfernt die Salbeiblätter und richtet sie mit Petersilie hübsch an. Man reicht kleine Kartöffelchen dazu.

Schweineschnitzel

Zutaten: 500–750 g (etwa 4 Scheiben) Fleisch von der Keule, Salz, nach Belieben Pfeffer oder Paprika, etwas Mehl, reichlich Zwiebelscheiben, 1 Esslöffel Fett, Wasser, nach Belieben 1 Tomate.
Zubereitung: Die Schnitzel werden geklopft, leicht gesalzen und gepfeffert, in sehr heißer Butter mit Zwiebelscheiben und Tomaten braun angebraten. Dann löscht man ab und lässt die Schnitzel in der Soße 20 Minuten schmoren, damit sie zart und weich werden. Man richtet sie auf heißer Platte an und gibt die durchpassierte Soße darüber. Sie schmecken besonders gut zu Kartoffeln und grünem Salat oder zu Blumenkohl oder Rosenkohl und Salzkartoffeln.
Man kann die leicht geklopften Schnitzel auch mit Senf bestreichen, in Mehl wenden, in zerschlagenem Ei und leicht gesalzenem Paniermehl wenden, andrücken und in heißem Fett braun und knusprig braten. Sie werden ohne Soße mit Zitronenscheiben garniert und zu Kartoffelsalat oder Kopfsalat gereicht.
Beilage wie zu Wiener Schnitzel.

Schweinskoteletten

Zutaten: 4 große Schweinskoteletten vom Rippenstück, Salz, Pfeffer, 1 Ei, Paniermehl, 50 g Fett.
Zubereitung: Die Koteletten werden geklopft, mit Salz bestreut, in geschlagenem Ei und Paniermehl gewendet und in heißem Fett langsam braun und knusprig gebraten.

Zutaten zu panierten Schweinskoteletten

Man kann auch vor dem Schneiden der Koteletten vom Metzger die Rippen entfernen lassen, dann die einzelnen Koteletts mit einem scharfen Messer auf beiden Seiten hacken, so dass die fetten äußeren Teile sich mit dem Fleisch mischen. Dann erst werden sie paniert und fertig gebraten. Bratzeit 15 Minuten.

Schweinsgulasch

Zutaten: 500–750 g Hals- oder Bugstück, 1–2 Esslöffel Mehl, Salz, Paprika, 2 Zwiebeln, Wasser zum Ablöschen, nach Belieben 1 Glas Rotwein.
Zubereitung: Das Fleisch wird in nussgroße Würfel geschnitten, mit Salz und Mehl bestreut, in heißem Fett mit den feingeschnittenen Zwiebeln von allen Seiten angebräunt, abgelöscht und in etwa 1 Stunde weich geschmort.

Spanferkel

Zutaten: 1 frisch geschlachtetes Ferkel, Salz, Pfeffer. Zur Füllung: Die durch die Maschine gedrehte Leber, Lunge und Herz, 6 abgeriebene altbackene, in Milch eingeweichte, ausgedrückte Brötchen, 1 feingehackte Zwiebel, Salz, Pfeffer, Muskat, Majoran, 2–3 Eier, nach Bedarf noch etwas Sahne und, wenn das Ferkel sehr groß sein sollte, noch 125–250 g Hackfleisch.
Zubereitung: Das frisch geschlachtete, zugerichtete Ferkel wird gewaschen, abgetrocknet, außen und innen mit Salz und Pfeffer eingerieben, mit dem aus obigen Zutaten angerührten, geschmeidigen Fleischteig gefüllt, zugenäht, mit 1 l Wasser oder Bier zugesetzt und im geschlossenen Brattopf erst zugedeckt 1 Stunde gekocht, damit die Füllung aufgeht und Fett auskocht. Dann wird das Ferkel mit dem Rücken nach oben in der heißen Röhre unter häufigem Begießen braun und knusprig gebraten. Bratzeit weitere 1 1/2 Stunden.
Beilage: Gemischter Salat oder Sauerkraut.

Schweinsrouladen

bereitet man wie Rindsrouladen. Sie werden jedoch schneller weich.

Gekochtes Schweinefleisch
Zutaten: 500–750 g Fleisch (Bauchlappen, Bug, Hals oder Brust), 2 l Wasser, 1 Esslöffel Salz, reichlich Suppengemüse.
Zubereitung: Wie Siedfleisch (siehe Seite 68). Man lässt es sehr langsam kochen. Es eignet sich als Beilage zu Sauerkraut, Kartoffeln oder zum Kaltessen. Es gewinnt sehr an Wohlgeschmack, wenn man es 2 Tage vor dem Kochen einsalzt. Zubereitungszeit 1–1 1/2 Stunden.

Salzfleisch
bereitet man ebenso zu, lässt aber das Salz beim Zusetzen weg.
Zubereitungszeit 1 1/2 Stunden.

Rauchfleisch zum Kochen
Zutaten: 500–750 g Rauchfleisch (Rippenstück oder Hals), ungesalzenes, kochendes Wasser.
Zubereitung: Das Fleisch wird in heißem Wasser gewaschen, mit kochendem Wasser aufgestellt, zum Kochen gebracht, beiseite gestellt und zugedeckt ganz langsam weichgekocht. Das Wasser soll nicht kochen, nur perlen. – Rasch gekochtes Rauchfleisch wird trocken.
Beilagen: Linsen oder sonstige Hülsenfrüchte, Sauerkohl.

Kasseler Rippenspeer
Zutaten: 500–750 g leicht geräuchertes Rippenstück, 1/2 l Wasser, 1 Zwiebel, 1 Möhre, Gewürze nach Belieben, etwas Stärkemehl zum Andicken der Soße, 1–2 Esslöffel saure Sahne.
Zubereitung: Das Fleisch wird mit dem kochenden Wasser und den Gewürzen in den heißen Bratofen gestellt und öfters übergossen. Wenn das Wasser eingekocht ist, kann man immer wieder etwas heißes Wasser nachgießen, oder man kann es anbraten und, wenn der Bodensatz angebräunt ist, ablöschen. Eine Viertelstunde vor dem Anrichten bindet man die Soße mit Stärkemehl und schmeckt mit Sahne ab. Zubereitungszeit: 1 1/2 Stunden.
Beilage: Sauerkraut.

Schinken, gekocht
Zutaten: 1 geräucherter Schinken, Wasser, Suppengemüse, wenig Salz.
Zubereitung: Der gut abgebürstete Schinken wird mit reichlich kochendem Wasser und den Suppengemüsen zugesetzt und ganz langsam 4–5 Stunden mehr ziehend als kochend gargemacht. Man lässt ihn in der Brühe erkalten und schneidet ihn in dünne Scheiben.
Wird er heiß verwendet, zieht man die Schwarte ab und richtet die Scheiben mit heißer Brühe an.
Beilage: Sauerkraut, Rotkohl, Salzkartoffeln.

Bratwürste
Zutaten: 4 Paar Bratwürste, 1–2 Esslöffel Butter, 1 Zwiebel, 1 Kaffeelöffel Mehl, Wasser, Salz, nach Belieben 1 Tomate.
Zubereitung I: Die Bratwürste werden in kochendes Wasser gelegt, sofort beiseite gestellt, damit sie nur leicht ziehen, und, wenn sie sich fest anfühlen, nach 5–10 Minuten, wieder herausgenommen. Nun wendet man sie in roher Milch oder Mehl, gibt sie in heiße Butter und brät sie auf beiden Seiten schön braun an. Dann nimmt man sie heraus, stellt sie auf einer erwärmten Platte in den Backofen und macht dann die Soße. Man röstet in dem Fettrückstand etwas Mehl hellbraun, dünstet die in Scheiben geschnittenen Zwiebeln kurz mit, löscht ab, gibt Salz und nach Belieben 1/2 Brühwürfel hinein und lässt alles zusammen gut durchkochen. Hierauf wird die Soße abgeseiht und die Bratwürste damit übergossen.
Zubereitung II: In die heiße Butter drückt man die rohen Bratwürste vorsichtig aus der

Haut heraus, so dass sie ihre Form behalten, drückt sie mit einem gefetteten Löffel etwas in die Breite und brät sie auf beiden Seiten schön braun an. Dann nimmt man sie heraus, macht die Soße wie vorstehend und richtet sie an. Bratzeit 12–15 Minuten.
Beilagen: Kartoffeln und grüner Salat oder Bratkartoffeln.

Heiße Würstchen

Dazu gehören: Saiten-, Frankfurter, Knoblauchwürstchen und rote Würste.
Zubereitung: Man legt sie in strudelndes Wasser, lässt sie aber keinesfalls kochen, da sie sonst aufspringen, sondern nur so lange ziehen, bis sie sich hart und prall anfühlen (6–9 Minuten).
Beilage zu Gemüsen und Salaten.

4. Das Hammelfleisch

Gutes, junges Hammelfleisch hat eine dunkelrote, frische Farbe, lockere, zarte Fasern und weißes Fett. Es ist in der Zusammensetzung dem jungen Rindfleisch am ähnlichsten und gilt als leichtverdaulich und nahrhaft. Es hat einen eigentümlichen Geruch, der hauptsächlich an das Fett gebunden ist. Um diesen zu mildern, kann man das Fleisch vor der Zubereitung enthäuten, vom Fett befreien und wie Sauer- oder Rehbraten etwa 2 Tage in Essigbeize legen (siehe Sauerbraten, Seite 69). Es bekommt einen wildbretartigen Geschmack, wenn man zu den üblichen Beizezutaten ein kleines Tannenzweigchen oder einige Wacholderbeeren einlegt. Das Vorurteil, das viele Menschen gegenüber Hammelfleisch haben, sollte mit der Zeit verschwinden. Aufgabe der Hausfrau ist es, es so schmackhaft und vielseitig als irgend möglich zu verwenden. Es eignet sich besonders gut zu Misch- und Eintopfgerichten aller Art.

1. Die besten Stücke sind:
   zum Kochen: Bug und Brust.
   zum Braten: Keule, Bug, Brust, Rippenstück.
2. Die Lagerung von einigen Tagen ist für das Hammelfleisch unerlässlich, es gewinnt dadurch an Zartheit und Wohlgeschmack.

Hammelbraten

Zutaten: 500–750 g Bug oder Keule, 40 g Fett, Salz, Pfeffer, 1 Zwiebel, 1 Knoblauchzehe, 1 Möhre, Mehl.
Man bereitet ihn wie Rinderschmorbraten (siehe Seite 69). Um den Hammelgeruch zu mildern, muss man das Fleisch häuten und mit Senf einreiben, oder man kann beim Anbraten noch eine Knoblauchzehe nehmen oder das Fleisch mit Salbeiblättern einreiben oder mit Basilikumpulver bestreuen. Als Beilage eignen sich besonders gut junge Bohnen und Salzkartoffeln. Zubereitungszeit 2 Stunden.

Gebeizter Hammelbraten

Siehe Sauerbraten Seite 69. Weitere Würzen für die Beize: Einige Wacholderbeeren, 1 kleines Tannenzweigchen, 1 Salbeiblatt.

Hammelkeule

(für 10–12 Personen)

Zutaten: 2 kg Keule, 50 g geräucherter Speck, Salz, Pfeffer, 50 g Fett, 1–2 Zwiebeln, 1 Knoblauchzehe, 1 Möhre; – etwas Senf, 1–2 Esslöffel Mehl, Wasser oder Brühe, 1 Tasse saure Sahne.

Zubereitung: Die entknöchelte, sauber gehäutete, entfettete Keule wird mit schmalen Speckstreifen gespickt, mit Salz und Pfeffer eingerieben, in heißem Fett angebraten, mit Senf bestrichen, das Suppengemüse dazugegeben, abgelöscht und im heißen Backofen unter häufigem Begießen in etwa 2 1/2–3 Stunden gar gebraten. 1/2 Stunde vor dem Anrichten wird die Soße mit Mehl und Sahne gebunden.

Hammelkoteletten

Zutaten: 4–8 Hammelrippchen, Salz, Pfeffer oder Paprika, 1 Knoblauchzehe, 50–80 g Fett, Wasser.
Zubereitung: Die Rippchen werden geklopft, mit Knoblauch eingerieben, gesalzen, gepfeffert, in Mehl gewendet und in heißem Fett auf beiden Seiten braun und knusprig gebraten. Zeitdauer 15–20 Minuten.
Beilagen: Gemüse und Salzkartoffeln oder Salate.

Hammelragout

Zutaten: 500–750 g Hammelfleisch, Bug oder Keule, 50 g Fett, 1 Prise Zucker, Salz, Paprika, etwas Kümmel, 1 Esslöffel Mehl, 1 in Scheiben geschnittene Zwiebel, 500 g in Stifte geschnittene Kartoffeln und ebensoviele Möhren, Wasser, 1/2 Glas Rotwein.
Zubereitung: Das in Würfel geschnittene, leicht gesalzene Fleisch wird in Mehl gewendet und in rauchheißem Fett mit 1 Prise Zucker und der Zwiebel schön braun angebraten. Dann löscht man ab, deckt zu und gibt nach 40 Minuten die vorgerichteten Möhren und nach weiteren 20 Minuten die Kartoffeln dazu. Man lässt alles zusammen langsam weichschmoren und schmeckt beim Anrichten mit feingehackter Petersilie und etwas Thymian ab. Gesamtgarzeit 2 Stunden.
Beilagen: Klöße oder Teigwaren.

Irish stew (Irisches Hammelgericht)

Zutaten: 500–750 g Hammelfleisch, 1/2 Wirsingkopf oder Weißkohl, 250 g Möhren, 1 Sellerieknolle, 1 große Zwiebel, 750 g Kartoffeln, 1 Esslöffel Salz, 1 Esslöffel Fett, 1/2–3/4 l Wasser, feingehacktes Selleriekraut.
Zubereitung: Siehe Pichelsteiner Seite 74. Garzeit 2 Stunden.

Serbisches Reisfleisch

Zutaten: 500–750 g Hammelfleisch (Keule oder Bug), 1 große Zwiebel, 1 gehäufter Esslöffel Fett, einige Esslöffel Tomatenmark, 1/2 Kaffeelöffel Paprika, 1 Kaffeelöffel Salz, 250 g Reis, 1/2 l Wasser.
Zubereitung: Das in Würfel geschnittene, gesalzene Fleisch wird mit der grobgeschnittenen Zwiebel in heißem Fett von allen Seiten angebraten, der gewaschene Reis in demselben Fett mit dem Fleisch kurz gedünstet, abgelöscht, mit Tomatenmark und Paprika gewürzt und langsam weichgeschmort. Zubereitungszeit 1 1/2 Stunden.

Zicklein

Zutaten: 1 vierwöchiges Zicklein, Salz, Pfeffer, 120 g Fett, 1–2 Zwiebeln, 1–2 Möhren, 1 Tasse saure Sahne, 1 Kaffeelöffel Stärkemehl, nach Belieben etwas Wein.
Zubereitung: Das abgezogene Tier wird zerlegt, Rücken, Keule und Bug mit Salz und Pfeffer eingerieben und mit Zwiebeln und Möhren in heißem Fett von allen Seiten angebraten. Dann wird abgelöscht und das Fleisch im Backofen unter häufigem Begießen weichgeschmort. 1/2 Stunde vor dem Anrichten wird die Soße gebunden. Bratzeit etwa 1 1/2 Stunden. – Lammbraten wird ebenso zubereitet.
Kopf, Herz und Leber werden wie Rehragout zubereitet.

FLEISCHTEIG

Alle vorgenannten Fleischarten, mit Ausnahme von Hammelfleisch (auch Fischfleisch), können zu sogenanntem Fleischteig verarbeitet werden. Es sollen daraus Fleischgerichte entstehen, die wohlschmeckend und nahrhaft sind und bei denen man Fleisch sparen kann. Bei mehr vegetarisch eingestellter Küche kann man das Fleisch weitgehend durch Gemüse und Brot ersetzen, Statt frischem Fleisch kann man auch Fleischreste zum Teig nehmen. Dieser erfordert jedoch etwas mehr Ei als ein Teig aus Frischfleisch, weil im Restefleisch das Eiweiß schon geronnen, also fest ist und wenig Bindekraft mehr besitzt. Man kann Fleischteig zu den verschiedensten Gerichten verarbeiten, ohne dass man das Grundrezept wesentlich ändert. Zum Frischfleischteig kann man entweder nur Rindfleisch, oder nur Schweinefleisch, oder beides, zu gleichen Teilen gemischt, nehmen. Kalbfleisch allein zu nehmen ist nicht ratsam, der Teig wird zu feucht, und er schmeckt fade. Hackfleisch darf nie auf Vorrat gekauft werden, da es leicht verderblich ist. Es muss sofort verwendet werden. Als Beilage zu allen gebratenen Fleischteiggerichten eignen sich Gemüse, grüne Salate oder Kartoffelsalat.

Grundmenge für 4 Personen:

Zutaten: 250–500 g rohes Fleisch, halb Rind-, halb Schweinefleisch (ohne Knochen), 1–2 altbackene Brötchen, 1–2 Eier, Salz, Pfeffer, Muskat, Petersilie, feingehackt und in Fett gedünstet.

Fleischteig

Zubereitung: Das Fleisch wird durch die Hackmaschine getrieben oder als frisches Hackfleisch vom Metzger geholt. Die Brötchen werden auseinandergebrochen. in kaltem Wasser eingeweicht und etwas beschwert, damit sie überall unter Wasser sind und gleichmäßig quellen. Dann drückt man sie mit den Händen fest aus und zerzupft sie. (Je altbackener das Brot ist, desto besser kann man es ausdrücken.) Frisches Brot wird im Wasser weich und hält das Wasser fest. Dadurch wird der Teig zu weich und lässt sich schlecht formen, außerdem verringert sich die Bindekraft des Brotes. Statt die Brötchen einzuweichen, kann man sie auch reiben und mit etwas Milch anfeuchten. (Fleischteig mit geriebenen Brötchen hält besser zusammen. Das ist für Hackbraten wichtig.) Zwiebeln und Petersilie schneidet man erst grob vor und wiegt dann beides zusammen sehr fein. Um die Schärfe der Zwiebeln zu mildern, dünstet man beides in Fett gut durch, ohne es Farbe nehmen zu lassen. Zuletzt gibt man die Gewürze und die Eier dazu und bearbeitet den Teig so lange, bis alle Zutaten gleichmäßig durchgemengt sind, Unterlässt man dies, so zerfällt der Teig beim Garmachen. – (Fischfleischteig stellt man auf dieselbe Weise her, verwendet aber zusätzlich 50 g geräucherten, durch die Hackmaschine getriebenen Speck.)

Hackbraten

Zubereitung: Aus dem fertigen, sehr gut durchgearbeiteten Fleischteig formt man mit den nassen Händen einen länglichen Laib, wendet diesen in Mehl oder Semmelmehl und brät ihn in heißem Fett auf beiden Seiten mit dem üblichen Suppengemüse zusammen an. Dann streut man 1 Kaffeelöffel Mehl hinein, röstet es braun, löscht ab und lässt den Braten unter häufigem Begießen im Backofen gar werden. Bratzeit 1 Stunde.

Wie man den gefüllten Hackbraten vorrichtet

Man kann den Teig auch in eine gut gefettete Kastenform legen, mit Fett bestreichen und im Backofen in mittlerer Hitze (200 °C) 1 Stunde backen.
Beilagen: Gemüse und Kartoffeln oder Kartoffelsalat und Kopfsalat.

Gefüllter Hackbraten zum Kaltaufschneiden für festliche Gelegenheiten

Man bereitet den Fleischteig nach dem Grundrezept, wellt ihn auf einem bemehlten Brett aus, belegt ihn mit aneinandergesetzten, oben und unten glattgeschnittenen, knapp hartgekochten Eiern und wickelt ihn so zusammen, dass die Eier dicht gepackt in der Mitte liegen. Man kann den ausgewellten Fleischteig auch mit Senf bestreichen, mit Gurkenstäbchen belegen und mit dem übrigen Fleischteig bedecken. Damit der Braten schön zusammenhält und recht saftig wird, kann man die Fleischrolle vor dem Backen in ein Schweinsnetz wickeln, das während des Garens ausschmilzt. Man macht den Braten wie oben fertig.

Fleischküchlein (Frikadellen)

Zubereitung: Aus dem Fleischteig (siehe Seite 89) formt man mit Hilfe von Semmel- oder Weißmehl runde Küchlein und bäckt sie in rauchheißem Fett auf beiden Seiten. Oder: Man legt mit einem gefetteten Löffel den Teig aus der Schüssel heraus in heißes Fett, drückt die Küchlein mit dem gefetteten Löffel flach und brät sie auf beiden Seiten braun. Bratzeit je nach Größe 15–20 Minuten.
Die zweite Art eignet sich für einen weichen Teig. Die Küchlein werden auf diese Weise auch saftiger. Wenn man will, kann man aus dem zurückbleibenden Fett eine Soße machen: Man streut 1 Kaffeelöffel Mehl und eine in Scheiben geschnittene Zwiebel hinein, röstet beides

zusammen hellbraun an, gibt 1 Brühwürfel dazu, löscht ab und lässt alles zusammen ein Weilchen kochen. Die Soße richtet man für sich an.
Beilage: zu Gemüsen und Salaten.

Falsche Frikadellen

Zutaten: Statt Hackfleisch Brei von 1/2 l Wasser, 1 Brühwürfel, etwas Salz, 125 g Grünkerngrütze; – 2 altbackene Brötchen, 1 Ei, 50 g geräucherter Speck, reichlich Zwiebeln und Petersilie, Salz, Muskat. – Backfett.
Zubereitung: Die Grünkerngrütze wird in der Flüssigkeit zu steifem Brei gekocht, die Brötchen in kaltem Wasser eingeweicht, fest ausgedrückt und verzupft, Zwiebeln und Petersilie fein gewiegt und in dem würflig geschnittenen Speck gedünstet. Nun mischt man alle Zutaten mit dem Brei tüchtig durch, lässt die Masse völlig erkalten, sticht mit einem Löffel längliche Klöße auf ein nasses Brett, drückt sie etwas in die Breite und brät die Küchlein in heißem Fett auf beiden Seiten braun und knusprig.

Fleischklöße (Königsberger Klops)

Zutaten: Grundrezept zum Fleischteig; dazu 1–2 gewiegte Sardellen, 2–3 geriebene gekochte kalte Kartoffeln, 1–2 Esslöffel geriebenen Schweizer Käse.
Zubereitung: Man formt mit den bemehlten Händen aus dem Fleischteig (siehe Seite 89) 12 pfirsichgroße Klöße, bringt diese in kochendes Salzwasser, kocht sie 8–10 Minuten und richtet sie in einer tiefen Platte oder Schüssel an. Mit der Kochbrühe macht man eine Butter- oder Bechamelsoße (siehe Seite 33/36), die man mit Weißwein oder Most und 1 Esslöffel Kapern würzt, und richtet die Klöße in dieser an.
Beilagen: Salzkartoffeln, grüner Salat.

So werden Kohlrollen vorbereitet

Kohlrollen (Krautwickel)

Zutaten: Kohlblätter und Grundrezept des Fleischteiges.

Zubereitung: 12 schöne Kohlblätter werden in Salzwasser halbweich gekocht, die dicken Rippen etwas abgeflacht und der Fleischteig darauf verteilt. Nun schlägt man die Blätter zu beiden Seiten ein, wickelt sie zusammen, setzt die Rollen nebeneinander in eine Bratenkasserole, brät sie auf beiden Seiten schön braun, löscht ab, gibt etwas Salz und 1 Esslöffel Fett dazu und lässt die Rollen zugedeckt weichschmoren. Man kann sie zuletzt, wenn das Wasser eingedampft ist, noch etwas anbraten. Zubereitungszeit 1 Stunde.

Beim Anrichten übergießt man sie mit der sich bildenden Soße. Beilage: Salzkartoffeln. (Man kann auch den ganzen Krautkopf mit kochendem Salzwasser zusetzen und die Blätter ablösen, wenn sie halb weich sind. Das Innere des Krautkopfes kann man durch die Hackmaschine drehen und den Fleischteig damit strecken.)

Beilagen: Tomatensoße, Salzkartoffeln.

Kohl- oder Krautauflauf

Zutaten: 1 großer Kohlkopf, Grundmenge des Fleischteigs, Fett zur Form.

Zubereitung: Der Kohl wird von den äußeren groben oder schlechten Blättern befreit, die guten Blätter abgelöst, die dicken Blattrippen abgeflacht und in Salzwasser halb weich gekocht. Die inneren Blätter werden ganz weich gekocht, fest ausgedrückt, fein gewiegt und mit der Zwiebel in Fett gedünstet. Das so vorgerichtete Kraut wird mit den übrigen Zutaten zu einem glatten Teig geknetet und dieser kräftig abgeschmeckt. Nun legt man eine gefettete Auflaufform mit den halbweichen Kohlblättern aus, gibt den Fleischteig darauf und deckt ihn mit Blättern zu. Man streut einige Butterflöckchen darauf und bäckt den Auflauf 3/4 bis 1 Stunde (225 °C).

Beilagen: Salzkartoffeln, Tomatensoße.

Kohlpudding

Man kann statt einer Auflaufform auch eine gefettete Puddingform mit den vorgekochten Kohlblättern auslegen, mit Fleischteig füllen, oben mit Blättern abdecken, die Form schließen und den Pudding 1 Stunde im Wasserbad kochen.

Beilagen: Salzkartoffeln, Butter- oder Tomatensoße.

Laubfrösche

macht man wie Kohlrollen, nur nimmt man statt der Kohlblätter große, schöne Spinat- oder Huflattichblätter, die man (damit sie beim Füllen nicht knicken) einen Augenblick in kochendes Salzwasser hält und auf einem Brett auseinanderlegt. Die „Laubfrösche“ dünstet man in 20–25 Minuten gar. Man richtet sie mit Buttersoße (siehe Seite 33) an und reicht Salzkartoffeln dazu.

Maultaschen (Gefüllte Nudeln)

Zutaten: Grundrezept des Nudel- und Fleischteigs. (Nudelteig und Fleischteig je ganze Menge.)

Zubereitung: Man wellt aus dem gutgekneteten Nudelteig (siehe Seite 138) 2–4 runde dünne Kuchen, lässt sie halb abtrocknen, verteilt den Fleischteig darauf und bestreicht die Hälfte jedes Kuchens damit. Dann legt man die leere Teighälfte darüber, drückt sie leicht an (damit die Luft darunter entweicht) und drückt dann die Ränder zusammen. Nun drückt man mit einem dicken Porzellanteller oder einem Rührlöffel verschobene Vierecke ab, schneidet diese den Vertiefungen nach durch, gibt sie in kochendes Salzwasser, lässt sie 10 Minuten langsam, anfänglich zugedeckt, dann offen kochen, richtet sie mit oder ohne Brühe an und schmälzt sie mit in Butter gerösteten Semmelwürfelchen. Es ist üblich, die Hälfte der

So bereitet man Maultaschen vor

Gefüllte Flädle kurz vor dem Backen

Maultaschen mit der Kochbrühe zusammen als Suppe, die übrigen ohne Brühe mit gemischtem Salat zu essen.

Spinatpudding

Zutaten: Grundrezept des Fleischteigs, 250 g Spinat.
Zubereitung: Man füllt den mit rohgewiegtem Spinat vermischten Fleischteig in eine gutgefettete, mit Semmelmehl ausgestreute Puddingform, verschließt sie und kocht den Pudding im Wasserbad 1 Stunde. Beim Anrichten übergießt man ihn mit Butter-, Tomaten- oder Bechamelsoße (siehe Seite 33/36) und gibt Schal- oder Salzkartoffeln dazu. Man kann an Stelle von Spinat auch junge, weichgedämpfte Brennesselblätter verwenden.

Fleischpudding (Leberpudding)

bereitet man ebenso zu, nur lässt man den Spinat weg. Statt Hackfleisch kann man auch feingehackte Kalbsleber nehmen.

Gefüllte Flädle

Zutaten: Grundrezept von Flädlesteig (siehe Mehlspeisen Seite 147). Füllung: Grundrezept von Fleischteig (Seite 89), den man aber aus Fleischresten oder aus Büchsenfleisch oder Schinken, nicht aus frischem rohem Fleisch macht. Rohe Fleischfüllung bäckt nicht genügend durch. – Zum Fertigmachen: 1 Ei, etwas Milch, Semmelmehl, Backfett.
Zubereitung: Die Flädle legt man nach dem Backen zum Abkühlen auseinander, verteilt die Füllung darauf, streicht diese auseinander, rollt die Flädle auf und halbiert sie. Man drückt die Rollen etwas in die Breite, wendet sie in zerquirltem Ei, dann in Semmelmehl und bäckt sie in heißem Fett braun und knusprig. Beilage: Kopfsalat.

Gefüllte Kartoffeln

Zubereitung: 12 schöne große Kartoffeln werden roh geschält, oben und unten glatt abgeschnitten und vorsichtig ausgehöhlt. Dann füllt man sie mit Fleischteig (siehe Seite 89) den man mit etwas Sahne mischen kann, bestreut sie mit Salz und setzt sie in einen niedrigen Brattopf, in welchem man zuvor 1–2 Esslöffel Fett erhitzt hat. Nun gibt man auf jede Kartoffel ein Kaffeelöffelchen Sahne. Dann schüttet man noch 1/4 l Fleischbrühe und, wenn man hat, etwas übrige Bratensoße oder Sauermilch hinein und lässt die Kartoffeln zugedeckt weichschmoren (20–35 Minuten). Kurz vor dem Anrichten setzt man der Soße noch einige Esslöffel Sahne zu. Man reicht Tomaten- oder Buttersoße und grünen Salat dazu.

Gefüllte Paprikaschoten

Zutaten: 4–6 Paprikaschoten, Grundrezept des Fleischteigs; – 40 g Fett, 1/2 l Brühe, 1/8 l Sahne, 1 Esslöffel Tomatenmark, Salz.
Zubereitung: Die gewaschenen Paprikaschoten werden am Stielende aufgeschnitten, ausgekratzt, mit kräftig abgeschmecktem Fleischteig gefüllt und mit etwas Wasser und Fett zugesetzt. Sobald sie Farbe nehmen wollen, löscht man sie ab, würzt mit Tomatenmark, Salz und Sahne und lässt sie zugedeckt in 1/2–3/4 Stunden langsam weichschmoren. Wer will, kann die Soße mit etwas Mehl andicken oder man kann als Beilage eine Tomatensoße reichen. Oder: 4–6 Paprika, 1 Tasse Reis, 100 g in Würfel geschnittenes Rauchfleisch, 40 g Fett, 1 Zwiebel, Petersilie, Salz, 1/2 l Brühe, 1/8 l saure oder süße Sahne.
Zubereitung: Man gibt den Reis in kochendes Salzwasser, lässt ihn 12 Minuten kochen, gießt ihn ab und spült mit klarem Wasser nach. Unterdessen dünstet man die gehackte Zwiebel und Petersilie glasig, gibt das Rauchfleisch und darnach den Reis dazu, schmeckt kräftig ab und füllt damit die Schoten wie oben. Sie werden in gleicher Weise fertiggestellt.

Gefüllte Sellerie

Zubereitung: 8 mittelgroße Sellerieknollen werden roh geschält, in wenig Salzwasser halb weichgekocht und vorsichtig ausgehöhlt. Nun füllt man sie mit Fleischteig (siehe Seite 89), setzt sie nebeneinander in einen niederen Topf und macht sie wie gefüllte Kartoffeln fertig.

Gefüllte Tomaten mit Reis

Gefüllte geschmorte Tomaten

Zubereitung: 12 schönen, festen Tomaten schneidet man oben einen Deckel ab, höhlt sie aus, füllt sie mit Fleischteig (siehe Seite 89), setzt sie nebeneinander in eine Pfanne oder einen Brattopf mit 1–2 Esslöffel zerlassener Butter, legt die Deckelchen darauf und schmort sie langsam mit etwas Sahne oder Buttermilch und Fleischbrühe weich. Zubereitungszeit 20–25 Minuten.

Beilagen: Salzkartoffeln oder Reis.

Gefüllte Gurken

Zutaten: 4 kleine Gurken, Grundrezept des Fleischteigs; – 40 g Fett, 1 Zwiebel, 2 Esslöffel Tomatenmark, 1 Esslöffel Mehl, 1 kleine Tasse saure Sahne.

Zubereitung: Die Gurken werden geschält, längs halbiert, mit einem Esslöffel entkernt, mit etwas Salz eingerieben und, wenn sie nass geworden sind, abgetrocknet. Nun füllt man

die Hälften mit Fleischteig, fügt sie wieder zusammen, umbindet sie mit Bindfaden und brät sie in sehr heißem Fett mit der grobgeschnittenen Zwiebel zusammen an. Dann löscht man mit etwas verdünntem Tomatenmark und der Sahne ab und lässt sie zugedeckt auf der Platte oder im Backofen langsam weichschmoren. Kurz vor dem Anrichten bindet man die Soße mit Mehl und gibt sie über die von Bindfaden befreiten Gurken.
Beilagen: Neue Kartoffeln, Salzkartoffeln, Reis.

Fleischreste lassen sich zu allen gesalzenen Aufläufen, Klößen und Reisspeisen verwenden. Anschließend noch einige andere Beispiele:

Haschee

Zubereitung: Man gibt 10 Minuten vor dem Anrichten in eine gut durchgekochte Zwiebelsoße (siehe Soßen Seite 36) übriges, grobgewiegtes Fleisch und lässt es kurz mitkochen.
Beilagen: z. B. Kartoffeln, Reis, Nudeln.

Zwiebelfleisch

Zubereitung: Übriges, in Scheiben geschnittenes Siedfleisch brät man mit Zwiebelringen zusammen in heißem Fett auf beiden Seiten braun an, löscht mit wenig Wasser ab und richtet das Fleisch mit den Zwiebeln bedeckt auf heißer Platte an. Wer will, kann die Soße mit etwas Mehl binden. Beilagen: Bratkartoffeln, Kopfsalat.

INNEREIEN DER SCHLACHTTIERE

Zu den Innereien rechnet man den Kopf mit Zunge und Hirn, Herz, Leber, Nieren, Lunge, Milz, Bries und Kutteln. Man kann sehr leckere und leichtverdauliche Gerichte daraus herstellen, die man teilweise zur feinen Küche rechnet. Namentlich die Innereien vom Kalb sind hoch geschätzt, weil sie besonders zart und schmackhaft sind. Vom Rind ist vor allem die Zunge ein Leckerbissen.
Sie zersetzen sich rasch und müssen deshalb möglichst frisch verwendet werden, doch sind sie reich an Mineralstoffen. Vitaminen und Spurenelementen, die sie für die Gesundheit besonders wertvoll machen. Leber ist in jeder Form Blutarmen sehr zu empfehlen.

Zunge gekocht

Zutaten: 1 gepökelte oder 1 frische „grüne“ Rinds- oder Ochsenzunge, 3–4 l Wasser, reichlich Suppengemüse, kein oder wenig Salz.
Zubereitung: Die gewaschene Zunge wird mit dem vorgerichteten Suppengemüse in kochendem Wasser zugesetzt und langsam etwa 4 Stunden mehr ziehend als kochend gar gemacht. (Sie ist fertig, wenn sich die derbe Oberhaut leicht abziehen und die Zungenspitze sich leicht durchstechen lässt). Nun wird sie abgezogen, in dicke Scheiben geschnitten und mit heißer Brühe angerichtet. Die drüsigen und durchwachsenen Bestandteile und der Zungengrund geben feingehackt oder durchgetrieben gute Frikadellen oder Haschee. Beste Beilagen: Senfsoße, Salzkartoffeln oder: grüne Bohnen oder grüne Erbsen mit Kartöffelchen.

Zungenragout (für festliche Gelegenheiten, 8–10 Personen)
Zutaten: 1 gepökelte Rindszunge oder verschiedene kleine Schweinszungen, 3 l Wasser, reichlich Suppengemüse, wenig Salz.
Zur Soße: 100 g Fett, 1 Kaffeelöffel Zucker, 150 g Mehl, 1 Zwiebel, Wasser nach Bedarf, 1 Glas Rotwein im Notfall 2–3 Esslöffel Essig, 1 handvoll feinblättrig geschnittene, frische oder eingedünstete Pilze, 1 Esslöffel Tomatenmark, nach Belieben 1 Nelke, 1/2 Lorbeerblatt, 2–3 Pfefferkörner, Zitronensaft.

Zubereitung: Die Zunge wird wie oben angegeben weichgekocht, noch heiß abgezogen, in Scheiben geschnitten und in folgender Soße noch kurz aufgekocht:
Man lässt das Fett rauchheiß werden, röstet darin den Zucker und das Mehl hellbraun, dünstet die feingeschnittenen Zwiebeln und das Tomatenmark kurz mit, löscht mit Zungenbrühe ab, gibt die Gewürze und die Pilze, zuletzt den Wein hinein. Man lässt die Soße etwa 1 Stunde kochen und gibt kurz vor dem Anrichten die Zungenscheiben hinein. Man kann das Ragout durch Zugaben von Fleischklößchen und Champignons verfeinern. – Zum Garnieren verwendet man Blätterteighalbmonde.
Beilagen: Salzkartoffeln oder gedämpfter Reis.

Schweinszungen in heller Soße
Die weichgekochten, nicht gepökelten Schweinszungen werden in passende Stücke geschnitten und in eine kräftig abgeschmeckte helle Soße gegeben (siehe eingemachtes Kalbfleisch Seite 79).

Gebratene Rindsleber
Zutaten: 4–6 Schnitten Rindsleber (400–500 g), 4–6 dünne Scheiben magerer Rauchspeck, 30 g Butter, etwas Brühe und Weißwein, Salz.

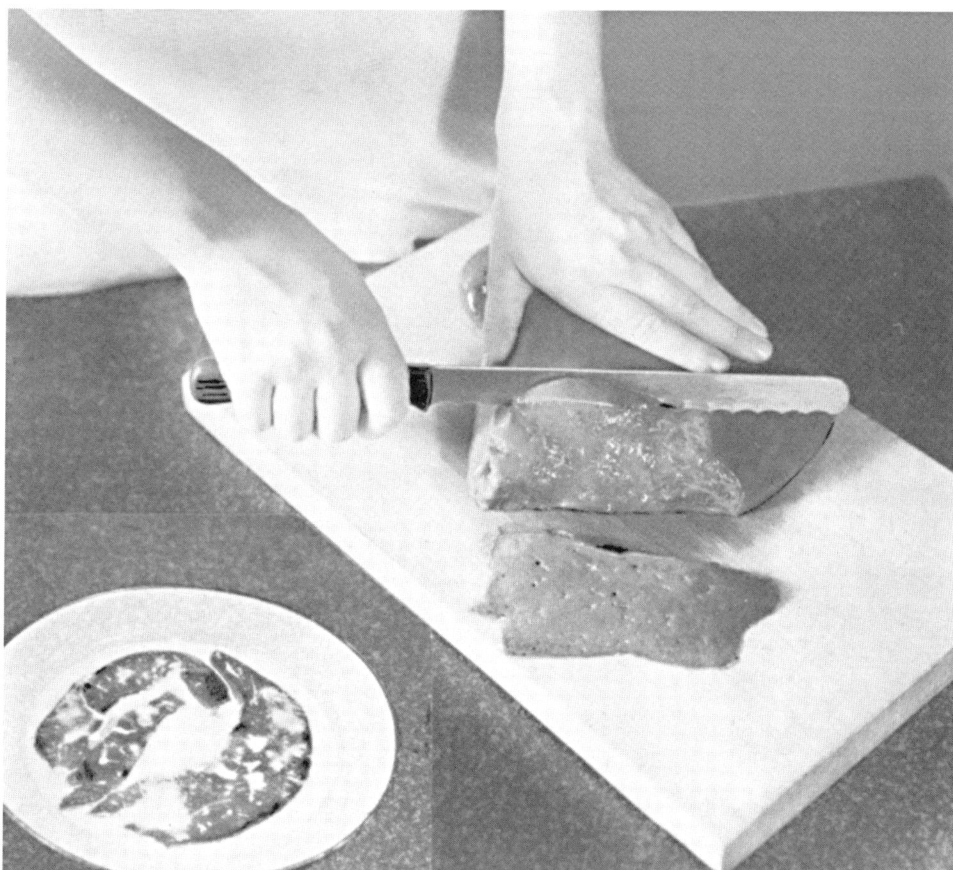

Die Rindsleber wird in Scheiben geschnitten und diese, damit sie zarter wird, in Milch gelegt

Zubereitung: Die Leberschnitten werden etwa 1/2 Stunde in Milch gelegt, damit sie zarter und heller werden. Dann lässt man sie abtropfen und wendet sie in Mehl. Nun brät man die Speckscheiben ohne weitere Fettzugabe auf flacher Pfanne auf beiden Seiten knusprig und legt sie auf eine heiße Platte. Zu dem ausgebratenen Speckfett gibt man die Butter, erhitzt beides und brät darin die Leberschnitten auf beiden Seiten rasch an. Dann richtet man sie an, bestreut sie mit Salz, und serviert sie mit den Speckscheiben, die man unter oder über die Schnitten legen kann. Den Bratensatz löscht man mit etwas Brühe ab, würzt mit Wein und gibt die Soße darüber.

So häutet man Kalbs- und Rindsleber

Beilagen: Kartoffelbrei und grüner Salat oder gedünstete grüne Erbsen und Pommes frites.
Leberklöße siehe Seite 168.
Leberspatzen siehe Seite 144.

Saure Leber

Zutaten: 400–500 g Kalbs- oder Rindsleber, 1–2 Esslöffel Fett, 2–3 Esslöffel Mehl, 1 große Zwiebel, Brühe, Salz, Pfeffer oder Paprika, Essig, eine kleine Tasse saure Sahne.
Zubereitung: Man legt die Leber kurz in kalte Milch, häutet sie und schneidet sie in schmale Scheibchen. Nun dünstet man in dem heißen Fett erst die feingeschnittenen Zwiebeln, dann die Leber, bis diese nicht mehr roh aussieht, streut das Mehl darüber, verrührt es und lässt

es etwas anbräunen, löscht ab und schmort die Leber in der Soße weich. Dann erst gibt man Salz (nach Belieben Pfeffer) und Essig daran, sonst wird die Leber hart. Kurz vor dem Anrichten rührt man die Sahne hinein. Garzeit 8–12 Minuten. (Lässt man sie länger kochen, wird sie ebenfalls hart.)
Beilagen: Salzkartoffeln oder Reis, grüner Salat.

Gebratene Kalbsleber

Zutaten: 400–500 g Kalbs- (oder Rinds-)leber, etwas Mehl, Salz, nach Belieben Pfeffer oder Paprika, 1–2 Esslöffel Fett, Brühe; – nach Belieben gedünstete Apfelscheiben.
Zubereitung: Man legt die Leber einige Minuten in kalte Milch, häutet sie und schneidet sie in zentimeterdicke Scheiben. Diese wendet man in Mehl, legt sie in mäßig heißes Fett und lässt sie langsam auf beiden Seiten schön braun anbraten. Sie sind gar, wenn beim Durchstechen kein roter Saft mehr herausläuft (lässt man sie länger braten, werden sie hart). Dann erst bestreut man sie mit Salz (und Pfeffer oder Paprika) und stellt sie auf heißer Platte warm. Nun röstet man in dem übrigen Fett das Mehl braun, löscht ab, kocht die Soße kurz auf und richtet sie über die Leberschnitten an. Man bestreut sie mit feingehacktem Majoran oder man belegt sie mit gedünsteten Apfelscheiben. Bratzeit 6–8 Minuten.
Beilagen: Kartoffelbrei, Kopfsalat.

Kalbsleber auf Reis

Zutaten: 500 g Leber, Salz, 1 gehackte Zwiebel und Petersilie, 50 g Butter oder Öl. Grundmenge von gedünstetem Reis.
Zubereitung: Die gehäutete Leber wird in dünne Scheibchen geschnitten, mit der Zwiebel in heißer Butter rasch angebraten, gesalzen, inmitten einem Kranz von gedünstetem Reis angerichtet und mit gehackter Petersilie bestreut.
Weitere Beilagen: Kopfsalat, Tomatensalat.

Saure Nieren

Zutaten: 400–500 g Kalbsnieren, 1–2 Esslöffel Fett, 2 Esslöffel Mehl, 1 große Zwiebel, Brühe, Salz, nach Belieben Pfeffer, Essig.
Zubereitung: Die gutgewässerten, in feine Scheiben geschnittenen Nieren werden in heißer Butter rasch gebräunt, nach etwa 6 Minuten herausgenommen und im Wasserbad warmgehalten, da sie sonst hart werden. Nun röstet man in dem zurückbleibenden Fett das Mehl hellbraun, dünstet die feingeschnittene Zwiebel kurz mit, löscht ab, würzt die Soße, lässt sie gut durchkochen und richtet sie über die vorgerichteten Nieren an. Auf diese Weise zubereitet, bleiben sie weich und zart.
Man kann die gewässerten, in Scheibchen geschnittenen Nieren auch in eine gut durchgekochte saure Soße geben und solange ziehen lassen, bis sie innen nicht mehr rot sind.
Beilagen: Kartoffeln oder Reis, grüner Salat.

Ochsenmaul

Zutaten: 1 Ochsenmaul, 3 l Wasser, 1 Esslöffel Salz, Suppengemüse.
Zubereitung: Das sauber gewaschene Ochsenmaul wird wie Siedfleisch in etwa 6–8 Stunden ganz langsam weichgekocht, in dünne Scheiben geschnitten und diese mit einer Salatsoße aus Essig, Öl, Senf, Zwiebeln, Pfeffer und Salz angemacht und pikant abgeschmeckt.
Man kann das feingeschnittene Ochsenmaul auch in eine helle Buttersoße geben und mit Zitronensaft, Pfeffer und Muskat abschmecken.
Beilage: Salzkartoffeln.

Saure Kutteln
Zubereitung: In eine saure Soße (siehe Soßen Seite 36) gibt man die weichgekochten, in schmale Streifen geschnittenen (500 g) Kutteln und kocht beides zusammen noch 1/4 Stunde.
Beilage: Schalkartoffeln.

Gedünstete Kutteln
Zutaten: 500 g weichgekochte Kutteln, 750 g gekochte Kartoffeln, 1–2 Esslöffel Fett, 1 Zwiebel, Salz.
Zubereitung: In dem heißen Fett dünstet man erst die feingeschnittenen Zwiebeln, dann die weichgekochten, in schmale Streifen geschnittenen Kutteln, zuletzt die gekochten, geschälten und in Scheiben geschnittenen Kartoffeln, würzt mit Salz und lässt alles zusammen zugedeckt noch ein Weilchen durchziehen. Garzeit 20 Minuten.
Beilage: Grüner Salat.

Geröstete Kutteln
Zutaten: 500 g gekochte, feingeschnittene Kutteln, 1–2 Esslöffel Fett, 1 Ei, Salz.
Zubereitung: Mit dem zerquirlten Ei vermischt man die vorgerichteten Kutteln und bäckt sie in heißem Schmalz wie geröstete Spätzle. Garzeit 10–15 Minuten.
Beilage: Grüner Salat.

Gedünstetes Kalbsherz
Zutaten: 2 Herzen, 2 Schöpflöffel Brühe, 1 Glas Weißwein oder Most, 1 Lorbeerblatt, 1/2 Zwiebel, 1 Nelke, einige Wacholderbeeren, 2 Esslöffel Fett, 2 Esslöffel Mehl, Salz.
Zubereitung: Die Herzen werden sauber gewaschen, von Fett und geronnenen Blutresten befreit, in dünne Scheiben geschnitten und mit Brühe, Fett, Wein und Gewürz zugesetzt und weichgekocht. Ist die Flüssigkeit eingekocht, streut man das Mehl darüber, dünstet es noch ein Weilchen mit, löscht ab und lässt alles zusammen noch eine Viertelstunde kochen. Ganz zuletzt würzt man mit Salz. Garzeit etwa 1 1/2 Stunden.
Beilagen: Kartoffelbrei oder Reis, grüner Salat.

Geschmortes Kalbsherz
Zutaten: 2 Kalbsherzen, 1–2 Esslöffel Fett, 1 Esslöffel Mehl, 1 Zwiebel, Wasser oder Brühe, etwas Sahne, Salz, 2 Pfefferkörner.
Zubereitung: Die gewaschenen, leicht gesalzenen Herzen werden halbiert, mit der grob zerkleinerten Zwiebel in heißem Fett hellbraun angebraten, mit etwas Mehl überstäubt und abgelöscht. Nun gibt man Pfefferkörner und Sahne dazu und lässt die Herzen zugedeckt weichschmoren. Zubereitungszeit: 1 1/2–2 Stunden.
Beilagen: Nudeln oder Kartoffeln, grüner Salat.

Gebackenes Hirn
Zutaten: 1 Kalbshirn, kochendes Salzwasser, 1 Esslöffel Fett, 1 Ei, Semmelmehl.
Zubereitung: Das Hirn wird gewässert, gehäutet, in kochendem Salzwasser halb weichgekocht, herausgenommen, abgetrocknet, erst in zerquirltem Ei, dann in Semmelmehl gewendet und in heißem Fett schön hellbraun gebraten. Garzeit insgesamt 15–20 Minuten.
Beilage: Kopfsalat.

Gebackenes Brieschen
bereitet man ebenso zu, nur lässt man das Brieschen in Salzwasser vollständig gar werden und schneidet es vor dem Panieren in dicke Scheiben. Kochzeit je nach Größe 15–25 Min.
Beilage: Kopfsalat.

Brieschen in Buttersoße (Brieschenragout)

Zutaten: 1 Brieschen, Salzwasser, 40 g Fett, 40 g Mehl, Brühe, 1/2 Lorbeerblatt, 1 Nelke, 1 Zitronenscheibe, 1/2 Glas Weißwein, 1 Esslöffel saure Sahne.
Zubereitung: Das Brieschen wird sauber gewaschen, in Salzwasser gargekocht, gehäutet und in gleichmäßige Stücke zerteilt. Aus den übrigen Zutaten macht man eine helle Soße wie zu eingemachtem Kalbfleisch (siehe Seite 79) und lässt die Brieschenstücke kurz darin aufkochen.
Beilagen: Teigwaren, Reis oder Kartoffeln, grüner Salat.

Muschelgericht (Ragout fin)

Zutaten: 1 Kalbsbrieschen oder Kalbsmilch, 1 Kalbszunge, einige blättrig geschnittene, kleine Champignons, 2 kleingehackte Essiggurken, 2 feingewiegte Sardellen, 40 g Butter, 40 g Mehl, 1/4 l Fleischbrühe, 2 Eigelb, 2 Esslöffel Sahne, 2 Esslöffel Weißwein.
Zubereitung: Das Kalbsbrieschen wird gewässert, gehäutet, mit kochendem Salzwasser zugesetzt, 1/2 Stunde gekocht und in Würfel geschnitten. Die Zunge wird ebenfalls weichgekocht, abgezogen und in feine Scheibchen oder Würfelchen geschnitten. Nun bereitet man eine dicke Buttersoße, schmeckt sie kräftig ab, gibt die übrigen Zutaten, zuletzt das Eigelb, das man mit der Sahne verrührt hat, daran. Nun füllt man das Frikassee in gefettete Muscheln, bestreut sie mit Semmelbröseln und Parmesankäse, gibt einige Butterflöckchen darauf und überbäckt sie im heißen Backofen zu hellgelber Farbe. Backzeit 20 Minuten. Man reicht sie als *Vorspeise* zu festlicher Mahlzeit.

Milz, Lunge, Kuheuter

werden jeweils in Salzwasser langsam weichgekocht, kleingeschnitten und je nach Geschmack in eine kräftig gewürzte helle oder dunkle Soße gegeben.
Beilagen: Bratkartoffeln, Salzkartoffeln oder Nudeln, grüner Salat.

WILD

Wild ist besonders im Herbst und Winter eine sehr geschätzte Abwechslung im Speisezettel.
In Betracht kommen vor allem Hasen, Kaninchen, Reh und Hirsch.
Alles Wild muss gut abhängen, wenn es zart und schmackhaft werden soll.
Man verwendet bei Hirsch, Reh und Hasen zum Braten den Rücken (Ziemer) und die Schlegel (Keulen). Zu Hasen- und Rehpfeffer oder -Ragout nimmt man die Vorderläufe, Kopf, Hals, Bauchlappen, Herz, Leber und Lunge.

Hasenbraten

Zutaten: 1 Hase (Rücken, Keule, nach Bedarf auch die Vorderläufe, die man aber meist zu Ragout verwendet), 100 g Fett, 50 g geräucherten Speck, 1 Tasse Brühe, 1 Tasse Sahne, 1 Gläschen Rotwein, 1 Esslöffel Mehl, Salz.
Zubereitung: Das Fleisch wird mit einem Tuch abgerieben, mit Speckstreifen gespickt, mit Salz bestreut, in einen Brattopf gelegt, mit heißem Fett übergossen, in die heiße Bratröhre geschoben und schön braun angebraten. Dann wird abgelöscht und der Braten unter häufigem Begießen mit Soße fertig gebraten, was etwa 1 1/2 Stunden Zeit braucht, bei älteren Tieren etwas länger. Eine halbe Stunde vor dem Anrichten bindet man die Soße mit dem mit Sahne angequirlten Mehl und lässt sie nochmals gut durchkochen. Beim Anrichten teilt

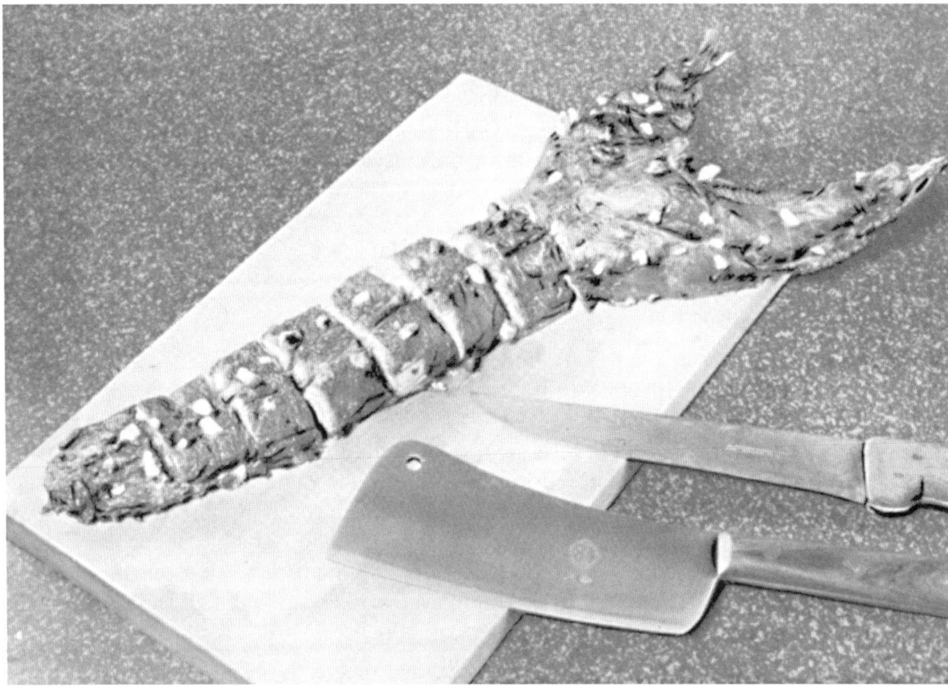

Hasenbraten in Stücke zerteilt

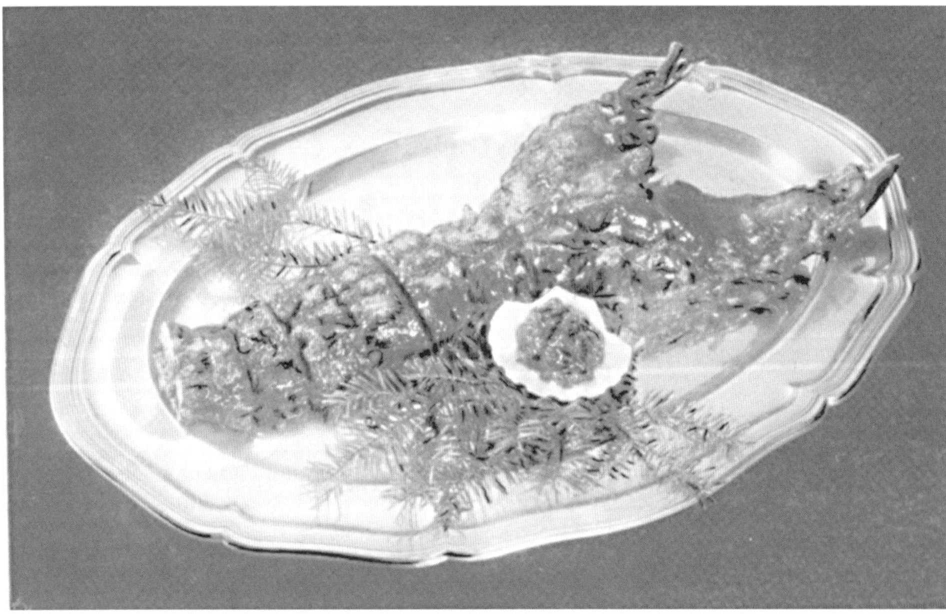

. . . und so hübsch angerichtet

man den Rücken quer durch in passende Stücke, setzt sie auf der Platte wieder zusammen und gibt etwas Soße darüber.
Man reicht dazu: Spätzle, Nudeln oder Rotkohl mit Salzkartoffeln.
Man kann das Fleisch auch einige Tage vor der Verwendung in Sauermilch oder Essigbeize legen und wie Sauerbraten zubereiten.

Hasenpfeffer

Dazu verwendet man alle Teile des Tieres mit Ausnahme von Rücken und Schlegel. Man legt das Fleisch 3–4 Tage in Sauermilch oder in Essigbeize. Dann wird es in passende Stücke geteilt, in 50 g Fett und 50 g würflig geschnittenem Speck angebraten, mit Mehl bestreut und wenn dieses braun ist, abgelöscht. Man schmeckt die Soße mit Zitrone und Rotwein ab und lässt alles zusammen etwa 2 Stunden schmoren.

Rehkeule

Zutaten: 1 Rehkeule von etwa 3–3 1/2 kg, 100 g geräucherter Speck zum Spicken, Salz und Pfeffer je nach Größe der Keule, 80–100 g Fett, 1 Zwiebel, 1 Tasse saure Sahne, heiße Fleischbrühe, 1–2 Esslöffel Mehl, Zitronensaft nach Geschmack.
Zubereitung: Die gut abgehängte Keule wird gehäutet, gespickt, mit Salz und Pfeffer eingerieben und in heißer Butter auf allen Seiten braun angebraten. Dann wird sie abgelöscht und im heißen Backofen unter häufigem Begießen gar gebraten. Das mit Sahne angerührte Mehl gibt man frühzeitig daran, damit die Soße recht kräftig wird. Wer will, kann sie mit Rotwein abschmecken, namentlich, wenn man Spätzle oder Teigwaren als Beilage gibt.
Garzeit: Je nach Größe etwa 2 Stunden.

Rehrücken

Zutaten: 1 Rehrücken von etwa 3 kg, 100 g geräucherter Speck, Salz, Pfeffer, 1 Zwiebel, 1 Möhre, 100 g Butter, Brühe, 1 Tasse saure Sahne, 1 Esslöffel Mehl oder Stärkemehl.
Zubereitung: Den gespickten, mit Salz und Pfeffer eingeriebenen Rehrücken brät man in der heißen Butter mit dem vorgerichteten Suppengemüse am besten auf dem Rost im Backofen an, indem man ihn zunächst mit der heißen Butter übergießt. Dann löscht man ihn mit Brühe ab, gibt die Sahne über das Fleisch und lässt den Braten unter häufigem Begießen in etwa 1 1/2–2 Stunden gar werden. – Beim Aufschneiden löst man das Fleisch rechts und links des Rückgrats mit einem scharfen Messer ab, schneidet schräge Scheiben ab und legt sie wieder auf die Knochen zurück. Die Soße bindet man mit Stärkemehl und richtet sie gesondert an. Als Beilage gibt man Preiselbeeren oder Apfelkompott.

Rehragout

Zutaten: 1 kg Ragoutfleisch: Bug, Hals, Bauch; zur Beize: 1 l verdünnter Essig oder Sauermilch, Salz, Pfeffer, 1 Zwiebel, 1 Möhre, 1 Zitronenscheibe, 1–2 Nelken, 1–2 Wacholderbeeren, 1 Lorbeerblatt; zum Braten: 50 g Fett, 50 g Mehl, 1 Zwiebel, 1 Möhre, 1 Glas Most oder Wein, Brühe.
Zubereitung: Das in Portionsstücke zerteilte Fleisch wird über Nacht in die Essigbeize gelegt, die das Fleisch gut bedecken soll. Anderntags wird es herausgenommen, gut abgetrocknet, in heißem Fett mit Zwiebeln und Möhren braun angebraten und herausgenommen. In dem Bratensatz röstet man das Mehl hellbraun, löscht mit Beize und Brühe ab, gibt das Fleisch und die Gewürze samt dem Wein hinein und lässt alles zusammen in etwa 1/2 Stunde langsam weichschmoren.

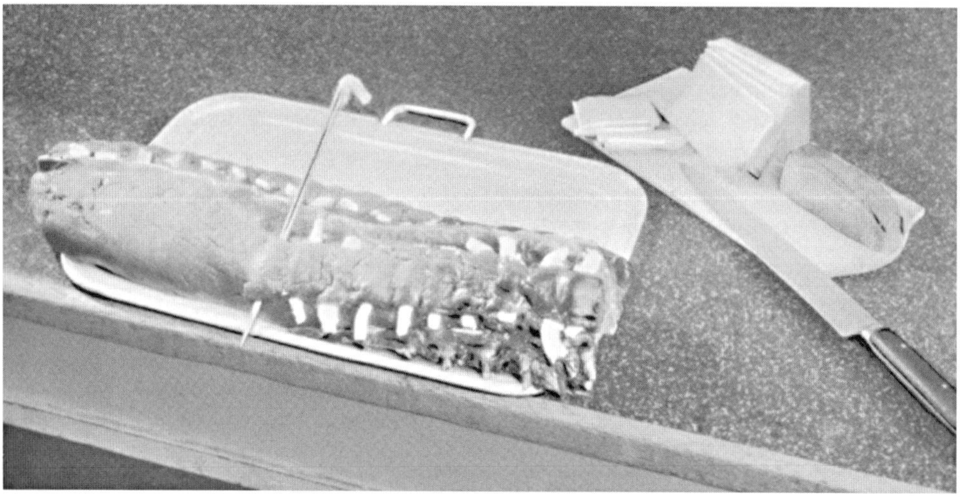

So wird der Rehrücken gespickt ...

So wird er tranchiert

Rebhühner

werden wie Brathühner fertig gemacht; sie müssen aber auf der Brustseite mit Speckscheiben belegt werden, damit sie nicht trocken werden.
Garzeit: 3/4–1 Stunde.

GEFLÜGEL

Neuerdings wird auch im einfachen Haushalt viel Geflügel gegessen. Geflügel ist in Stadt und Land in frischem oder tiefgekühltem Zustand bratfertig zu kaufen. Wer Geflügel auf dem Markt kauft, muss folgendes beachten:

1. Kennzeichen für junges Geflügel:
   a) Bei Gänsen und Enten sollen die Federn leicht auszurupfen, die Schwimmhäute leicht einzureißen sein. Füße und Schnäbel sollen hellgelb aussehen.
   b) Hahnen und Hühner sollen hellrote Kämme und leicht knickbare Fuß- und Brustknochen haben.
   c) Tauben sollen an der Brust noch zarte Flaumfedern und biegsame Knochen haben.
   d) Truthähne sollen hell-blaugraue Beine und weiche schuppige Haut haben. Truthennen sind zarter als -hähne.

2. Der Nährwert.

   Das Fleisch des Geflügels ähnelt dem der Schlachttiere. Gans und Ente sind sehr fetthaltig, ähneln dem Schweinefleisch und sind deshalb schwer verdaulich. Hähne, Hühner und Tauben sind zartfaserig, leicht verdaulich und haben eine dem Kalbfleisch ähnliche Beschaffenheit. Man verwendet sie deshalb viel in der Krankenküche. Das Fleisch des Truthahns hat sowohl magere, zarte als auch fette Fleischteile.

3. Vorarbeiten.

   Das Geflügel wird sofort nach dem Schlachten gerupft, über der Gas- oder Spiritusflamme abgesengt und ausgenommen. Das Ausnehmen wird bei allem Geflügel gleich gemacht. Zuerst schneidet man den Kopf ab. Dabei wird die Halshaut am Rücken eingeschnitten, damit man den Kropf und die Luftröhre leicht herausnehmen kann. Dann wird der Hals dicht am Körper abgeschnitten; ferner schneidet man die Beine ab und entfernt die beiden Talgdrüsen unten am Rücken. Nun schneidet man am Bauch vom Brustbein bis zum Darmausgang auf, fasst mit den Fingern womöglich das ganze Eingeweide auf einmal, zieht es heraus und schneidet zuerst vorsichtig die Galle von der Leber los, damit diese nicht ausläuft und einen bitteren Geschmack zurücklässt. Dann wird alles Fett von den Eingeweiden gelöst, der Magen aufgeschnitten, entleert und die derbe innere Haut abgezogen. Dann werden die Füße angebrüht, die derbe äußere Haut abgezogen und das ganze Tier außen und innen gewaschen. Der Kopf wird ebenfalls angebrüht. Dann werden die Augen herausgenommen, der Kamm abgezogen und alle Federansätze entfernt. Kopf, Flügel, Füße, Magen und Herz werden mit viel Suppengemüse ausgekocht und geben eine kräftige Suppenbrühe. Die Leber nimmt man zur Füllung oder man gibt sie etwa 10 Minuten in die Suppenbrühe.

Gans

Gänse schmecken von Oktober bis Mitte Januar am besten.

Zubereitung: Die vorgerichtete Gans wird sauber gewaschen, innen mit Salz und nach Belieben mit Pfeffer eingerieben, beliebig gefüllt und zugenäht. Vor dem Braten wird das Geflügel gebunden. Man legt es auf den Rücken, drückt die Keulen fest gegen die Brust vor und zieht mit einer Packnadel einen Bindfaden durch die Keulen und den Körper durch, den man fest anzieht und verknüpft. Die Flügel biegt man zurück und verschränkt sie, so dass sie am Rücken glatt anliegen. Dann werden sie ebenfalls mit einer Schnur oder Bindfaden durchzogen und festgebunden.

Nun setzt man die Gans in einem ovalen Brattopf mit etwa 1 l kochendem Wasser und

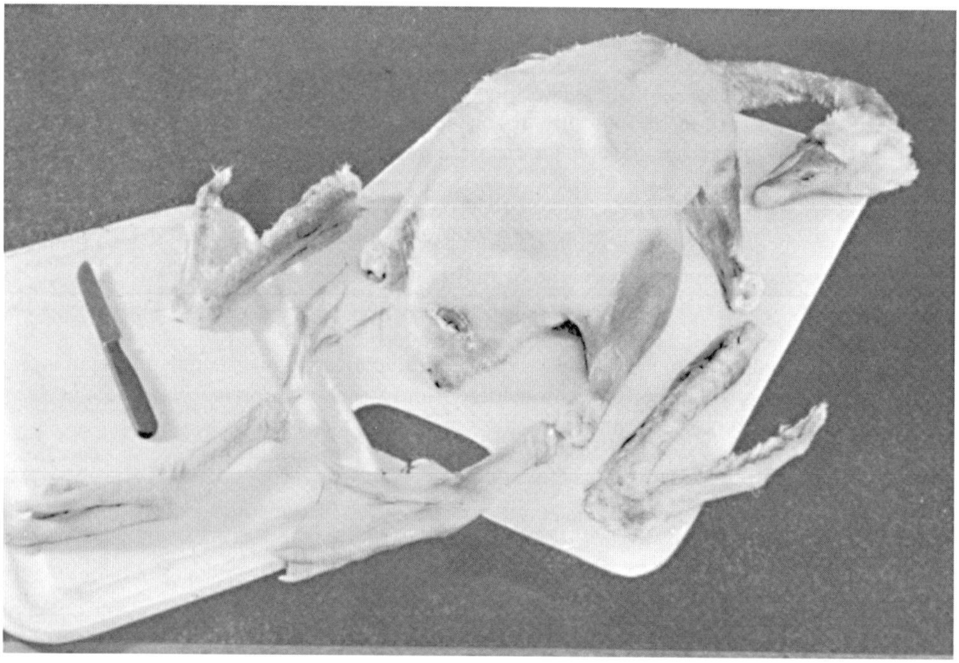

Man schneidet der Gans die Beine ab und kürzt die Flügel

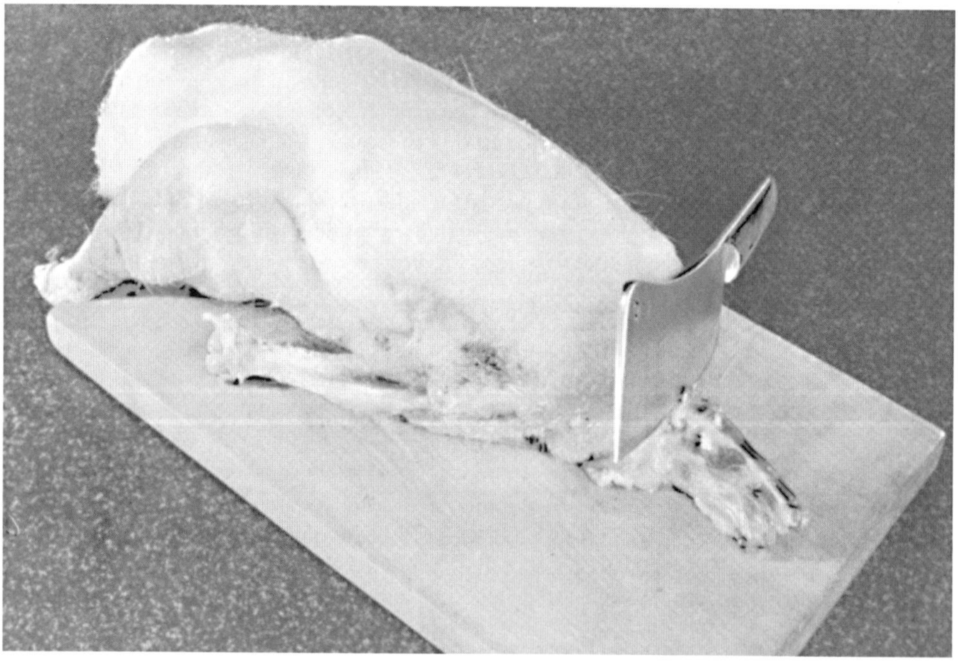

Der Hals wird am Körper abgehackt

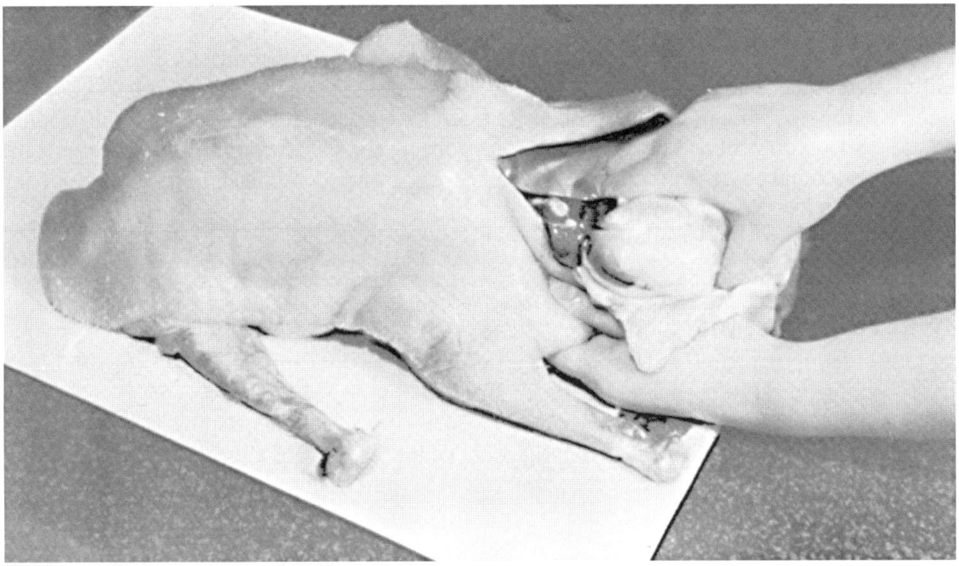

Dann wird die Gans ausgenommen,

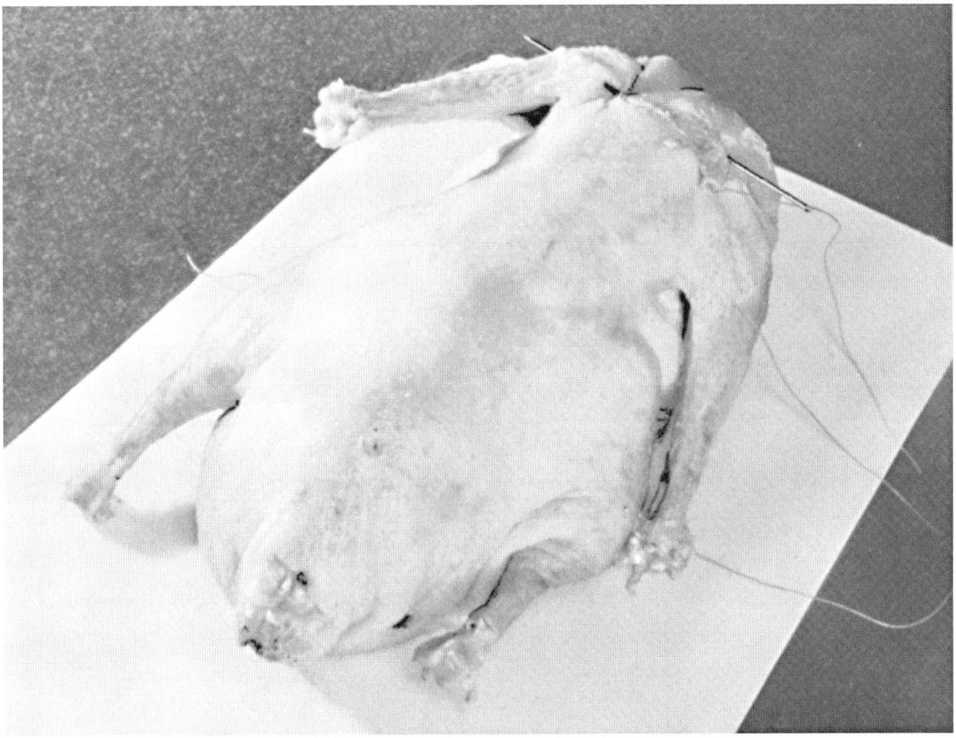

... die Talgdrüsen am Bürzel entfernt und die Halshaut angenäht

1 Stengel Beifuß zu und lässt sie zugedeckt 1 Stunde kochen. Mit dem unterdessen ausgetretenen Fett brät man die Gans schön an und lässt sie offen zuerst mit der Brustseite nach unten, dann nach oben im heißen Bratofen unter fleißigem Begießen braun und knusprig braten. Vor dem Anrichten gießt man das Fett ab, röstet noch etwas Mehl an, löscht ab und lässt die Soße aufkochen. Zubereitungszeit im ganzen 2½–3½ Stunden. Gänsebraten wird besonders schmackhaft, wenn man das Tier unausgenommen mindestens 8–10 Tage in der Kälte hängen lässt.
Beilagen: Rotkohl oder gemischter Salat, Apfelkompott.

Füllungen für Gänse

a) Kartoffelfüllung:

Zutaten: 750 g gekochte, in kleine Würfelchen geschnittene noch warme Kartoffeln, in Butter gedünstete Zwiebeln und Petersilie, das in dünne Scheibchen geschnittene Herz, die feingeschabte Leber, Salz, Pfeffer, Muskat, 2–3 Eier, nach Belieben Majoran.
Zubreitung: Die Zutaten werden tüchtig durchgemischt, kräftig abgeschmeckt, die innen mit Salz, Pfeffer und Zitronensaft ausgeriebene Gans gefüllt und zugenäht. Die Bratzeit der gefüllten Gans erhöht sich um etwa ½ Stunde.

b) Semmelfüllung:

Zutaten: 100–150 g altbackene, eingeweichte, ausgedrückte Brötchen, Brät von einer rohen Bratwurst, Zwiebeln und Petersilie in Butter gedünstet, 1–2 Eier, Salz, Pfeffer, Muskat, die gewiegte Gänseleber, das feingehackte Herz; – 40 g Butter.

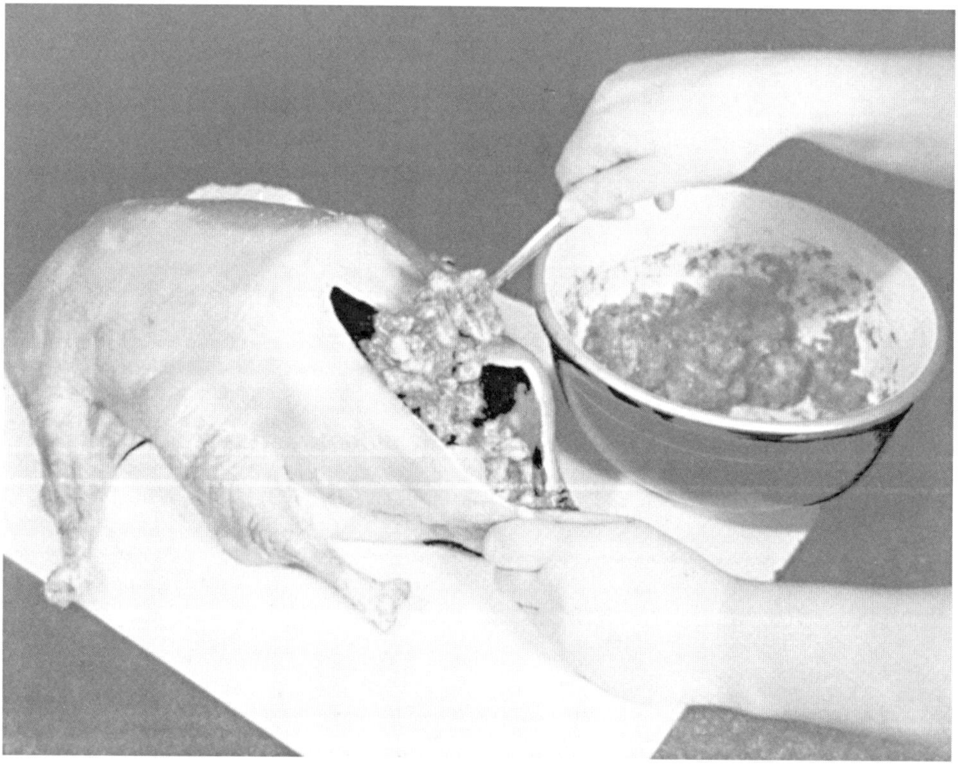

Die Gans wird gefüllt …

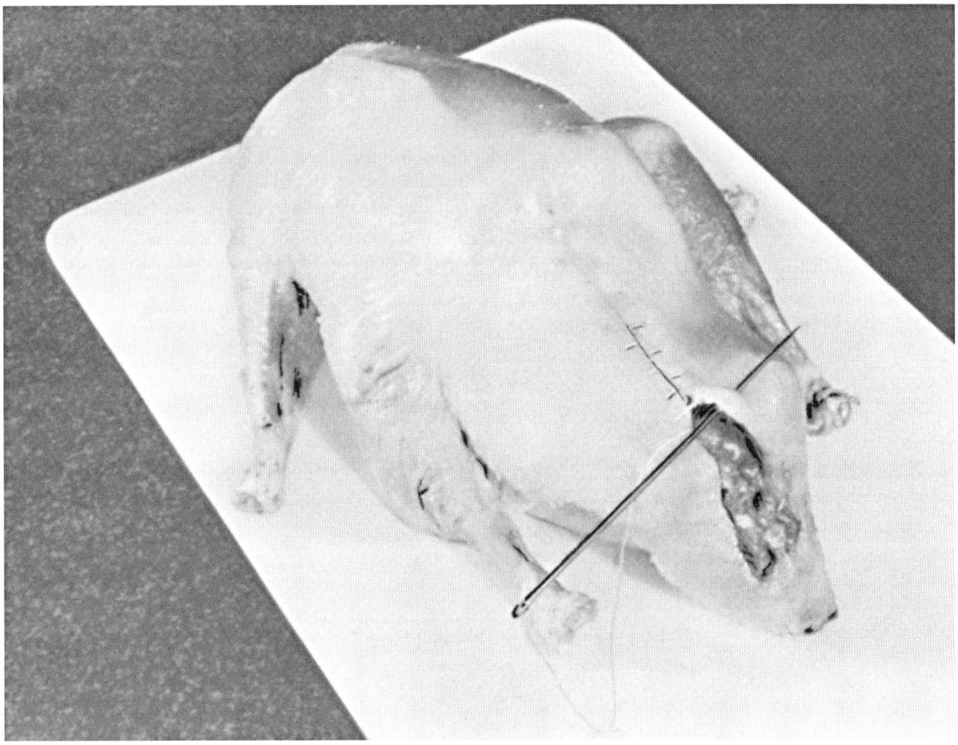

... und zugenäht

Zubereitung: Die Butter wird schaumig gerührt, mit den angegebenen Zutaten vermischt und kräftig abgeschmeckt. Fertigstellung siehe oben.

c) Kastanienfüllung:

Zutaten: 1 kg Kastanien, 40 g Fett, 1 Zwiebel, Petersilie, Herz und Leber, feingewiegt, Salz, Pfeffer.
Zubereitung: Die Kastanien werden wie zu Gemüse vorbereitet, weichgedünstet und mit den übrigen Zutaten gemischt. Fertigstellung siehe oben.

d) Apfelfüllung:

Zutaten: 1 kg säuerliche Äpfel, am besten Boskop.
Zubereitung: Die Äpfel werden geschält, halbiert, entkernt und so in die Gans eingelegt, dass die Apfelhälften alle mit der glatten Seite nach oben liegen. Beim Anrichten kann man die Gans damit umlegen, was sehr hübsch aussieht.

Gänseklein

Zutaten: Kopf, Hals, Herz, Magen, Flügel und Füße der Gans; 2 l Wasser, Suppengemüse, 1 Esslöffel Salz, 1 Nelke, 3 Pfefferkörner, 1/2 Lorbeerblatt, 1 Zwiebel, 1 Glas Weißwein, 40 g Fett, 60 g Mehl.
Zubereitung: Der Kopf wird sehr sauber gewaschen und die Augen entfernt. Die Füße werden gebrüht und samt den Krallen abgezogen. Der Magen wird aufgeschnitten, entleert und von der inneren Haut befreit. Nun werden alle Teile gewaschen, zerkleinert, mit kochendem Wasser, dem Suppengemüse und den Gewürzen aufgesetzt und weichgekocht. Nun macht

man eine helle oder eine dunkle Mehlschwitze, löscht mit Brühe ab, würzt mit Wein, gibt das Gänseklein hinein und lässt es in der Soße noch eine Zeit lang mitkochen.
Beilagen: Gedämpfter Reis, Spätzle oder Nudeln.

Gänseschmalz

Zubereitung: Man legt sowohl das Darmfett als auch die Bauchspeckstücke (Flomen) über Nacht ins Wasser, dass es geruchlos wird. Dann schneidet man es in kleine Würfel, setzt diese mit etwas Wasser auf und lässt das Fett ganz langsam so lange ausbraten, bis die Grieben gelb sind. Dann gießt man es durch ein Sieb in einen vorbereiteten Steinzeugtopf und bindet ihn, nachdem das Fett erstarrt ist, mit Pergamentpapier zu.
Man kann es mit Schweinefett mischen.

Ente

bereitet man ebenso zu. Garzeit 1 1/2 Stunden.

Gebratener Truthahn

(beste Zeit von September bis März)
Zutaten: 1 junge Pute (besser Henne als Hahn, weil zarter), Salz, Pfeffer, Zitronensaft, 2 Scheiben grüner Speck; – 50 g Butter, 1 Zwiebel, Wasser. Semmelfüllung wie zu Gans.

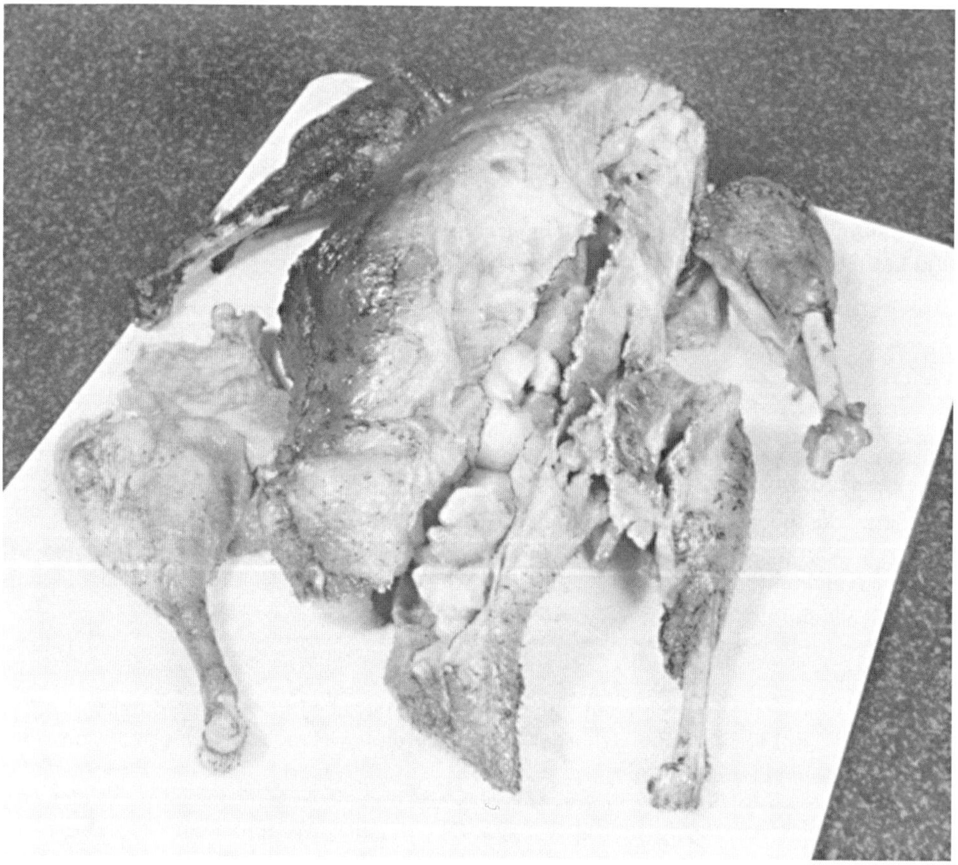

So wird die Gans nach dem Braten aufgeschnitten

Zubereitung: Die Pute wird wie die Gans ausgenommen und innen mit Salz, Pfeffer und Zitronensaft ausgerieben. Dann löst man mit einem spitzen Messer die Sehnen am Schlegel los, indem man das Fleisch etwas zurückschiebt und reißt diese mit scharfem Ruck los. Sie sind sehr zäh und beeinträchtigen die Güte der Schlegel, wenn man sie nicht entfernt. Dann dressiert man das Tier wie die Gans, belegt die Schlegel je mit einer Speckscheibe, damit sie saftig bleiben, und bindet die Schlegel mit gebrühtem Faden fest, damit sie nicht hochstehen. Wer will, kann die Kropfhaut oder das Tier selbst mit obiger Füllung füllen.
Nun brät man die Pute in heißer Butter an, löscht ab und lässt sie im heißen Backofen unter fleißigem Begießen in 2 1/2–3 Stunden – je nach Größe – gar werden. 1/2 Stunde vor dem Anrichten nimmt man die Speckscheiben weg und bindet die Soße mit Stärkemehl.

Entknöchelter Truthahn, gefüllt

Zutaten: 1 junger Truthahn oder 1 Truthenne, Salz, Pfeffer; zur Füllung: doppelte Grundmenge des Fleischteigs, dazu die feingehackte Leber und das Herz des Tieres, etwas Majoran, Zitronensaft, nach Belieben in Scheiben geschnittene Champignons. – 100 g Butter zum Anbraten.
Zubereitung: Der Truthahn wird sauber gerupft, abgesengt und gewaschen. Der Kopf wird abgehackt, ebenso die Füße. Nun schneidet man die Haut des Tieres am Rückgrat entlang mit einem scharfen Messer der ganzen Länge nach auf und löst sehr vorsichtig das Fleisch zu beiden Seiten des Brustkorbs ab, den man dann samt den Eingeweiden herausheben kann. Das Fleisch der Flügel und Schlegel wird bis zum Gelenk ebenfalls abgelöst, dort abgeschnitten und der Knochen von innen heraus gelöst. Die Gurgel und den Kropf nimmt man ebenfalls heraus. Nun füllt man das Tier, jedoch nicht prall, mit der kräftig abgeschmeckten Füllung und näht es zu. Unterdessen hat man das gesamte Knochengerüst (ohne Därme!!) mit Salz und Suppengemüse aufgesetzt und zum Kochen gebracht. Dies gibt eine vorzügliche Brühe. Nun setzt man den Truthahn mit etwa 1 l kochender Brühe zu, deckt ihn zu, damit die Füllung aufquillt, lässt ihn dann offen in der Röhre anbraten und gibt die zerlassene Butter darüber, nachdem man das Tier umgedreht hat und es mit der Brust nach oben liegt. Man löscht mit Geflügelbrühe ab, gibt Weißwein und Sahne hinein und lässt die Soße durchkochen. Eine halbe Stunde vor dem Anrichten bindet man die Soße mit etwas Stärkemehl. Bratzeit 2 1/2–3 Stunden insgesamt.

Brathähnchen

Zubereitung: Die geputzten, ausgenommenen, gewaschenen Hähnchen werden leicht gesalzen und mit Zitronensaft eingerieben. Magen und Herz salzt man leicht und legt sie mit einem Stück Butter in das Innere der Hähnchen und näht zu. Nun brät man sie entweder in der Bratpfanne in heißer Butter schön an, löscht ab und lässt sie im Backofen bei 240°C braun und knusprig braten, oder man legt sie auf den Grillrost, gibt etwas zerlassene Butter darüber und brät sie bei Oberhitze gar und knusprig. Den abtropfenden Saft kann man durch Zugießen von etwas Wasser oder Brühe als Soße verwenden.
Zubereitungszeit 45–60 Minuten.

Wiener Backhähnchen

Zubereitung: Man zerlegt junge Hähnchen oder junge Hühner in je 4 Teile, reibt sie mit Salz ein, wendet sie dann erst in Mehl, dann in zerquirltem Ei und Reibbrot oder Paniermehl und bäckt sie schwimmend in heißem Fett in etwa 15–20 Minuten aus. – Auf dieselbe Weise kann man auch Fischfilet und Scheiben von Kalbsmilch (Briesle) ausbacken. Man richtet gebackenes Geflügel, Fisch oder Briesle mit grüner Petersilie und Zitronenscheiben auf heißer Platte an. Beilagen: Kartöffelchen, grüner Salat.

Zerlegen des Tieres zu Wiener Backhähnchen

Gebratenes Masthuhn (Poularde, Kapaun)

Zubereitung: Das sauber vorgerichtete, dressierte, gewaschene Huhn wird gut abgetrocknet, innen und außen mit Salz und Zitronensaft eingerieben, mit einer Speckscheibe umwickelt oder mit Butter bestrichen und im Backofen unter fleißigem Begießen in 1–1 1/4 Stunden gargebraten. Den Fettrückstand stäubt man mit 1 Messerspitze Mehl, löscht ab und kocht die Soße durch. Man kann das Huhn auch im Brattopf auf dem Feuer mit Butter anbraten, ablöschen und zugedeckt gardünsten.

Suppenhuhn

Zubereitung: Ein sauber geputztes, ausgenommenes und gewaschenes Suppenhuhn wird mit reichlich Suppengemüse und 3 l Salzwasser aufgestellt und 3 Stunden langsam gekocht. Dies gibt eine vorzügliche Brühe, die sich am besten zu Nudel- und Reissuppe eignet. – Das Fleisch löst man von den Knochen, schneidet es in passende Stücke und macht es wie eingemachtes Kalbfleisch in Buttersoße (siehe Seite 79/33) fertig.
Man kann auch das feingeschnittene Fleisch in die Suppe geben.
Oder man kann das weichgekochte Huhn auch ganz oder in Stücke zerteilt in Butter braten.

Huhn mit Reis

Zutaten: 1 junges Suppenhuhn, 2 l leicht gesalzenes Wasser, Gewürz, Suppengemüse als Sträußchen zusammengebunden, damit man sie leicht herausnehmen kann; 250 g Reis, Grundmenge einer Buttersoße, 1 Eigelb, Zitronensaft.
Zubereitung: Das ausgenommene, sauber gewaschene Huhn wird außen und innen mit Salz eingerieben, in dem kochenden Salzwasser mit Suppenkräutern aufgesetzt und 2 1/2–3 Stun-

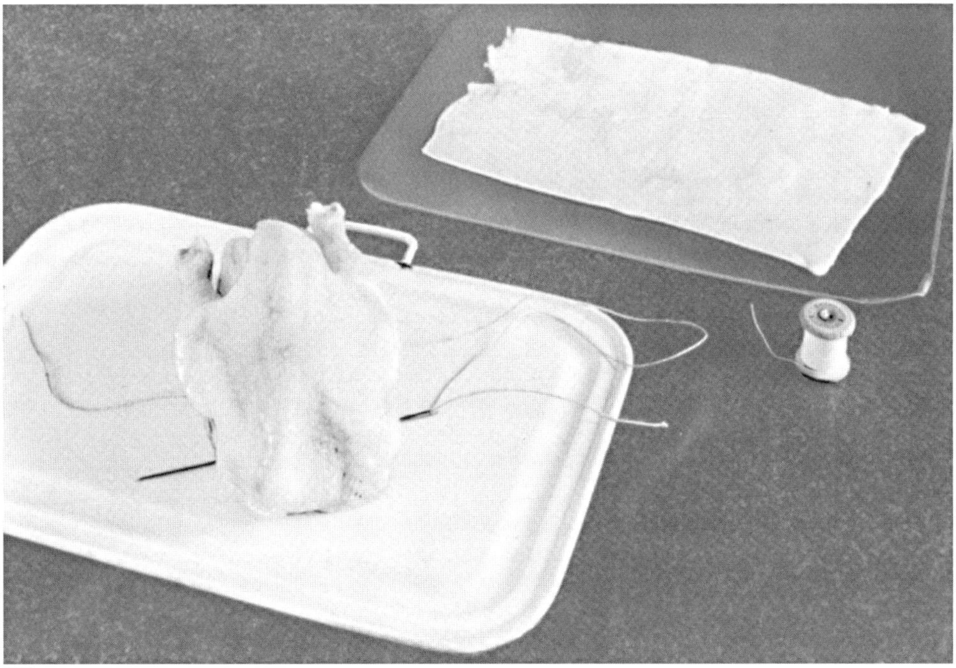

Masthuhn dressiert mit vorgerichteter Speckscheibe

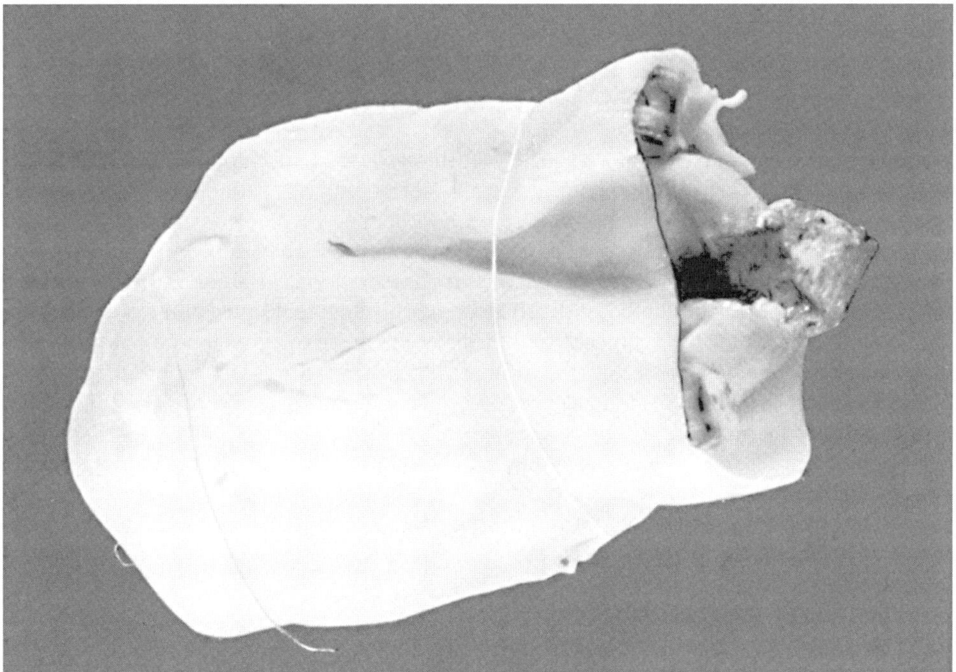

Masthuhn mit Speckscheibe umbunden

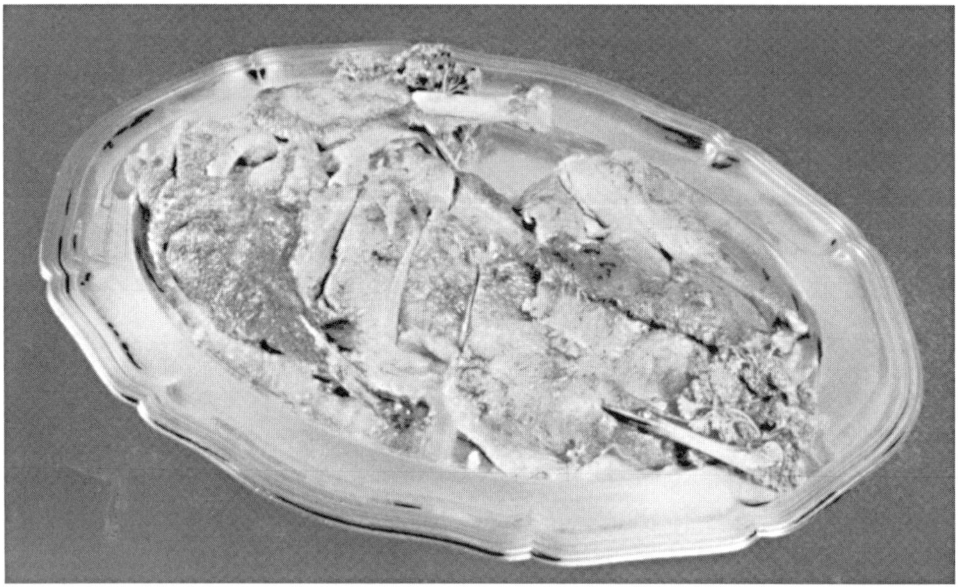

... und auf heißer Platte angerichtet

den langsam gekocht. – Den trocken abgeriebenen Reis setzt man mit Hühnerbrühe und Butter zu, dünstet ihn weich, drückt ihn in die gefettete Ringform und richtet ihn auf einer runden Platte an. Solange der Reis in der Wärme steht, bereitet man eine helle Buttersoße, die man mit Zitronensaft abschmeckt und mit Eigelb abzieht. Nun zerteilt man das Huhn in Stücke, legt diese in den Reisring und gibt die fertige dickgekochte Soße darüber.

Hühnerfrikassee

Zutaten: 1 Suppenhuhn, 2 l Wasser, Salz, 60 g Butter, 80 g Mehl, Suppenkräuter, 2 Pfefferkörner, 1 Nelke, 1 Lorbeerblatt; – 2 Eigelb, 2 Esslöffel Sahne, Zitronensaft, 2–3 Esslöffel Wein; 1 Esslöffel geriebenen Parmesankäse nach Belieben.
Zubereitung: Das vorgerichtete, ausgenommene und gewaschene Huhn wird mit den Kräutern und dem Gewürz in kochendem Salzwasser zugesetzt, in 2–3 Stunden (je nach Alter) weichgekocht, herausgenommen und zerlegt. Aus Butter, Mehl und Hühnerbrühe macht man eine helle Buttersoße, schmeckt sie kräftig ab, zieht sie mit Eigelb und Sahne ab und gibt zuletzt das Hühnerfleisch und, wenn man will, fertige, gesondert zubereitete Fleischklößchen (nach Grundrezept) hinein.
Beilage: Reis oder Spätzle.
Will man das Frikassee festlich anrichten, drückt man den fertigen Reis in eine gefettete Ringform, stellt sie 10 Minuten in kochendes Wasser, stürzt den Reis dann auf eine runde Platte und richtet das Frikassee darin an. Man bestreut den Reis vor dem Auftragen mit Käse.

Gefüllte Tauben

Zubereitung: Zwei vorgerichtete, ausgenommene, gewaschene Tauben werden innen und außen leicht gesalzen. Man macht halb so viel Füllung wie zur gefüllten Kalbsbrust, füllt die Masse ein, näht zu und macht sie wie Brathähnchen in etwa 3/4 Stunde fertig.
Beilagen: Schwenkkartoffeln, grüner Salat.

Gebratene Tauben

Zutaten: 4 Tauben, Salz, Pfeffer, Zitronensaft, 50 g Butter.

Zubereitung: Die vorgerichteten, gesengten, ausgenommenen und gewaschenen Tauben werden außen und innen gesalzen, am Rücken aufgeschnitten, leicht eingedrückt in heißer Butter braun angebraten, abgelöscht, gargeschmort und mit der durchgekochten Soße angerichtet. Zubereitungszeit etwa 30 Minuten.

DIE FISCHE

1. Allgemeines

Ein wichtiges und delikat schmeckendes Nahrungsmittel sind die Fische. Man unterscheidet Seefische und Süßwasserfische. Sie haben in ihrer Zusammensetzung und ihrem Nährwert viel Ähnlichkeit mit dem Fleisch unserer Schlachttiere, sind aber außerdem noch reich an Vitamin A, B und D. Sie enthalten 17–19 v. H. Eiweiß, 1–1,5 v. H. Salze und etwa 80 v. H. Wasser. Eine Ausnahme machen Heringe mit 17 v. H., Karpfen mit 8 v. H. und Aal mit 25–27 v. H. Fett- und dementsprechend geringerem Wassergehalt. Man hat also, wie beim Fleisch, fettarme und fettreiche Sorten, die den Nährwert und die Verdaulichkeit weitgehend bestimmen. Der Preisunterschied zwischen Fleisch und Fisch ist sehr verschieden. Süßwasserfische sind meist teurer als Fleisch, Seefische dagegen sehr viel billiger. Man hat allerdings bei Fischen viel Abfall (Kopf, Gräten, Haut, Eingeweide), was den billigen Preis der Seefische wieder etwas erhöht. Trotzdem sind sie ein billiger, hochwertiger Ersatz für Fleisch. Besonders nährstoffreich ist der geräucherte Hering, der Bückling, dessen beste

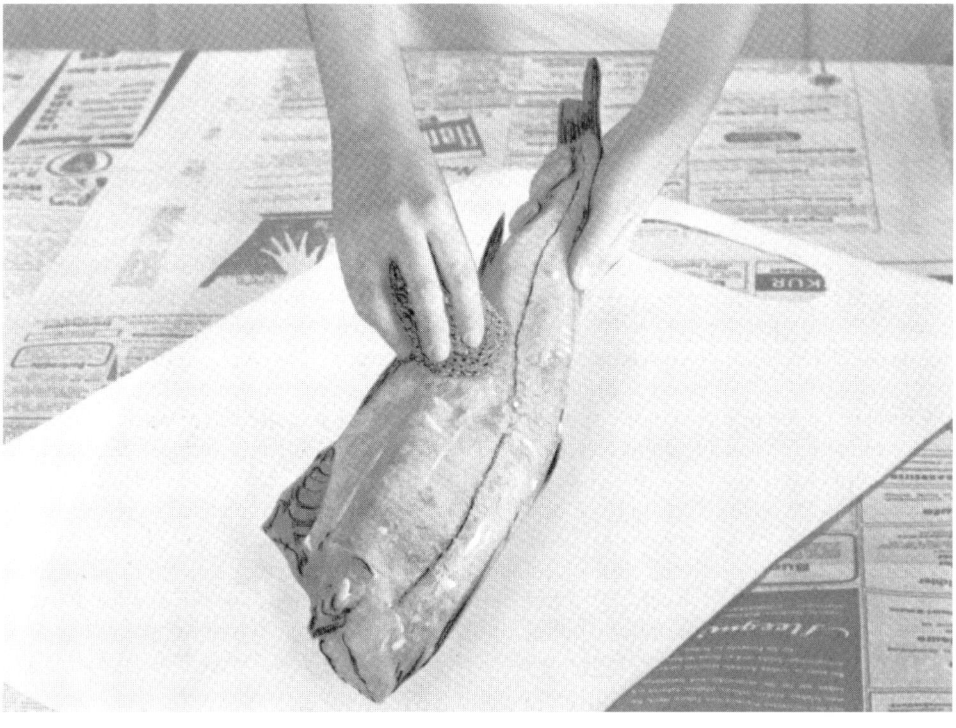

Wie man den Fisch, hier den Schellfisch mit schwarzem Strich, am besten schuppt

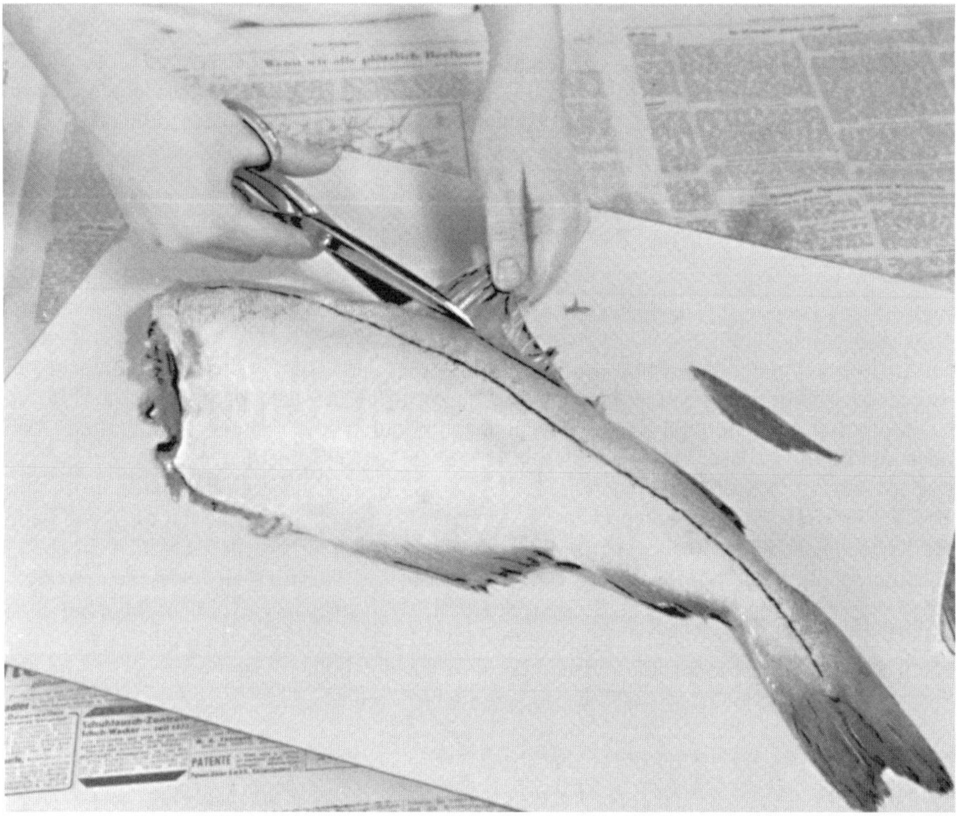

Mit einer alten Schere werden die Flossen abgeschnitten

Zeit von Juli bis Oktober ist. Durch die Räucherung schwindet der Wassergehalt bei gleichzeitiger Steigerung des Gehalts an hochwertigem Fett und Eiweiß. Das Fischeiweiß ist ganz besonders leicht verdaulich. Daraus erklärt sich auch, dass Fische nicht so stark sättigen wie Fleisch, dessen Bindegewebe viel langsamer abgebaut wird und deshalb länger vorhält. Seefische sind reich an Vitaminen, besonders solchen, die wachstumsfördernd und antirachitisch wirken. Es gibt deshalb für das Kleinkind neben der Milch keine bessere Eiweißzukost als Seefische. Diese enthalten außerdem wichtige Mineralsalze, wie Kalk und Phosphor, die wieder besonders für den wachsenden Organismus von großer Bedeutung sind. Der Gehalt des Fischfleisches an Jod ist besonders wichtig für Gegenden mit jodarmem Wasser. Das Fehlen von Jod in der Nahrung führt zu schweren Erkrankungen (Basedow, Kropf). Es ist also in gesundheitlicher Hinsicht von großem Vorteil, wenn wir von dem großen Reichtum an Fischen, der uns zur Verfügung steht, so viel als möglich Gebrauch machen.
Die wichtigsten Seefische sind: Kabeljau, Schellfisch, Seelachs, Langfisch, Zander, Schleie, Merlan, Rotbarsch, Scholle, Rotzunge, Heilbutt und Hering.
Die wichtigsten Fluss- und Süßwasserfische sind Karpfen, Hecht, Zander, Forelle, Felchen, Lachs und Aal; ferner die billigeren Weißfische, Rotaugen und Barsche.

2. Die Vorbereitungsarbeiten in der Küche

Ehe man an die eigentliche Zubereitung geht, müssen die Fische vorgerichtet werden.

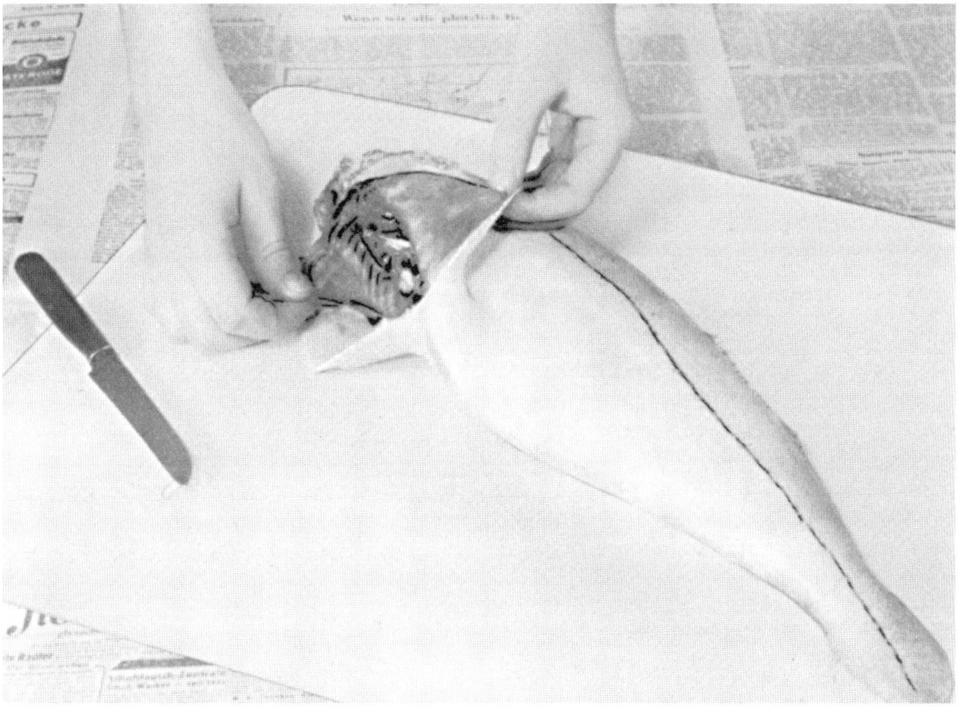

Die schwarze Innenhaut wird abgelöst

S e e f i s c h e . Ganze Fische werden nass geschuppt, indem man sie, vom Schwanz dem Kopf zu, mit einem stumpfen Messer oder Schupper schabt. Dann wird die Schwimmblase, geronnene Blutteilchen und die innere schwarze Haut entfernt, die Ränder der Flossen mit einer alten Schere abgeschnitten und, falls der Kopf noch daran ist, Augen und Kiemen herausgenommen. Hierauf werden sie innen und außen gründlich gewaschen. Kabeljau, der ein etwas weichlich schmeckendes Fleisch hat, sollte man sofort nach dem Säubern leicht einsalzen und eine Stunde liegen lassen. Das Fleisch wird dadurch fester, blättriger und schmackhafter. Um den Seefischgeruch zu mildern, beträufelt man die gereinigten, vorgerichteten Fische oder Filetstücke mit Zitronensaft oder Essig, reibt sie mit etwas Salz und gehackter Petersilie leicht ein und lässt sie 20–30 Minuten durchziehen, ehe man sie weiter verarbeitet.

F l u s s f i s c h e tötet man, indem man sie durch einen kräftigen Schlag auf den Kopf betäubt und sofort mit einem spitzen Messer hinter dem Kopf so tief einschneidet, dass das Rückgrat durchschnitten wird. Dann schneidet man dem Fisch die Bauchwand, dem Kopfe zu, auf und lässt ihn ausbluten. Man darf jedoch nicht zu tief einschneiden, damit man Leber und Galle, die dicht unter dem Kopf liegen, nicht verletzt. Nun wird der Fisch ausgenommen und sauber gereinigt (wie Seefisch).

Für die Zubereitung merke außerdem folgende **Regeln**:

1. Kaufe Fischfleisch nie auf Vorrat, wenn du es nicht im Kühlschrank oder in der Gefriertruhe aufbewahren kannst. Lasse Fisch nie außerhalb der Gefriertruhe oder dem Kühlschrank liegen. Verwende Fisch sofort nach dem Einkaufen (oder Antauen).

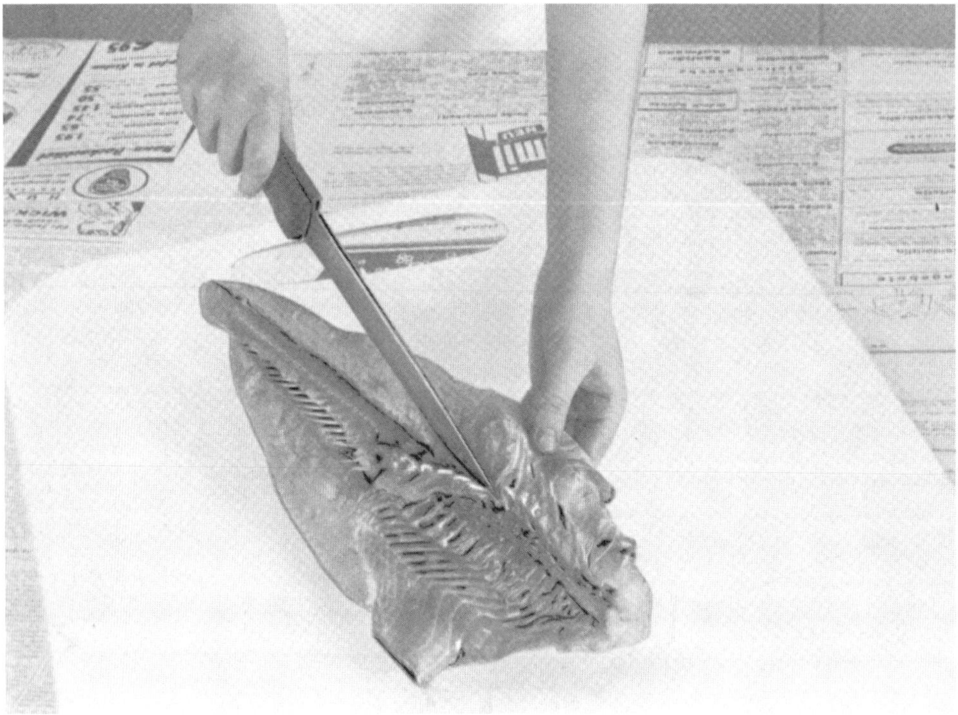

So löst man die Gräten ab

2. Prüfe Fischfleisch stets auf seine Frische. Seine Güte ist weitgehend von einer ununterbrochenen „Kühlkette“ von der Küste bis zum Verbraucher abhängig. Flussfische kauft man am besten lebend, damit man sich von ihrer Frische überzeugen kann. Sie müssen munter schwimmen, klare Augen haben und dürfen nicht auf der Seite oder auf dem Rücken liegen. Gute Seefische sollen frisch und angenehm riechen, festgeschlossene, im Innern rote Kiemen und klare, flachliegende Augen haben. Bei sehr großen Seefischen, die ohne Kopf verkauft werden, ist der gute Geruch und das sich elastisch anfühlende Fleisch für die Frische ausschlaggebend.
3. Lege Fische nie auf Holzbretter, das Holz zieht den Fischgeruch stark ein.
4. Lege den Fisch zum Schuppen und Putzen auf Packpapier oder Blech, damit man die Abfälle und Schuppen leicht zusammen entfernen kann, ohne Tisch oder Brett zu verunreinigen. Entferne Flossen mit einer alten Schere.
5. Verbessere den Geschmack des Seefisches durch richtiges Vorrichten. Erst säubern, dann säuern, dann salzen und 10 Minuten ziehen lassen.
6. Unterscheide beim Einkauf Vollkonserven und Präserven. Erstere sind jahrelang haltbar, letztere sind für den Sofortgebrauch bestimmt (z. B. Bismarckheringe, Rollmops u. a.).
7. Verwende Fischreste gut gekühlt möglichst noch am gleichen Tag.
8. Bewahre Reste von Fischkonserven in Glas- oder Porzellangefäßen, nicht in der Büchse selbst und stets im Kühlschrank auf.
9. Verwerte übrigen Fischsud zu Suppen und Soßen.
10. Entferne den Fischgeruch an den Händen durch Waschen mit Kaffeesatz.

Grundmenge für 4 Personen:

Sie beträgt 3/4–1 kg (wenn Fisch die Hauptspeise bildet). Die Beilage dazu soll die fehlenden oder in zu geringer Menge vorhandenen Nährstoffe ergänzen. Man gibt deshalb meist Kartoffeln, Gemüse und, je nach Fischsorte oder Zubereitungsart, fetthaltige Soßen dazu. Als Gewürze kommen hinzu: Salz, Zitronensaft oder Essig.

Seefische, gekocht

Zutaten: 1 kg Schellfisch, Kabeljau, Seelachs oder Rotbarsch; zum Fischsud. Wasser und Salz (auf 1 l 1/2 Esslöffel voll), reichlich Suppengemüse, 1 Blatt Liebstöckel, 1 Lorbeerblatt, 1 Zwiebel mit einer eingesteckten Gewürznelke, einige Pfefferkörner, 1/2 Glas Essig, 1 Zitronenscheibe (oder Ostmanns Fischgewürz nach Vorschrift).
Zubereitung: Der geschuppte, sauber vorgerichtete Fisch wird in den aus obigen Zutaten hergestellten, kochenden Fischsud gebracht und langsam, mehr ziehend, nicht kochend, gargemacht. Wenn sich die Flossen leicht ausziehen lassen, ist er fertig. Man richtet ihn auf einer heißen Platte an und legt einige Butterflöckchen darauf. Beim Herausnehmen muss man behutsam vorgehen, damit der Fisch nicht zerfällt.
Garzeit je nach Stückgröße 15–20 Minuten.
Beilagen: Salzkartoffeln, zerlassene Butter.

Süßwasserfische, gekocht

Dazu eignen sich sämtliche Arten.

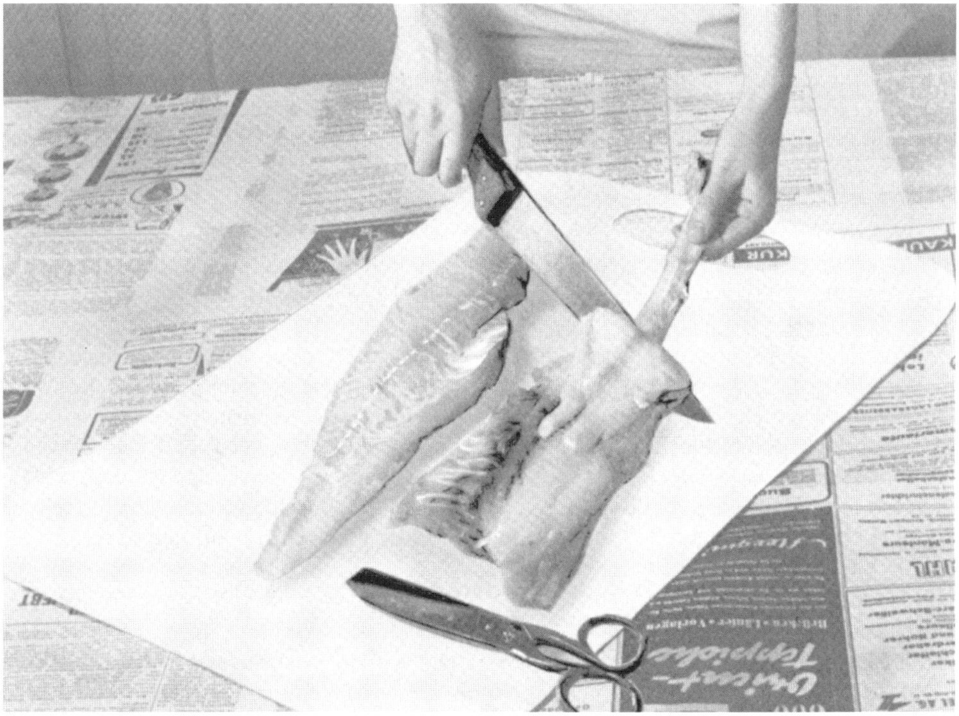

Wie man Filet vorrichtet

Zubereitung: Die kurz vor dem Kochen getöteten, gereinigten Fische werden in kochendem Fischsud zugesetzt, beiseite gestellt und so lange zugedeckt darin ziehen gelassen, bis sie weich sind, was je nach Fischgröße 10–25 Minuten Zeit braucht.
Es folgen einige Beispiele:
Beilagen wie zu Seefischen.

Forelle, Felchen, Schleie, blau

Zubereitung: Die kurz vor dem Kochen getöteten, gereinigten Fische werden gewaschen, aber nicht geschuppt. Dann gibt man sie in kochenden Fischsud, deckt den Topf zu und zieht ihn sofort zur Seite, damit die Fische nicht kochen, sondern nur ziehen. Forellen brauchen je nach Größe 5–7 Minuten, Felchen und Schleien 6–8 Minuten. Man richet die Fische auf heißer Platte mit Zitronenscheiben und Petersilie hübsch an und reicht zerlassene Butter oder ungesüßte eisgekühlte Schlagsahne und Salzkartoffeln dazu.

Karpfen, blau

Zutaten: 1 Karpfen von etwa 1 kg. Fischsud wie beim gekochten Fisch.
Zubereitung: Damit der Karpfen schön blau wird, übergießt man ihn nach dem Säubern mit heißem Essigwasser, gibt ihn in den vorgerichteten Fischsud, bringt ihn zum Kochen und lässt ihn 20–25 Minuten ziehen. – Oder: Man legt den Karpfen mit der Platte auf den Rost, gibt in die darunter liegende Fettpfanne heißes Essigwasser und lässt ihn im heißen Backofen bei 200° gardünsten.

Fisch, gedünstet in Alu-Folie

Zutaten: 4 Stück (etwa 700 g) Fischfilet, Salz, Zitronensaft, feingehackte Zwiebel und Petersilie, Butterflöckchen, Reibkäse, einige Esslöffel Sahne.
Zubereitung: Die gesalzenen und gesäuerten Filetstücke werden zu Röllchen geformt, in eine gut gebutterte Auflaufform hineingestellt, mit Zwiebeln, Petersilie, Reibkäse und Butterflöckchen bestreut und mit Sahne beträufelt. Nun legt man eine Alu-Folie darüber, drückt sie am Rand gut fest und lässt das Gericht im heißen Backofen bei 240°C etwa 25 Minuten dünsten.

Felchen, gedünstet

Zutaten: 2–4 Felchen je nach Größe, 40 g Fett, am besten Butter, 1 feingehackte Zwiebel und Petersilie, 1 Nelke, 1 Stückchen Zitronenschale, 1 Lorbeerblatt, 3 Esslöffel guter Weißwein, Salz, Pfeffer.
Zubereitung: Die sauber geputzten, geschuppten Fische werden leicht gesalzen und gepfeffert, in der Butter mit den Gewürzen zusammen zugesetzt, leicht angedünstet, mit Wein und etwas Wasser abgelöscht und zugedeckt in 20 Minuten gar gedünstet.
Man kann die gesäuberten Felchen auch innen mit gehackter Zwiebel und Petersilie und etwas Salz bestreuen, mit kleinen Butterstückchen belegen, einzeln auf gebutterte Alu-Folien legen, einschlagen, die Ränder oben und unten gut umschlagen und bei etwa 225°C auf dem Rost im Backofen 20 Minuten dünsten. Oder man brät sie auf dem Grillrost auf jeder Seite etwa 10 Minuten.

Felchen, Müllerin-Art

Zubereitung: Die gesäuberten, geschuppten Fische werden gesalzen, erst in Milch, dann in Mehl gewendet, in heißer Butter gebraten und auf heißer Platte angerichtet. In dem Fettrückstand dünstet man 1 Esslöffel gehackte Petersilie, würzt mit Zitronensaft und übergießt die Fische damit. Man verziert die Platte mit Zitronenscheiben und frischer Petersilie.

Gespickter Kabeljau oder **Schellfisch**, gedünstet mit Gemüse

Zubereitung: Der sauber geschuppte ausgenommene, gewaschene Fisch wird mit Salz und Zitronensaft eingerieben und 1/2 Stunde stehen gelassen. Unterdessen schält man kleine rohe Kartoffeln, putzt einige Karotten und schneidet 1 geschälte Sellerieknolle in Würfelchen. Nun schneidet man den Fisch mit einem scharfen Messer der Länge nach auf beiden Seiten zweimal an, damit er beim Dünsten nicht platzt und spickt ihn mit schmalen Speckstreifen. Nun gibt man auf eine lange Porzellanplatte die vorgerichteten, leicht gesalzenen Kartoffeln und Gemüse, von denen man etwas zum Garnieren weglässt, und setzt den Fisch mit dem Rücken nach oben so darauf, dass Kartoffeln und Gemüse bedeckt sind. Nun bestreicht man den Fisch mit zerlassener Butter, streut in der Rückenmitte gehackte Sellerie- und Karottenstücke darauf, beträufelt diese auch mit Butter und dünstet den Fisch unter fleißigem Begießen weich. Garzeit 30–40 Minuten.

Gedämpfter Fisch (See- oder Flussfische)

Zutaten: 1 kg Fisch, Salz, Zitronensaft, Suppengemüse, Gewürze (Lorbeer, Nelke, Pfefferkörner, 1 Zitronenscheibe, 1 Zwiebel), nach Belieben Butterflöckchen.
Zubereitung: Die geschuppten, vorgerichteten Fische werden entweder ganz oder in Stücke zerteilt, mit Suppengemüse und den Gewürzen in einen Topf geschichtet, fest zugedeckt, in einen zweiten, größeren Topf mit so viel kochendem Wasser eingesetzt, dass nichts in den Fischtopf eindringen kann. Nun deckt man den großen Topf ebenfalls fest zu und lässt den Fisch im eigenen Saft weichdämpfen. Die Garzeit beträgt 1/2–3/4 Stunden. Auf diese Weise zubereitet, schmeckt er besonders gut und verliert am wenigsten Nährstoffe.
Beilagen: Salzkartoffeln, grüner Salat.

Gebratene Fischstücke (See- oder Flussfische)

Zutaten: 1 kg Fischfilet, am besten Goldbarsch, 1 Ei, Mehl, Semmelmehl mit etwas Reibkäse gemischt und Backfett.
Zubereitung: Die vorgerichteten, mit Salz und Zitronensaft vorbehandelten Fische wendet man kurz vor dem Braten erst in Mehl, dann in zerquirltem Ei, zuletzt in Semmelmehl mit Käse und brät sie in heißem Fett in der Stielpfanne auf beiden Seiten braun. Zubereitungszeit 10–12 Min., je nach Größe der Stücke. (Der Käse bindet den Fischgeruch.) Man kann die Fischstücke auch schwimmend in heißem Fett ausbacken.
Beilagen: Kartoffelsalat und grüner Salat.

Fischfilet in Alu-Folie

Zubereitung: Die wie zum Braten vorbereiteten Filetstücke werden mit gehackter Zwiebel und Petersilie bestreut, mit etwas zerlassener Butter oder Sahne beträufelt, auf gebutterte Alu-Folien gelegt, wie die gedünsteten Felchen eingepackt und auf dem Rost oder in der Fettpfanne im heißen Backofen in 20–25 Minuten gegart. Diese Zubereitung eignet sich auch für tiefgekühlte Filets, sie brauchen aber etwas längere Bratzeit.

Gebratene Schollen

Die Schollen werden ausgenommen, gewaschen, abgetrocknet, gesalzen, in Mehl gewendet und in heißem Fett auf beiden Seiten gebraten. Zubereitungszeit 10–12 Minuten.
Beilage wie oben.

Aal in Salbei

Zubereitung: Der Aal wird abgezogen, ausgenommen, gewaschen, abgetrocknet, mit Salz und Zitronensaft eingerieben, in Stücke zerteilt, in Mehl gewendet, mit Salbeiblättern umbunden, in Butter in etwa 1/4 Stunde schön hell gebraten. Vor dem Anrichten nimmt man den Salbei weg und richtet den Aal mit Zitronenscheiben und Petersilie an.
Beilage: Tomatensoße, Petersilienkartoffeln.
Man kann die Aalstücke auch panieren und schwimmend in Fett ausbacken.
Beilage: Gemischter Salat.

Geschmorte Fische

Zutaten: 1 kg Schellfisch, oder Kabeljau, oder Karpfen, oder Zander, 40 g Fett, 1 Esslöffel Salz, feingewiegte Zwiebeln und Petersilie, Saft 1/2 Zitrone oder Essig, 1 Tasse dicke saure Sahne, Reibkäse.
Zubereitung: Der sauber gereinigte, vorgerichtete Fisch wird mit Zitronensaft oder Essig, oder ungesüßtem Johannisbeer- oder Rhabarbersaft beträufelt, gesalzen, mit Zwiebeln oder Petersilie bestreut und in heißem Fett zugesetzt. Sobald er anfängt, Farbe zu nehmen, übergießt man ihn mit Sahne, streut Reibkäse auf und lässt ihn im heißen Bratofen weichschmoren.
Man übergießt den Fisch immer wieder mit Soße, damit er recht saftig wird und oben eine schöne Farbe bekommt. Zubereitungszeit etwa 20–30 Minuten.
Beilagen: Salzkartoffeln oder neue Kartoffeln, grüner Salat.

Fischrouladen

Zutaten: 750 g Fischfilet, 50 g geräucherten Speck, Zwiebeln, Petersilie, 2 in Streifen geschnittene Essiggurken, Salz, Pfeffer, Senf, 2 Esslöffel Reibkäse, 2 Esslöffel Semmelmehl, Butterstücke.
Zubereitung: Die Filetstücke werden an der rauhen Innenfläche etwas abgeflacht, mit der glatten Hautseite auf eine flache Platte gelegt und zunächst leicht gesalzen, gepfeffert und mit Senf bestrichen. Den Fischabfall dreht man mit dem Speck durch den Fleischwolf und schmeckt die Masse pikant ab. Nun belegt man die Filets mit Gurkenstreifen, streicht die gleichmäßig verteilte Fisch-Speckmasse darauf, wickelt sie auf, legt sie dicht zusammen in eine Jenaer Glasform, bestreut sie mit Reibkäse und Semmelmehl und legt Butterflöckchen darauf oder träufelt einige Löffel saure Sahne darüber. Man schmort die Rouladen in etwa 25–30 Minuten in heißem Backofen.

Fischeintopf mit Sauerkraut

Zutaten: 500 g Fischfilet, 1 kg Sauerkraut, 40 g Fett, 750 g Kartoffeln, 1 große Zwiebel, Salz, Wasser.
Zubereitung: Das Sauerkraut wird mit Fett und kochendem Wasser zugesetzt und 1 Stunde gekocht. Nun gibt man die rohgeschälten, in Scheiben geschnittenen Kartoffeln, den in kleine Stücke zerteilten, zuvor gesalzenen und mit Zitronensaft beträufelten Fisch hinein und lässt alles zusammen in weiteren 20 Minuten weichdämpfen.

Fischeintopf mit Möhren

Zutaten: 500–750 g Fischfilet, 500 g Möhren, 1 in Würfel geschnittene Sellerieknolle, 500 g Kartoffeln, 40 g Fett, viel gehackte Petersilie und Zwiebeln, Salz, 1/2 l Wasser.

Zubereitung: Man dünstet Petersilie und Zwiebeln in Fett an, gibt schichtweise den in Stücke zerpflückten Fisch, die in Stifte geschnittenen Möhren, die Selleriewürfel, die in Scheiben geschnittenen rohen Kartoffeln dazu und löscht mit Salzwasser ab. Man lässt alles zusammen auf kleiner Flamme in 3/4–1 Stunde weichdämpfen. Beim Anrichten streut man frischgehacktes Selleriekraut darauf.

Grüne Heringe

sollte man stets vor der Zubereitung sauber reinigen und entgräten. Dazu werden erst die Schuppen abgestreift, die Fische unter fließendem Wasser gewaschen, dann ausgenommen, aufgeklappt, die Mittelgräte herausgenommen und von Kopf und Flossen befreit. Nach dem Entgräten spült man die Heringe nochmals unter fließendem Wasser nach, säuert und salzt sie und lässt sie, ehe man sie weiter verwendet, 10 Minuten liegen.

Bratheringe

Zutaten: 1 kg frische Heringe, Salz, Zitronensaft oder Essig, gehackte Petersilie, Mehl, Backfett.
Zubereitung: Die Fische werden geputzt, Kopf und Flossen abgeschnitten, das Rückgrat herausgenommen, sauber gewaschen, abgetropft, mit Salz und Petersilie an der Innenseite ausgerieben und mit Zitronensaft beträufelt. Dann werden sie in Mehl gewendet und auf beiden Seiten in heißem Fett braun und knusprig gebraten. Bratzeit 10–12 Minuten.
Beilagen: Kartoffelsalat, grüner Salat.

Fischfrikassee

Zutaten: 750 g Fischfilet, 40 g Fett, 60 g Mehl, 1 feingeschnittene Zwiebel, 1/2 l Milch, Salz, Pfeffer, 1 Zitronenscheibe, 1 Prise Zucker.
Zubereitung: Die Filetstücke werden in große Würfel geschnitten und in ganz wenig kochendem Salzwasser gargedünstet. Aus den übrigen Zutaten bereitet man eine helle Soße, zu der man noch etwas Fischbrühe verwendet, kocht sie gut durch, schmeckt sie pikant ab und gibt zuletzt den Fisch hinein.
Beilagen: Gedünsteter Reis, Salzkartoffeln.

Fisch in Tomatensoße

Zutaten: 750 g Fischfilet; Grundrezept von Tomatensoße (siehe Soßen, Seite 35).
Zubereitung: In eine kräftig gewürzte, d i c k e Tomatensoße gibt man die vorgerichteten, in Anteile geschnittenen Fischstücke und lässt sie langsam in 15 Minuten garschmoren. Man kann den Fisch auch in Dill-, Petersilien- oder Senfsoße gar machen. Er zieht beim Garen Flüssigkeit, weshalb die Soße nicht zu dünn gemacht werden darf.
Beilagen: Kartoffeln, Reis oder Teigwaren.

Fischauflauf mit Bücklingen

Zutaten: 500 g Bücklinge, 250 g Makkaroni, 40 g Fett; Grundrezept von Tomatensoße, 50 g Reibkäse, Semmelbrösel, Butterflöckchen.
Zubereitung: Die Bücklinge werden entgrätet und mit Butter etwas angebraten. Die Makkaroni werden in Salzwasser abgekocht. Nun gibt man in die gefettete Auflaufform schichtweise Makkaroni und Bückling, oberste Schicht muss aus Makkaroni bestehen. Nun gibt man eine dicke Tomaten- oder Bechamelsoße darüber, streut Reibkäse, Semmelbrösel und Butterstückchen darauf und überbäckt den Auflauf 20 Minuten in heißem Ofen.

Fischfleischteig

Zutaten: 500 g Fischfleisch, 100 g geräucherter Speck, 2 altbackene Brötchen, 2–3 Zwiebeln, Salz, Paprika, Muskat, Senf, 1 kleine Tasse Milch oder 4 Esslöffel Dosenmilch.
Zubereitung: Der in Stücke geschnittene Fisch wird zweimal durch die Hackmaschine gedreht und mit Salz vermengt. Der in Würfelchen geschnittene Speck wird mit den Zwiebelwürfelchen zusammen gedünstet, zur Fischmasse gegeben, abgeschmeckt, nochmals durch die Maschine gegeben und unter langsamer Zugabe der Milch so lange geschlagen, bis sich die Masse von der Schüssel löst.
Man kann daraus **Hackbraten, Fischküchlein, Fischklöße, gefüllte Kartoffeln** u. dgl. herstellen und grünen Salat dazu geben.

Überbackener Fisch

Zubereitung: Etwa 500 g übrige, entgrätete, gekochte Fische gibt man abwechselnd mit Scheiben von 1 kg gekochten Kartoffeln mit Salz in eine gutgefettete Auflaufform, übergießt das Ganze mit einer dicken Butter- oder Bechamelsoße, streut geriebenen Schweizer Käse und Butterstückchen darauf und überbäckt den Auflauf in guter Hitze hellbraun. –
Oder man kann übrige, entgrätete, zerkleinerte Fischstücke schichtweise mit Kartoffelbrei oder übrigem Sauerkraut in eine gefettete Auflaufform füllen, mit Kartoffelbrei spritzen und in heißem Ofen überbacken.

Fischpfannkuchen

In einen Pfannkuchenteig (siehe Grundrezept Seite 145) gibt man kleinzerpflückte Fischreste oder vorgerichtete Bücklingstücke und bäckt kleine Pfannkuchen daraus.

DAS EI

Eines der nährstoffreichsten Nahrungsmittel zum Kochen und Backen ist das Ei. Es enthält etwa 13 v. H. Eiweiß, 11 v. H. Fett, Spuren von Kohlenhydraten, knapp 1 v. H. Nährsalze, 74 v. H. Wasser und wertvolle Vitamine. Es ist im Vergleich zur Milch erheblich teurer, was man aus den angegebenen Nährwertzahlen leicht errechnen kann. Durch seine günstige Zusammensetzung von Eiweiß und Fett dient es sehr geschwächten Kranken als Kräftigungsmittel. In der Küche ist es unentbehrlich zur Bereitung köstlicher Kuchen und Torten, feiner Süßspeisen, lockerer Aufläufe und Puddinge sowie selbstständiger Eiergerichte. Die Verdaulichkeit des Eies hängt von der Zubereitung ab. Je leichter das Ei geronnen ist, desto leichter wird es abgebaut. Fest geronnenes Eiweiß kann durch kräftiges Kauen und durch Zuspeisen wie Brot und Kartoffeln leichter verdaulich gemacht werden, ebenso rohe Eier, wenn man sie mit Milch, Wein, Fleischbrühe, Suppe usw. mischt und etwas erwärmt, damit das Eiweiß sich gut verteilt und zu gerinnen beginnt. Enteneier dürfen, da sie häufig Krankheitskeime enthalten, nie roh genossen werden. Sie gelten erst dann als gesundheitlich einwandfrei, wenn sie 10 Minuten in Wasser oder in Speisen gekocht wurden.
Gibt man Eier als Hauptspeise bei einer Mahlzeit, so muss man die fehlenden Kohlenhydrate durch Kartoffeln ergänzen und reichliche Mengen grünen Salat dazugeben.
Eier werden beim Einkauf nach Gewichtsklassen verkauft.

Bezeichnung:	S	über 65 g	B	55–60 g	D	45–50 g
	A	60–65 g	C	50–55 g	E	unter 45 g

Kühlhauseier, konservierte Eier, Brucheier müssen gekennzeichnet sein.
Die Hausfrau kann Eier für kürzere oder längere Zeit haltbar machen. Will man die Eier nur für wenige Wochen haltbar machen, legt man sie in Spreu oder in Viehsalz ein und bewahrt sie in kühlem trockenem Raum auf.

Will man sie für längere Zeit haltbar machen, kann man sich verschiedener Frischhaltemittel bedienen. Zuerst muss man sich jedoch von der Güte und Frische der einzulegenden Eier überzeugen. Um festzustellen, ob die Schale keinen Sprung hat, klopft man immer 2 Eier leicht aneinander. Geben sie einen hellen Ton, ist die Schale gut, klingen sie dumpf, hat die Schale des einen oder anderen Stückes (mitunter auch beide) einen Sprung und muss zum Sofortgebrauch ausgeschieden werden. Würde man Eier mit Sprüngen einlegen, so würden sie den Geruch und Geschmack des Frischhaltemittels annehmen und damit unbrauchbar werden. Will man die Frische der Eier feststellen, kann man sie entweder durchleuchten oder man legt sie in eine zehnprozentige Kochsalzlösung ein (1 l Wasser, 100 g Salz). Frische Eier sinken unter, alte Eier schweben oder schwimmen oben, da sie durch den verdunstenden Wassergehalt immer leichter werden. Alte Eier eignen sich nicht zur Aufbewahrung, da mit der größer werdenden Luftblase auch Bakterien in größerer Zahl in das Ei eindringen und dessen Inhalt gefährden.

Man legt die durchgeprüften Eier mit der Spitze nach unten in saubere Steinzeugtöpfe und übergießt sie mit dem vorgerichteten Frischhaltemittel. Die wichtigsten Mittel sind Wasserglas, Kalk und Garantol. Letzteres wird nach Gebrauchsanweisung verwendet. Nimmt man Wasserglas, so rechnet man auf 100 Eier 1/2 l Wasserglas und 5 l Wasser. Man quirlt die Lösung tüchtig durch, gießt sie über die vorgerichteten Eier, bindet die Töpfe zu und bewahrt sie im Keller auf. Nach einiger Zeit wird die Lösung sulzig. Verwendet man Kalk, so wird dieser zu einer milchig aussehenden Brühe verdünnt, die aber noch so dick sein muss, dass ein eingelegtes Ei darin schwimmt. Die Brühe wird ebenfalls über die vorgerichteten Eier gegossen und diese im Keller zugedeckt aufbewahrt. Im Lauf der Zeit setzt sich der Kalk ab und die Brühe wird wieder klar.

Ein hervorragender Ersatz für frische Eier ist das Trockenei. Man rechnet an Stelle eines frischen Eis einen Esslöffel voll = 10 g Trockeneipulver und knapp 1/16 l = 50 g kaltes Wasser. Trockenei besteht aus getrocknetem Vollei, enthält also Eiweiß und Eidotter. Es ist nicht unbegrenzt haltbar und wird am besten in verschlossenen Blechdosen kühl aufbewahrt. Vor der Verwendung rührt man es am besten durch ein Drahtsieb, weil es in feuchter Luft Knöllchen bildet und sich in Teigen schlecht verteilen lässt. Zu Eierspeisen (Rührei) wird es mit kaltem Wasser oder Milch angerührt, bei festen Teigen kann es trocken zum Mehl gegeben oder angerührt verwendet werden. Angerührtes Trockenei eignet sich auch sehr gut zum Panieren, doch nimmt man nur soviel Wasser, dass die Masse sämig wird. Angerührtes Trockenei sollte man nie über Nacht stehen lassen, sondern sofort verwenden.

Eier und Eierspeisen

Regeln für die Verwendung von Eiern

1. Verwende nie rohe Enteneier, da durch sie Vergiftungen verursacht werden können.
2. Schlage Eier beim Öffnen stets einzeln über einer Tasse auf; damit nicht durch ein schlechtes Ei ein ganzer Kuchen oder eine Speise verdorben wird.
3. Verwende zum Schneeschlagen stets trockene und fettfreie Geräte, da sonst der Schnee misslingt.
4. Achte beim Teilen der Eier darauf, dass kein Eigelb zum Eiklar kommt, sonst entsteht beim Schlagen kein Schnee mehr.
5. Schlage Eischnee stets kurz vor Gebrauch. Bei längerem Stehen wird er wässrig und sinkt zusammen.
6. Gib zum Schlagen von Schnee aus eingelegten Eiern stets eine Prise Salz oder Zucker. Er wird leichter steif.

Weichgekochte Eier

Zubereitung: Die zuvor gewaschenen Eier legt man vorsichtig mit einem Draht- oder Schaumlöffel in kochendes Wasser und lässt sie, je nach Größe, 3–4 Minuten kochen. Beim Herausnehmen trocknet man sie ab und reicht sie mit Salz. In 4–5 Minuten sind sie wachsweich.

Oder: Man kann die gewaschenen Eier auch in kaltem Wasser zusetzen, zum Kochen bringen und 1 Minute kochen lassen.

Auf die zweite Art zubereitet, gerinnt das Eiweiß innen gleichmäßiger durch und die Schale zerspringt weniger leicht.

Hartgekochte Eier

Zubereitung: Man kocht die Eier 8–10 Minuten und legt sie sofort nach dem Herausnehmen in kaltes Wasser, damit sie sich leichter schälen lassen. 1–2 Tage alte Eier eignen sich nicht zum Hartkochen, sie lassen sich schlecht schälen.

Falsche Pilze

Zubereitung: Hartgekochte Eier werden geschält und am stumpfen Ende so abgeschnitten, dass sie stehen. Die erhaltenen Eiweißrestchen hackt man fein. Nun setzt man auf jedes Ei eine schöne, vorsichtig ausgehöhlte, innen leicht gesalzene Tomate, pinselt diese mit etwas feinem Salatöl und streut die gehackten Eiweißteilchen so darauf, dass die Tomateneier wie Fliegenpilze aussehen. Man setzt sie auf eine flache Schale und umgibt sie mit grünem Salat.

Russische Eier

Zubereitung: Man rechnet je Person 1 hartgekochtes Ei, das man halbiert und auf einem Sockel von Kartoffelsalat anrichtet. Diesen vermischt man nach dem Anmachen mit Marinade noch mit einigen Esslöffeln Mayonnaise, überzieht auch die Eier damit und verziert das Ganze mit Essiggurken. (Siehe Grundrezept von Ölsoßen Seite 37.)

Oder:

Zubereitung: Man schichtet für Einzelpersonen etwa 1 Tassenkopf voll italienischen Salat auf einen Teller, legt 3 hartgekochte Eihälften mit dem Dotter nach unten auf den Salat, überzieht das Ganze mit Mayonnaise und verziert mit etwas Lachs oder Schinkenstreifen und einigen zartgelben Salatblättern. Man kann das Ganze auch noch mit Mayonnaise spritzen.

Eiersalat

Zubereitung: 4 hartgekochte Eier werden in Scheiben geschnitten, mit einer gutabgeschmeckten Mischung von etwas Brühe, Essig, Öl, Senf, Salz und Zucker verschiedene Male immer wieder übergossen und mit gehackten Kräutern bestreut als Beilage zu Aufschnitt oder als Hauptspeise zu Kartoffeln und grünem Salat gegeben.

Gefüllte Eier (für festliche Gelegenheiten)

Zubereitung: 4 hartgekochte, geschälte, der Länge nach halbierte Eier werden von den Dottern befreit, diese durch ein feines Sieb gestrichen, mit 20 g schaumig gerührter Butter glattgerührt, mit etwas Essig, Suppenwürze, Sahne und feingeschnittenem Schnittlauch, Senf, 1 Prise Zucker und Salz gemischt und die Masse wieder in die leeren Eihälften bergig eingefüllt. Man legt kreuzweise schmale Schinken-, Sardellen- oder Gurkenstreifen darauf und richtet die Eier auf einer Grundlage von Kopfsalat, auf einer flachen Schale an. Das Ganze lässt sich noch mit Radieschen verzieren.

Man kann von der Eierfüllung, ehe man den Schnittlauch dazugibt, einen gehäuften Esslöffel voll zurückbehalten und die Eier beim Anrichten damit spritzen.

Poschierte Eier

Zutaten: 4–6 Eier, kochendes Salzwasser.
Zubereitung: Man schlägt die Eier, die unbedingt ganz frisch sein müssen, einzeln vorsichtig über einer Tasse auf, damit die Dotter nicht beschädigt werden. Sobald das Wasser kocht, zieht man den Topf vom Herd, lässt die Eier hineingleiten und so lange stehen, bis das Eiweiß etwas geronnen ist. Das nimmt etwa 1 Minute Zeit in Anspruch. Nun schiebt man den Topf vorsichtig wieder auf den Herd und lässt die Eier noch 3 Minuten ziehen. Dann nimmt man sie mit einem flachen Schöpflöffel heraus und gibt sie entweder auf Spinatgemüse oder man serviert sie auf frisch gerösteten, gebutterten Toastscheiben als Vorspeise.

Saure Eier

Zubereitung I: Man kocht 1 l Wasser, 1 Kaffeelöffel Salz und 2–3 Esslöffel Essig in einem niederen Topf auf und schlägt in die kochende Brühe vorsichtig 4 Eier ein. Man lässt sie langsam 4 Minuten kochen, nimmt sie mit dem Schaumlöffel heraus und gibt sie in eine gut durchgekochte Zwiebelsoße.
Zubereitung II: Man bereitet in einem niederen Brattopf eine gute Zwiebelsoße (siehe Seite 36) und schlägt, sobald diese kocht, nahe am Topfrand die Eier so ein, dass sie einander nicht berühren. Sobald sie fest werden, löst man sie vorsichtig am Rand ab und richtet sie an.
Beilagen: Kartoffeln, grüner Salat.

Spiegeleier

Zubereitung: In einer Stielpfanne lässt man ein Stück Butter zerlaufen, schlägt vorsichtig 4 Eier ein, lässt sie offen langsam so lange backen, bis das Eiweiß fest, der Dotter noch weich ist. Dann streut man in die Mitte etwas Salz und Schnittlauch und richtet die Eier auf Gemüse oder einer erwärmten Platte an. Sie dürfen nicht lange stehen.

Spiegeleier mit Rand

Zutaten: 4–6 Eier, 4–6 Scheiben Weißbrot, 40 g Butter, Salz.
Zubereitung: Man nimmt so viele fingerdick geschnittene, große Weißbrotscheiben, als man Spiegeleier braten will und schneidet aus den Scheiben so viel aus, dass nur ein 3 cm breiter Rand übrig bleibt. Nun erhitzt man in der flachen Stielpfanne ein Stück Butter, gibt die Brotringe hinein, brät sie kurz an, dreht sie um und setzt in jede Mitte ein Spiegelei. Man lässt die Eier langsam gar werden und reicht sie in der Kruste als Vorspeise.

Spiegeleier auf Speck

Zutaten: 4–6 Scheiben fetter, geräucherter Speck, 4–6 Eier, einige Körnchen Salz.
Zubereitung: Man legt die erhitzte flache Stielpfanne mit den Speckscheiben aus, lässt diese glasig ausbraten, verteilt die Eier darauf und lässt diese langsam, am besten im heißen Backofen, fest werden.

Rühreier

Zubereitung: Man zerquirlt 4 Eier mit 4–6 Esslöffeln Milch, gibt Salz und feingeschnittenen Schnittlauch dazu und schüttet die Masse in heiße Butter, die man in der Stielpfanne erhitzt hat. Man schiebt sie mit einem Löffel rasch hin und her, bis sie geronnen, aber noch nicht fest ist. Dann richtet man sie sofort auf erwärmter Platte an und bestreut sie mit Schnittlauch. Lässt man die Eier zu lange auf dem Feuer, werden sie hart und trocken.
Beilage: Grüner Salat.

Rühreier mit Einlage

Zubereitung: Man bereitet eine Rühreimasse wie oben und mischt vor dem Backen geriebenen Schweizer Käse oder in Würfel geschnittenen Schinken darunter. Man rechnet auf jedes Ei 1 Esslöffel Käse oder Schinkenwürfel.
Beilage: Grüner Salat.

Omelette

Zubereitung: Man zerquirlt 4 Eier mit 1 Prise Salz, 1 Prise Muskat und 4 Esslöffel Dosenmilch. In einer flachen Pfanne lässt man 1 Esslöffel Butter heiß werden, schüttet die Eier hinein und zieht sie mit einer Gabel so lange durch, bis sich das Feste mit dem Flüssigen vermischt hat. Fängt die Masse an, fest zu werden, gibt man ein kleines Stückchen Butter unter den Kuchen, lässt ihn leicht Farbe nehmen, klappt die eine Hälfte über und lässt den zusammengelegten Kuchen auf eine erwärmte Platte gleiten. – Man kann vor dem Zusammenlegen die ungebackene Seite mit gedünsteten Pilzen, Spargel, Spinat etc. füllen.

Omelette soufflée

Zutaten: 4 Eigelb, 2 Esslöffel Zucker, Saft und Schale 1/4 Zitrone, 1 Prise Salz, 4 Eischnee.
Zubereitung: Eigelb und Zucker rührt man schaumig, würzt mit Salz und Zitrone und mischt den steifen Eischnee unter. Nun erhitzt man 1 Stück Butter auf einer breiten Pfanne, gibt die Eimasse hinein, schiebt sie in den heißen Backofen und lässt sie langsam aufziehen. Sobald sie oben fest ist, bestreicht man die Hälfte mit feiner Marmelade und schlägt die andere Hälfte darüber. Das Omelett muss sofort aufgetragen werden. – Man kann die Masse auch in 2 Portionen in der Stielpfanne auf dem Herd backen, wobei man sie jeweils mit einem heißen Deckel etwa 8–10 Minuten stocken lässt. Man kann das Omelett beliebig füllen.

DIE KARTOFFEL

Allgemeines

Eines der unentbehrlichsten Volksnahrungsmittel ist die Kartoffel. Was täten wir heutzutage, wenn wir die Kartoffel nicht hätten? Es ist etwas Köstliches um die ersten neuen Kartoffeln im Spätsommer, Kartoffeln mit feiner zarter Haut und wohlschmeckendem gelblichem Fleisch. Frisch vom Sud weg mit ein paar Körnchen Salz und etwas frischer Butter sind sie geradezu ein Leckerbissen! Ob wir sie als Pellkartoffeln oder Salzkartoffeln, als Bratkartoffeln oder Kartoffelsalat zubereiten, ob als Auflauf oder als Kartoffelteig in den verschiedensten Aufmachungen verwenden, immer ist sie auf dem Mittags- oder Abendtisch willkommen. Sie ist ebenso als Zuspeise wie als Hauptgericht ein sehr geschätztes Nahrungsmittel. Sie enthält etwa 20 v. H. Stärke, 2 v. H. Eiweiß, Spuren von Fett, 1 v. H. Mineralstoffe, Vitamin C, reichlich Wasser und etwas Zellulose. Letztere ist zwar unverdaulich, regt aber die Darmwände zur Täigkeit an und gibt das Gefühl der Sättigung. Mineralstoffe und Vitamine sollte man beim Kochen möglichst zu erhalten suchen. Der Mineralstoffverlust beim Dämpfen von ungeschälten Kartoffeln beträgt 1,5 v. H., von geschälten Kartoffeln 7 v. H. Beim Kochen ungeschälter Kartoffeln im Wasser beträgt der Verlust 6 v. H., von Salzkartoffeln rund 10 v. H. Zu dem großen Mineralstoffverlust kommt bei der Herstellung von Salzkartoffeln auch noch der Verlust an Eiweiß, das unmittelbar unter der Schale sitzt und das beim Schälen roher Kartoffeln größtenteils entfernt wird. Obwohl es nur in geringer Menge enthalten ist, sollte man es doch zu erhalten suchen, weil es hochwertig ist. Eingehende Untersuchungen haben außerdem erwiesen, dass das Vitamin C der Kartoffel, das zur Vermeidung der Zahnlockerung wichtig ist, am besten erhalten bleibt, wenn man die Kartoffeln in der Schale dämpft. Die Auswertung der Nährstoffe ist also weitgehend von einer richtigen Zubereitung der Kartoffel abhängig.

Ihre Eiweiß- und Fettarmut kann man durch passende Zukost ergänzen, oder man kann die Kartoffel selbst durch Verarbeiten mit eiweiß- und fettreichen Nahrungsmitteln aufwerten. Die Anordnung der Nährstoffe in der Kartoffel gleicht der der Hülsenfrüchte: Außen die zellulosereiche, derbe Haut, darunter die Eiweißstoffe, innen die Stärke, zwischendurch die in Wasser gelösten Mineralstoffe und Vitamine. Man bewahrt die Kartoffeln kühl, frostfrei, luftig und trocken auf.

Für die Zubereitung von Kartoffeln merke folgende Regeln:

1. Vermeide das Kochen in Wasser, bevorzuge das Garmachen im Dampf oder in trockener Hitze.
2. Schäle Kartoffeln möglichst dünn, damit die Eiweißschicht erhalten bleibt.
3. Mache die Kartoffeln zu Kartoffelgerichten möglichst in der Schale gar, weil beim Rohschälen mehr Abfall (20–30 v. H. gegenüber 5 v. H. beim Schälen von Schalkartoffeln) entsteht und weil man sie der Erhaltung der Farbe wegen bis zum Aufsetzen in Wasser legen muss, was Eiweiß- und Mineralstoffe auslaugt. Außerdem wird das sauerstoffempfindliche und lebensnotwendige Vitamin C durch das Dämpfen in der Schale weitgehend erhalten.
4. Lasse geschnittene Kartoffeln nie lange im Wasser liegen[1]
5. Gieße keinesfalls Kochwasser von rohgeschälten Kartoffeln ab, sondern verwende es zu Suppen.
6. Achte beim Zusammenstellen des Küchenzettels darauf, dass die Kartoffel eiweiß- und fetthaltiger Zuspeisen bedarf.
7. Wähle für Kartoffelteig und Kartoffelbrei mehlige Sorten mit rauher Schale, für Kartoffelsalat und Röstkartoffeln „speckige“, gelbe Sorten mit glatter Schale.
8. Mache Kartoffelteige erst kurz vor Gebrauch, weil sie durch langes Stehen nachfeuchten, weich werden und sich schlecht verarbeiten lassen.
9. Schäle gekochte Kartoffeln nie auf Vorrat, da sie rasch schmierig und schlecht werden.
10. Verbrauche keinen Kartoffelsalat, der länger als 24 Stunden angemacht ist, da er Verdauungsstörungen hervorrufen kann.

KARTOFFELSPEISEN

Grundmenge für 4 Personen:

a) 1 kg Kartoffeln.

b) für Kartoffelteige: 1 kg Kartoffeln, 1 Ei, 100 g Mehl. Oder: 1 kg Kartoffeln, 50 g Mehl, 50 g Grieß, 20 g zerlassene Butter, 2 Esslöffel Milch, kein Ei, für beide Teige Gewürze, Zwiebeln, Petersilie in Fett gedünstet, etwas gehackter roher Dill. – Bei Kartoffelspeisen als Hauptgericht braucht man die $1^1/_2$fache Menge.

[1] Wasser von eingelegten rohgeschälten Kartoffeln ist ein vorzügliches Mittel zum Waschen von dunkler Wollwäsche.

Schalkartoffeln

Zubereitung: Die saubergewaschenen, etwa gleichgroßen Kartoffeln werden im Kartoffelkörbchen oder im Kartoffeldämpfer mit so viel kaltem Wasser zugesetzt, dass dieses die Kartoffeln knapp berührt, also etwa bis zum Boden des Körbchens reicht. Dann streut man bei neuen Kartoffeln Salz und Kümmel, bei alten nur dann Salz auf, wenn sie nicht aufspringen sollen, deckt sie zu und kocht sie rasch weich. Gibt man sie als Beilage zu Gemüse, werden sie gleich nach dem Abgießen, sofern dies noch nötig ist, angerichtet. (Zu Kartoffelsalat lässt man sie zugedeckt im Dampf stehen, bis sie handwarm sind. Sie werden dadurch „speckig“ und geben einen saftig glänzenden, nicht breiigen Salat.)

Frischgekochte neue Kartoffeln sind ein Leckerbissen und ergeben mit grünen Salaten oder Quark und Butter eine köstliche Mahlzeit.

Gebackene Kartoffeln

Zubereitung: Sauber gewaschene, neue Kartoffeln werden ungeschält halbiert, mit Kümmel bestreut, auf ein mit Butter oder Öl bestrichenes Blech gesetzt und im heißen Backofen in etwa 3/4 Stunden gebacken. Sie werden mit der Schale gegessen und sind außerordentlich wohlschmeckend, trotzdem man kein Salz dazu verwendet. (Nach Dr. Bircher-Benner.)

Bratkartoffeln

Zubereitung: Die gekochten Kartoffeln werden geschält und in Scheiben geschnitten. Eine große Zwiebel wird in Würfelchen geschnitten. Nun gibt man in das rauchheiße Fett erst die Zwiebeln, dann sofort die Kartoffeln und etwas Salz (1 knapper Esslöffel) darauf, lässt sie hellbraun anbraten und dreht sie dann zum erstenmal um. Lässt man nämlich erst die Zwiebel anbräunen und gibt dann die Kartoffeln dazu, so ist man gezwungen, sie der Zwiebel wegen umzudrehen, ehe sie selbst Farbe haben; die Kartoffeln saugen das Fett auf, so dass sie beim weiteren Braten kaum mehr Farbe nehmen, sondern nur noch dünsten.

Schwenkkartoffeln

Man gibt in zerlassenes Fett frischgekochte, geschälte, kleine Kartoffeln, überstreut sie mit viel gehackter Petersilie und lässt sie unter häufigem Wenden leicht anbraten.

Wurstkartoffeln

Will man Kartoffeln als Hauptgericht verwenden, kann man zu den in Scheiben geschnittenen Kartoffeln in Würfelchen geschnittene Leber-, Blut- oder Schinkenwurst kurz vor dem Anrichten untermengen. Bei guten Wurstsorten genügen kleine Mengen.

Niedernauer Kartoffeln

Zutaten: 1 kg Kartoffeln, 1–2 Esslöffel Fett, Zwiebeln und Petersilie, 1/8 l saure Sahne, 1 Ei, 1 Kaffeelöffel Salz.

Zubereitung: Die in der Schale gekochten Kartoffeln werden geschält und in Würfel geschnitten. Nun dünstet man in dem zerlassenen Fett die gewiegten Zwiebeln und Petersilie, dünstet die Kartoffeln eine Zeitlang mit, würzt mit Salz, verteilt das mit Sahne zerquirlte Ei gleichmäßig darüber, lässt dies k u r z anziehen (durch langes Ziehenlassen werden die Kartoffeln trocken), richtet an und bestreut die Kartoffeln mit feingeschnittenem Schnittlauch oder feingehackter Petersilie.

Kartoffelschnee

Zubereitung: 1 kg gekochte, heiße Kartoffeln werden geschält, durch die Kartoffelpresse auf eine erwärmte Platte gegeben, nach Belieben mit brauner Butter geschmälzt und sofort aufgetragen.

Kartoffelbrei

Zutaten: 1 kg Kartoffeln, knapp 1/2 l Milch, 1–2 Esslöffel Butter oder Margarine, 1 Kaffeelöffel Salz, nach Belieben 1–2 Esslöffel geriebenen Schweizer Käse.
Zubereitung: Die in der Schale gekochten Kartoffeln werden, so lange sie noch sehr heiß sind, geschält und durch die Kartoffelpresse gedrückt. Oder man verwendet frische Salzkartoffeln. Dann gibt man sie mit Fett, Käse und Salz in die kochende Milch und schlägt oder rührt den Brei (ja nicht in Aluminium, sonst wird er grau), bis er schaumig und leicht ist. Man sollte ihn hierauf sofort anrichten und auftragen, jedoch nicht mehr kochen lassen, weil er dadurch an Wohlgeschmack verliert.

Kartoffel-Käseauflauf

Man kann aus obigem Kartoffelbrei mit 100 g geriebenem Schweizer Käse und 100 g Räucherspeck einen köstlichen Auflauf bereiten, indem man den Kartoffelbrei und Käse abwechselnd in eine gefettete Auflaufform gibt, mit Käse und würflig geschnittenem Speck bestreut und im heißen Backofen überbäckt. Backzeit 20–30 Minuten.

Salzkartoffeln

Zubereitung: Die rohgeschälten, in Stücke geschnittenen, mit Salz bestreuten Kartoffeln gibt man im Körbchen in wenig kochendes Wasser, deckt sie zu, dass die Kartoffeln sofort in strömendem Dampf stehen und weiß bleiben, und dämpft sie in etwa 20 Minuten weich. Dann werden sie, ohne das Dämpfwasser, das zu Suppen oder Soßen weiterverwendet wird, an der Seite des Herdes, zugedeckt noch etwas nachgedämpft, bis sie trocken und mehlig aussehen und beim Anrichten nach Belieben mit in Butter hellbraun gerösteten Zwiebeln abgeschmälzt.
Nicht zu empfehlen ist das Zusetzen mit soviel Wasser, dass es die Kartoffeln bedeckt, weil sie sehr stark entwertet werden und leicht zerkochen.

Rohgedünstete Kartoffeln

Zutaten: 1 kg Kartoffeln, 2 Esslöffel Kokosfett oder 4 Esslöffel Öl, 1–2 Esslöffel gewiegte Petersilie, 1 feingeschnittene Zwiebel, knapp 1 Esslöffel Salz.
Zubereitung: In dem rauchheißen Fett setzt man die rohgeschälten, in Würfel geschnittenen Kartoffeln zu, streut Salz, Zwiebeln und Petersilie darauf und lässt sie zugedeckt bei mäßiger Hitze unter gelegentlichem Umdrehen weichdünsten, was etwa 20 Minuten Zeit braucht.

Kartoffelpuffer (Reibekuchen)

Zutaten: 1 kg rohe Kartoffeln, 1 Teller gekochte, geriebene Kartoffeln, 1/4 l Milch, 1 Ei, 50 g Stärkemehl, Salz, Muskat; – Fett zum Braten.
Zubereitung: Man lässt die geschälten rohgeriebenen Kartoffeln kurz stehen, damit sie sich etwas absetzen und gießt einen Teil des Wassers ab. Dann mischt man die übrigen Zutaten darunter und brät die Reibekuchen in heißem Öl oder Fett hellbraun und knusprig.

Pommes frites

(schwimmend in Fett gebackene Kartoffeln)
Zubereitung: Große geschälte Kartoffeln werden in kleinfingergroße Stifte geschnitten und abgetrocknet. Nun gibt man die Kartoffeln in heißes Fett oder Öl und nimmt sie in einem Drahtsieb heraus, sobald sie eine Haut bekommen. Dann lässt man das Fett an Temperatur zunehmen, bis es raucht, gibt die unterdessen etwas abgekühlten Kartoffeln hinein, bäckt sie hellbraun, lässt sie abtropfen und gibt auf der Platte etwas Salz darauf. (Die Kartoffeln werden nur dann locker und luftig, wenn der Wärmeunterschied zwischen dem ersten und

zweiten Ausbacken groß genug ist.) Sie eignen sich als Beilage zu allen Gemüsen und zum Garnieren von feinen Fleisch- und Gemüseplatten.
Statt die Kartoffeln in Stifte zu schneiden, kann man sie auch in Scheibchen oder in dünne Stäbchen schneiden.

Schupfnudeln

Zutaten: 1 kg Kartoffeln, 1 Ei, 100 g Mehl, Salz, Muskat.
Zubereitung: 1–2 Tage alte gekochte, geriebene Kartoffeln werden mit den übrigen Zutaten zu einem festen Teig verarbeitet, mit Mehl zu fingerlangen und fingerdicken Würstchen oder Nudeln geformt, die Hälfte davon in kochendes Salzwasser gebracht und gekocht, bis sie oben schwimmen, dann herausgenommen und nach dem Abtropfen auf eine heiße Platte gegeben. Die übrigen Schupfnudeln werden ebenso fertiggekocht und angerichtet. Nun überschmälzt man sie mit Fett und Zwiebeln oder man röstet sie in der Stielpfanne hellgelb.
Beilage: Sauerkraut oder grüner Salat.

Kartoffelwürstchen, Kartoffelküchlein

Zutaten: Siehe Schupfnudeln, nach Belieben noch etwas gedünstete Zwiebeln und Petersilie, Backfett.
Zubereitung: Man macht den Teig wie zu Schupfnudeln, formt beliebig große Würstchen oder Küchlein auf einem mit Mehl bestreuten Brett und bäckt sie, ohne sie vorher zu

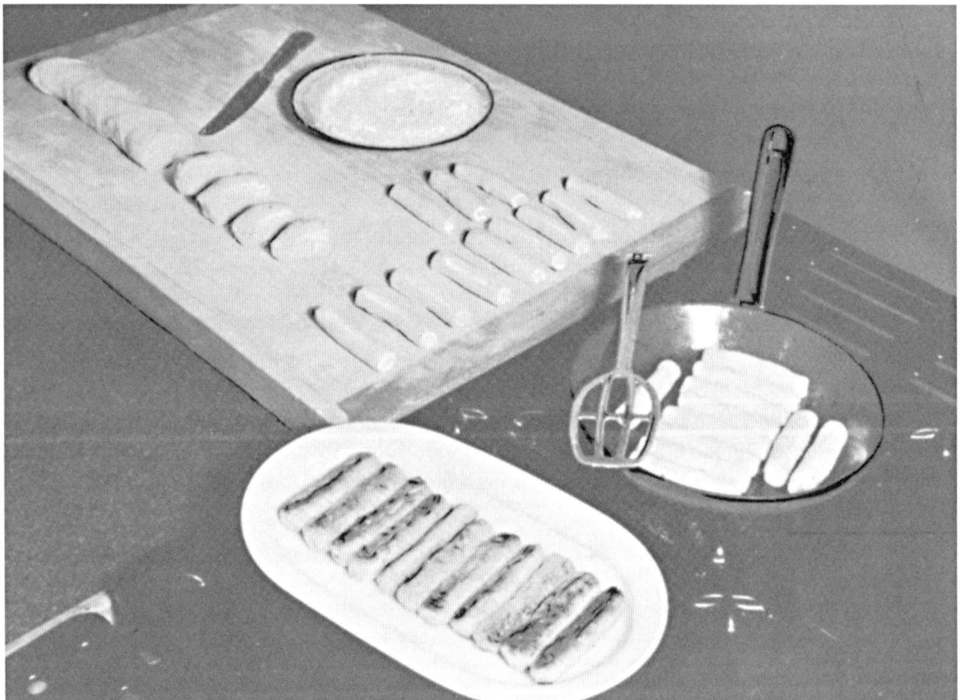

Wie man Kartoffelwürstchen bereitet

... und so sehen wohlgeratene Kartoffelgerichte aus

kochen, in heißem Fett braun und knusprig. Sie eignen sich als Gemüsebeilage. (Der Teig darf nicht zu lange stehen, sonst wird er weich und schluckt beim Formen viel Mehl an, was den feinen Geschmack beeinträchtigt.)

Kartoffelklöße I

Zutaten: 1 kg gekochte, geriebene, 2 Tage alte Kartoffeln, 1–2 Brötchen, 2 Eier, 50 g Mehl, 50 g grober Grieß, reichlich gewiegte, gedünstete Zwiebeln und Petersilie, 1/2 Esslöffel Salz, 1 Prise Majoran; kochendes Salzwasser, Fett zum Schmälzen.
Zubereitung: Die Brötchen werden in kleine Würfelchen geschnitten, nach Belieben in etwas Fett hellbraun geröstet, mit den übrigen Zutaten rasch und locker gemischt, der Teig mit bemehlten Händen zu 12 Klößen geformt, diese in kochendes Salzwasser gebracht, bis zum Wiederkochen zugedeckt, dann offen 8 Minuten schwach gekocht. Dann richtet man sie an und schmälzt sie mit in Butter geröstetem Semmelmehl, oder Semmelwürfelchen, oder Zwiebelscheiben. Sie schmecken am besten zu Schmorbraten und grünen Salaten.
Siehe Regeln für das Kochen von Klößen Seite 166.

Kartoffelklöße II (aus rohen Kartoffeln)

Zutaten: 1 1/2 kg Kartoffeln, 1/4 l Milch, 125 g Grieß, 1 Esslöffel Salz, 2 Brötchen, 1 Esslöffel Fett, kochendes Salzwasser.
Zubereitung: Die rohgeschälten Kartoffeln werden in Wasser gerieben, in einem Tuch fest ausgedrückt und mit dem abgesetzten Kartoffelmehlrückstand und Salz gemischt. Aus Milch und Grieß kocht man einen dicken Grießbrei, mischt ihn mit der Kartoffelmasse tüchtig

durch, formt Klöße, in deren Mitte man geröstete Semmelwürfel gibt, und lässt diese in offenem Topf je nach Größe 20–30 Minuten ziehen.
Beilage zu Schmorbraten.

Kartoffelaufläufe
kann man herstellen, indem man entweder den auf verschiedene Weise abgeschmeckten Grundrezeptteig herstellt und in der gefetteten Form im heißen Ofen 1/2 Stunde aufzieht, oder indem man frischgekochte oder kalte Kartoffeln in Scheiben oder Würfel geschnitten schichtweise mit Fleisch-, Fisch- oder Gemüseresten, Salzheringen, Tomatenscheiben oder dergleichen in eine gefettete Form füllt, mit Butter-, Tomaten-, Kräuter- oder sonstiger Soße oder mit Buttermilch übergießt und aufzieht.
Beilage: Grüne Salate.

Kartoffelpudding
Zutaten: 750 g gekochte, geriebene Kartoffeln, Salz, Muskat, 2 Esslöffel Butter, reichlich gedünstete Zwiebeln und Petersilie, 1 Esslöffel roher gehackter Dill, 2 Esslöffel Mehl, 4 Eier.
Zubereitung: Butter und Eigelb rührt man schaumig, gibt die übrigen Zutaten, zuletzt den steifen Eischnee darunter und füllt die Masse in eine gut gefettete, mit Semmelmehl bestreute Form. Man kocht den Pudding zugedeckt im Wasserbad 1 Stunde und reicht ihn mit Tomaten- oder Dillsoße.

Kartoffelring
Zutaten: 750 g gekochte, heiß durchgepresste Kartoffeln, 40 g Butter, 2 Eier, Salz, Muskat, 2 Esslöffel Reibkäse, Schnee von 2 Eiweiß.
Zubereitung: Alle Zutaten werden gemischt, der Teig in eine gefettete Ringform, die man mit Semmelbröseln ausgestreut hat, eingefüllt und 30–40 Minuten in guter Hitze gebacken. Nach dem Stürzen füllt man ihn mit gedünsteten Gemüsen oder Pilzragout oder Frikassee.

Kartoffelbällchen
Zutaten: 500 g gekochte, geriebene Kartoffeln, 50 g Butter, 50 g geriebener Käse, 1–2 Eier, Salz, Muskat, 1 Esslöffel Mehl; – Semmelmehl; – Backfett.
Zubereitung: Mit der schaumig gerührten Butter mischt man die übrigen Zutaten, schmeckt die Masse ab, formt nussgroße Kügelchen daraus, dreht sie in Semmelmehl und bäckt sie schwimmend unter Rütteln in heißem Fett hellbraun.
Man verwendet sie als Beilage zu feinen Gemüsen oder zur Garnierung von Fleischplatten.

Kartoffelküchlein mit Quark
Zutaten: 1 kg Kartoffeln, 250 g trockener Quark, 2 Esslöffel Grieß, 2 Esslöffel Mehl, 1 Ei, Salz, (Muskat), Semmelmehl zum Formen, Fett zum Backen.
Zubereitung: Die gekochten, kalten, geriebenen Kartoffeln und der durch ein Sieb gestrichene Quark werden mit den übrigen Zutaten gemischt. Nun werden mit Semmelmehl Küchlein geformt und in heißem Fett auf beiden Seiten hellbraun gebacken.
Beilagen: Gemüse, Salate, Fleischgerichte.

Kartoffelquarkklöße
Zubereitung: Man formt aus demselben Teig pfirsichgroße Klöße, wendet sie in Mehl (damit sie beim Kochen eine glatte Außenfläche bekommen), gibt sie in kochendes Salzwasser, kocht sie langsam 8 Minuten und schmälzt sie mit brauner Butter.
Beilagen wie oben.

Helles Kartoffelgemüse

Zubereitung: In eine fertige Buttersoße gibt man 1 kg gekochte, geschälte, in Scheiben geschnittene Kartoffeln und lässt sie einige Minuten mitkochen.
Statt Buttersoße kann man ebensogut Bechamel-, Petersilie-, Dill-, Kümmel- oder Kräutersoße nehmen.

Braunes Kartoffelgemüse

Zubereitung: In einer mit Gewürzen gut durchgekochten, sauren Soße kocht man 1 kg gekochte, geschälte, geschnittene Kartoffeln 15 Minuten mit und richtet das Ganze an.
Gute Beilage zu heißen Würstchen.

Buntes Kartoffelgemüse

Zutaten: 1 kg Kartoffeln, 500 g Möhren, nach Belieben etwas Lauch und Sellerie, reichlich gewiegte Zwiebeln und Petersilie, 1 Esslöffel Fett, Salz, Brühe.
Zubereitung: Die Kartoffeln werden roh geschält und in Stücke geschnitten, die Möhren geschabt und beliebig zerkleinert. Nun dünstet man in dem zerlassenen Fett Zwiebeln und Petersilie, dann die Gemüse und Kartoffeln, löscht ab und lässt alles zusammen weichkochen. Dann treibt man das Gemüse durch ein grobes Sieb und lässt es noch einmal aufkochen.
Beilagen: Braten, Bratwürste, grüner Salat.

Meerrettichkartoffeln I

Zutaten: 1/2 Stange Meerrettich, 1 kg möglichst dünn abgeschälte, in Scheiben geschnittene rohe Kartoffeln, 1–2 Esslöffel Fett, 1/2 l Wasser, 1/2 l Milch, Salz.
Zubereitung: Den geriebenen Meerrettich dünstet man in dem zerlassenen Fett leicht an, löscht ab, gibt die Kartoffeln hinein und lässt sie weichkochen. Kochzeit 20 Minuten.
Beilage zu Siedfleisch.

Meerrettichkartoffeln II

Zutaten: 1 kg gekochte, warme, in Scheiben geschnittene Kartoffeln, 40 g Fett, 40 g Mehl, 1/2 l Milch, Salz, Zucker nach Geschmack, 1/2 Meerrettichstange.
Zubereitung: Aus Fett, Mehl und Milch macht man eine helle Soße, würzt mit dem geriebenen Meerrettich, schmeckt mit Salz und Zucker ab und lässt die vorgerichteten Kartoffeln noch 15 Minuten durchziehen.
Beilage zu Rindfleisch.

Kräuterkartoffeln

Zutaten: 1 kg Kartoffeln, 1 Esslöffel Fett, 1 Esslöffel Mehl, reichlich gewiegte Zwiebeln und Petersilie oder andere Würzkräuter, Salz, Brühe.
Zubereitung: In dem zerlassenen Fett dünstet man erst die Kräuter, dann das Mehl kurz durch, löscht ab, gibt die rohgeschälten, in Stücke geschnittenen Kartoffeln hinein und kocht sie darin weich. Kochzeit 25 Minuten.
Beilage zu Fleischspeisen.

Heringkartoffeln

Zutaten: 1 kg gekochte Kartoffeln, 2 Salzheringe, 2 Esslöffel Fett, 2 feingeschnittene Zwiebeln, 2 Tassen Buttermilch (oder halb Sahne, halb Milch), 1 Ei, 1 Prise Salz.
Zubereitung: Die gewässerten, geputzten, entgräteten Heringe werden in kleine, die Kartoffeln in größere Würfelchen geschnitten. Die Zwiebeln werden in Fett gedünstet. Nun schichtet man alles lagenweise in eine gut gefettete Auflaufform (die oberste und unterste Schicht

soll aus Kartoffeln bestehen), schüttet die mit Ei und Salz zerquirlte Milch darüber, streut etwas Semmelmehl darauf und bäckt den Auflauf etwa 1 Stunde in guter Hitze.

Bechamelkartoffeln

Zutaten: 1 kg Kartoffeln, 2 Esslöffel Fett oder 50 g durchwachsener geräucherter Speck, 2 Esslöffel Mehl, 1/4 l Brühe, 1/4 l Milch oder Sahne, oder 1/2 l Sauermilch, 100 g Schinkenwurst, etwas Reibkäse, etwas Semmelmehl und Butter, 1 Nelke, 1 Lorbeerblatt, 2 Pfefferkörner, etwas Salz.
Zubereitung: Die Kartoffeln werden in der Schale knapp weichgekocht, geschält und in Scheiben geschnitten. Fett und Mehl dünstet man hellgelb, löscht mit Brühe und Milch ab, gibt die Gewürze hinein und lässt die Soße 1/4 Stunde kochen. Dann mischt man die in Würfelchen geschnittene Schinkenwurst und die Kartoffeln darunter und lässt sie noch 1/4 Stunde darin ziehen oder füllt die Masse in eine gut gefettete Auflaufform, streut den mit etwas Semmelmehl vermischten Reibkäse und einige Butterstückchen darauf und überbäckt die Masse in gutem Ofen 1/2 Stunde (225°C).
Beilage: Kopfsalat.

DAS MEHL

Allgemeines

Ein schlechthin unentbehrliches Nahrungsmittel ist das Mehl, das die Nahrungsmittelgrundlage für unsere ganze Ernährung darstellt. Es wird aus Weizen, Roggen, Gerste und Hafer hergestellt. Zum Backen nimmt man vorwiegend Weizen- und Roggenmehl, seltener Gerstenmehl. Hafermehl und Hafererzeugnisse werden mehr zum Kochen als zum Backen verwendet. Die einzelnen Mehlsorten sind, was Aussehen und Beschaffenheit anlangt, sehr verschieden. Dies liegt einmal an der Getreidesorte, zum anderen an der Art der Gewinnung. Die Anordnung der Nährstoffe im Innern des Getreidekorns weist eine gewisse Ähnlichkeit auf mit der der übrigen „Stärkelieferanten", der Kartoffeln und der Hülsenfrüchte. In der Mitte des Kernes befindet sich die Stärke mit dem im Grunde des Korns liegenden Keimling, darüber die eiweiß- und vitaminhaltige Kleber- und Aleuronschicht, außen die harte Zelluloseschicht, die mit der Kleberschicht untrennbar verbunden ist. Beim Mahlen wird, nachdem der fetthaltige vitaminreiche Keimling entfernt ist, das Korn fein zerquetscht, zerrieben und immer wieder abgesiebt. Dabei werden die gröberen Schalenteile abgestoßen, so dass schließlich nur noch der vorwiegend stärkehaltige, innere Teil des Korns übrig bleibt, der arm an Eiweiß, Vitaminen und Mineralstoffen ist. Da wir aber Eiweiß, Mineralstoffe und Vitamine für den Körper dringend brauchen und im Getreide billig zur Verfügung haben, sollte man die gröberen, dunkleren Mehlsorten, besonders zum Backen von Brot bevorzugen. Dunkles Vollkornbrot ist allerdings nicht so locker und leichtverdaulich wie weißes Brot, hat aber einen viel größeren Sättigungswert. Sein hoher Vitamingehalt wirkt vor allem der Zahnfäule entgegen und ist von starkem Einfluss auf das allgemeine Wohlbefinden. Der Nährstoffgehalt des Mehles hängt vom Ausmahlungsgrad ab und schwankt stark.

Der Mineralstoffgehalt des Mehles wird durch Typenzahlen ausgedrückt. Die Bezeichnung für die Mehltypen enthält die Werte in Milligramm auf 100 g Trockensubstanz, also z. B. Type 1800 entspricht 1800 Milligramm oder 1,8 g auf je 100 Teile Trockensubstanz. Je niedriger also die Typenzahl, desto heller ist das Mehl (z. B. Type 405 = feinstes Auszugsmehl).

Zum Kochen und Herstellen feiner Backwaren eignet sich Weizenmehl besser als Roggenmehl, da es von feinerem Geschmack, hellerer Farbe und größerer Bindekraft ist. Man sollte aber nur ungebleichtes Mehl verwenden, das eine zart gelbliche Farbe hat.

Grundmengen für Mehlspeisen (für 4 Personen):

Teigsorte	Gericht	Mehl	Flüssigkeit	Eier	Salz	Fett	Sonstige Zutaten
Nudelteig	Grundrezept	250–350 g Mehl	1/16 l Wasser	2	1 Prise	–	
u. Teigwaren	geröst. Nudeln	"	"	"	"	–	30 g Fett, 1–2 Eier, Salz
	Käsenudeln	"	"	"	"	–	50–100 g Reibkäse, 1 Esslöffel Butter
	Käsespaghetti	250 g Teigw.	–	–	–	–	Salzwasser, 50–100 g Käse, 1 Essl. Butter
	Käsemakkaroni	"	–	–	–	–	Salzwasser, 50–100 g Käse, 1 Essl. Butter
	Nudelauflauf	"	–	–	–	–	Salzwasser, 100 g Käse oder Wurst, 1–2 Eier, 1 Tasse Rahm (oder Sauermilch)
	Makk.-Aufl.	"	–	–	–	–	wie bei Nudelauflauf
	Tom.-Spaghetti	250–350 g	–	–	–	–	Tom.mark, 1 Essl. Butt. 1 Zwiebel, 50–100 g Reibkäse
Strudelteig	Grundrezept	250 g Mehl	1/16 l Milch	2	1 Prise	2 Essl. Öl	
	Wiener Apfelstrudel	"	"	"	"	"	1 kg Äpfel, Zucker, Mandeln, Zimt, Rosinen, Fett
	Käsestrudel	"	"	"	"	"	1 kg Qark, 1–2 Eier, Zucker, Zimt., Rosinen, Fett
	Obststrudel	"	"	"	"	"	750 g Obst, Zucker, Zimt, Brosamen, Fett
Spatzenteig	Grundrezept	250 g Mehl	1/8 l Wasser	2	1Kffl.	–	
	Käsespatzen	"	"	"	"	–	50–100 g Reibkäse, 1 Esslöffel Butter
	Geröstete Spatzen	"	"	"	"	–	1–2 Eßlöffel Fett, nach Belieben 1 Ei
	Leberspatzen	"	"	"	"	–	250 g Leber, Salz, Muskat, Petersilie, Zwiebel, Fett
	Wurstspatzen	"	"	"	"	–	125–250 g Wurst, 1 Essl. Butter z. Schm.
Pfannkuchenteig	Grundrezept	250 g Mehl	3/8 l Milch	2	1 Kffl.	–	Backfett
	Gefüllte Pfannkuchen	"	"	"	"	–	Backfett, Spinat, Pilze Haschee, Marmelade
	Apfelpfannkuchen	"	"	"	"	–	Backfett, 8 Äpfel, Zucker, Zimt
	Kirschpfannkuchen	"	"	"	"	–	500–750 g Kirschen
	Geb. Schnitten	"	"	"	"	–	Backfett, 4 Wecken
	Eierhaber	"	"	"	"	–	Backfett
	Waffeln	"	"	"	"	100 g Fett	Backfett, Zucker, 1/2 Päckch. Backpulver
Flädlesteig	Grundrezept	250 g Mehl	1/2 l Milch	2	1 Kffl.	–	Backfett
	Gef. Flädle	"	"	"	"	–	Backfett, Fleischteig
	Pfitzauf	"	"	4	"	2 Essl.	Fett zur Form
Brühteig	Grundrezept	125 g Mehl	1/4 l Milch od. Wasser	4	1/2 Kffl.	40 g	Backfett
	Windbeutel	"	"	"	"	"	nach Belieben, Reibkäse, Backfett
	Kaffeeküchle	"	"	"	"	"	Schlagrahm

Als Hauptgericht doppelte Menge.

Da alles Getreideeiweiß nicht vollwertig ist, sollten wir statt vieler Mehlspeisen die basenreichen Kartoffeln mehr bevorzugen, als dies in weiten Kreisen üblich ist.

Gutes Mehl soll angenehm riechen, sich weich und flaumig anfühlen und keine Klumpen enthalten. Schlechtes Mehl riecht dumpf oder ranzig. Sind Mehlwürmer darin, erscheint die Oberfläche ganz fein unterwühlt, wenn man es einige Stunden ruhig liegen lässt. In diesem Fall müssen Schubfach und Schrank gründlichst gereinigt werden. Keinesfalls darf altes und neues Mehl gemischt werden. Am besten hält es sich trocken und kühl aufbewahrt.

MEHLSPEISEN

Die Vorliebe für Mehlspeisen ist eine besondere Eigenheit der Schwaben. Schwäbische Spätzle sind im ganzen Bundesgebiet und darüber hinaus bekannt und berühmt, wenngleich viele echte Schwaben von den Mehlspeisen allmählich etwas abrücken. Spätzle „schlagen an“ und sind der schlanken Linie nicht zuträglich. Hinzu kommt, dass heutzutage die Kunst, Spätzle von Hand einzulegen, allmählich abhanden kommt und die Maschinenspätzle oder fertige Teigwaren an ihre Stelle treten. Beide reichen niemals an Handspätzle heran, namentlich wenn letztere mit genügend Eiern im Teig bereitet werden.

Außer Spätzle werden auch die übrigen in der Tabelle angeführten Mehlspeisen in vielerlei Abwandlungen hergestellt zur Freude von jung und alt.

Die umstehenden Mehlspeisen sind in der Reihenfolge angegeben, wie die Grundrezepte der Flüssigkeitsmenge nach aufeinanderfolgen. Die Reihe beginnt mit dem festesten, steigt bis zum flüssigsten und endet mit dem gebrühten Teig, der den Übergang zu den gekochten Teigen bildet.

Für die Zubereitung merke folgende Regeln:

1. Mache bei flüssigen Teigsorten mit der Hälfte der kalten oder lauwarmen Milch erst einen dicken, glatten Teig und verdünne ihn nach und nach, sonst entstehen Knollen.
2. Verwende beim Anrühren flüssiger Teige nie heiße oder kochende Milch, sonst verkleistert das Mehl und bildet Knollen.
3. Bringe die Eier nie auf das trockene Mehl, rühre dieses stets mit Flüssigkeit zuvor an, sonst wird der Teig streifig, die Eier verteilen sich schlecht mit dem Mehl, und es bilden sich Knollen.

Grundrezept: Nudelteig

Als Beilage:
250 g Mehl, 2 Eier, etwa 1/16 l = 1–2 halbe Eierschalen Wasser.
Als Hauptspeise: Doppelte Menge.

Zubereitung: Man zerquirlt Eier und Wasser tüchtig zusammen, schafft nach und nach das Mehl darunter, nimmt den Teig auf das leicht bemehlte Backbrett und knetet ihn so lange

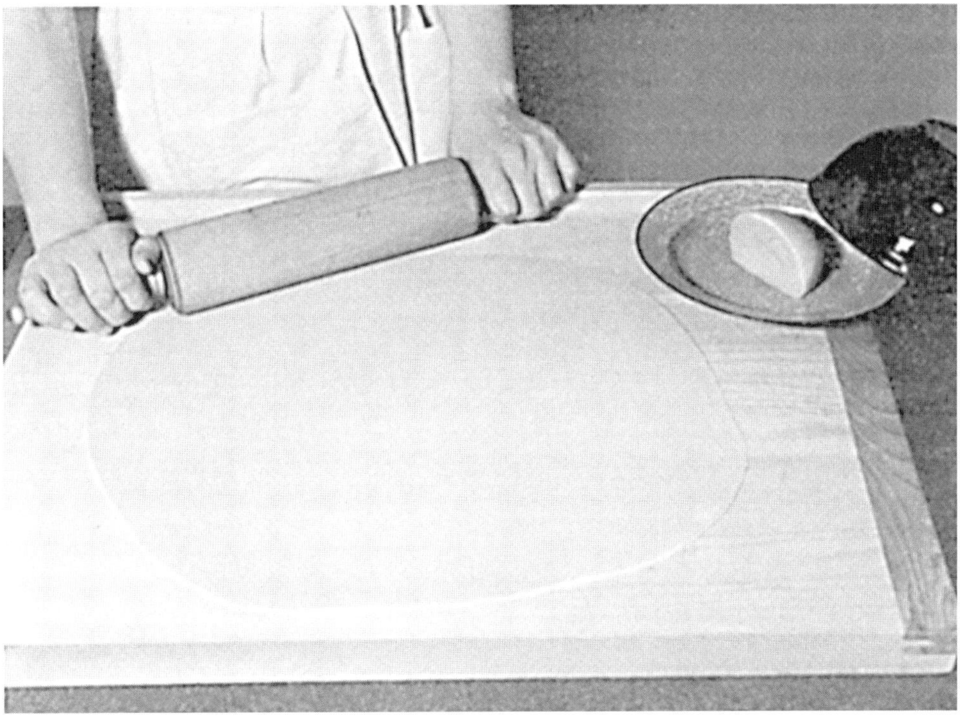

So muss ein schöner Nudelkuchen aussehen

durch, bis er beim Durchschneiden kleine Löcher zeigt und vollkommen glatt und zart ist. Nun teilt man ihn in 2 Stücke, wellt diese immer von der Mitte ausgehend auf leicht bemehltem Brett rund und dünn aus und lässt sie leicht übertrocknen. Nun schneidet man die Nudelkuchen zur Hälfte auseinander (damit die einzelnen Nudeln nicht zu lang werden), rollt sie auf, schneidet sie zu Suppen in ganz schmale, als Beilage zu Braten in zentimeterbreite Streifen, schüttelt sie auf und lässt sie nachtrocknen. Die angegebene Teigmenge ergibt 300 g fertige, trockene Nudeln.

Riebele

Zutaten: Grundrezept von Nudelteig, jedoch weniger Wasser.
Zubereitung: Man macht einen sehr festen Nudelteig, reibt diesen auf dem Reibeisen auf ein Tuch und lässt die Riebele trocknen. Man verwendet sie als Suppeneinlage. (Reicht für 3 l Suppe.)

Breite Nudeln

Zubereitung: 250–300 g breite Nudeln gibt man in kochendes Salzwasser, lässt sie unter gelegentlichem Umrühren weichkochen, schüttet sie ab, schwenkt sie in heißem Salzwasser, lässt sie gut abtropfen, richtet sie auf einer heißen Platte an und schmälzt sie mit brauner Butter. Kochzeit für selbstgemachte Nudeln 5, für gekaufte Teigwaren 10–12 Minuten.

Käsenudeln

Zutaten: 250 g Nudeln, Salzwasser, 50 g Reibkäse, etwas Butter.

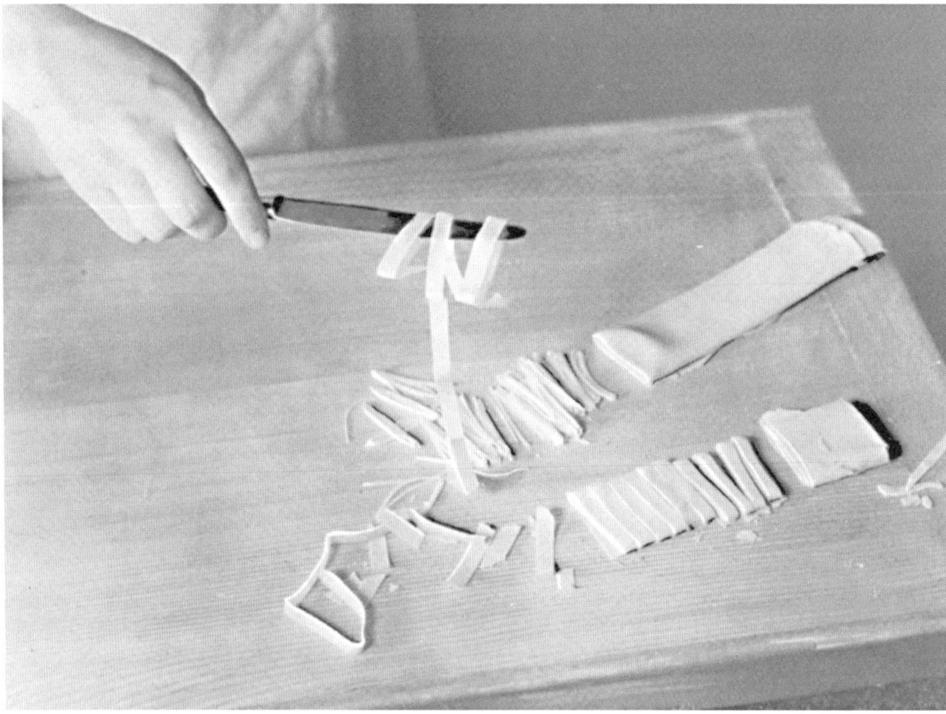

... und so macht man breite Nudeln

Zubereitung: Die Nudeln werden in Salzwasser weichgekocht, abgeschwenkt, schichtweise mit Reibkäse überstreut und zuletzt geschmälzt. Kochzeit 10–12 Minuten.

Käsespaghetti und Käsemakkaroni bereitet man ebenso. Kochzeit 10–13 Minuten.

Nudelauflauf

Zutaten: 250 g Nudeln (in Salzwasser knapp weichgekocht), 1–2 Eier, 1 große Tasse Sahne, 100 g kleingeschnittene Schinkenwurst, Fleischreste oder Reibkäse. etwas Semmelmehl, einige Butterstückchen.
Zubereitung: In eine gut gefettete Auflaufform gibt man abwechselnd Nudeln und Einlage, bis beides verbraucht ist. Die oberste Schicht soll aus Nudeln bestehen. Nun zerquirlt man Milch, Sahne, Eier und Salz, schüttet die Flüssigkeit über die Nudeln, verteilt Reibkäse und Butterstückchen darauf und bäckt den Auflauf in guter Hitze (225°C) 3/4 Stunden. Wer die oberste Schicht nicht so hart gebacken haben möchte, kann die Auflaufform nach der halben Backzeit mit einem Deckel zudecken. Der Auflauf bleibt dadurch sehr saftig.

Makkaroniauflauf bereitet man ebenso zu.

Tomatenspaghetti

Zutaten: 250–350 g Spaghetti, Salzwasser zum Abkochen, 1 kleine Dose Tomatenmark oder 1 große Tasse Tomatenbrei aus frischen oder eingedünsteten Tomaten, 40 g Butter, 1 feingeschnittene Zwiebel, 100 g geriebener Schweizer Käse, nach Belieben Butter zum Schmälzen.

Zubereitung: Die Spaghetti werden unzerbrochen in kochendes Salzwasser gegeben, knapp weichgekocht (10–13 Minuten) und beiseite gestellt. Nun dünstet man in der zerlassenen Butter die Zwiebel glasig, gibt das leicht verdünnte Tomatenmark dazu, dünstet es mit und mischt zuletzt die abgeschütteten, abgetropften Spaghetti darunter. Wenn sich das Tomatenmark gleichmäßig mit dem Spaghetti gemischt hat, richtet man diese schichtweise mit Reibkäse an, bestreut sie auch oben mit Käse und schmälzt das Ganze mit brauner Butter.
Beilage: Kopfsalat.

Italienische Spaghetti à la Bruna

Zutaten: 350 g Spaghetti; – 50 g Butter, 1 kleine Dose Tomatenmark, 1–2 feingeschnittene Zwiebeln, 1 winzige Zehe Knoblauch, 1 Dose Thunfisch, Salz, 1 Prise Zucker, etwas Zitronenschale, etwas Zimt, etwas Paprika und Pfeffer, 1 Glas Madeira, 100 g geriebenen Schweizer Käse.
Zubereitung: In der zerlassenen Butter dünstet man Zwiebeln und Knoblauch glasig, gibt den in grobe Stücke zerteilten Thunfisch, die Gewürze, Tomatenmark und den Wein daran und lässt dies 1/2 Stunde zusammen dünsten. – Die Spaghetti kocht man in Salzwasser weich, doch müssen die noch körnig schmecken, schüttet sie ab, vermengt sie mit der Hälfte der bereits bereiteten Soße, gibt den Rest mit den Fischstücken darüber und überstreut das ganze Gericht mit geriebenem Käse. Zubereitungszeit: etwa 1/2 Stunde. Es ist ein köstlich schmeckendes, sehr sättigendes Gericht.
Beilage: Kopfsalat.

Sahnenudeln

Zutaten: 250 g Nudeln, 1 Esslöffel Butter, knapp 1 Esslöffel Mehl, 1 Esslöffel gewiegte Zwiebeln und Petersilie, 1/2 l Wasser, einige Löffel saure Sahne, 1 Ei.
Zubereitung: In der zerlassenen Butter dünstet man Zwiebeln, Petersilie und Mehl leicht an, löscht mit Wasser ab, würzt mit Salz und Muskat und kocht die Soße 5–10 Minuten. Nun zerquirlt man Ei und Sahne in einer Gemüseschüssel, richtet unter Umrühren die kochende Soße damit an und mischt die in Salzwasser abgekochten, abgetropften Nudeln darunter.
Beilage: Kopfsalat.

Grundrezept: Strudelteig

Als Hauptspeise für 4 Personen:

250 g Mehl, 1–2 Eier, stark 1/16 l = 2 halbe Eierschalen Wasser oder Milch, 2 Esslöffel Öl, 1 Prise Salz.

Gebäck aus Strudelteig ist nichts typisch Schwäbisches. Er stammt aus der Wiener Küche und ist dort als „Mehlspeis“ nicht wegzudenken. Es ist etwas Köstliches um einen leckeren Wiener Apfelstrudel, den man am besten in seiner Heimat zuzubereiten versteht. Die Kunst, ihn tadellos herzustellen, ist nicht schwer, wenn man den Teig genau nach Vorschrift herstellt.
Zubereitung: Eier, Öl und Flüssigkeit zerquirlt man, schafft das Mehl darunter, knetet den Teig auf dem Backbrett wie den Nudelteig und lässt ihn, nachdem er glatt und zart ist, eine Zeitlang mit einer warmen Schüssel zugedeckt stehen. Nun wellt man ihn auf dem bemehlten Brett wie zu einem Nudelkuchen aus, legt ihn dann auf ein reines, mit Mehl bestreutes Tuch und zieht ihn mit den Händen nach allen Seiten ganz fein aus. Diesen Teig kann man nun verschieden füllen und den Strudel entweder im Backofen auf dem Blech oder in einer runden Backform backen.

Wiener Apfelstrudel

Füllung: 1 kg Äpfel, Zucker und Zimt nach Geschmack, 100 g Sultaninen, 60 g grobgeschnittene Mandeln oder Nüsse, 50 g zerlassene Butter zum Bestreichen.

Zubereitung: Die geschälten Äpfel werden fein geschnitzelt und mit den obigen Zutaten vermischt. Den dünn ausgezogenen Strudelteig beträufelt man mit Fett, verteilt die Äpfelfüllung jedoch so, dass eine handbreite Schicht frei bleibt, die als Deckblatt dient. Damit der sich bildende Saft nicht ausläuft, schlägt man den Teig seitlich ein und rollt ihn in der Weise auf, dass man das Tuch an der Breitseite hochzieht, so dass sich der Strudel von selbst aufwickelt. Nun legt man die ganze Rolle auf ein gefettetes Blech, bestreicht sie mit Fett und bäckt sie hellbraun. Backzeit 35–40 Minuten bei 230–240°C. Beim Anrichten wird der Strudel mit Staubzucker besiebt.

Quarkstrudel

Füllung: 1 kg Quark, 2 Eier, 1 kleine Tasse saure Sahne, Zucker nach Gutdünken, etwas abgeriebene Zitronenschale, Sultaninen, Haselnüsse oder Mandeln nach Gutdünken.

Zubereitung: Den Quark streicht man durch ein Sieb, mischt ihn mit den übrigen Zutaten, streicht ihn auf den ausgezogenen Strudelteig und macht ihn wie Apfelstrudel fertig.

Obststrudel

Zubereitung: Der Strudelteig lässt sich mit allen, nicht stark saftziehenden Früchten füllen, z.B. mit Kirschen, Weichselkirschen, Zwetschgen, Aprikosen. Man beträufelt den ausgezogenen Teig mit Fett, streut geriebene Mandeln oder etwas Semmelmehl darauf, verteilt die zerkleinerten, eingezuckerten Früchte darauf und rollt den Strudel auf. Man bestreicht ihn mit Butter und bäckt ihn in guter Hitze. Backzeit siehe oben.

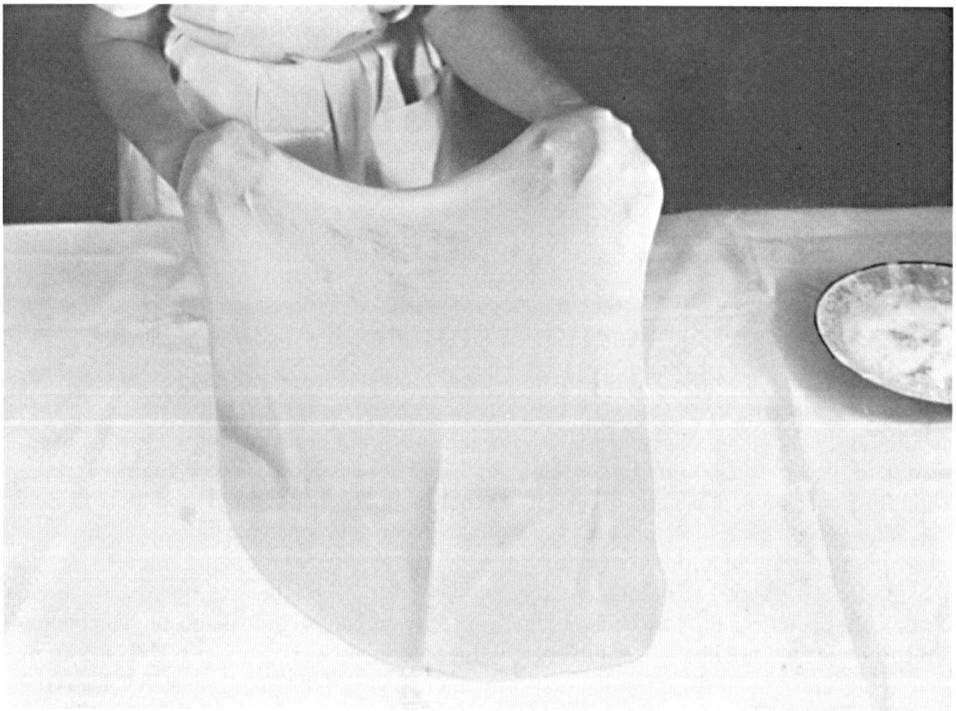

Den Strudelteig zieht man mit dem Handrücken so dünn als möglich aus

Auf diese Weise bereitet man Wiener Apfelstrudel

Grundrezept: Spätzle

Als Beilage: 250 g Mehl, 1–2 Eier, 1 Kaffeelöffel Salz, 1/8–3/16 l Wasser (je nach Eiermenge und Eigröße). Zum Schmälzen 1 Esslöffel Butter, 1 Esslöffel Semmelmehl. Als Hauptspeise: Doppelte Menge.

Zubereitung: Man macht aus den angegebenen Zutaten einen festen, glatten Teig, den man so lange schlägt, bis er Blasen wirft. Nun gibt man einen Teil des Teiges auf das nasse Spatzenbrett und legt in kochendes Salzwasser mit dem Spatzenschaber oder einem langen, breiten Messer dünne Spatzen ein. Sobald sie wieder heraufkommen und kochen, nimmt man sie mit einem Drahtlöffel heraus, schwenkt sie in heißem Salzwasser und richtet sie auf einer erwärmten Platte an, die man sofort wieder warmstellt. Auf diese Weise wird aller Teig eingelegt, angerichtet und zuletzt das Ganze mit in Butter geröstetem Semmelmehl geschmälzt. (Wenn man die Spätzle lange kochen lässt, werden sie kleistrig; lässt man sie lange im Schwenkwasser liegen, werden sie blass.)

Käsespatzen

bereitet man ebenso zu, nur streut man auf jede Schicht Spätzle geriebenen Schweizer Käse, überstreut am Schluss die ganze Platte nochmals mit Käse und schmälzt das Ganze mit brauner Butter.

„Gaisburger Marsch“ (Spätzle mit Kartoffelschnitzen)

Zutaten: Grundrezept des Spatzenteigs; 500 g Kartoffeln; – Butter zum Schmälzen.

Zubereitung: Die Kartoffeln werden wie zu Salzkartoffeln in Fleisch- oder Würfelbrühe weichgekocht, jedoch nicht abgegossen, sondern mit den nach dem Grundrezept hergestellten Spätzle vermischt, so dass eine dicke Suppe entsteht. Wer will, kann das zur Brühe verwendete Suppenfleisch in Würfelchen schneiden und diese mit dem fertigen Gericht mischen. Dieses wird vor dem Auftragen mit in Butter hellgelb gebräunten Zwiebeln geschmälzt. – Ein typisch schwäbisches Gericht!

Geröstete Spätzle

Zutaten des Grundrezeptes; nach Belieben 1–2 Eier, Backfett.

Zubereitung: Spätzle, die geröstet werden sollen, legt man, ohne sie zu schwenken, zum Abtrocknen auf ein Brett. Sie bekommen dadurch beim Rösten eine schönere Farbe. Man legt sie, mit der abgetrockneten Oberseite nach unten in rauchendes Fett, lässt sie schön backen, verteilt kurz vor dem Anrichten das zerquirlte Ei darüber und lässt dieses noch kurz anziehen. Beilage: Kopfsalat.

Leberspätzle

Zutaten: 250 g Mehl, 2 Eier, 250 g feingewiegte Rinds- oder Kalbsleber, reichlich gedünstete Zwiebeln und Petersilie, Salz, Muskat, Pfeffer, Butter zum Schmälzen.

So zäh muss ein richtiger Spatzenteig sein

... und so legt man Spätzle ein

Zubereitung: Aus den angegebenen Zutaten macht man einen glatten, festen Teig wie zu gewöhnlichen Spätzle. Nun nimmt man auf das nasse Spatzenbrett einen Teil des Teiges und schabt mit einem Kaffeelöffel kleine Klümpchen, die mehr breit als rund sein sollen, in kochendes Salzwasser, lässt sie ein paarmal aufkochen, nimmt sie mit einem Drahtlöffel heraus, schwenkt sie in heißem Salzwasser, richtet sie an und stellt sie warm. Auf diese Weise wird aller Teig verbraucht und die Spätzle vor dem Auftragen geschmälzt.
Beilage: Kopfsalat.

Wurstspätzle

Zutaten: 250 g Mehl, 1–2 Eier, 125 g durch die Hackmaschine getriebene Schinkenwurst oder kleingeschnittenes Rauchfleisch, 1 kleine Tasse Wasser, etwas Salz.
Zubereitung wie Spätzle.

Grundrezept: Pfannkuchen

Als Beilage:
250 g Mehl, 2 Eier, 1 Kaffeelöffel Salz, $^1/_4$–$^3/_8$ l Milch; – Backfett.
Als Hauptspeise: Doppelte Menge.

Zubereitung: Man rührt mit der Hälfte der Milch das Mehl mit Eiern und Salz zusammen zu einem dicken, glatten Teig an, den man erst dann nach und nach mit der übrigen Milch verdünnt. Wer will, kann noch feingeschnittene Zwiebeln, feingehackte Petersilie oder Schnittlauch unter den Teig mischen. Nun gibt man in eine Stielpfanne 1 Esslöffel zerlassenes Fett (Kokosfett oder Öl), lässt es rauchheiß werden, verteilt 1 kleinen Schöpflöffel voll Teig gleichmäßig darauf und lässt den Kuchen erst auf der einen, dann, unter Zugabe von etwas Fett, auf der andern Seite schön hellbraun backen. Dann legt man ihn zur Hälfte zusammen und bringt ihn auf eine erwärmte Platte. Auf diese Weise werden alle Kuchen gebacken (8–10 Stück), schuppenförmig angerichtet und möglichst heiß aufgetragen. Gesamtzubereitungszeit 3/4–1 Stunde. Gute Beilage zu allen grünen Salaten und Gemüsen.

Gefüllte Pfannkuchen, salzige

Zubereitung: Man bäckt Pfannkuchen, belegt jeden in der Mitte mit einem Streifen Spinatgemüse, gedämpften Pilzen oder Haschee und schlägt die überstehenden Teile so darüber, dass eine längliche Rolle entsteht.

Gefüllte Pfannkuchen, süße

Zubereitung: Man füllt die Pfannkuchen, zu denen man den Teig leicht gesüßt hat, mit beliebiger Marmelade oder eingezuckerten rohen Beeren, schlägt sie in der Mitte zusammen oder rollt sie auf und bestreut sie mit Zucker.

Apfelpfannkuchen

Zubereitung: Man mischt unter den fertigen Pfannkuchenteig 500 g geschälte, feingeschnitzelte Äpfel, bäckt kleine Pfannküchlein aus und bestreut sie mit Zucker und Zimt. – Aus mit entstielten Kirschen vermengtem Teig werden

Kirschpfannkuchen bereitet.

Hefepfannkuchen

Zubereitung: Um an Eiern und Milch zu sparen, kann man den Teig mit etwas Hefe machen. Man braucht auf 250 g Mehl nur 1 Ei und knapp 1/4 l Milch. In der etwas erwärmten Milch rührt man 10 g Hefe glatt an, macht den Teig wie bei Pfannkuchen, lässt ihn in der warmen Küche 20–30 Minuten stehen, legt mit einem Löffel kleine Pfannküchlein in rauchheißes Fett, bäckt sie auf beiden Seiten hellbraun und bestreut sie mit Zucker und Zimt.
Beilagen: Gekochtes Dörrobst oder Kompott.

Eierhaber

Zubereitung I: Man macht einen gewöhnlichen Pfannkuchenteig. Nun lässt man in der Stielpfanne 1–2 Löffel zerlassenes Fett rauchheiß werden, gibt einen Schöpflöffel Teig hinein und lässt ihn auf einer Seite schön braun backen. Dann dreht man den Kuchen um, zersticht ihn mit der Backschaufel in kleine Stücke und röstet diese gelb. Man richtet den Eierhaber an und stellt ihn warm. Auf diese Weise wird der übrige Teig auch fertig gebacken und angerichtet.
Zubereitung II: Man kann auch den ganzen Teig auf einmal in das rauchheiße Fett geben, sofort zudecken, langsam anbacken, mit der Backschaufel zerstechen und fertig backen.
Beilagen: Grüner Salat oder Gemüse.

Weckeierhaber

Man mischt unter einen fertigen Pfannkuchenteig die feingeschnittenen, mit etwas Milch angefeuchteten Scheibchen von 4 altbackenen Brötchen und bäckt den Teig in heißem Fett braun (der Teig darf nicht dünn sein).

Gebackene Schnitten

Zutaten: 4 altbackene Brötchen, Pfannkuchenteig von 250 g Mehl, 2 Eiern, etwas Salz, 1/4 l Milch, Backfett.

Zubereitung: Die Brötchen werden in zentimeterdicke Scheiben geschnitten, rasch in heiße Milch getaucht und zum Abtropfen auf ein Kuchengitter gelegt. Nun taucht man sie in den vorher angerührten Teig und bäckt die Schnitten in heißem Fett auf beiden Seiten goldgelb.

Gesamtzubereitungszeit 1 Stunde.

Beilage zu Gemüse oder Kompott.

Waffeln

Zutaten: 250 g Mehl, 3/8 l Milch, 2 Eigelb, 1/2 Kaffeelöffel Salz, 100 g zerlassene Butter, 1/2 Päckchen Backpulver, Schnee von 2 Eiweiß.

Zubereitung: Aus Mehl, Milch, Eigelb und Salz macht man einen schönen glatten Teig, mischt das Backpulver, das zerlassene Fett und zuletzt den steifen Eischnee darunter. Nun lässt man das Waffeleisen heiß werden, reibt es mit Speck, den man an eine Gabel gespießt hat, ein, gibt einen Schöpflöffel Teig in die Mitte, legt die Oberseite des Eisens darüber und bäckt die Waffeln unter öfterem Drehen auf beiden Seiten schön gelb. Vor dem Auftragen bestreut man sie mit Staubzucker. Der Teig reicht für 4–6 Ringe.

Hefewaffeln

Zubereitung: Man nimmt statt des Backpulvers 5 g in wenig warmer Milch angerührte Hefe und lässt den Teig vor dem Backen 20–30 Minuten in der warmen Küche stehen. Man braucht zum Teig nur 1 Ei.

Grundrezept: Flädle

Als Beilage:
250 g Mehl, 3/8–1/2 l Milch, 2 Eier, 1/2 Kaffeelöffel Salz (1 Prise Muskat); – Speck oder Backfett.
Als Hauptspeise: Doppelte Menge.

Zubereitung: Der Teig wird wie Pfannkuchenteig angerührt. Nun reibt man die erhitzte Stielpfanne mit Speck oder zerlassenem Fett ein und bäckt dünne Flädchen daraus. Der Teig muss zu 12–14 Stück reichen. Zubereitungszeit 30–40 Minuten.

Römische Pastetchen

Zutaten: 50 g Mehl, 2 Eier, 1 Prise Salz, 2 Esslöffel Sahne, 1 Esslöffel zerlassenes Fett oder Öl, Backfett.

Zubereitung: Man macht einen dünnen, glatten Teig. Währenddessen lässt man in einem kleinen Brattopf das Backfett heiß werden, erhitzt das Pasteteneisen darin und taucht dieses in 3/4 Höhe in den Teig, den man in eine große Tasse gefüllt hat. Aus dem Teig herausgenommen, wird die Form sofort wieder zurück ins Fett getaucht, bis das Pastetchen sich vom Eisen ablöst. Sobald alle Pastetchen gebacken sind, werden sie mit einem feinen Ragout, Haschee oder feinem gedünstetem Gemüse gefüllt und entweder als Vorspeise oder als Garnitur zu Fleischplatten verwendet. Die Menge reicht für 10–12 Stück.

„Rosen“

bereitet man ebenso, verwendet aber das Roseneisen. Man bestreut die Rosen mit Zucker und Zimt und reicht Kompott dazu.

Pfitzauf

Zutaten: 250 g Mehl, 1/2 l Milch, 4 Eier, 1 Kaffeelöffel Salz, 2 Esslöffel zerlassenes Fett. – Fett für die Förmchen, Zucker zum Bestreuen.
Zubereitung: Aus Mehl, Milch, Eiern und Salz rührt man einen glatten Teig, wie zu Flädle, an. Zuletzt mischt man die zerlassene Butter darunter, füllt 8–12 gut gefettete Pfitzaufförmchen zur Hälfte damit und bäckt die Pfitzauf in guter Hitze hellbraun. Sie steigen beim Backen um mehr als das Doppelte auf. Die Milchdämpfe treiben den Teig in die Höhe und die in der Hitze gerinnenden Eier verhüten das Überlaufen des Teiges im Ofen. Nach dem Backen bestreut man sie mit Zucker und reicht gekochtes Obst dazu. Backzeit etwa 1 Stunde bei 200–210°C. Während des Backens Ofen nicht öffnen!

So sehen Pfitzauf aus

Brüh- oder Brandteig

Der Brüh- oder Brandteig bildet die Grundlage zu besonders feinem, lockerem, ja luftigem Gebäck. Er wird als einziger Teig vor der Weiterverarbeitung gekocht, und zwar mit einer im Vergleich zum Mehl sehr geringen Menge an Flüssigkeit. Gebäck aus Brandteig ist beim Backen unempfindlich. Man darf während der ersten Hälfte der Backzeit den Ofen und den Wrasenschieber nicht öffnen, da sonst das Gebäck absitzt.

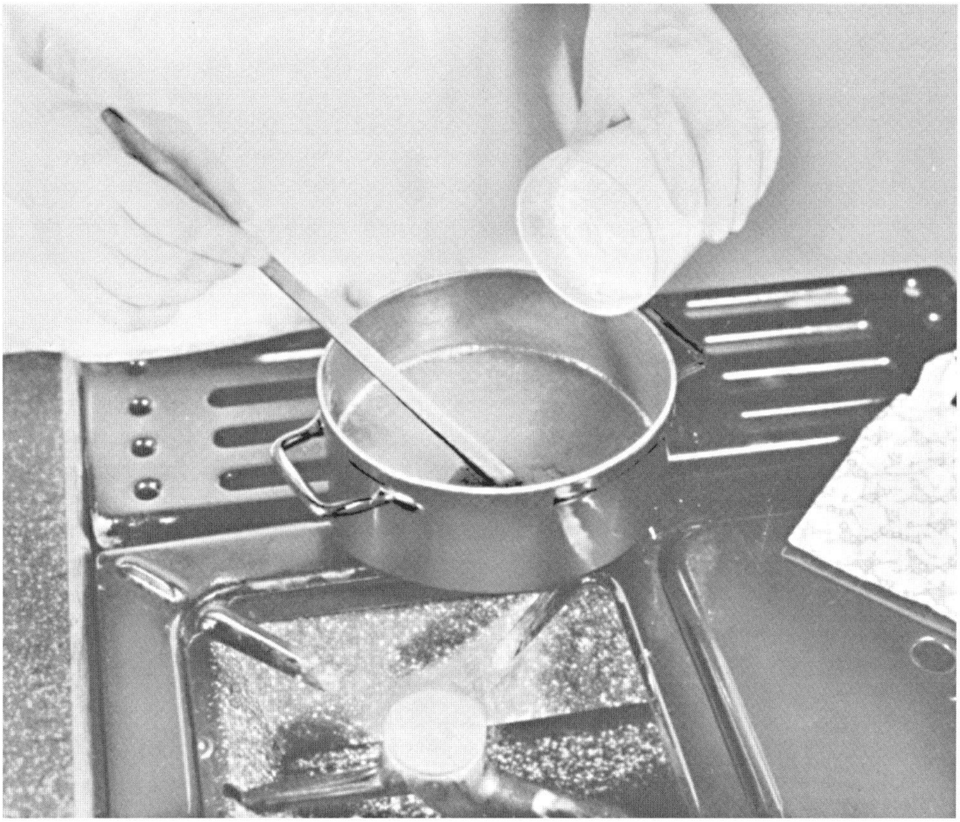

Zum Brühteig schüttet man das Mehl auf einmal hinein

Grundrezept: Brühteig

1/4 l Wasser, 125 g Mehl, 40 g Butter, 1/2 Prise Salz; – 4 Eier.

Zubereitung: Flüssigkeit, Fett und Salz lässt man aufkochen, gibt alles Mehl auf einmal hinein und rührt die Masse so lange, bis sie sich zu einem Kloß zusammenballt und vom Boden löst. (Auf dem Boden des Topfes bildet sich dabei eine Haut.) Dann nimmt man sie vom Feuer und rührt ein Ei und nach dem Erkalten die übrigen Eier hinein. Nach jedem Ei muss der Teig wieder vollständig glattgerührt werden. Diesen kann man nun auf verschiedene Weise weiterverarbeiten.

Kaffeeküchlein (Windbeutel)
Zubereitung: Man bereitet den Brühteig nach dem Grundrezept. Dann setzt man mit einem Löffel kleine Häufchen auf ein gefettetes Blech und bäckt sie in guter Hitze hellbraun. Nach dem Erkalten schneidet man von jedem Küchlein einen Deckel ab, füllt es mit Schlagsahne und legt das Deckelchen wieder darauf. Für Brühteig von 1/4 l Wasser braucht man zum Füllen 1/2 l Sahne (12–16 St.). Backdauer 35–45 Minuten bei 210–225 °C.

Schlagsahne
Zubereitung: Die Sahne muss 24 Stunden alt und während dieser Zeit kaltgestellt sein, sonst wird sie beim Schlagen nicht steif. Man schlägt sie in einer Porzellanschüssel in kühlem

. . . und rührt es zum Kloß ab

Raum, bis sie anfängt, steif zu werden. Dann erst süßt man sie nach Geschmack und würzt mit Vanillezucker.

Eclair

Zutaten: Grundrezept des Brühteigs. Füllung: Schlagsahne oder Mokkacreme. Creme: 1/4 l starker Kaffee, 1/8 l süße Sahne, 1 Esslöffel Stärkemehl, 80 g Zucker, 2 Eigelb, 4 Blatt weiße Gelatine.
Zubereitung: Mit dem erkalteten Brühteig spritzt man auf ein gefettetes Blech fingerlange Streifen (siehe Bild Seite 152), bäckt sie in guter Hitze hellbraun, lässt sie erkalten, schneidet sie längs durch und füllt sie mit Schlagsahne oder Mokkacreme. Zu dieser rührt man alle Zutaten mit Ausnahme der Gelatine glatt an, bringt sie unter Schlagen zum Kochen, gibt die in kaltem Wasser vorgeweichte Gelatine hinein, die sich darin sofort auflöst, nimmt die Masse vom Feuer und schlägt weiter, bis sie völlig erkaltet ist. – Wer will, kann die Creme dadurch verfeinern, dass man sie löffelweise mit 50 g schaumig gerührter Butter mischt (215–225 °C). Backdauer 30–40 Minuten.

Spritzkuchen

Zutaten: Grundrezept des Brühteigs, Backfett; – Puderzucker.
Zubereitung: Man bereitet einen Brühteig nach dem Grundrezept und lässt ihn völlig auskühlen. Nun füllt man den Teig in den Spritzsack mit weiter Tülle und spritzt auf gefettete

Papierstreifen Ringe auf. Diese lässt man mit der Oberseite nach unten in heißes Fett gleiten, indem man den Papierstreifen wie auf Bild Seite 153 umdreht. Man bäckt die Ringe auf beiden Seiten in heißem Fett hellbraun, lässt sie gut abtropfen und besiebt sie mit Puderzucker. Sie schmecken köstlich zu gutem Kaffee.

Suppenklößchen

Für 1 1/2 l Suppe braucht man die halbe Menge des Grundrezepts für Brühteig; nach Belieben noch 50 g Reibkäse.

So sieht der fertige Brühteig aus

Kaffeeküchlein werden mit dem Löffel aufgesetzt, Eclairs werden aufgespritzt

Zubereitung I: Man füllt den Teig in den Spritzbeutel, setzt kleine Klößchen auf ein gefettetes Blech und bäckt sie in guter Hitze hellgelb.
Zubereitung II: Man legt in kochendes Fett (wenn sich ein roher Kartoffelschnitz darin bräunt, hat es die richtige Hitze) mit 2 Kaffeelöffeln längliche, etwa taubeneigroße Klößchen ein, lässt sie langsam ausbacken, nimmt sie mit dem Schaumlöffel heraus, lässt sie sehr gut abtropfen und überbrüht sie mit kochender Fleischbrühe. Beim Ausbacken muss man folgendes beachten:

Regel:

1. Da die Klößchen um mehr als das Doppelte beim Backen aufgehen,

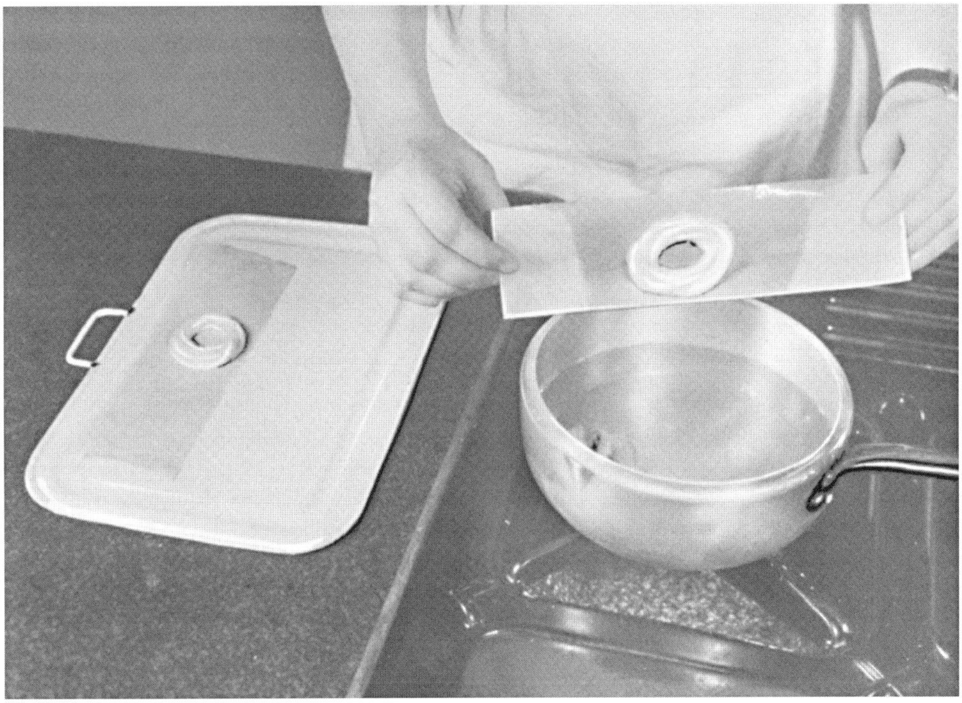

Wie man Spritzkuchen bereitet

darf man ja nicht zuviel auf einmal einlegen. Hat man sie zu dicht eingelegt, bleiben sie klein.

2. Sie müssen unbedingt **langsam** ausbacken. Es braucht Zeit, bis der Teig von den sich im Innern bildenden Dämpfen genügend aufgebläht ist. Backen sie zu schnell, bleiben sie klein und werden speckig und schwer.

Windbeutel (Gemüsebeilage)

Man bereitet den Brühteig nach dem Grundrezept und bäckt schwimmend in Fett Klöße aus, die etwas größer sein dürfen als Suppenklößchen. (Feine Beilage zu Spargel, Blumenkohl, Schwarzwurzeln.) Vgl. die Regel für das Ausbacken.

DIE MILCH

Allgemeines

Die Milch ist das vollkommenste Nahrungsmittel, das wir besitzen. Sie enthält alle zum Leben und Wachstum notwendigen Nährstoffe in leichtverdaulichster Form und günstigster Zusammensetzung. Für das Kleinkind enthält sie auch die genügende Menge der zur Wärme- und Krafterzeugung notwendigen Kohlenhydrate. Für den Erwachsenen reichen die wärme-kraftbildenden Stoffe nur aus bei vollständiger Bettruhe. Für den arbeitenden Menschen muss die geringe Menge Kohlenhydrate durch passende Zuspeisen, z.B. durch Brot, Kartoffeln, Obst, Gemüse ersetzt werden. Für die Gesamternährung und Gesunderhaltung des Volkes spielt die Milch und die aus ihr gewonnenen Erzeugnisse eine wichtige Rolle.

Die in der Milch enthaltenen Nährstoffe sind nach Prof. Heupke folgende:

	Eiweiß v. H.	Fett v. H.	Kohlenhydrate v. H.	Salze v. H.	Wasser v. H.
Vollmilch	3,4	4,0	4,9	1,13	87,3
Magermilch	3,0	0,8	5,0	0,775	90,0
Buttermilch	3,5	0,5	4,8	0,645	90,0
Ziegenmilch	3,8	4,0	4,7	0,47	86,0

Das Milcheiweiß ist wie das Eiweiß des Fleisches vollwertig, weist aber im Gegensatz zu diesem einen großen Basenüberschuss auf. Schon aus diesem Grund ist uns die Milch als ausgleichendes Nahrungsmittel unentbehrlich. Sie enthält auch noch wichtige, vor allem für das Knochenwachstum und für die Entwicklung der Zähne wichtige Kalksalze und wertvolle Vitamine. Um der Bevölkerung eine einwandfreie Milch gewährleisten zu können, muss alle Milch über die Sammelstellen in die Molkereien abgeliefert werden, wo sie 40 Sekunden lang auf 71–74 °C erhitzt wird. Dabei bleibt der Rohmilchcharakter erhalten. Die etwa enthaltenen Krankheitskeime, z. B. Tuberkelbazillen, werden bei dieser Kurzerhitzung abgetötet, während die Vitamine erhalten bleiben. Gegenwärtig wird die Milch einheitlich auf 3 % Fettgehalt eingestellt. Wichtig für die Frischhaltung der Milch ist eine ununterbrochene Kühlkette vom Stall über die Molkereien bis zum Verkauf in den Milch- und Lebensmittelgeschäften.

Die Milch kommt in verschiedenen Formen in den Handel. Es gibt folgende Sorten:

1. die „normale“ pasteurisierte Milch, die als Trinkmilch offen, in Flaschen oder in Pergabeuteln erhältlich ist,
2. die „Markenmilch“ ist eine gehobene Milchsorte und wird nicht offen, sondern in Flaschen verkauft. Sie muss erhöhten Anforderungen in der Kühlkette genügen und hat einen höheren Fettgehalt,
3. die „Vorzugsmilch“ ist eine Rohmilch aus tbc.-freien Viehbeständen mit unverändertem Fettgehalt zwischen 3,8–4,2 % und ist entsprechend teuer,
4. Sauermilch, Joghurt und Buttermilch sind weitere säuerlich schmeckende Milcharten, die besonders leicht verdaulich sind und die Verdauungstätigkeit anregen.

Milch kann auf verschiedene Weise haltbar gemacht werden.

1. Sterilisierte Milch (Sterilmilch) wird unter Druck 30 Minuten bei 110–120 °C steril gemacht, wobei alle Bakterien vernichtet, jedoch auch die Vitamine zerstört werden. Diese Milch kommt in Flaschen mit Kronenkorken in den Verkauf.
   Eine weitere Milchkonserve ist
2. die kondensierte Milch.
   Die ungezuckerte Kondensmilch ist eine eingedickte Milch und muss mindestens 7,5 % Fett und 17,5 % fettfreie Trockenmasse enthalten.
   Die gezuckerte Kondensmilch muss mindestens 8,3 % Fett und 22 % Milchtrockenmasse bei einem Wassergehalt von 27 % enthalten. Bei beiden Sorten muss auf den Dosen der Gehalt an Fett und fettfreier Trockenmasse angegeben sein. – Ferner gibt es das im Haushalt wenig mehr verwendete
3. Milchpulver (Trockenmilch). Dieses muss einen Fettgehalt von 25 % in der Trockenmasse enthalten.

Weitere geschätzte Milchprodukte sind Kaffeesahne, die mindestens 10% Fett, Schlagsahne, die 28% Fett und Sauerrahm, der 10% Fett enthalten muss.
Aus dem Rahm wird die Butter gewonnen, die als Süßrahmbutter oder Sauerrahmbutter in den Handel kommt. Die Milch dient ferner zur Herstellung der verschiedensten Käsearten. Der leichtverdaulichste Käse ist frischer Quark, der einen hochwertigen billigen Ersatz für Ei und Fleisch bildet und namentlich in der Ernährung von Kindern und alten Leuten unentbehrlich ist. Er ist in verschiedenen Sorten im Handel erhältlich.

Für die Verwendung frischer Milch in der Küche merke folgende Regeln:

1. Bewahre Milch stets in sauberen Gefäßen auf.
2. Bewahre sie zugedeckt an kühlem Ort auf.
3. Vermeide das Abkochen pasteurisierter Milch, weil sie bereits keimfrei ist.
4. Benütze zum Abkochen der Milch womöglich immer denselben Topf, weil sie leicht fremde Gerüche aufnimmt.
5. Ist die Milch leicht säuerlich geworden, so lasse sie einige Tage zugedeckt stehen, bis sie „fest“ ist.

Gekochte warme und kalte Milchspeisen

Milchspeisen

gehören zum Reich der Kinder. Schon dem Säugling gibt man, sobald er die ersten Lebensmonate hinter sich hat, neben Obst- und Gemüsesäften einfachen Grieß- und Mehlbrei. Werden die Kinder älter, freuen sie sich über kalte gestürzte Milchspeisen, die Flammeris, die man durch die verschiedenen Dickungsmittel abwandeln und verschieden würzen kann. Lässt man diese dicken Breisorten stark einkochen, oder vermehrt man die Einlage, so kann man unter Zugabe von Eiern, Rosinen, Mandeln u. dgl. köstliche Aufläufe und warme Puddinge herstellen, oder man kann aus den festesten gekochten Teigen Schnitten und Klöße kochen. Alle diese Speisen schmecken herrlich, und die Kinder mögen sie ganz besonders gern.

Umstehend sind alle die Rezepte zusammengefasst, die ihren Grundmengen nach in Beziehung zueinander stehen. Dies ist aus der Übersicht zu entnehmen. Die Grundrezepte beginnen hier mit den flüssigsten und schließen mit den festesten Teigen, den Klößen. Diese bilden einen Übergang zu süßen und salzigen Gerichten, bei denen Brötchen die Grundlage bilden. Ihnen folgen noch einige Reisspeisen. Milchtunken. Cremes und Eisspeisen sind absichtlich nicht mit eingereiht, weil alle derartigen Nachspeisen in kleinerer Menge hergestellt und nach etwas anderen Gesichtspunkten zusammengestellt sind.

Merke für die Zubereitung folgende Regeln:

1. Streue niemals trockenes Mehl in kochende Flüssigkeit, sondern rühre es stets zuvor mit einer kleinen Menge kalter Flüssigkeit glatt und dünnflüssig an. (Ausnahme: Brühteig!)
2. Verwende zu allen Grießspeisen womöglich groben Weizen- oder Maisgrieß; er gibt weniger leicht Knollen, quillt schöner auf und wird weniger klebrig.
3. Verwende zu Reisspeisen vor allem den Naturreis; er ist vitaminreicher, nahrhafter und billiger als der polierte Reis, der durch die Behandlung mit Chemikalien weniger wertvoll ist.
4. Vermeide bei Reisspeisen häufiges Umrühren, sonst zerbrechen die Körner.
5. Koche Reis deshalb bei milder Hitze gar und lass ihn auf der abgeschalteten Platte oder in der Kochkiste ausquellen.

Grundmengen für gekochte Milchspeisen (für 4 Personen)

Sorte	Gericht	Milch	Einlage	Eier	Fett	Zucker	Salz	Zusätze
Brei	Grundrezept	1 l	90–250 g	–	20 g	20–40 g	1 Prise	
	Mehlbrei	"	90 g	–	"	"	"	
	Grießbrei	"	100 g	–	"	"	"	Zucker und Zimt
	Haferflockenbrei Maisbrei	"	120 g	–	"	"	"	Zucker und Zimt Zitronenschale
	Polenta	"	200 g	–	"	"	"	Zwiebeln
	Reisbrei	"	150 g	–	"	"	"	Zitronenschale
	Weizenschrot	"	250 g	–	"	"	"	
Flammeri	Grundrezept	1 l	90–180 g	1–2 Eier	20 g	50–80 g	1 Prise	Zitr.schale, Nüsse oder Mandeln
(kalt Pudd.)	Mondaminfl.	"	90 g Mond.	1–2 Eier	"	"	"	Zitr.schale, Nüsse oder Mandeln
	Sagoflamm.	"	100 g Sago	1–2 Eier	"	"	"	Zitr.schale, Nüsse oder Mandeln
	Grießflamm.	"	125 g Grieß	1–2 Eiweiß	"	"	"	Zitr.schale, Nüsse oder Mandeln
	Schok.-Grieß	"	125 g Grieß	1–2 Eiweiß	"	"	"	Vanillin, Kakao
	Reisflammeri	"	180 g Reis	1–2 Eiweiß	"	"	"	Vanillin, Zitronenschale, ger.
Puddinge	Grundrezept	½ l	125–180 g	2–3 Eier	40 g	80 g	1 Prise	Vanillin, Zitronen-schale u. gerieb. Mandeln
(warm)	Grießpudding	"	125 g Grieß	"	"	"	"	Zitronenschale u. gerieb. Mandeln
	Sagopudding	"	125 g Sago	"	"	"	"	Zitronenschale u. gerieb. Mandeln
	Reispudding	"	180 g Reis	"	"	"	"	Zitronenschale, 1 Essl. Rum
Aufläufe	Grundrezept	1 l	250 g Einl.	2–3 Eier	40 g	80 g	1 Prise	Vanillin oder Zitronen-schale
	Grießauflauf	"	"	"	"	"	"	Vanillin oder Zitronenschale
	Sagoauflauf	"	"	"	"	"	"	Vanillin oder Zitronenschale
	Reisauflauf	"	"	"	"	"	"	Vanillin od. Zitr.-Schale, Früchte
Schnitten Klöße	Grundrezept	1 l	250 –300 g	2 Eier	20 g	–	½ Kffl.	Fett zum Backen oder Schmälzen
	Grießschnitten	"	300 g Grieß	2 Eier	"	–	"	Fett zum Backen
	Schwedenklöße	"	200 g Grieß 4 Brötchen	–	"	–	"	Fett zum Backen oder Schmälzen
	Maisklöße	"	250 g Mais-grieß und 30–80 g Weizengr.	2 Eier	"	–	"	Fett zum Backen oder Schmälzen
	Grießklöße	"	200 g Grieß 2 Brötchen	2 Eier	"	–	"	Fett zum Backen oder Schmälzen
	Haferflockenküch-lein	"	300 g Flock.	2 Eier	"	–	"	Petersilie, Zwieb., Fleischreste, Backfett

Grundmengen für gekochte Milchspeisen (für 4 Personen):

Als Nachspeise oder als Abendmahlzeit für Kinder:
1 l Milch, 90–250 g Einlage, 20 g Butter, Zucker oder Salz.
Als Hauptgericht: Doppelte Menge.
Einlagemengen für die verschiedenen Breisorten siehe Tabelle.

Mehlbrei
Zutaten: 1 l Milch, 90 g Mehl, 1 Prise Salz, 1 Esslöffel Zucker.
Zubereitung: Das Mehl rührt man mit einem Teil der Milch zu einem glatten Teig an. Die übrige Milch lässt man mit Butter und Zucker oder Salz aufkochen, lässt den Teig unter Umrühren einlaufen und den Brei 5–10 Minuten weiterkochen. Dann richtet man ihn an, lässt ihn ein Weilchen stehen, bis er eine Haut zieht und bestreut ihn mit Zucker und Zimt.

Grießbrei
Zutaten: 1 l Milch, 100 g Grieß, 1 Prise Salz, Zucker, Zitronenschale.
Zubereitung I: Milch, Butter, Zucker und nach Belieben etwas abgeriebene Zitronenschale lässt man zusammen aufkochen, streut groben Weizen- oder Maisgrieß oder je halb und halb langsam unter Umrühren ein und lässt den Brei 15–30 Minuten kochen.
Zubereitung II: Man kann den Brei auch ohne Zucker mit einer Prise Salz kochen und beim Anrichten mit Zucker und Zimt bestreuen.

Reisbrei
Zutaten: 1 l Milch, 150–200 g Reis, 1 Prise Salz, Zucker, Zitronenschale nach Geschmack.
Zubereitung: Der sauber gewaschene Reis wird mit der kalten Milch, Butter, Zucker, einem Stückchen Zitronenschale oder ganzem Zimt zugesetzt und langsam auf schwacher Hitze weitergekocht. Beim Anrichten nimmt man Zitronenschale oder Zimt wieder heraus. Den Zimt spült man ab und trocknet ihn zu öfterer Verwendung. – Man kann den Brei auch mit ganz wenig Zucker kochen und beim Anrichten mit Zucker und Zimt bestreuen.
Zubereitungszeit 40 Minuten. – Er eignet sich besonders gut zum Garen in der Kochkiste und auf der elektrischen Kochplatte.

Apfelreisbrei (ohne Milch)
Zutaten: 200 g Reis, 1 kg geschälte, feingeschnitzelte Äpfel, 3/4 l Wasser, 20 g Butter, 50 g Zucker, 1 Prise Salz, Saft und Schale 1/4 Zitrone.
Zubereitung: Der gebrühte, abgegossene Reis wird mit den übrigen Zutaten aufgestellt, 10 Minuten angekocht und bei milder Hitze in weiteren 30 Minuten gargekocht.

Polenta
Zutaten: 1 l Wasser, 200 g Maisgrieß, Salz, geröstete Zwiebeln.
Zubereitung: Man lässt in 1 l leicht gesalzenes kochendes Wasser 200 g Maisgrieß einlaufen, 5 Minuten kochen und 1/2–1 Stunde ganz dick ausquellen. Beim Anrichten schmälzt man den Brei mit in Butter gerösteten Zwiebeln.

Weizenbrei
Zutaten: 1 l Wasser oder Milch, 250 g Weizenschrot, 1 Prise Salz.
Zubereitung: Man röstet 250 g Weizenkörner im Backofen hellgelb, mahlt sie durch eine Schrot- oder eine alte Kaffeemühle und sät den gewonnenen Schrot in ein Liter kochendes, leicht gesalzenes Wasser oder in Milch ein. Man lässt den Brei gut ausquellen und schmälzt

ihn mit brauner Butter. Wer will, kann den Brei auch süßen. – Er ist besonders reich an Vitaminen.

Haferflockenbrei
Zutaten: 1 l Milch, 125 g Haferflocken, 1 Prise Salz, Zucker.
Zubereitung: Die Haferflocken werden unter Umrühren in die kochende Milch eingestreut, mit Zucker oder Salz gewürzt und langsam weich- und dickgekocht. Zubereitungszeit 20–30 Minuten.

Grundrezept: Kalte Puddinge oder Flammeris

Als Nachspeise:
1 l Milch, je nach Bindemittel 90–180 g stärkehaltige Einlage, 20 g Butter, 80 g Zucker, 1 Prise Salz, nach Belieben Vanillin oder Zitronenschale, Mandeln oder Nüsse, 1–2 Eier. – Als Hauptgericht: Eineinhalbfache Menge.

Mondaminflammeri
Zutaten: 1 l Milch, 90 g Mondamin, 20 g Butter, 80 g Zucker, 1 Prise Salz, 20 g geschälte, geriebene Mandeln, 1 Eigelb, Schnee von 1–2 Eiweiß.
Zubereitung: Man rührt alle Zutaten, mit Ausnahme des Eiweißes, mit kalter Milch glatt an und schlägt die Masse bei guter Hitze mit dem Schneebesen bis zum Kochen. Man rührt oder schlägt den Brei so lange weiter, bis er dick aufgequollen ist, mischt dann den steifen Eischnee darunter und füllt ihn in eine mit kaltem Wasser ausgespülte Form. Man stellt die Speise kalt, stürzt sie vor Gebrauch und reicht sie mit Fruchtsaft oder Kompott.

Reismehlflammeri
Zutaten: 1 l Milch, 160 g Reismehl, 100 g geschälte, feingeriebene Mandeln, 80 g Zucker, 20 g Butter.
Zubereitung: siehe Mondaminflammeri. Man gibt Fruchtsoße dazu.

Sagoflammeri
Zutaten: 1 l Milch, 100 g Sago, 20 g Butter, 60–80 g Zucker, 1 Prise Salz, Zitronenschale oder Vanillin, nach Belieben 1 Ei.
Zubereitung: Milch, Butter, Zucker und Gewürz lässt man aufkochen, rührt den Sago ein, lässt ihn unter Rühren glasig kochen (etwa 20 Minuten), gibt nach Belieben Eigelb und Eischnee darunter, füllt den Brei in eine mit kaltem Wasser ausgespülte Form, stellt ihn kalt, stürzt ihn vor Gebrauch und gibt Fruchtsaft oder Kompott dazu.

Grießflammeri, einfacher
Zutaten: 1 l Milch, 100–125 g Weizengrieß je nach Sorte, 20 g Butter, 80 g Zucker, 1 Prise Salz, Zitronenschale, einige abgezogene geriebene Mandeln, 1–2 Eigelb; Schnee von 1–2 Eiweiß.
Zubereitung: Man kocht einen dicken Grießbrei (siehe Brei, Seite 157), nimmt ihn vom Herd, gibt das Eigelb und den steifen Schnee darunter, füllt die Masse in eine mit kaltem Wasser ausgespülte Form, stellt sie kalt und stürzt sie vor Gebrauch. Man gibt Fruchtsaft oder Kompott dazu.

Grießflammeri, feiner
Zutaten: 1 l Milch, 125 g Hartweizengrieß, 40 g Butter, 80–100 g Zucker, 1 Prise Salz, 50 g geschälte geriebene Mandeln, 4 Esslöffel Arrak oder Rum; Schnee von 2–3 Eiweiß.

Zubereitung: Man kocht einen dicken Grießbrei, mischt erst die Mandeln, dann den Arrak, zuletzt den steifen Eischnee darunter, füllt die Masse in eine mit Arrak oder Wasser ausgespülte Form, stellt sie kalt und stürzt sie vor Gebrauch. Man reicht Fruchtsaft oder Kompott dazu.

Schokoladegrießflammeri
bereitet man wie einfachen Grießflammeri, mischt aber unter den Grieß 2 gehäufte Esslöffel Kakao und nimmt dafür 2 Esslöffel Grieß weniger.
Man reicht Vanillesoße dazu (siehe kalte Süßspeisen, Seite 172). Man kann die Flammerimasse statt in eine große Form in Tassen füllen und beim Anrichten auf kleine Glasteller stürzen, mit Vanillesoße umgeben und mit Schlagrahm spritzen.

Reisflammeri
Zutaten: 1 l Milch, 180 g Reis, 20 g Butter, 80 g Zucker, 1 Prise Salz, abgeriebene Orangen- oder Zitronenschale. Nach Belieben Schnee von 1–2 Eiweiß.
Zubereitung: Der verlesene, gewaschene Reis wird mit kalter Milch, Butter, Zucker, Salz und Zitronenschale zugesetzt und ganz langsam, ohne darin zu rühren, zum Quellen gebracht. Wenn die Körner weich sind, mischt man den Eischnee darunter, füllt die Masse in eine kalt ausgespülte größere oder in verschiedene kleine Förmchen, stellt sie kalt und stürzt sie vor Gebrauch. Man gibt Kompott oder Fruchtsaft dazu.
Man kann die Reismasse auch schichtweise mit gezuckerten, rohen Beeren oder mit weichgedämpften Apfelschnitzen oder sonstigen eingedünsteten Früchten einfüllen und vor Gebrauch stürzen.

Weinreisflammeri
Zutaten: 250 g Reis, 1/2 l Weißwein, Saft von 2 Apfelsinen oder Zitronen, Zucker nach Geschmack.
Zubereitung: Der Reis wird in kochendes Wasser gegeben, einmal aufgekocht, abgegossen und mit frischem Wasser abgespült. Nun dünstet man ihn mit den angegebenen Zutaten langsam und vorsichtig weich, damit er nicht zerfällt, füllt ihn dann in eine mit Arrak ausgespülte Form, stürzt ihn nach dem Erkalten und verziert ihn mit Früchten.

Schweizer Reis
Zutaten: 1 l Milch, 180 g Reis, 20 g Butter, 1 Prise Salz, 80 g Zucker, Zitronenschale, einige abgezogene geriebene Mandeln, Schnee von 1–2 Eiweiß; 1/8 l Schlagsahne.
Zubereitung: Man kocht eine Reisflammerimasse wie oben. Diese wird in flache Tassen gefüllt, nach dem Erkalten auf Teller gestürzt, mit Vanillesoße überzogen, mit verdünnter Preiselbeermarmelade umgeben und mit steifer, gesüßter Schlagsahne schön verziert.

Grundrezept: Warme Puddinge aus gekochten Teigen

Zu warmen Puddingen braucht man dieselben Zutaten wie zu kalten, nur verringert man die Milchmenge um die Hälfte, also auf 1/2 l. (Die Masse reicht dann gerade für eine mittelgroße Puddingform aus.)
Menge, wenn der Pudding als Nachtisch gegeben wird, für 4 Personen: 1/2 l Milch, 125–180 g Einlage, 20–40 g Fett, 80 g Zucker, 2–3 Eier, 1 Prise Salz, Gewürze.
Als Hauptspeise: Doppelte Menge.

Merke: Warme Puddinge werden in gut gefetteter, geschlossener Form im Wasserbad gegart. Auch der Topf muss geschlossen werden.

Grießpudding

Zutaten: 1/2 l Milch, 125–150 g Hartweizengrieß, 40–60 g Butter, 80 g Zucker, 1 Prise Salz, nach Belieben Zitronenschale und einige geriebene Nüsse oder Mandeln, 2–3 Eigelb, 2–3 Eiweiß zu Schnee.

Zubereitung: Aus Milch, Butter, Zucker, Gewürzen und Grieß kocht man einen dicken Brei, nimmt ihn vom Feuer, rührt ein Eigelb sofort, das andere nach dem Erkalten und zuletzt den steifen Schnee darunter. Nun füllt man den Teig in eine gutgefettete, mit Semmelmehl bestreute Form, verschließt diese und kocht den Pudding im Wasserbad 1 Stunde. Vor dem Stürzen löst man ihn mit einem Messer ab und lässt ihn ein wenig verdampfen, weil er dann nicht zerfällt. Man gibt Kompott oder Fruchtsoße dazu. Mit der gleichen Grießpuddingmasse bereitet man

Karamelpudding

Zubereitung: Man bestreicht die Puddingform statt mit Fett mit gebräuntem Zucker. Hierzu rührt man in einem Pfännchen 100 g Zucker auf dem Feuer so lange, bis der Zucker flüssig und hellbraun wird. Die im Wasser vorgewärmte, aber innen trockene Form muss überall gut mit Karamelzucker bestrichen sein, besonders innen am Zapfen. Dann füllt man den Grießpuddingteig, bei dem man die Zuckermenge etwas kürzen kann, ein und macht den Pudding wie obenstehend fertig. (Beim Kochen im Wasserbad sickert der Karamelzucker in den Grießteig ein, so dass der Pudding beim Stürzen braun und feuchtglänzend aussieht.) Man gibt Vanille- oder Karamelsoße dazu.

Sagopudding

Zutaten: 1/2 l Milch, 125 g Sago, 20–40 g Butter, 80 g Zucker, 1 Prise Salz, nach Belieben Zitronenschale und einige geschälte, geriebene Mandeln, 2–3 Eigelb, 2–3 Eiweiß zu Schnee

Zubereitung: Siehe Grießpudding.

Grünkernpudding

Zutaten für eine mittelgroße Puddingform: 1/2 l Milch, 125 g Grünkerngrütze, 60 g Butter, 125 g Zucker, 1 Prise Salz, 60 g geriebene Mandeln oder Hasel- oder Walnüsse, 60 g feingeschnittenes Zitronat und Orangeat, 3 altbackene Milchbrote, 3 Eier.

Zubereitung: Aus Milch und Grünkerngrütze kocht man einen dicken Brei und stellt ihn kalt. Nun rührt man Butter, Eigelb und Zucker gut schaumig, gibt die eingeweichten, fest ausgedrückten verzupften Brötchen, den Brei, die Geschmackszutaten und zuletzt den steifen Schnee darunter. Man füllt die Masse in eine gutgefettete mit Semmelmehl bestreute Puddingform und kocht den Pudding im Wasserbad 1 1/4 Stunde.

Reispudding

Zutaten: 1/2 l Milch, 180 g Reis, 20–40 g Butter, 80 g Zucker, 1 Prise Salz, nach Belieben Zitronenschale und einige geschälte, geriebene Mandeln, 2–3 Eier.

Zubereitung: Den gewaschenen Reis lässt man in der Milch langsam bei milder Hitze weichquellen, mischt Zucker, Butter, Zitronenschale, Salz, Mandeln und Eigelb, zuletzt den Eischnee darunter. Man füllt die Masse in eine gutgebutterte Form und kocht den Pudding im Wasserbad 1 Stunde.

Semmelpudding

Zutaten: 4 sehr altbackene Brötchen, 1 Prise Salz, 3/8 l kochende Milch, 2–3 Eidotter, Zitronenschale, 100 g Zucker, 50 g Butter, 50 g Sultaninen, 50 g feingewiegtes Zitronat und Orangeat, einige geriebene Mandeln oder Haselnüsse, etwas Zimt; Schnee von 2–3 Eiweiß.

Zubereitung: Die in dünne Scheibchen geschnittenen Brötchen werden mit der Milch überbrüht und zugedeckt beiseite gestellt. Butter, Eigelb und Zucker rührt man schaumig, mischt die verrührten Brötchen und die übrigen Zutaten, zuletzt den steifen Eischnee darunter. Man füllt die Masse in eine mit Butter gut bestrichene Form und kocht den Pudding in der geschlossenen Form im Wasserbad 1 Stunde. Man reicht Wein- oder Fruchtsoße dazu.

Sahnepudding
Zutaten: 4 Milchbrötchen, 4 Eigelb, 100 g Zucker, die abgeriebene Schale 1/2 Zitrone, 1/2 l saure Sahne, Schnee von 4 Eiweiß; 50 g geriebene Haselnüsse, 1 Prise Salz.
Zubereitung: Die sehr altbackenen Milchbrötchen werden gerieben, mit den Nüssen, Eigelb, Zucker und Zitronenschale gemischt und mit der Sahne verrührt. Man lässt die Masse 1 Stunde stehen, zieht dann den steifen Eischnee darunter, füllt die Masse in eine gutgefettete, mit Semmelmehl ausgestreute Form und kocht den Pudding im Wasserbad 1 Stunde. Man reicht Hagebutten- oder Weinschaumsoße dazu.

Zwiebackpudding mit Sahne
Zutaten: 3 Eigelb, 100 g Zucker, etwas abgeriebene Zitronenschale, 50 g geriebene Mandeln oder Haselnüsse, 50 g Sultaninen, 200 g Zwieback- oder Semmelmehl, 1/2 l saure Sahne; – Schnee von 3–4 Eiweiß.
Zubereitung: Eigelb und Zucker rührt man schaumig, das Zwiebackmehl lässt man mit der Sahne in der Zwischenzeit etwas quellen. Nun mischt man alle Zutaten, zuletzt den steifen Eischnee darunter, gibt die Masse in die gutgefettete Form, verschließt diese und kocht den Pudding im Wasserbad 1 Stunde. Man reicht Wein- oder Fruchtsoße dazu.

Käsepudding (salzig)
Zutaten: 50 g Butter oder Margarine, 60 g Mehl, 100 g geriebenen Schweizer Käse, 1/4 l Milch; – 3 Eier, Salz.
Zubereitung: Aus Fett und Mehl macht man eine helle Mehlschwitze, gibt den Käse zu und löscht mit der Milch ab. Man rührt die Masse zum Kloß ab, würzt mit Salz, gibt erst die Eidotter, dann den Eischnee darunter, füllt die Masse in eine gutgefettete, mit Bröseln ausgestreute Form, verschließt diese und kocht den Pudding im Wasserbad 1 Stunde. Man reicht ihn mit pikant abgeschmeckter Tomatensoße und Salzkartoffeln.

Grundrezept: Aufläufe

Als Nachspeise: 1 l Milch, 1 Prise Salz, 250 g Weizengrieß, oder Grünkerngrütze, oder Sago, oder Reis, oder Graupen, 2 Esslöffel Butter, 100–120 g Zucker, 2–3 Eier, Zitronenschale oder Vanillin, 20–40 g geriebene Mandeln oder Haselnüsse.
Als Hauptspeise: Eineinhalbfache bis doppelte Menge.

Zubereitung: Man kocht aus Milch, Butter und Zitronenschale und der Einlage einen dicken Brei, bis dieser sich vom Boden des Topfes löst, gibt dann Eigelb, Mandeln oder Nüsse und zuletzt den steifen Eischnee darunter. Man füllt diese Masse in eine gefettete Form und bäckt den Auflauf bei Mittelhitze 3/4–1 Stunde bei 200–210°C.
Bei Reisauflauf kann man als Zwischenschicht weichgedünstete Äpfel oder Aprikosen geben.

Apfelreisauflauf
Zutaten: knapp 1 l Milch, 250 g Reis, 50 g Butter, 1 Prise Salz, 100 g Zucker, 2–3 Eigelb, 2–3 Eiweiß zu Schnee; 1 kg feingeschnitzelte, in wenig Zuckerwasser weichgedünstete Äpfel; Zucker und Zimt, 20 g geschälte, länglich geschnittene Mandeln.

Zubereitung: Den Reis lässt man in der Milch auf dem Herd langsam ausquellen und abkühlen. Unterdessen rührt man Butter, Eigelb und Zucker schaumig, mischt den Reis und zuletzt den steifen Eischnee darunter. Nun gibt man in eine gefettete Auflaufform abwechselnd Reis und Äpfel, mit Reis beginnend und schließend. Dann bestreut man ihn mit Zucker, Zimt und Mandeln, gibt einige Butterflöckchen darauf und bäckt den Auflauf in Mittelhitze 3/4 Stunden bei 200–210°C.

Aprikosenauflauf

bereitet man ebenso zu.
Als Beilage zu diesen Aufläufen eignen sich Frucht- oder Weinsoßen oder Kompott.

Billiger süßer Reisauflauf (besonders empfehlenswert)

Zutaten: 250 g Reis, 1 l Milch, 100–125 g Zucker, etwas geriebene Zitronenschale, 50 g Sultaninen, nach Belieben einige abgezogene, grobgeschnittene Mandeln, nach Belieben 1 Ei, einige Butterflöckchen.
Zubereitung: Der gewaschene rohe Reis wird in die gutgefettete Auflaufform gegeben, der Zucker, die gewaschenen Sultaninen, die Mandeln und die abgeriebene Zitronenschale darauf verteilt und mit der Milch, die man mit 1 Ei zerquirlen kann, übergossen. Zuletzt streut man einige Butterflöckchen darauf und bäckt den Auflauf bei 200–210°C etwa 3/4–1 Stunde. Nach der ersten Viertelstunde rührt man den Reis einmal um, damit er gleichmäßig quellen kann.

Quarkreisauflauf

Zutaten des Grundrezeptes, dazu: 500 g durch ein Sieb gestrichener Quark, 1 Prise Salz, 50 g Sultaninen oder Rosinen (Korinthen).
Zubereitung: Der dickgekochte Milchreis wird mit Eigelb, Nüssen, Sultaninen, Zitronenschale verrührt, dann der Quark und der Eischnee untergemischt. Die Masse kann nach Belieben noch etwas nachgesüßt werden. Man bäckt den Auflauf in gefetteter Form 3/4–1 Stunde bei etwa 200–210°C.

Grünkernauflauf

Zutaten: 1 l Milch, 250 g Grünkerngrütze, 1 Prise Salz, etwas abgeriebene Zitronenschale, 60 g Butter, 60 g geriebene Haselnüsse, 125 g Zucker, 4 Eier.
Zubereitung: Aus Milch und Grünkerngrütze kocht man einen dicken Brei und stellt ihn kalt. Butter, Eigelb und Zucker rührt man tüchtig schaumig, gibt den abgekühlten Brei, die Gewürze, Haselnüsse und zuletzt den steifen Schnee der 4 Eiweiß darunter. Nun füllt man die Masse in eine gutgefettete Auflaufform und bäckt sie in guter Hitze bei 200–210°C 1 Stunde.

Schwarzbrotauflauf

Zutaten: 1 kg geschälte eingehobelte Äpfel, 250 g geriebenes altbackenes Schwarzbrot, 1/2 l Milch, 2 Eier, 125 g Zucker, 1 Prise Salz, Zimt, Zitronenschale nach Belieben, 50 g Sultaninen, einige geriebene Mandeln.
Zubereitung: wie Ofenschlupfer Seite 169, 3/4 Stunden Backzeit bei 200–210°C.

Zwiebackauflauf

Zutaten: 500 g Zwiebackmehl, 1 kg Obst, 20–50 g Butter, 125 g Zucker, 1 Prise Salz, Zimt oder Vanille nach Geschmack, einige geschälte, gehackte Mandeln, 1 Päckchen Backpulver, 2–3 Eier.
Zubereitung: Butter, Zucker und Eier rührt man schaumig, mischt Gewürze, Zwieback-

mehl und Backpulver darunter und gibt nun in eine ausgefettete Auflaufform abwechselnd Zwiebackmasse und Obst (entsteinte Zwetschgen, Aprikosen, Kirschen, geschnitzelte Äpfel oder sonstige Früchte), mit ersterer beginnend und schließend. Man streut Butterflöckchen auf und bäckt den Auflauf bei mäßiger Hitze (200°C) etwa 1 Stunde.

Biskuitauflauf

Zutaten: 200 g Biskuit- oder Blitzkuchenreste, 1/8 l gesüßter, mit Arrak oder Rum abgeschmeckter Weißwein; – Vanillesoße 1 1/2 mal das Grundrezept Seite 172, 30 g geschälte, in Stifte geschnittene Mandeln.

Zubereitung: Die Kuchenreste werden in Scheiben geschnitten, mit dem Wein angefeuchtet und in eine gefettete Auflaufform geschichtet. Nun bereitet man aus Milch, Zucker, Stärkemehl und Eigelb eine dicke Vanillesoße, schmeckt sie mit Arrak ab und gießt sie über die vorgerichteten Kuchenreste. Zuletzt schlägt man das Eiweiß zu steifem Schnee, süßt diesen, streicht ihn über den Auflauf, streut die Mandeln darüber und siebt etwas Zucker darauf. Man bäckt den Auflauf bei Mittelhitze (etwa 200°C) goldgelb.

Kastanienauflauf

Zutaten: 500 g geschälte, halbweichgekochte und abgezogene Kastanien, 60 g Butter, 30 g feingehacktes Zitronat, 125 g Zucker, 3 Eier, 1 Prise Salz, 1/4 l Milch, 1/2 Päckchen Backpulver.

Zubereitung: Die abgezogenen Kastanien werden mit der Milch weichgekocht und durch ein Sieb gestrichen. Nun rührt man Butter, Zucker und Eigelb schaumig, gibt den Kastanienbrei, das Zitronat, das Backpulver und zuletzt den steifen Schnee darunter. Man füllt die Masse in eine mit Butter bestrichene Auflaufform und bäckt den Auflauf bei 200–210°C 30–40 Minuten.

Reisberg

Zutaten: 1 l Milch, 250 g Reis, 2 Eigelb, 1 Prise Salz, 100 g Zucker, 1 Päckchen Vanillin, 1 Tasse Himbeermarmelade; Schnee von 3 Eiweiß, 2 Esslöffel Zucker, 30 g geschälte, länglich geschnittene Mandeln.

Zubereitung: Man kocht einen dicken Reisbrei, streicht ihn bergig auf eine mit Butter gefettete Porzellanplatte, verteilt die Marmelade darauf und deckt das ganze mit leichtgesüßtem Eischnee zu, den man mit Mandeln bestreut und leicht überzuckert. Man überbäckt den Reis in der heißen Bratröhre zu hellgelber Farbe.

Grundrezept: Schnitten und Klöße

Als Beilage:
1 l Milch, 250–300 g Einlage, 1 Ei, 1 Esslöffel Fett, 1 Kaffeelöffel Salz.
Als Hauptspeise: Eineinhalbfache bis doppelte Menge.

Grießschnitten

Zubereitung: Aus den Zutaten zum Grundrezept (siehe oben) – Eier ausgenommen – kocht man einen dicken Grießbrei, bis dieser sich vom Topf löst. Dann nimmt man ihn vom Herd und rührt 1 Ei darunter. Nun schüttet man den Teig auf ein nasses Brett, wendet den ganzen Kloß mit den nassen Händen um, damit man eine glatte Oberfläche bekommt und wellt ihn mit einem nassen Wellholz zu einem fingerdicken, rechteckigen Stück aus. Nachdem er erkaltet ist, schneidet man beliebig große, viereckige Stücke daraus und bäckt diese in heißem Fett auf beiden Seiten goldbraun.

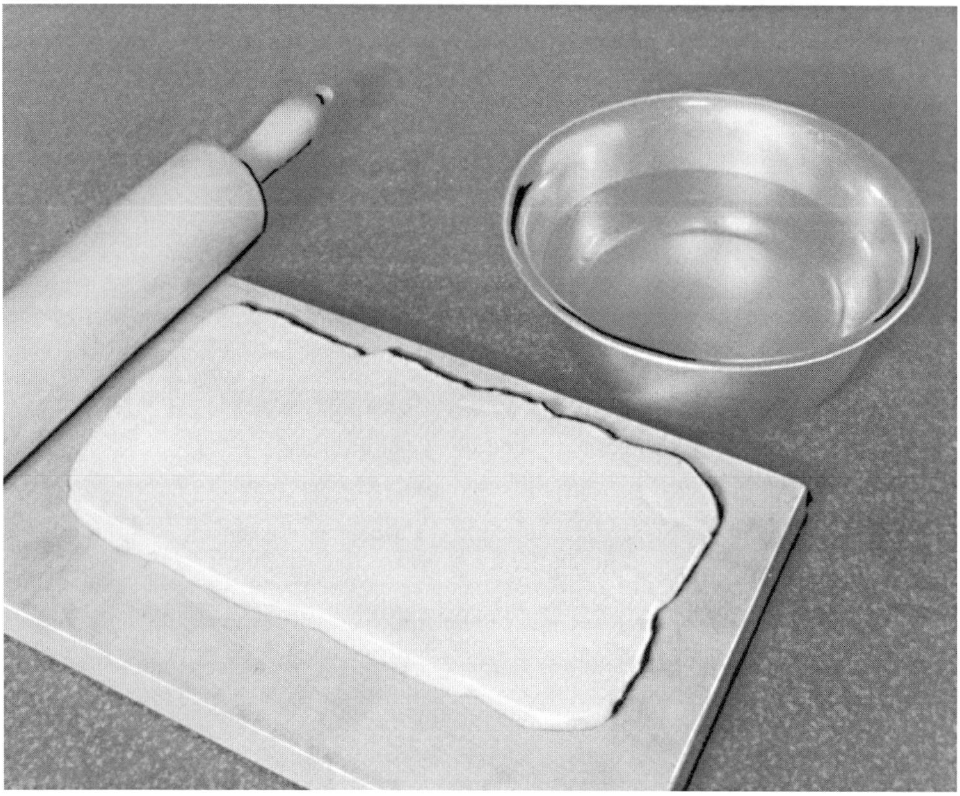

Der heiße Grießbrei wird auf dem nassen Brett fingerdick ausgewellt

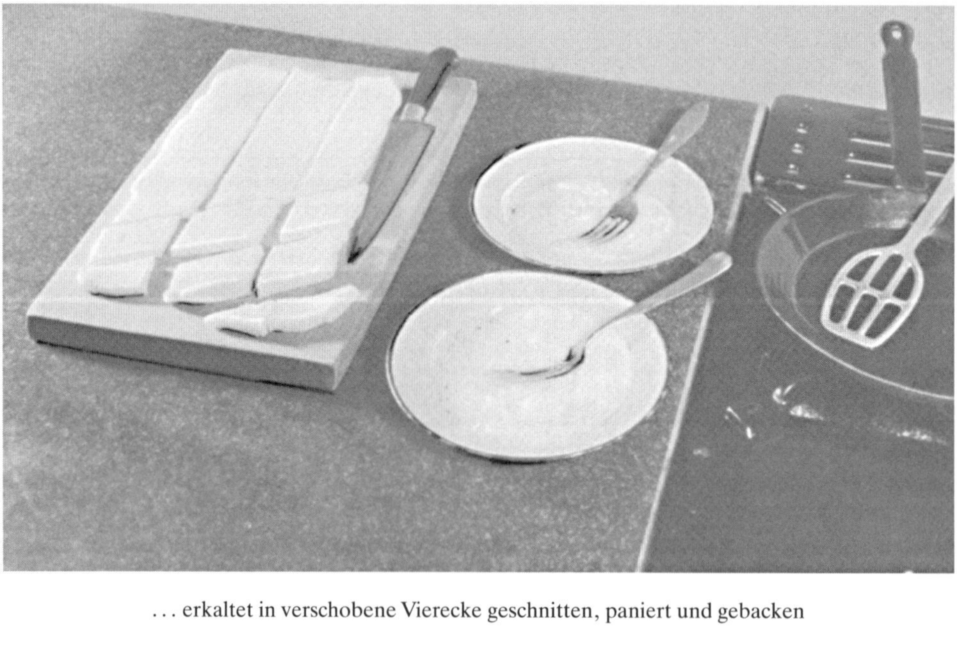

... erkaltet in verschobene Vierecke geschnitten, paniert und gebacken

Wer will, kann die Schnitten vor dem Backen in einem zerquirlten, leicht gesüßten Ei und nach Belieben noch in Semmelmehl wenden.

Schwedenklöße (reicht auch für 6 Personen)
Zutaten: 1 l Milch, 4 in Scheiben geschnittene, altbackene Milchbrote, 200 g Hartweizengrieß, 1 Esslöffel Fett, 1 Kaffeelöffel Salz. – Butter zum Schmälzen.
Zubereitung: In die kochende Milch gibt man Butter und Salz, dann die Semmelschnitten, zuletzt den Grieß und kocht daraus unter ständigem Rühren einen dicken Brei. Diesen nimmt man vom Feuer, lässt ihn zugedeckt noch 20–30 Minuten nachquellen, sticht mit einem in heißes Fett getauchten Löffel Klöße heraus, legt sie, ohne sie nochmals zu kochen, auf eine heiße Platte und schmälzt sie mit heißer, brauner Butter. Am besten schmeckt gekochtes Dörrobst dazu. – Man kann die ausgestochenen Klöße auch erkalten lassen und abrösten.

Maisgrießklöße
Zutaten: 1 l Wasser oder Milch, 200 g Maisgrieß, 50–80 g Weizengrieß, 1 Kaffeelöffel Salz, 1–2 Eier, 1–2 Esslöffel Butter.
Zubereitung: Man kocht einen dicken Grießbrei und lässt ihn 20–30 Minuten zugedeckt nachquellen. Dann sticht man mit einem gefetteten oder einem nassen Löffel Klöße auf eine heiße Platte, verteilt das zerquirlte rohe Ei gleichmäßig darüber und überschmälzt das Ganze mit brauner Butter. Wer will, streut geriebenen Käse dazwischen.
Beilage: Kopfsalat oder Kompott.

Grießklöße (zu Braten oder Kopfsalat)
Zutaten: ¾–1 l Milch, 250 g Hartweizen- oder 300 g gewöhnlicher Grieß, 1–2 Eier, 2 altbackene Milchbrötchen, 40–60 g Fett, Salz, Muskat (vergleiche mit Grießschnittenteig!).
Zubereitung: Milch und Salz lässt man zusammen aufkochen, streut den Grieß unter Umrühren ein und kocht den Brei, bis er sich vom Topf ablöst. Dann rührt man 1 Ei darunter

So füllt und formt man die Grießklöße

und lässt ihn erkalten. Unterdessen schneidet man die Brötchen in Würfelchen und röstet sie in Butter gelb. Nun mischt man das andere Ei unter den Grießbrei, formt mit den bemehlten Händen pfirsichgroße Klöße und gibt in die Mitte jedes Kloßes 1 Esslöffel Semmelwürfelchen. Diese drückt man fest in den Grießteig ein, damit sie die darin enthaltene Feuchtigkeit binden helfen. Je mehr man Würfelchen im Teig unterbringt, um so weniger zerfallen die Klöße beim Kochen. Nun bringt man sie in strudelndes Salzwasser, kocht sie langsam je nach Größe 8–12 Minuten, richtet sie an und schmälzt sie. (Regeln für das Kochen von Klößen siehe unten.)

Haferflockenküchlein (Frikadellen)
Zutaten: Knapp 1 l Milch, 250 g Haferflocken, 1 Ei, Salz, Paprika, reichlich gedünstete Zwiebeln und Petersilie, nach Belieben übriges, gewiegtes Fleisch oder 50 g geräucherten Speck oder Rauchfleisch, Salz; – Backfett.
Zubereitung: In die kochende Milch streut man die Haferflocken ein, kocht unter Umrühren einen dicken Brei, nimmt ihn vom Feuer, rührt das Ei darunter und lässt ihn erkalten. Dann mischt man alle übrigen Zutaten darunter, legt mit einem in Fett getauchten Löffel längliche Küchlein in rauchheißes Fett und bäckt sie auf beiden Seiten hellbraun. Sie bilden einen schmackhaften Ersatz für Fleischküchlein und dienen als Beilage oder Hauptgericht zu Gemüsen und Salaten.

Grünkernküchlein (Frikadellen)
Zutaten: 1/2 l Fleisch-, Gemüse- oder Würfelbrühe, 125 g Grünkerngrütze, 4 altbackene Brötchen, 50 g geräucherter Speck, Zwiebeln und Petersilie, Salz, 1–2 Eier; nach Belieben 1 Prise Pfeffer, Muskat.
Zubereitung: Man streut die Grünkerngrütze in die kochende Brühe ein, kocht unter Umrühren den Brei so lange, bis er sich vom Topf löst und lässt ihn abkühlen. Unterdessen weicht man die Brötchen in kaltem Wasser ein, drückt sie aus und verzupft sie. Den Speck schneidet man in Würfelchen und dünstet ihn mit der gewiegten Zwiebel und Petersilie glasig. Nun mischt man alle Zutaten samt dem erkalteten Grützebrei untereinander, formt Küchlein daraus und bäckt diese in rauchheißem Fett auf beiden Seiten hellbraun. (Ausgezeichneter Ersatz für Fleischküchlein.)
Beilage: Grüner Salat oder Gemüse.

SPEISEN MIT BRÖTCHEN ALS GRUNDLAGE

(vorwiegend Klöße)

Grundmenge für 4 Personen

Als Beilage:
4 altbackene Brötchen (keine Milchbrote), 1–2 Eier, etwa 250 g Zusätze wie Leber, Fleischreste, Gemüse, Kartoffeln, reichlich gedämpfte Zwiebeln und Petersilie.
Als Hauptspeise: Eineinhalbfache bis doppelte Menge.

Regeln für das Kochen von Klößen
1. Lege Klöße stets in strudelndes Salzwasser, dass das im Teig enthaltene Eiweiß sofort von außen her gerinnt und die Klöße bindet.
2. Forme die Klöße mit bemehlten Händen, damit sie durch die im kochenden Wasser verkleisternde Stärke und den quellenden Kleber gebunden werden.

3. Benütze zum Kochen breite Töpfe, damit die Klöße nicht übereinander zu liegen kommen.
4. Lege bei allen Kloßarten stets einen Probekloß ein. Hält der Teig nicht zusammen, mische noch etwas Semmelmehl unter die Masse.
5. Decke Klöße sofort nach dem Einlegen zu, damit das Wasser rasch wieder zum Kochen kommt und lasse sie dann offen langsam ziehen. Durch die strudelnde Bewegung des Wassers und die unter dem Deckel sich bildende Dampfschicht reißen sie, namentlich Kartoffelklöße, leicht auf.

Ulmer Klöße

Zutaten: 4 altbackene Brötchen, 50 g geräucherter Speck, Zwiebeln und Petersilie, 1–2 Eier, Salz, Pfeffer oder Paprika, Muskat.
Zubereitung: Für das Gelingen ausschlaggebend ist, dass die Brötchen 3–4 Tage alt sind. Diese weicht man in kaltem Wasser ein, beschwert sie, drückt sie, wenn sie weich sind, aus und verzupft sie. Den Speck schneidet man in Würfelchen und dünstet ihn mit der gewiegten Zwiebel und Petersilie zusammen glasig. Nun mischt man alle Zutaten untereinander, formt mit den bemehlten Händen 8 Klöße daraus, gibt sie in kochendes Salzwasser und lässt sie 12–15 Minuten erst zugedeckt, dann offen langsam kochen. Beim Anrichten schmälzt man sie mit in Butter gebräuntem Semmelmehl.
Sie schmecken vorzüglich zu Rinderschmor-, Reh- und Sauerbraten.

Bayrische Klöße

Zutaten: 3 altbackene, in Würfel geschnittene Brötchen, 1 Tasse Milch, 1 Suppenteller voll gekochte, kalte, geriebene Kartoffeln; 1 kleine Zwiebel und Petersilie, beides in 60 g feingeschnittenem Speck gedünstet, Salz, Muskat, 2 Esslöffel Mehl, 3 Eier.
Zubereitung: Man mischt die angegebenen Zutaten zu einer glatten Masse, formt apfelgroße Klöße, bringt sie in strudelndes Salzwasser und lässt sie 10–12 Minuten darin ziehen.
Beilage: Sauerbraten.

Quarkklöße

Zutaten: 250 g Quark, 4 altbackene Brötchen, reichlich gehackte Zwiebeln und Petersilie (in Fett gedünstet), 2–3 Esslöffel Mehl, 2 Esslöffel Grieß, 1–2 Eier, 1 Esslöffel Fett.
Zubereitung: Die Brötchen werden in Würfelchen geschnitten und in Fett geröstet. Nach dem Erkalten mischt man sie mit dem durch ein Sieb gedrückten Quark und den übrigen Zutaten, formt mit 2 Esslöffeln längliche Klöße, bringt sie in kochendes Salzwasser und lässt sie 10–12 Minuten ziehen. (Beilage: siehe Ulmer Klöße.)

Quarkkloß

Zutaten: 500 g Quark, 125 g Grieß, 1 Ei, 1/2 Kaffeelöffel Salz; kochendes Wasser; zum Abschmälzen 1 Esslöffel Butter, Semmelmehl und Zucker oder je nach Beilage Zwiebeln.
Zubereitung: Man macht aus den Zutaten einen glatten Teig, der sich von der Schüssel lösen muss. Nun bindet man den Kloß in ein gebrühtes Tuch, gibt ihn in ein kochendes Salzwasser und lässt ihn 50–60 Minuten kochen; dann schneidet man ihn in dicke Scheiben auf und gibt Kompott oder Gemüse dazu. Im ersteren Fall röstet man in heißer Butter das Semmelmehl hellbraun, mischt zuletzt 1 Esslöffel Zucker darunter und bestreut damit die Schnitten. Bei salziger Beilage schmälzt man mit Zwiebeln. Vergleiche mit dem Serviettenkloß.

Serviettenkloß

Zutaten: 4 altbackene Milchbrote, 1 Esslöffel Fett, reichlich gedünstete Zwiebeln und Peter-

silie; – 125 g Mehl, 1/4 l Milch, 2 Eier, Salz (Muskat nach Belieben). (Pfitzaufteig, halbe Menge. – Vergleiche Seite 148.)
Zubereitung: Die Brötchen werden in kleine Würfelchen geschnitten und in Fett geröstet. Aus Mehl, Eiern, Milch und Salz rührt man ein dünnes glattes Teiglein an. Dieses schüttet man über die vorgerichteten Brötchen und die gedünsteten Zwiebeln und Petersilie und lässt die Masse 1/2 Stunde stehen, damit die Brötchen quellen können. Nun wird die Masse in eine gebrühte gefettete Serviette gebunden. Dann setzt man den Kloß in kochendem Salzwasser zu und lässt ihn zugedeckt 1 Stunde kochen. (Verdoppelt man die Menge der Zutaten, so macht man daraus 2 Klöße.) Man richtet ihn auf einer runden Platte an und schmälzt ihn mit in Butter gerösteten Semmelwürfelchen.
Beilagen: Sauerbraten, saure Soßen oder Salate.

Leberklöße I

Zutaten: 250 g gehackte Leber, 3–4 Brötchen, 2–4 Esslöffel Semmelmehl, gedünstete Zwiebeln und Petersilie, Salz, 1 Prise Majoran, 1 Handvoll Spinat, 2 Eier.
Zubereitung: Die Brötchen werden abgerieben, eingeweicht, ausgedrückt und verzupft, der Spinat roh durchgedreht, beides mit Zwiebeln und Petersilie zusammen kurz gedünstet. Nun mischt man die gehackte Leber, die Eier, das Abgeriebene der Brötchen, die Gewürze und noch soviel Semmelmehl hinein, dass sie beim Kochen schön zusammenhalten. Man legt stets zuerst einen Probekloß ein, der 8 Minuten kochen muss. Ist der Teig richtig, legt man mit einem Esslöffel eigroße Klöße in kochendes Salzwasser und lässt sie etwa 8 Minuten langsam kochen. Beim Anrichten schmälzt man sie mit brauner Butter.
Beilagen: Grüne Salate, gemischter Kartoffelsalat, Sauerkohl.

Leberklöße II

Zutaten: 250 g gehackte Kalbsleber, 4 altbackene Brötchen, 1 Handvoll durchgedrehter Spinat, gedünstete Zwiebeln und Petersilie, 1 Prise Majoran, Salz, 30 g rohes, durch die Hackmaschine getriebenes Nierenfett (keine Eier).
Zubereitung wie oben.

Spinatklöße

Zutaten: 4 altbackene Brötchen, 1–2 Eier, gedünstete Zwiebeln und Petersilie, 1 große Handvoll rohgewiegter Spinat, Salz, nach Belieben Paprika, Pfeffer, Muskat, 1 kleine Tasse Grieß. – Kochendes Salzwasser; – Fett zum Schmälzen.
Zubereitung: Wie Leberklöße, siehe oben.

Wurstklöße

Zutaten: 4 altbackene Brötchen, 1–2 Eier, gedünstete Zwiebeln und Petersilie, 125 g durch die Fleischhackmaschine getriebene Schinkenwurst oder Fleischreste, 1 kleine Tasse Grieß, Salz, Muskat. – Kochendes Salzwasser; – Fett zum Schmälzen.
Zubereitung wie Ulmer Klöße, siehe Seite 167.

Königsberger Klops – Fleischklöße siehe Seite 91.

Fischklöße siehe Seite 124.

Kartoffelklöße siehe Seite 133.

Hefeklöße siehe Seite 235.

Karthäuser Klöße (süß)
Zutaten: 8 altbackene Milchbrote, 3 Eier, knapp 3/4 l Milch, 2–3 Esslöffel Zucker, Zitronenschale; – Backfett, Zucker und Zimt.
Zubereitung: Die Brötchen werden mit dem Reibeisen abgerieben halbiert in die aus Eiern, Milch, Zucker und Zitronenschale zerquirlte Flüssigkeit getaucht und ein paarmal gewendet, bis sie weich sind. Dann lässt man sie abtropfen, wendet sie in dem abgeriebenen Semmelmehl um und bäckt sie auf der Stielpfanne in heißem Öl oder Fett schön gelb. Nach dem Backen und Abtropfen dreht man sie in Zucker und Zimt und gibt gekochtes Obst dazu.

Ofenschlupfer
Zutaten: 4 altbackene Milchbrote, 4 große Äpfel oder 100 g über Nacht eingeweichte getrocknete Aprikosen, 50 g Rosinen, 1/2 l Milch, 1–2 Eier, 2–3 Esslöffel Zucker, etwas Zimt. – Semmelmehl, Butterflöckchen.
Zubereitung: Eine gutgefettete Auflaufform belegt man abwechselnd mit in dünne Scheibchen geschnittene Brötchen, feingeschnitzelten, geschälten Äpfeln und gewaschenen Rosinen oder vorgerichteten Aprikosen. Dann verteilt man die mit Milch, Zucker und Zimt zerquirlten Eier darüber, streut Semmelmehl und Butterflöckchen darauf und bäckt den Auflauf bei 200–210 °C etwa 3/4–1 Stunde.

Quarkofenschlupfer
Zutaten: 4 altbackene Milchbrötchen, 3/8 l Buttermilch, 1–2 Eier, 2–3 Esslöffel Zucker, 250 g durchgestrichener leicht gesüßter Quark, 50 g Rosinen oder Sultaninen, etwas abgeriebene Zitronenschale.
Zubereitung: In die gutgefettete Auflaufform gibt man schichtweise die in Scheiben geschnittenen Brötchen, die Rosinen und den Quark, mit Brötchen beginnend und schließend. Dann gibt man die mit Zucker und Buttermilch zerquirlten Eier darüber, streut Butterflöckchen darauf und bäckt den Auflauf 1 Stunde bei etwa 200–210 °C.

SALZIGE REISSPEISEN

Regeln für die Zubereitung: Siehe bei gekochten Milchspeisen, Seite 155, und beachte: Der dem Reis oft anhaftende Sackgeruch kann vor dem Kochen durch kurzes Überbrühen und sofortiges Abgießen entfernt werden. Gedünsteter Reis wird körnig und nicht klebrig wenn man ihn langsam aufquellen lässt.

Grundmenge für 4 Personen:

Als Beilage:
250 g Reis, 1/2–3/8 l Wasser, 1 Kaffeelöffel Salz, nach Belieben 2 Brühwürfel, 1–2 Esslöffel Fett, 1 Zwiebel, Gewürze.
Als Hauptspeise: Eineinhalbfache bis doppelte Menge.

Mailänder Reis
Zutaten: 250 g Reis, 1–2 Esslöffel Butter oder Öl, 1 große Zwiebel, 1/2–5/8 l Wasser, 1 Kaffeelöffel Salz, 2 Brühwürfel, 1 Messerspitze Safran, 1 Knoblauchzehe; – 50–100 g geriebener Schweizer Käse.
Zubereitung: In dem zerlassenen Fett dünstet man die feingeschnittenen Zwiebeln glasig, dünstet den Reis kurz mit, löscht ab, gibt Brühwürfel, Knoblauch und Salz dazu und lässt ihn

bei milder Hitze annähernd weichdämpfen, ohne ihn umzurühren. Dann verrührt man den Safran damit, lässt den Reis vollends ausquellen, entfernt den Knoblauch und richtet ihn schichtweise mit geriebenem Käse an. Zubereitungszeit: 1/2 Stunde.
Beilage: Grüner Salat.

Indischer Reis

Zutaten: 250 g Reis, 1 große feingeschnittene Zwiebel, 1–2 Esslöffel Butter, 1 Kaffeelöffel Curry, 1/2–5/8 l Brühe oder Wasser und 1 Brühwürfel, Salz.
Zubereitung: Der Reis wird mit Zwiebeln und Curry in Butter angedünstet, abgelöscht, gewürzt und in 20 Minuten gargedämpft.
Beilagen: Eingemachtes Kalbfleisch, Geflügel, Fisch.

Gedämpfter Reis, chinesische Art

Zutaten: 250 g Reis, kochendes Salzwasser; – 1 Esslöffel Butter, 1/2 Zwiebel, 1 Nelke.
Zubereitung: Der sauber abgeriebene Reis wird mit reichlich kochendem Salzwasser zugesetzt, 10–12 Minuten gekocht, abgegossen und abgespült. Nun gibt man ihn in eine Schüssel, verteilt die Butter darüber, legt die Zwiebel, in die man die Nelke eingesteckt hat, dazu hinein, setzt die Schüssel in einen dampfenden Topf, so dass sie ziemlich tief einhängt, deckt sie zu und lässt den Reis darin garquellen, was etwa 20 Minuten dauert. Auf diese Weise zubereitet, wird er vollkommen weiß, körnig, trocken und schmackhaft. Man kann ihn auch nach dem Abkochen in Fett und Zwiebeln im Brattopf nachdünsten und kräftig abschmecken.

Spanischer Reis

Zutaten: 250 g Reis, 1 kleine Dose Thunfisch, 4 Esslöffel Öl, 1 große Zwiebel, 2 Knoblauchzehen, 2 Esslöffel Tomatenmark, 100 g würflig geschnittenes Schweine- oder Kalbfleisch, 25 g feingeschnittene Hartwurst, Salz, 1 Kaffeelöffel Paprika, 3/4 l Wasser.
Zubereitung: In dem heißen Öl dünstet man Zwiebeln und Knoblauch glasig, dünstet die übrigen Zutaten mit Ausnahme des Reises mit, löscht ab und gibt, wenn alles kocht, den vorgerichteten Reis dazu. Man lässt alles zusammen, ohne darin zu rühren, in 1/2 Stunde garschmoren. Ein köstliches sättigendes Gericht, zusammen mit Kopfsalat.

Tomatenreis

Zutaten: 250 g Reis, 1–2 Esslöffel Butter, 1 große Zwiebel, 1/2–5/8 l Wasser, 2 Brühwürfel, 1 Kaffeelöffel Salz, 1 Knoblauchzehe, 1 kleines Döschen Tomatenmark.
Zubereitung: In der zerlassenen Butter dünstet man die feingeschnittene Zwiebel glasig, dünstet das Tomatenmark mit, ohne es zu verdünnen, gibt den vorgerichteten Reis und die Knoblauchzehe dazu, löscht ab, würzt mit Salz und Brühwürfeln, und lässt ihn langsam bei milder Hitze weichquellen, ohne viel darin zu rühren. Beim Anrichten nimmt man das Knoblauchstückchen heraus und streut nach Belieben geriebenen Schweizer Käse darauf.
Beilage: Grüner Salat.

Reis mit Einlage

Zutaten: 250 g Reis, 125 g Schinkenwurst oder Rauchfleisch oder Leber oder 250 g Sellerie oder Pilze oder kleingeschnittene Gemüse, 2 Esslöffel Fett, 1 große Zwiebel, 3/4 l Wasser, 1 Kaffeelöffel Salz.
Zubereitung: In dem zerlassenen Fett dünstet man erst die feingeschnittenen Zwiebeln, dann den vorgerichteten Reis, zuletzt die in Würfelchen geschnittene Einlage, löscht ab, gibt Salz hinein und lässt den Reis bei schwacher Hitze weichdämpfen.
Als Eintopfgericht braucht man doppelte Menge.

Reisring

Zubereitung: Fertig ausgequollener Reis wird in eine gefettete Ringform gedrückt, im Wasserbad 15–20 Minuten erhitzt, dann gestürzt und mit Soße übergossen oder mit Gemüse, Pilzen, Gulasch, eingemachtem Kalbfleisch, Huhn in heller Soße oder dergleichen gefüllt. Diese Art des Anrichtens eignet sich für festliche Gelegenheiten.

SÜSS-SPEISEN

Süßspeisen sind kein Luxus. Sie runden eine Mahlzeit ab und erhöhen ihren Sättigungswert. Dass sie als Luxus angesehen werden, mag seinen Grund darin haben, dass in den meisten Kochbüchern namentlich die Eiermenge viel zu hoch angegeben ist. Ganz abgesehen vom Preis einer derartigen Speise und der Unmöglichkeit, sie der hohen Eierpreise wegen zu bereiten, steht ihr Nährwert meist nicht im richtigen Verhältnis zum Nährwert der vorausgegangenen Mahlzeit. Als Nachtisch wählt man einfachere Gerichte, vor allem Obst- und Quarkspeisen aller Art, die schmackhaft und erfrischend sind. Man kann aber auch Cremes mit wenig oder gar keinen Eiern zubereiten. Sie sind deshalb nicht weniger wohlschmeckend als die teuren, eierreichen und rufen das Gefühl der Erfrischung und nicht das der Übersättigung hervor.

Man unterscheidet je nach der Art der Zutaten und der Zubereitung die verschiedensten Süßspeisengruppen:

1. Süße Soßen
2. einfache gekochte Creme
3. feine gesulzte Creme
4. einfache Gelatinespeisen
5. rohe Obstspeisen
6. Quarkspeisen
7. Sahnespeisen
8. Obst-, Creme- und Sahneeis
9. Kompotte, Grützen.

Für alle gelten, wenn sie gut gelingen sollen, die für jede Gruppe geltenden **Regeln**:

1. Koche geschlagene Milch- und Eierspeisen nicht in Aluminiumgefäßen, sonst verfärben sie sich.
2. Verwende bei Mangel an Vollmilch Mager- oder Trockenmilch.
3. Schlage beim Teilen der Eier jedes für sich über einer Tasse auf, damit nicht durch *ein* schlechtes Ei alle vorher geöffneten mitverdorben sind.
4. Schlage Eiweiß oder Sahne nur in sauberen, trockenen Gefäßen, am besten in Porzellan, nicht in Email oder Aluminium.
5. Schlage Eischnee immer erst kurz vor Gebrauch, sonst zieht er Wasser.
6. Setze dem Eiweiß von Wasserglas- und Kalkeiern vor dem Schlagen eine Prise Salz oder Zucker zu, er wird rascher und sicherer steif.
7. Schlage Eiweiß und Schlagsahne stets in kühlem Raum, er wird rascher steif.
8. Schlage Eiweiß nicht länger als bis es steif ist. Die Schüssel muss sich mit dem Inhalt umdrehen lassen, ohne dass die Masse herausfällt. Schlägt man jedoch den Schnee zu lange, „bricht“ er, d. h. er sieht aus wie geronnen. – Schlägt man die Sahne zu lange, so entstehen Butterflöckchen.
9. Lasse Eischnee nie mitkochen, sonst gerinnt er. Mische ihn locker unter die erkaltende Creme.
10. Lasse Quarkspeisen nie lange stehen, da sie rasch sauer werden.

Grundmenge für gekochte süße Soßen (für 4 Personen):

Man gibt gekochte süße Soßen als Beilage zu Flammeris, Reis- und Mehlspeisen, Aufläufen und Puddingen
oder man verwendet sie zum Zusammenstellen von Süßspeisen, zu denen man Obst, Gebäck, süße Klöße u.a. nimmt.
Süße Soße: 1/2 l Milch, – gestrichener Esslöffel Stärkemehl (z.B. Mondamin, Maizena, Gustin), 1 Ei, 2 Esslöffel Zucker, Vanille oder Zitronenschale.

Vanillesoße

Zutaten: 1/2 l Milch, 1 Ei, 1 Esslöffel Zucker, 1 Stückchen Vanilleschote oder 1 Päckchen Vanillin, 1 gestrichener Esslöffel Stärkemehl.
Zubereitung: Man rührt alle Zutaten in einem Emailtopf (in Aluminium werden alle geschlagenen Milchspeisen grau) mit der kalten Milch glatt an und schlägt die Masse auf dem Feuer ununterbrochen bis zum Kochen. Dann nimmt man sie sofort vom Feuer und stellt sie kalt. Während des Abkühlens rührt man sie ab und zu um, damit sich keine Haut bildet.

Vanillesoße mit Schnee-Eiern

Zutaten: 1/2 l Milch, Schnee von 2 Eiweiß, 1 Esslöffel Staubzucker, 1–2 Eigelb, 40 g Zucker, 1 gestrichener Esslöffel Stärkemehl, 1 Päckchen Vanillin.
Zubereitung: Man süßt den steifen Eischnee mit Zucker, legt davon 4–6 Klöße in die kochende Milch ein, deckt sie sofort zu, lässt sie 3–5 Minuten ziehen, nimmt sie dann heraus und lässt sie abkühlen. Nachdem auch die Milch wieder abgekühlt ist, macht man mit den übrigen Zutaten zusammen die Vanillesoße nach dem Grundrezept und setzt nach dem Erkalten die Schnee-Eier darauf.

Tuttifrutti mit Vanillesoße

Zutaten: 1/2 l fertige dicke Vanillesoße, 125 g Biskuit- oder Zwieback- oder Kuchenreste, 375–500 g rohe, eingezuckerte oder eingedünstete Früchte, gut abgeschmeckter Obstsaft.
Zubereitung: In eine Glasschale legt man abwechselnd eine Schicht Obst und zerbröckeltes Backwerk, das man mit etwas abgeschmecktem Obstsaft angefeuchtet hat und gießt über das Ganze die erkaltete Vanillesoße. Man stellt die Speise kalt und verziert sie beim Anrichten mit Früchten.

Geisenheimer Speise mit Vanillesoße

Zutaten: 1/2 l fertige Vanillesoße, 125 g Zuckerbrot oder Löffelbiskuit, feine Marmelade zum Bestreichen. – 1/8 l Schlagsahne.
Zubereitung: Die Zuckerbrote streicht man an der Unterseite mit Hagebuttenmark oder einer anderen feinen Marmelade und legt immer 2 mit der bestrichenen Seite aneinander. Dann legt man sie schichtweise in eine Porzellanschale und schüttet die kochende Vanillesoße darüber. Man stellt die Speise kalt und verziert sie beim Anrichten mit eingemachten Früchten und Schlagsahne.

Gefüllte Äpfel mit Vanillesoße

Zutaten: 8 mittelgroße Äpfel, 3/8 l Wasser, 2–3 Esslöffel Zucker, 1 Stückchen Zitronenschale oder ganzer Zimt. – Gehackte Mandeln oder Nüsse und Rosinen oder feine Himbeer- oder Aprikosenmarmelade zum Füllen, 1/2 l fertige Vanillesoße.
Zubereitung: Die Äpfel werden vorsichtig geschält, vom Kernhaus befreit und in kochendem Zuckerwasser zugedeckt langsam weichgedünstet, damit sie ganz bleiben. Dann nimmt man sie heraus, setzt sie in eine flache Glasschüssel, füllt sie mit Eingemachtem oder mit der

Mandel-Rosinenmischung und übergießt sie mit einer dicken Vanillesoße. Man stellt die Speise kalt und gibt beim Anrichten auf jeden Apfel eine weichgedünstete Aprikose oder etwas Schlagsahne. Man kann auch zwischen die aprikosenbelegten Äpfel ein Schlagsahnegitter spritzen.

Schokoladesoße
Zutaten: 1 gestrichener Esslöffel Stärkemehl, 1 gehäufter Esslöffel Kakao, 2 gehäufte Esslöffel Zucker, 1/2 l Milch, 1 Eigelb.
Zubereitung: Man rührt zuerst die trockenen Zutaten mit 3–4 Esslöffel kaltem Wasser glatt an, gibt dann die übrigen Zutaten hinein und bringt die Masse unter ständigem Schlagen mit dem Schneebesen zum Kochen. Sobald sie sämig wird, nimmt man sie vom Feuer und stellt sie kalt.

Karamellsoße
Zutaten: 2 gehäufte Esslöffel Zucker, 2 Esslöffel Wasser; 1 gestrichener Esslöffel Stärkemehl, 1 Eigelb, 1 Päckchen Vanillin, 1/2 l Milch.
Zubereitung: Der Zucker wird hellbraun geröstet und mit dem Wasser abgelöscht. Unterdessen rührt man Stärkemehl, Eigelb und Vanillin mit der kalten Milch glatt an, gibt den abgelöschten Zucker dazu und schlägt die Masse auf dem Herd bis zum Kochen. Dann nimmt man sie weg, stellt sie kalt und rührt öfters um, damit sich keine Haut bildet. Man kann die Soße auch heiß verwenden.

Weinschaumsoße
Zutaten: 1 Esslöffel Stärkemehl, 4 Esslöffel Zucker, Schale 1/2 Zitrone, 1–2 Eier, 3/8 l Weißwein, 1/8 l Wasser (oder halb Wein, halb Wasser).
Zubereitung: Man rührt alle Zutaten kalt an und schlägt die Masse auf dem Herd bis zum Kochen. Dann wird die Soße sofort heiß serviert.

Hagebuttensoße
Zutaten: 1 gestrichener Esslöffel Stärkemehl, 2 Esslöffel Zucker, 4 Esslöffel Hagebuttenmark, 1/4 l Wein, 1/4 l Wasser, Saft 1/2 Zitrone.
Zubereitung: Siehe Fruchtsoße.

Fruchtsoße
Zutaten: 1 Kaffeelöffel Stärkemehl, 1/8 l Himbeer- oder Johannisbeersaft, 1/4 l Wasser, Saft 1 Zitrone, Zucker nach Bedarf.
Zubereitung: Das kalt angerührte Stärkemehl lässt man in die kochende Flüssigkeit einlaufen und einmal aufkochen. Man rührt die Soße während des Erkaltens, um Hautbildung zu vermeiden.

Grundrezept für einfache gekochte Creme (für 4 Personen):

Zutaten: 1/2 Milch, 20 g Stärkemehl (z.B. Gustin, Maizena, Mondamin), 2 Eigelb, 2 Esslöffel Zucker, Geschmackszutaten; – Schnee von 2 Eiweiß oder 1/8–1/4 l Schlagsahne.

Zubereitung: Man rührt Milch, Eigelb, Stärkemehl, Zucker und Geschmackszutaten kalt an und schlägt die Masse mit dem Schneebesen bis zum Kochen. Wenn sie völlig erkaltet ist, zieht man den steifen Eischnee oder die steifgeschlagene Sahne darunter.

Grundrezept für abgeschlagene gesulzte Creme (für 4 Personen):

Zutaten: 1/2 l Milch, 3–4 Eigelb, 75–100 g Zucker, 10 g Stärkemehl, Geschmackszutaten, 4–6 Blatt Gelatine, 1/4 l Schlagsahne, davon die Hälfte zum Spritzen.

Zubereitung: Die in kaltem Wasser abgespülte Gelatine wird mit etwas kochendem Wasser aufgelöst. Die übrigen Zutaten (mit Ausnahme der Schlagsahne) rührt man mit der kalten Milch an, schlägt sie bis zum Kochen, gibt die aufgelöste Gelatine dazu, rührt gut um und stellt die Creme zum Abkühlen beiseite. Wenn sie anfängt zu stocken, zieht man die steife Schlagsahne – oder, wenn man sie verbilligen will, den steifen Eischnee – darunter, füllt sie aus und stellt sie einige Stunden kalt.

Regeln für die Verwendung von Gelatine:

1. Weiche Gelatine stets vor dem Auflösen eine Zeit lang in kaltes Wasser ein; sie wird dadurch reiner im Geschmack.
2. Lasse Gelatine nicht lange kochen, die Speisen werden geschmacklich beeinträchtigt.
3. Gieße aufgelöste Gelatine stets durch ein Sieb, damit keine Gelatineklümpchen unter die Speise kommen.
4. Mische Eischnee oder Schlagsahne unter rohe Gelatinespeisen erst dann, wenn sie anfangen, sämig zu werden. Sind Gelatinespeisen noch flüssig, setzt sich die Gelatine ab, sind sie schon steif, nehmen sie den Schnee nicht mehr gleichmäßig an.

Vanillecreme

Zutaten: 1/2 l Milch, 2 Eigelb, 2 gestr. Essl. = 20 g Stärkemehl, 1 Stückchen Vanilleschote oder 1 Päckchen Vanillin, 2 Esslöffel Zucker; Schnee von 2 Eiweiß oder 1/4 l Schlagsahne.
Zubereitung: Man rührt Milch, Eigelb, Stärkemehl, Zucker und Vanillin kalt an und schlägt die Masse mit dem Schneebesen bis zum Kochen. (Genau wie bei Vanillesoße.) Dann lässt man die Creme erkalten und zieht den steifen Schnee oder Schlagsahne darunter. (Schnee und Sahne müssen so lange in einer Porzellanschüssel geschlagen werden, bis man die Schüssel damit umdrehen kann, ohne dass die Masse herausfällt.

Gesulzte Vanillecreme

Zutaten: 1/2 l Milch, 1 Kaffeelöffel Stärkemehl, 3 Eigelb, 3 Esslöffel Zucker, 1 Päckchen Vanillin oder 1 Stück Vanilleschote, 6 Blatt weiße Gelatine, 1/4 l Schlagsahne oder Schnee von 2 Eiweiß.
Zubereitung: Man schlägt aus Milch, Eigelb, Zucker, Stärkemehl und Vanille auf dem Feuer eine Creme ab, gibt kurz vor dem Siedepunkt die eingeweichte, ausgedrückte Gelatine dazu, lässt einmal aufkochen und stellt sie kalt. Sobald sie anfängt, sämig zu werden, gibt man Eischnee oder Schlagsahne darunter, füllt sie in eine mit kaltem Wasser ausgespülte Form, stellt sie kalt und stürzt sie vor Gebrauch. Wer will, kann sie mit Schlagsahne spritzen.
Gesulzte Vanillecreme kann man – ähnlich wie Vanillesoße – als Grundlage zu verschiedenen Süßspeisen verwenden.

Früchtecreme

Zutaten: Eine fertige Vanillecreme; 125 g Erdbeeren, 125 g abgezupfte Johannisbeeren, 250 g Himbeeren, 2 Esslöffel Zucker; – 1/8 l Schlagsahne.
Zubereitung: Die verlesenen, gewaschenen Beeren werden eingezuckert, schichtweise mit der Vanillecreme in eine Glasschale gelegt und kalt gestellt. Vor dem Auftragen spritzt man die Creme mit leicht gesüßter Schlagsahne.

Erdbeerspeise
Zutaten: Eine fertige Vanillecreme, 1/2–1 kg eingezuckerte Wald- oder Gartenerdbeeren.
Zubereitung: Die vollständig erkaltete, mit Eischnee oder Schlagsahne vermischte Creme wird mit den vorgerichteten Beeren vermischt und kalt gestellt.

Quarkcreme
Zutaten: 1/2 l Milch, 1 Päckchen = 50 g Vanillepuddingpulver, 1 Ei, 3 Esslöffel Zucker, nach Belieben Vanillezucker oder Zitronenschale zum Würzen, 250 g Quark, 1/8 l Milch; – 500 g eingezuckerte Erd- oder Himbeeren.
Zubereitung: Man rührt mit der kalten Milch das Puddingpulver glatt an, gibt Ei, Gewürz und Zucker dazu und schlägt die Masse auf dem Feuer bis zum Kochen. Nun zieht man sie vom Feuer, schlägt sie kalt, damit sich keine Haut bildet, und gibt in die fast erkaltete Creme den durchgestrichenen mit Milch schaumig gerührten Quark. Man richtet die Speise über die Früchte in einer Glasschale oder in Weingläsern an und stellt sie kalt. Sie muss frisch gegessen werden, weil der Quark rasch sauer wird.

Haselnusscreme, einfache
Zutaten: 1/2 l Milch, 2 Eigelb, 2 gestr. Essl. = 20 g Stärkemehl, 2–3 Esslöffel Zucker, 1 Päckchen Vanillin; 50 g Haselnüsse; Schnee von 2 Eiweiß oder 1/4 l Schlagsahne.
Zubereitung: Die Haselnüsse werden im heißen Backofen trocken geröstet, bis sich die Haut leicht mit einem Tuch abreiben lässt. Dann werden sie gemahlen, mit den übrigen Zutaten – ausgenommen Eiweiß oder Sahne – kalt angerührt und auf dem Feuer bis zum Kochen geschlagen. Nach dem vollständigen Erkalten zieht man den steifen Eischnee oder Schlagsahne darunter.

Mandelcreme
bereitet man ebenso zu; man nimmt statt der Nüsse abgezogene, feingeriebene Mandeln.

Karamellcreme, einfache
Zutaten: 3/8 l Milch, 2 Eigelb, 2 gestr. Essl. = 20 g Stärkemehl, 1 Päckchen Vanillin, 100 g Zucker, 1/8 l Wasser. – Schnee von 2 Eiweiß oder 1/4 l Schlagsahne.
Zubereitung: Die Hälfte des Zuckers nimmt man in eine Kasserolle, röstet ihn unter Umrühren hellbraun und löscht ihn mit dem bereitgestellten Wasser ab. Nun rührt man die übrigen Zutaten – Eiweiß oder Sahne ausgenommen – kalt an, schüttet die Zuckerlösung dazu und macht die Creme wie Vanillecreme fertig.

Gesulzte Karamellcreme
Zutaten: 60 g Zucker zum Bräunen, 1/8 l Wasser, 3/8 l Milch, 1 Esslöffel Stärkemehl, 80 g Zucker, 2–3 Eigelb, 6 Blatt weiße Gelatine; – Schnee von 2–3 Eiweiß.
Zubereitung: Man röstet 60 g Zucker mittelbraun, bis er anfängt zu schäumen, löscht mit Wasser ab, gibt Milch, Stärkemehl, Zucker und Eigelb hinein und schlägt die Creme auf dem Feuer bis zum Kochen, gibt dann die vorgerichtete, mit wenig kochendem Wasser aufgelöste Gelatine dazu, kocht noch einmal auf, mischt den steifen Schnee darunter und schlägt die Masse weiter, bis sie handwarm ist. Dann füllt man sie in eine Glasschale, stellt sie kalt und verziert sie vor dem Auftragen nach Belieben mit Schlagsahne.

Kaffeecreme
Zutaten: 1/2 l Milch, 1 Esslöffel Nescafépulver, 2 Eigelb, 2–3 Esslöffel Zucker, 1 Päckchen Vanillin, 2 gestrichene Esslöffel Stärkemehl; – Schnee von 2 Eiweiß oder 1/4 l Schlagsahne.
Zubereitung: Siehe Vanillecreme.

Gesulzte Mokkacreme

Zutaten: Kaffeeaufguss von 40 g feingemahlenem Kaffee, 1/4 l Wasser; 3/8 l Milch, 3 Eigelb, 1 Esslöffel Mondamin, 3 Esslöffel Zucker, 6–8 Blatt weiße Gelatine; Schnee von 3 Eiweiß; 1/4 l Schlagsahne; 1/8 l steife Sahne zum Spritzen.
Zubereitung: wie gesulzte Vanillecreme.

Gesulzte Nougatcreme

Zutaten zum Nougat: 125 g Zucker, 100 g Mandeln; zur Creme: 1/2 l Milch, 1 Prise Salz, 100 g Zucker, 1/2 Päckchen Vanillin, 2–4 Eigelb, 6 Blatt weiße Gelatine, 1/4 l Schlagsahne oder Schnee von 2–4 Eiweiß, 125 g fertiger Nougat.
Zubereitung: Man reibt die Mandeln trocken ab, schneidet sie in kleine Würfelchen und gibt sie mit dem Zucker ohne Wasser aufs Feuer, röstet sie hellgelb, gibt die Masse auf eine geölte Emailplatte, streicht sie mit einer Zitrone auseinander, lässt sie erkalten und hackt sie nachher fein. Aus den übrigen Zutaten kocht man wie üblich eine Creme, mischt den Nougat und, wenn die Speise ziemlich abgekühlt ist, die Schlagsahne darunter, gibt sie in eine Glasschale und stellt sie kalt.

Diplomatencreme

Zutaten: 1/2 l Milch, 4 Eigelb, 4 Esslöffel Zucker, 1 gestrichener Esslöffel Stärkemehl, 4–6 Blatt weiße Gelatine, 1 Päckchen Vanillin, Schnee von 4 Eiweiß oder 1/4 l Schlagsahne, 2–3 Esslöffel Arrak.
Einlage: 6 Löffelbiskuits oder Makronen, 100 g würflig geschnittene Ananas, 100 g leicht gezuckerte Erdbeeren, 100 g in Scheibchen geschnittene Bananen, etwas Arrak zum Befeuchten.
Zubereitung: Man bereitet eine Creme wie gesulzte Vanillecreme. Dann füllt man in eine mit kaltem Wasser ausgespülte Form abwechselnd Creme, Löffelbiskuits und Früchte, mit Creme beginnend und abschließend. Dann stellt man die Speise kalt, stürzt sie vor Gebrauch und verziert sie mit Schlagsahne.

Aprikosenreis

Zutaten: Reisflammeri von 1/2 l Milch, 1 Prise Salz, 125 g Reis, 80 g Zucker, 6 Blatt weiße Gelatine, 1 Tasse Aprikosenmarmelade; 1/4 l Schlagsahne.
Zubereitung: Der Reis wird vor dem Zusetzen mit der Milch zwei- bis dreimal mit kochendem Wasser übergossen und mit kaltem Wasser abgespült, damit er ganz rein schmeckt. Dann wird er mit der Milch vorsichtig weichgekocht, gesüßt, mit der aufgelösten Gelatine gemischt und vor dem völligen Erkalten mit der Aprikosenmarmelade und der Schlagsahne vermengt. Man füllt die Masse in eine mit Öl ausgepinselte Flammeriform, stellt sie kalt, stürzt sie vor Gebrauch und verziert sie mit Schlagsahne.
Wer will, kann eine Vanillesoße dazu reichen.
Die Speise schmeckt auch köstlich, wenn man die Aprikosenmarmelade weglässt.

Schokoladecreme

Zubereitung wie Vanillecreme. Man setzt der Milch 100 g geriebene, feine Blockschokolade zu oder weicht die in Stücke gebrochene Schokolade mit einem kleinen Teil der Milch vorher auf, verringert jedoch die Zuckermenge. – Statt der Schokolade kann man auch 50 g Kakaopulver nehmen, das man mit dem Stärkemehl zusammen anrührt. Vergleiche Schokoladesoße Seite 173.

Gesulzte Schokoladecreme

Zutaten: 1/2 l Milch, 3–4 Eigelb, 100 g Zucker, 10 g Vanillin, 50 g Schokolade, 1 ge-

strichenen Esslöffel Mondamin, 4–6 Blatt weiße Gelatine, Schnee von 3–4 Eiweiß; nach Belieben 1/4 l Schlagsahne.
Zubereitung: Milch, Eigelb, Zucker, die geriebene Schokolade, Vanillin und Mondamin rührt man zusammen an und schlägt die Masse auf dem Herd bis zum Kochen. Dann nimmt man sie weg, rührt die mit wenig kochendem Wasser aufgelöste Gelatine hinein und schlägt die Masse, bis sie anfängt zu stocken. Dann zieht man den steifen Eischnee oder Schlagsahne darunter füllt die Creme in eine Glasschale oder füllt sie in Gläser, stellt sie einige Stunden kalt und spritzt sie vor Gebrauch mit Schlagsahne.

Überbackene Weincreme

Zutaten: 1/2 l guter Weißwein oder Most, oder halb Wasser, halb Wein, 2–3 Eigelb, 125 g Zucker, Schale 1/2 Zitrone, 2 gestrichene Esslöffel Stärkemehl; – Schnee von 2–3 Eiweiß, 30 g geschälte, in Stifte geschnittene Mandeln, etwas Zucker.

So sieht überbackene Weincreme aus

Zubereitung: In einem Emailtopf kocht man aus Wein, Eigelb, Zucker, Zitronenschale und Mondamin eine Creme wie Vanillecreme, nimmt sie vom Herd, schüttet sie auf eine tiefe Porzellanplatte oder Glasform und lässt sie erkalten. Unterdessen schlägt man einen sehr steifen Schnee, süßt ihn mit 1 Esslöffel Zucker und streicht ihn bergig über die Weincreme. (Man kann den Eischnee auch gitterartig darüberspritzen.) Nun verteilt man die Mandeln gleichmäßig darauf, siebt etwas Zucker darüber und überbackt die Creme im heißen Backofen zu hellgelber Farbe.

Russische Charlotte (für 8–10 Personen)

Zutaten:

a) für den Boden: Biskuitboden aus 1 Eigelb, 2 Esslöffel Wasser, 40 g Zucker, 1 Eischnee, 40 g Mehl, 1 Messerspitze Backpulver;
b) zum Auslegen: 28 Löffelbiskuit;
c) Creme aus 5 Eigelb, 100 g Zucker, 1 Teelöffel Mondamin, 1/2 l Milch, 1/2 Stange Vanille oder 2 Päckchen Vanillin; – 10 Blatt weiße Gelatine; – Schnee von 5 Eiweiß oder 1/4 l Schlagsahne; etwas Rum.

Zubereitung: Der Rand einer Tortenform Ø 24–26 cm wird mit Löffelbiskuit ausgelegt, die man an einer Seite waagrecht abschneidet, damit sie besser stehen. Man kann sie an den seitlichen Rändern mit Eiweiß etwas kleben. Der Boden der Tortenplatte wird mit dem Biskuitboden belegt und mit etwas Rum getränkt. In die so vorbereitete Form gießt man die Hälfte der nach dem Grundrezept hergestellten Creme, streut die mit Rum getränkten übrigen Biskuitreste darauf und gießt den Rest der Creme darüber. Man stellt die Speise 2 Stunden kalt. Dann entfernt man den Rand und verziert die Speise oben und zwischen den Löffelbiskuits.

Schokolade-Charlotte (8–10 Personen)

Zutaten: Biskuitboden wie zur Russischen, 28 Löffelbiskuits; Arrak oder Rum zum Befeuchten; – Creme aus: 1/2 l Milch, 3–4 Eigelb, 60 g Zucker, 10 g Mondamin, 1 Päckchen Vanillin, 100 g geriebene Schmelzschokolade oder 1 gehäufter Esslöffel Kakao und 1–2 Esslöffel Zucker, 8–10 Blatt Gelatine; – Schnee von 3–4 Eiweiß, 1/4 l Schlagsahne. (Verwendet man Eischnee und Schlagsahne, braucht man 10 Blatt Gelatine. Zubereitung wie Russische Charlotte, jedoch ohne Zwischenlage.

Ananas-Charlotte (8–10 Personen)

Zutaten: Biskuitboden wie zur Russischen Charlotte, 28 Löffelbiskuits; – Rum zum Befeuchten; – Creme von: 1/8 l Ananassaft, 40 g Zucker, 5 Blatt weiße Gelatine, Ananasstückchen aus 3 Scheiben Ananas; – 1/4 l Schlagsahne, 1 Vanillin; – Zwischenlage aus Ananasstückchen aus 2–3 Scheiben; 1/8 l Schlagsahne und Ananasstücke zum Garnieren.
Zubereitung: Die Form wird wie zur Russischen Charlotte vorbereitet. – Zur Creme wird die aufgelöste Gelatine zu dem gesüßten Ananassaft gegeben und, wenn dieser stockt, mit der steifen Schlagsahne und den Ananasstückchen gemischt. Nun füllt man die Creme zur Hälfte ein, gibt die Zwischenlage und den Rest der Creme darauf und stellt die Speise kalt. Sie wird wie die „Russische" fertiggemacht.

Zitronenspeise

Zutaten: Schnee von 2 Eiweiß, 2 Eigelb, 125 g Zucker, Saft von 2 großen, Schale 1/2 Zitrone, 3–4 Blatt weiße Gelatine, 1/4 l Schlagsahne.
Zubereitung: Eischnee, Eigelb, Zucker und geriebene Zitronenschale rührt man schaumig. Die eingeweichte, ausgedrückte Gelatine löst man in heißem Zitronensaft auf, lässt die Mischung abkühlen und gibt sie, wenn sie anfängt leicht sämig zu werden, unter die schaumig gerührte Ei-Zuckermasse. Diese rührt man so lange weiter, bis sie anfängt, dick zu werden, mischt die steife Schlagsahne, oder, wenn man die Speise verbilligen will, steifen Eischnee von übrigem Eiweiß darunter und füllt sie in Weingläser. Man lässt die Speise erstarren und spritzt sie vor dem Auftragen mit Schlagsahne.

Gefüllte Apfelsinen

Zutaten: 4 gr. Apfelsinen, 1 Zitrone, 100 g Zucker, 4 Blatt weiße Gelatine, 1/8 l Schlag-

sahne oder Schnee von 2 Eiweiß. – 1/8 l Schlagsahne zum Spritzen. (Auf jede Frucht rechnet man 1 Blatt Gelatine und 1 Esslöffel Zucker.)
Zubereitung: Die Apfelsinen schneidet man quer durch, nimmt das Fruchtfleisch vorsichtig mit einem Kaffeelöffelchen heraus, ohne die Schale zu verletzen und presst den Saft aus. Die Zitrone reibt man zu einem Drittel ab, gibt die Schale zu dem Apfelsinensaft, erhitzt den Zitronensaft und löst darin die eingeweichte, ausgedrückte Gelatine auf. Diese Lösung mischt man mit dem Apfelsinensaft und dem Zucker und stellt sie kalt. Sobald sie anfängt, sämig zu werden, mischt man 1/8 l Schlagsahne oder Schnee von 2 Eiweiß darunter und füllt die Creme in die leeren Apfelsinenhälften. Man lässt sie darin erstarren und spritzt sie vor dem Auftragen mit Schlagsahne. Man kann die Creme auch in Kelchgläser oder eine Glasschale füllen.

Sauermilchspeise

Zutaten: 1/2 l Sauermilch, 100 g Zucker, 4 Blatt weiße, 1 Blatt rote Gelatine, Saft und Schale 1/2 Zitrone.
Zubereitung: Die Gelatine wird in kaltem Wasser eingeweicht, damit sie den Leimgeschmack verliert, dann fest ausgedrückt, in ein kleines Töpfchen gebracht und mit 2 Esslöffel heißem Wasser und dem Zitronensaft auf schwacher Hitze aufgelöst, aber ja nicht gekocht. Die übrigen Zutaten werden gut miteinander zerquirlt, die aufgelöste Gelatine durch ein Teesieb dazugeschüttet, durchgerührt und die Masse in eine Glasschale oder in Weingläser gefüllt. Man stellt sie kalt und reicht sie mit Vanillesoße.

Buttermilchspeise

Zutaten: 1/2 l Buttermilch, 80–100 g Zucker, 1 Stück Vanilleschote, 4 Blatt weiße, 1 Blatt rote Gelatine, 2 Esslöffel kochendes Wasser, 1 Esslöffel Zitronensaft.
Zubereitung: Die Vanilleschote wird ausgekratzt, die Samen mit dem Zucker vermischt und beides mit der Buttermilch schaumig geschlagen. Dann rührt man die in kochendem Wasser aufgelöste vorgerichtete Gelatine darunter und schlägt so lange weiter, bis die Masse sämig zu werden beginnt. Dann füllt man sie in eine Glasschale oder Weingläser. Man reicht Vanillesoße dazu.

Ambrosia

Zutaten: 1/2 l saure Sahne, 100 g Zucker, 4 Blatt weiße, 1 Blatt rote Gelatine, 2 Esslöffel kochendes Wasser, 1 Esslöffel Zitronensaft, 1 Esslöffel Rum, 1/8 l Schlagsahne.
Zubereitung wie Buttermilchspeise, nur nimmt man statt saurer Milch saure Sahne oder halb Sauermilch, halb Sahne. Man füllt die Speise in Kelchgläser und spritzt sie vor dem Auftragen mit Schlagsahne.

Rote Apfelspeise

Zutaten: 750 g Äpfel, 1/2 l Wasser, Saft und Schale 1 Zitrone; 200–250 g Zucker, 8 Blatt rote Gelatine, 1 Glas Rotwein, 2–3 Esslöffel Arrak oder Rum.
Zubereitung: Die gewaschenen, geschälten, in Stücke geschnittenen Äpfel kocht man in Wasser weich, streicht sie durch ein Sieb, gibt Zucker, Zitronensaft und -schale, die in heißem Wein aufgelöste Gelatine dazu, zuletzt den Arrak. Man rührt alles sehr gut kalt, stürzt sie vor Gebrauch und gibt Vanillesoße dazu.

Erdbeer- oder Himbeerspeise

Zutaten: 500 g durch ein Sieb gestrichene Erd- oder Himbeeren, 150 g Zucker, 5 Blatt weiße, 1 Blatt rote Gelatine, 6 Esslöffel Wasser; – 1/4 l Schlagsahne.

Zubereitung: Das gesüßte Beerenmark mischt man mit der in heißem Wasser aufgelösten Gelatine und mischt, wenn die Masse zu stocken beginnt, die steife Schlagsahne darunter.

Rumstand

Zutaten: 1/2 l Milch, 100 g Zucker, 50 g geschälte, geriebene Mandeln, Rum nach Geschmack, 1 Päckchen Vanillin, 6 Blatt weiße Gelatine, 4 Esslöffel kochendes Wasser zum Auflösen, 1–2 Eier.
Zubereitung: Milch, Zucker, Eigelb, Vanillin werden unter Schlagen gekocht, die aufgelöste Gelatine daruntergerührt, mit Rum abgeschmeckt und der steife Schnee locker untergezogen. Man füllt die Speise in Gläser oder in eine Schale und stellt sie bis zum Gebrauch kalt.

Makai

Zutaten: 1/2 l saure Sahne, 50 g abgezogene, süße, 2 bittere Mandeln, 150 g Zucker, Saft einer halben Zitrone, 3 Blatt weiße Gelatine.
Zubereitung: Die steifgeschlagene Sahne wird mit den gehackten Mandeln, dem Zucker, Zitronensaft und der aufgelösten Gelatine vermischt, in kleine Glasschälchen gefüllt und kalt gestellt. Man reicht die Speise mit Aprikosentunke, die man aus verdünnter Aprikosenmarmelade herstellt.

Gesulzte Weincreme

Zutaten: 1/4 l Weißwein, 1/4 l Wasser, 2 Eigelb, 1 ganzes Ei, Saft und Schale 1/2 Zitrone, 120 g Zucker, 6–8 Blatt weiße Gelatine; Schnee von 2 Eiweiß.
Zubereitung: Die eingeweichte, ausgedrückte Gelatine gibt man mit Wein, Ei, Eigelb, Zucker und Zitrone aufs Feuer und schlägt die Masse ununterbrochen bis zum Kochen. Dann nimmt man sie sofort vom Herd, mischt den steifen Eischnee darunter und füllt sie in eine mit kaltem Wasser ausgespülte Form. Vor dem Auftragen wird sie gestürzt und nach Belieben mit Schlagsahne gespritzt.

Russische Creme

Zutaten: 2–3 Eigelb, 5–6 Esslöffel Zucker, 2 Esslöffel Arrak, 1/2 l Schlagsahne.
Zubereitung: Eigelb und Zucker rührt man 20 Minuten schaumig, mischt dann den Arrak und die steife Schlagsahne darunter und serviert die Creme in Weingläsern. Man gibt leichtes Gebäck dazu.

Feine Schokoladenspeise

Zutaten: 125 g Butter, 125 g Zucker, 125 g Schokolade, 1/8 l Milch, 1 Päckchen Vanillin; – 125 g Biskuit, 1/4 l Schlagsahne.
Zubereitung: Die in Stücke gebrochene oder geriebene Schokolade lässt man mit der Milch so lange kochen, bis die Masse dicklich wird, lässt sie abkühlen und mischt sie nach und nach zu der unterdessen mit dem Zucker schaumig gerührten Butter. Nun legt man in eine Glasschale schichtenweise Creme und Biskuitscheiben, mit Creme beginnend und schließend und bedeckt das Ganze mit einer dicken Schicht steifer Schlagsahne.
Man kann die Speise auch in Kelchgläser füllen und mit Schlagsahne spritzen.

SPEISEEISBEREITUNG

I. Grundsätzliches über das Gefrieren

Bei allen Beschreibungen über die Herstellung von Speiseeis wird angegeben, dass man die betreffende Masse in gutverschlossenem Gefäß zwischen Eis und Viehsalz eingebettet gefrieren lassen solle. Es ist jedem verständlich, dass man Eis braucht. Weniger bekannt ist, warum Salzzusatz notwendig, ja unentbehrlich ist, zumal doch das Eis durch Aufstreuen von Salz viel rascher zu schmelzen beginnt als ohne dieses. Dazu ist folgendes zu sagen: Auch eine noch so gut abgekühlte, gefrierfertige Speiseeismasse hat an heißen Tagen noch eine Temperatur von + 12–15°C. Würde man das mit der Masse gefüllte Gefäß nur mit zerkleinertem Eis umgeben, so würde dieses schmelzen, also seine eigenen Kältegrade verlieren und dem Inhalt des Gefäßes gleichzeitig einige Wärmegrade entziehen. Das umgebende Eis wäre zerschmolzen, ehe der Inhalt des Gefäßes auch nur auf 0°C gesunken wäre. Damit wäre der gewünschte Erfolg, nämlich das Festwerden der Masse, das erst einige Grade unter 0°C beginnt, nicht erreicht. Streut man nun aber zwischen jede Schicht zerkleinerten Eises einige Hände voll Viehsalz, so finden statt *einem* gleichzeitig zwei Schmelz- oder besser Lösungsvorgänge statt, der des Eises und der des Salzes. Nun aber wird bei jedem Lösungsvorgang Wärme verbraucht oder Kälte erzeugt. Das sich lösende Eis entzieht die Wärme seiner Umgebung, also dem eingestellten Gefäß und der Außenluft. Das zwischen das Eis gestreute Salz braucht aber, um sich zu lösen, ebenfalls Wärme, die es im Eis selbst nicht findet. Es muss also die Wärme ebenfalls aus dem Gefäß und der Außenluft ziehen. Diese beiden gleichzeitig stattfindenden Lösungsvorgänge entziehen zusammen ihrer Umgebung so viel Wärme oder erzeugen so viel Kälte, dass das Schmelzwasser bis zu einer Temperatur von – 10 bis 15°C herabsinkt, was den Inhalt des eingestellten Gefäßes zum Gefrieren bringt. Je stärker das Eis zerkleinert und je mehr Salz dazwischen gestreut wird, desto rascher und tiefer sinkt die Temperatur des Schmelzwassers, die bis – 21°C fallen kann. D i e s e s also bringt die Masse zum Gefrieren und darf deshalb nicht, wie es oft geschieht, abgegossen werden. (Man rechnet, wenn man rasch zum Erfolg kommen will, 2–3 Teile Eis auf 1 Teil Salz). Nun soll aber das Gefrorene nachher nicht hart und bröcklig, sondern salbenartig fest und cremig sein. Würde man das Gefäß nur ruhig in der Salz-Eis-Mischung stehen lassen, würde es aber hart und spröde werden. Um dieses zu vermeiden, muss das Gefäß und damit der Inhalt während des Gefrierens bewegt werden, dadurch wird die Masse salbenartig steif. – Nur reines Sahneeis (Eisbomben), braucht seines hohen Fettgehalts wegen nicht gerührt zu werden, sondern kann sofort in der Bombenform zwischen Eis und Salz eingebettet werden.

II. Arten der Eisbereitung

1. D i e H e r s t e l l u n g i n d e r E i s m a s c h i n e . Diese besteht aus einem verzinnten, länglichen Gefäß, der Gefrierbüchse, mit übergreifendem Deckel, einem Rührwerk mit doppelter Übersetzung und einem kleinen Kübel aus Holz oder Weißblech, in den die Büchse nach Gebrauchsanweisung eingesetzt wird. Dieser lässt so viel Raum zwischen Büchse und Wand, dass genügend Eis- und Salzmischung dazwischen gestreut werden kann. (Für eine Büchse von 2 l Inhalt braucht man etwa 3 kg Eis und 1 kg Viehsalz. Das Zerkleinern des Roheises kann man sich sehr erleichtern, wenn man es auf einem Steinboden mit einem Sack bedeckt mit einem Gewichtstein oder breitem Hammer zerschlägt.) Nachdem man die Speiseeismasse in die Büchse gefüllt und diese gut verschlossen in den Kübel eingesetzt und mit Eis

und Salz umgeben hat, beginnt man mit Drehen. Dabei wird das Gefäß nach der einen, das Rührwerk innen nach der anderen Seite gedreht, so dass der Inhalt bei jeder Drehung durcheinander gemischt wird. Es wird also das an der Büchsenwand zuerst Festgefrorene mit den inneren, noch weichen Teilen verrührt. Meist genügen 10–15 Minuten Zeit, um die ganze Masse sahnig zu rühren. Dann wird die Büchse außen abgewischt, vorsichtig, damit kein Salzwasser hineinkommt, geöffnet, das Rührwerk herausgenommen, die Masse mit einem Löffel oben glatt gestrichen und nun die Büchse fest verschlossen. Die in der Mitte des Deckels vorhandene Öffnung wird mit einem gut passenden Kork verstopft und der ganze Deckel mit einem gefetteten Pergamentpapier bedeckt. Nun wird die Büchse wieder in die Salz-Eismischung gegeben und auch oben mit Eis und Salz bedeckt. Damit das Salzwasser nie die Höhe des Büchsenrandes erreichen und damit in das Innere der Büchse eindringen kann, ist an der Kübelwand oben ein Loch eingebohrt, durch das alles überschüssige Salzwasser ablaufen kann. (Dieses ist sehr scharf und muss deshalb, damit es keine Flecken auf dem Fußboden hinterlässt, in irgendeinem Gefäß aufgefangen werden.) Nach etwa 1/2 Stunde ist die Masse gleichmäßig steif durchgefroren und damit gebrauchsfertig. Nun wird die Büchse herausgenommen, sauber abgewischt, damit beim Herausnehmen keine Salzwassertropfen in die Masse fallen können, der Deckel abgenommen, die Form einen Augenblick in heißes Wasser getaucht, gut abgetrocknet und sofort gestürzt. Das Eis kann vor dem Auftragen noch mit steifer Schlagsahne verziert werden.

2. Die Herstellung von Speiseeis im Kühlschrank. Am einfachsten wird Speiseeis im Kühlschrank bereitet. Das dort eingebaute Kühlaggregat ist stark genug, richtig zusammengesetzte Speiseeismassen zum Gefrieren zu bringen. Dabei müssen aber verschiedene Gesichtspunkte beachtet werden. Besonders wichtig ist, dass der Kühlschrank frisch abgetaut ist, also keinerlei Eisrückstände enthalten darf. Vor dem Einschieben der Eisschalen muss die stärkste Kühlstufe eingeschaltet werden. Da die Speiseeismasse nicht wie in der Eismaschine bewegt werden kann, muss sie verschiedenmal während der Gefrierdauer durchgemischt, d. h. am Rand des Gefäßes mit einem Spatel losgelöst und der festgefrorene Teil mit dem noch weichen durcheinander gemischt werden. Meist genügt ein 2–3maliges Durchmischen. Je fetthaltiger die Speiseeismasse ist, desto besser wird das Ergebnis. Bei sogenannten „Wasser"- oder Saft-Eis muss unbedingt etwas aufgelöste Gelatine zugesetzt werden, um ein Auskristallisieren zu verhindern. Es eignet sich besser zur Herstellung in der Eismaschine. Man sollte für den Kühlschrank die Herstellung von Cremeeis, das man vorsorglich ebenfalls mit etwas Gelatine oder Stärkemehl binden kann, bevorzugen, um ein salbenartig zartes, cremeiges Ergebnis zu erzielen. Am besten gelingt Rahmeis, dessen emulgierter Fettgehalt ein Hartwerden der Masse verhindert. – Zeit etwa 3 Stunden.
(Eine im Gefrierfach eingebaute Eismaschine ist im Kommen.)

III. Die Zusammensetzung der Speiseeismasse

Maßgebend für das Gelingen ist neben der richtigen Gefriermethode die richtige Zusammensetzung der Speiseeismasse. Die ausschlaggebende Rolle spielt hier der Zucker. Ist die Masse zu stark gesüßt, wird sie nicht steif, ist sie zu schwach gesüßt, entstehen kleine, wässerig schmeckende Eiskristalle, die die Masse rauh erscheinen lassen. Es gilt also auch hier, bestimmte Grundmaße einzuhalten, wie sie in nachfolgenden Grundrezepten festgelegt sind.

So wird alles zur Eisbereitung zusammengestellt

... und so wird nach dem Schließen der Form diese in die Eis-Salz-Mischung eingegraben

Grundrezept für Fruchteis mit frischen Früchten:

Zutaten: 500 g ganz fein zerdrückte rohe Früchte, 1/4 l süße Sahne, 160–180 g Zucker, nach Belieben Vanille.
Zubereitung: Die angegebenen Zutaten werden kalt verrührt und auf oben beschriebene Weise zum Gefrieren gebracht. Wichtig ist, dass frische Früchte sehr fein zerdrückt oder durchgeschlagen werden, damit sich das Fruchtmark gut mit Sahne und Zucker mischen lässt. Bleiben kleine Früchtebrocken darin, so gefrieren diese zu harten, geschmacklosen Stücken, die die Güte des Ganzen beeinträchtigen. Besonders gut geeignete Früchtesorten sind: Erdbeeren, Himbeeren, Johannisbeeren, Aprikosen, Pfirsiche, Bananen (ohne Schale gewogen).
Beim Anrichten kann man alle Eissorten mit Schlagsahne spritzen. Man reicht Wäffelchen dazu.

Erdbeereis

Zutaten siehe Grundrezept.
Zubereitung: Die gut ausgereiften Früchte werden nach dem Waschen vom Stiel befreit und mit Zucker und Sahne im Mixgerät gut durchgemischt und zum Gefrieren gebracht. Beim Anrichten kann man das Eis mit Schlagsahne spritzen.

Himbeereis

wird auf dieselbe Weise bereitet.

Pfirsicheis

Zutaten siehe Grundrezept.
Zubereitung: Die Pfirsiche werden in einem Sieb ganz kurz in kochendes Wasser getaucht, damit sich die Haut leicht abziehen lässt. Dann werden sie geschält, entkernt und mit den übrigen Zutaten gemixt oder durch ein Sieb gestrichen und wie oben zum Gefrieren gebracht.

Aprikoseneis

Zutaten: 1/2 l Wasser, 300 g Zucker, 1/2 l Aprikosenbrei aus frischen Früchten, den man mit 2 Esslöffel Zucker und 2 Esslöffel Zitronensaft gut verrührt hat.
Zubereitung: Wasser und Zucker lässt man aufkochen und abkühlen. Dann mischt man alle Zutaten und bringt sie zum Gefrieren. Wer will, kann, solange die Eismasse noch weich ist, 1/4 l steife, schwachgesüßte Schlagsahne unterziehen und fertigfrieren lassen.

Zitroneneis

Zutaten: Saft von 3 großen Zitronen, Schale 1 Zitrone, 3/8 l Wasser, 250 g Zucker, 1–2 Eiweiß.
Zubereitung: Die fein abgeriebene Zitronenschale wird mit Wasser und Zucker aufgekocht, abgekühlt, mit dem Zitronensaft und dem zu weichem Schaum geschlagenen Eiweiß gemischt und auf die vorbeschriebene Weise zum Gefrieren gebracht.

Apfelsineneis

Zutaten: Saft von 3 großen Apfelsinen, Schale 1 großen Apfelsine, Saft 1 kleinen Zitrone, Schale 1/2 Zitrone, 3/8–1/2 l Wasser, 250 g Zucker, nach Belieben 1/4 l Schlagsahne.
Zubereitung: Die Apfelsinen werden ganz dünn abgeschält, die Schale mit Wasser und Zucker gut durchgekocht und die dünn abgeschälte Zitronenschale damit angebrüht. Nach dem Erkalten werden die Schalen herausgenommen, der Apfelsinen- und Zitronensaft darunter gemischt und das Ganze zum Gefrieren gebracht. Wer will kann, solange die Eismasse noch weich ist, vor dem Festgefrieren 1/4 l steife, schwach gesüßte Schlagsahne daruntermengen.

Sauermilch-Zitroneneis (ganz besonders empfehlenswert und bekömmlich)

Zutaten: 1/2 l Sauermilch, Saft 1 Zitrone, Schale 1/2 Zitrone, 160 g Zucker, 1 Esslöffel Arrak, nach Belieben zusätzlich einige Esslöffel Sahne.
Zubereitung: Die Sauermilch wird schaumig geschlagen, mit den übrigen Zutaten vermischt zum Gefrieren gebracht und beim Anrichten mit Schlagsahne verziert. Sauermilcheis ist ganz besonders erfrischend, nahrhaft und leicht verdaulich.

Grundrezept für Fruchteis aus Fruchtsäften:

Zutaten: 1/4 l ungesüßter Johannisbeer-, Erdbeer- oder Himbeersaft, 1/8 l süße Sahne, 1/8 l Wasser, 160–200 g Zucker.
Zubereitung: Der Saft wird mit den übrigen Zutaten gut durchgequirlt und zum Gefrieren gebracht. Hat man nur gesüßte Säfte zur Verfügung, so verdünnt man diese mit Wasser und Sahne, bis sie angenehm süß schmecken, bringt sie dann in üblicher Weise zum Gefrieren. (Hat man eine Zuckerwaage zur Verfügung, so verdünnt man bis auf 18° C.)

Grundrezept für Fruchteis aus Marmeladen:

Zutaten: 250 g Marmelade, 1/4 l Wasser oder süße Sahne oder halb Wasser, halb Sahne.
Zubereitung: Die Zutaten werden solange geschlagen oder gequirlt, bis keine Marmeladeklümpchen mehr darin schwimmen und die Masse vollkommen gleichmäßig durchgemischt ist. Es eignen sich besonders gut folgende Marmeladesorten: Aprikosen, Himbeeren, Erdbeeren, Johannisbeeren (ohne Kernchen).

Grundrezept für Cremeeis:

Zutaten: 1/2 l Milch, 2 Eigelb und 1 ganzes Ei oder 4 Eigelb, 100 g Zucker, Geschmackszutaten.
Zubereitung: Man rührt die angegebenen Zutaten kalt an, schlägt die Masse auf dem Herd bis zum Kochen, nimmt sie dann sofort weg und rührt sie kalt. (Das Rühren verhindert Hautbildung.) Die Zubereitung ist also nahezu gleich wie die zu gekochten Cremes. Bindemittel, wie Stärkemehl oder Gelatine, sind bei Herstellung in der Eis-

maschine überflüssig, weil das Steifwerden der Masse ja durch das Gefrieren erreicht wird. Bei Benützung des Kühlschrankes setzt man der Creme zur Vermeidung von Kristallbildung entweder 1 Bl. Gelatine oder 20 g Stärkemehl zu. Die fertige Speiseeismasse wird, wie auf Seite 121 und 122 beschrieben, zum Gefrieren gebracht. Will man die Masse noch verfeinern, kann man vor dem Festfrieren noch 1/4 l süßen, steifen, schwach gezuckerten Schlagrahm daruntermengen.

Grundrezept zu Eisbomben:

Zutaten wie zu Cremeeis, aber statt Milch Sahne.
1/2 l Schlagsahne, 4 Eigelb, 100 g Zucker , Geschmackszutaten.
Zubereitung: Siehe Grundrezept von gekochter Creme Seite 173.

Zutaten zu Fruchteis
1/2 l süße Schlagsahne, 500 g Fruchtmark aus frischen oder ungezuckerten gedünsteten Früchten, 150–200 g Zucker; nach Belieben Zitronensaft.
Zubereitung: Das mit Zucker verrührte Fruchtmark wird mit der steifgeschlagenen Sahne vermischt und wie oben beschrieben zum Gefrieren gebracht.

Einzelrezepte zu Bomben erübrigen sich, da man sämtliche Speiseeisarten statt mit Milch mit süßer Sahne herstellt. Da die Sahnemassen sehr fett sind, kann man sie gleich nach der Zubereitung in die mit kaltem Wasser ausgespülte, verzinnte Bombenform einfüllen, mit gefettetem Pergamentpapier bedecken, mit dem Deckel gut dicht verschließen und in der Eis-Salzmischung 3–4 Stunden festfrieren. – Vor Gebrauch wischt man die Form gut ab, dass kein Salzwasser an den Inhalt gelangen kann, hält die Form einen Augenblick in heißes Wasser, nimmt den Deckel ab, löst den Inhalt mit dem Messer am Rand etwas ab, stürzt die Bombe auf eine hübsche Platte und spritzt sie mit leicht gesüßter Schlagsahne.

Vanilleeis

Zutaten: 1/2 l Milch, 2 Eigelb und 1 ganzes Ei oder 4 Eigelb, 100 g Zucker, 1–2 Päckchen Vanillin oder 1/2 Vanilleschote (aufgeschnitten und ausgeschabt). Nach Belieben 1/4 l Sahne.
Zubereitung siehe Grundrezept.

Schokoladeeis

Zutaten: 1/2 l Milch, 125 g geriebene gute Speiseschokolade, 2–3 Esslöffel Zucker, 2 Eigelb, 1 Ei oder 4 Eigelb, Vanillin nach Geschmack. Nach Belieben 1/4 l Schlagsahne.
Zubereitung siehe Grundrezept. Man kann die Schokolade auch mit einem Teil der Milch auf schwachem Feuer erweichen (anstatt sie zu reiben) und mit den übrigen Zutaten zusammen wie beim Grundrezept schlagen.

Haselnusseis

Zutaten: 1/2 l Milch, 2 Eigelb und 1 ganzes Ei oder 4 Eigelb, 100 g Zucker, 50 g Haselnüsse.
Zubereitung: Die Haselnüsse werden auf einem Blech im heißen Backofen trocken geröstet, bis sich die Haut leicht abreiben lässt. Dann werden sie auf ein reines Tuch geschüttet, durchgerieben, die so geschälten Haselnüsse fein gemahlen, mit der Milch aufgekocht, abgekühlt und durch ein Sieb gestrichen. Nun mischt man die übrigen Zutaten darunter, schlägt

die Masse auf dem Feuer bis zum Kochen, nimmt sie sofort weg und macht sie nach dem Grundrezept fertig.

Mandeleis

Zutaten: 1/2 l Milch, 2 Eigelb und 1 ganzes Ei oder 4 Eigelb, 100 g Zucker, 50 g geschälte, geriebene süße Mandeln, 2 geschälte, geriebene bittere Mandeln.
Zubereitung siehe Grundrezept.

Krokanteis

Zutaten: 1/2 Milch, 2 Eigelb und 1 ganzes Ei oder 4 Eigelb, 100 g Zucker, 1 Päckchen Vanillin, 50 g Mandeln.
Zubereitung: Die mit einem Tuch abgeriebenen, grobgehackten Mandeln werden mit 2 Esslöffel Zucker in einem eisernen Pfännchen hellbraun geröstet, abgekühlt und durch die Mandelmühle gedreht oder fein zerstoßen. Nun setzt man sie mit den übrigen Zutaten zusammen aufs Feuer, bringt die Masse unter Schlagen zum Kochen, nimmt sie vom Feuer und macht sie nach dem Grundrezept fertig.

Mokkaeis

Zutaten: 1/4 l starker Bohnenkaffee (hergestellt aus 3/8 l Wasser, 40 g feingemahlenem gutem Kaffee), 1/4 l Milch, 2 Eigelb und 1 ganzes Ei oder 4 Eigelb, 80–100 g Zucker, etwas Vanillin. Nach Belieben 1/4 l Schlagsahne.
Zubereitung: Man brüht zuerst den gemahlenen Kaffee mit dem frisch strudelnden Wasser an, deckt ihn zu, lässt ihn etwa 8 Minuten ziehen, seiht ihn vorsichtig ab und mischt den Aufguss mit den übrigen Zutaten. Nun bringt man die Masse aufs Feuer, bringt sie unter fortwährendem Schlagen zum Kochen, nimmt sie sofort weg und stellt sie nach dem Grundrezept fertig.
Man kann Mokkaeis auch mit Puderkaffee herstellen. Man nimmt 1/4 l Milch, 1 Esslöffel Puderkaffee statt Kaffeeaufguss.

Karamelleis

Zutaten: 3/8 l Milch, 2 Eigelb und 1 ganzes Ei oder 4 Eigelb, 80 g Zucker, 1 Päckchen Vanillin, 2 Esslöffel Zucker, 1/8 l Wasser.
Zubereitung: Man röstet 2 Esslöffel Zucker in einem eisernen Brattopf unter Umrühren solange, bis er flüssig und hellbraun wird. Dann löscht man ihn mit 1/8 l Wasser ab, lässt die Flüssigkeit durchkochen, bis sich der Zucker vollständig aufgelöst hat und vermischt sie hierauf mit den übrigen Zutaten. Dann wird das Eis nach dem Grundrezept fertig gemacht.

Grundmenge für Kompotte:

750 g Obst, 2–3 Esslöffel Zucker, 1/4–3/4 l Wasser, Zitronenschale oder Zimt nach Geschmack.
Als Hauptspeise: Doppelte Menge.

Apfelkompott

Zutaten: 750 g Äpfel, 1/2 l Wasser, 2–3 Esslöffel Zucker, 1 Stückchen ganzer Zimt oder Zitronenschale.
Zubereitung: Wasser, Zucker und Zimt lässt man zusammen kochen, solange man die Äpfel vorrichtet. Diese werden dünn geschält, in Viertel geschnitten und vom Kernhaus befreit. Nun gibt man sie in das kochende Zuckerwasser, das unterdessen den Geschmack der

Gewürze angenommen hat, und kocht sie zugedeckt in milder Hitze weich und glasig. Nach dem Erkalten richtet man das Kompott in einer Glasschale an. Kochdauer etwa 10–15 Minuten, je nach Sorte.

Apfelbrei

Zutaten: 1 kg Äpfel, 3/8 l Wasser; – Zucker nach Geschmack.
Zubereitung: Die gewaschenen, ungeschälten Früchte werden in Stücke geschnitten, mit dem Kernhaus in Wasser weichgekocht und durch ein Sieb gestrichen. Dann lässt man den Brei mit Zucker kurz aufkochen, damit sich dieser vollkommen löst und gibt ihn heiß oder kalt zu Tisch.
Wer will, kann mit den Äpfeln zusammen 1–2 Quitten kochen. Sie geben dem Brei ein herrliches Aroma.
Eine köstliche Nachspeise entsteht, wenn man unter den gekühlten Apfelbrei 1/4 l steif geschlagene süße Sahne mischt.

Birnenkompott

Zutaten: 750 g Birnen, 1/2 l Wasser, 1 Esslöffel Weinessig oder Zitronensaft, ein Stückchen Zitronenschale, 2–3 Esslöffel Zucker.
Zubereitung: Die Birnen werden geschält, von Blüte, Stiel und Kernhaus befreit und in dem kochenden, leicht gesäuerten Zuckerwasser langsam weitergedämpft. Kochzeit 20–60 Minuten, je nach Sorte. – Man kann es mit Rhabarberkompott zusammen mischen.

Kirschenkompott

Zutaten: 750 g Kirschen, 3/4 l Wasser, 1–3 Esslöffel Zucker, 1 Stückchen ganzen Zimt.
Zubereitung: Die gewaschenen, abgezupften Kirschen werden mit den übrigen Zutaten aufgestellt und weichgekocht. Kochdauer etwa 20 Minuten.

Aprikosenkompott

Zutaten: 750 g Aprikosen, 3/4 l Wasser, 2–3 Esslöffel Zucker, nach Belieben Zitronensaft.
Zubereitung: Die halbierten, entsteinten Früchte werden in Zuckerwasser weichgekocht.
Getrocknete Aprikosen eignen sich ebenfalls zu Kompott. Man rechnet 250 g, wäscht die Trockenfrüchte, weicht sie über Nacht in kaltem Wasser ein, setzt sie mit diesem und Zucker nach Geschmack auf und kocht sie weich.

Rhabarberkompott

Zutaten: 750 g Rhabarber, 1/2 l Wasser, 3 Esslöffel Zucker, 1 Stückchen ganzen Zimt.
Zubereitung: Die gewaschenen, in 3–4 Zentimeter lange Stückchen geschnittenen Rhabarberstengel setzt man in dem kochenden Zuckerwasser zu, verschließt den Topf mit einem gut passenden Deckel, lässt das Kompott einmal aufkochen und lässt es bei milder Hitze langsam zugedeckt weichdämpfen. Kochzeit 5–8 Minuten.

Heidelbeerkompott

Zutaten: 750 g Heidelbeeren, 2–3 Esslöffel Zucker, nach Belieben etwas Zitronensaft.
Zubereitung: Die Beeren werden verlesen, gewaschen, mit Zucker und Zitronensaft ohne Wasser zugesetzt und weichgekocht. Kochdauer etwa 20 Minuten.

Preiselbeerkompott

Zutaten: 750 g Preiselbeeren, 3/8 l Wasser, 150 g Zucker.
Zubereitung: Wasser und Zucker werden aufgekocht, die verlesenen, gewaschenen Beeren dazugegeben und 15 Minuten gekocht.

Zwetschgenkompott
Zutaten: 750 g Zwetschgen, 1/4 l Wasser, 2–3 Esslöffel Zucker.
Zubereitung: Die gewaschenen, halbierten und entsteinten Zwetschgen werden in Zuckerwasser weichgekocht.

Dörrobst
Zutaten: 250–400 g Mischobst, reichlich Wasser, Zucker nach Bedarf, ein Stückchen ganzen Zimt.
Zubereitung: Das sauber gewaschene Dörrobst wird über Nacht in reichlich Wasser eingeweicht, damit es quellen kann, am andern Tag mit dem Einweichwasser, Zucker und Zimt zugesetzt und langsam weichgekocht.

Grundmenge für Fruchtgrützen:

1 l Fruchtsaft, 90–125 g stärkehaltiges Dickungsmittel (Stärkemehl, Grieß, Sago).

Zubereitung wie kalte Puddinge oder Flammeris (siehe Seite 158 – ohne Fett- und Eizusatz).

Rote Grütze aus Fruchtsaft
Zutaten: 1 l Johannisbeer- oder Himbeersaft, Zucker nach Geschmack, 90 g Stärkemehl oder 100 g Sago oder 125 g Grieß.
Zubereitung: Man lässt in den gesüßten kochenden Saft das mit wenig Wasser angerührte Stärkemehl oder den trockenen Sago oder Grieß einlaufen, lässt die Masse unter Umrühren dickkochen und füllt sie in eine mit kaltem Wasser ausgespülte Form. Nach dem Erkalten wird die Speise gestürzt und mit Vanillesoße oder frischer kalter Milch gereicht.

Rharbarbergrütze
Zutaten: 500 g Rhabarber, 3/8 l Wasser (auf 1 l Flüssigkeit insgesamt aufgefüllt), 2–3 Esslöffel Zucker, etwas abgeriebene Zitronenschale; – 90 g Stärkemehl.
Zubereitung: Man lässt den Rhabarber in dem Zuckerwasser ganz zerkochen, gibt dann das mit wenig Wasser angerührte Stärkemehl hinzu und macht die Grütze wie oben fertig. Statt Stärkemehl kann man auch Grieß oder Sago verwenden, muss die Einlagemenge aber auf 100 g bzw. 125 g erhöhen.

Grundmenge für Obstspeisen und Quarkspeisen:

750 g Früchte, Zucker, Gewürze nach Geschmack, 250–500 g Quark;
1/8 bis 1/4 l Sahne.

Obst- und Quarkspeisen
kann man beliebig zusammenstellen; es folgen hier einige Anregungen.

Bircher-Müesli
Zutaten: 4 große Äpfel, 4 gestrichene Esslöffel Haferflocken, 12 Esslöffel Wasser, 4 Esslöffel geriebene Nüsse oder Mandeln, Saft von 2 Zitronen, 4 Esslöffel gezuckerte, kondensierte Milch oder entsprechend Honig.
Zubereitung: Die Haferflocken werden kurz in Wasser eingeweicht. Die Äpfel werden abgerieben und mit Schale und Kernhaus auf einer Apfelraffel in kleinen Mengen gerieben und sofort unter die mit den übrigen Zutaten vermischten Haferflocken gerührt, damit sie

Die erkaltete Fruchtgrütze wird auf einen Glasteller gestürzt

sich nicht verfärben. Die Mandeln kann man darunter mischen oder darüber streuen. Statt der Äpfel kann man frische Beeren, am Abend zuvor eingeweichte, kleingeschnittene Feigen, Aprikosen, Zwetschgen oder statt dessen Bananen, Sanddornsaft nach Geschmack nehmen und die Haferflocken durch Weizen- oder Reisflocken ersetzen.

Apfelschnee

Zutaten: 4 große Bratäpfel, 2–3 Esslöffel Zucker, Saft und Schale 1/2 Zitrone, Schnee von 2 Eiweiß.

Zubereitung: Mit dem steifen Eischnee mischt man die durch ein Sieb gestrichenen Äpfel, Zucker, Zitronenschale und -saft und schlägt alles zusammen so lange weiter, *bis die Masse weiß und steif wird.* Man füllt sie in eine Glasschale und gibt Keks dazu. An Stelle von Bratäpfeln kann man auch 4 Esslöffel Himbeermarmelade oder 500 g zerdrückte rohe Himbeeren nehmen.

Obstsalat

Zutaten: 4 Apfelsinen, Saft 1 Zitrone, 4 Feigen, 4 Datteln, 2 Bananen, 2–4 Äpfel (je nach Größe), 50 g geriebene oder in Blättchen oder Stifte geschnittene Mandeln, Hasel- oder Walnüsse, 50 g Sultaninen oder frische Traubenbeeren (1/4 l Sahne); Zucker nach Gutdünken.
Zubereitung: Die geschälten Apfelsinen werden quer in dünne Scheiben geschnitten, die geschälten Äpfel und Bananen, die Feigen und Datteln ebenfalls fein geschnitten. Nun mischt man alle Zutaten und lässt die Speise etwa 1 Stunde durchziehen. (Wer will, kann sie beim Anrichten mit Schlagsahne spritzen oder diese untermischen.)

Bananenspeise

Zutaten: 1 kg Bananen, Saft von 2 Zitronen, Zucker nach Gutdünken, 1/8–1/4 l Sahne, 2 Päckchen Vanillin.
Zubereitung: Man belegt eine Glasschale mit Bananenscheibchen, zuckert sie leicht ein und beträufelt sie mit Zitronensaft. Man füllt die Schale auf diese Weise zur Hälfte und spritzt die Speise mit Schlagsahne, die man leicht mit Vanillin süßt.

Erdbeerspeise

Zutaten: 1 kg über Nacht eingezuckerte Erdbeeren, 125 g zerbröckelte Makronen oder sonstiges Gebäck (1/4 l Schlagsahne).
Zubereitung: Beeren und Makronen schichtet man mit dem Saft abwechselnd in eine Glasschüssel und überdeckt das Ganze mit leichtgesüßter Schlagsahne.

Quarkspeise mit rohen Früchten

Zutaten: 250–500 g Quark, 1/8–1/4 l süße rohe oder Buttermilch (oder 1/4 l süße Sahne), 1 Kaffeelöffel abgeriebene Zitronenschale, Zucker nach Gutdünken, 750 g rohe geschälte, sehr feingeschnittene Äpfel oder zerdrückte Erd- oder Himbeeren oder sonstige geeignete rohe Früchte.
Zubereitung: Ganz frischer Speisequark wird durch ein Sieb gestrichen oder gemixt. Dann rührt man ihn mit Zucker und Zitronenschale schaumig und gibt löffelweise die Milch dazu. Nun mischt man die vorgerichteten Früchte (und zuletzt die steife Schlagsahne) darunter. Man darf die Speise nicht lange stehen lassen, da sie rasch sauer wird.

Quarkspeise mit eingemachten Früchten

Zutaten: 500 g Quark, 1/8–1/4 l süße rohe Milch oder Sahne, einige Esslöffel eingemachte Preiselbeeren oder Zwetschgenmus oder sonstiges Fruchtmus.
Zubereitung: Siehe Quarkspeise mit rohen Früchten. (Sofort verwenden!)

GETRÄNKE

1. Warme Getränke

Nach einer festlichen Mahlzeit reicht man stets als krönenden Abschluss eine gute Tasse Kaffee oder Mokka. Er regt den Magen zu erhöhter Tätigkeit an und vertreibt die Müdigkeit. Ähnlich ist es bei gutem schwarzem Tee, der mit seinem feinen Aroma eine ebenfalls anregende Wirkung ausübt. Kinder und nervöse Menschen sollten beide Getränke vermeiden, da sie das Nervensystem aufpeitschen.

Kaffee und Tee

Beide Aufgussgetränke verdanken ihre große Beliebtheit ihrer anregenden und belebenden Wirkung. Beide enthalten ein geruch- und geschmackloses Gift, das Koffein, das, wenn die Getränke im Übermaß genossen werden, schädliche Wirkungen auf das Nervensystem ausübt. Einen eigentlichen Nährwert erhalten beide Getränke erst durch die Zusätze von Zucker, Milch oder Sahne, weil beim Aufgießen mit kochendem Wasser nur das Koffein und die Röst- und Aromastoffe herausgezogen werden. Die Aromastoffe leiden stark durch unsachgemäße Zubereitung, und es empfiehlt sich, die vor den Rezepten stehenden Zubereitungsregeln genauestens zu befolgen.

Für Menschen, die das Koffein nicht vertragen können, gibt es koffeinfreien Kaffee, dem durch ein besonderes Verfahren das Koffein entzogen wird, ohne dass die Aromastoffe leiden. Für koffeinfreien Kaffee gelten dieselben Zubereitungsregeln wie für sonstigen Bohnenkaffee. Es gibt außerdem verschiedene Sorten von Pulverkaffee, die mit und ohne Koffein erhältlich sind.

Als billigen Ersatz für echten Bohnenkaffee verwendet man gerösteten Gersten- oder Malzkaffee oder die handelsüblichen Ersatzkaffeemischungen. Sie alle enthalten, im Gegensatz zu Kaffee, keinerlei Gift-, sondern Nährstoffe in sehr beträchtlichen Mengen. Als Ersatz für schwarzen Tee gibt es eine große Anzahl deutscher Tees, die ebenfalls giftlos, meist sogar sehr heilkräftig und aromatisch sind.

Kakao

Der Kakao ist ein mehr nährendes als anregendes Getränk. Es enthält neben großen Mengen von Fett, Eiweiß und Kohlenhydraten das dem Koffein ähnliche Theobromin, das aber aus noch unbekannten Gründen seine giftige Wirkung im Körper kaum auszuüben vermag. Der Kakao hat außerdem einen sehr feinen Geschmack und erfreut sich bei Kindern und Erwachsenen einer stets gleichbleibenden Beliebtheit.

Regeln für das Bereiten von Kaffee, Tee, Kakao

1. Kaufe nie billige Kaffeesorten, weil sie weit weniger ergiebig, geschmacklich minderwertig und deshalb teurer sind als edle Sorten.
2. Kaufe gerösteten Kaffee nie in großen Mengen, weil er, auch gut verschlossen, an Aroma verliert.
3. Bewahre gerösteten Kaffee in gutschließenden Dosen auf.
4. Mahle die Bohnen nie auf Vorrat und nicht zu fein, da sonst der Kaffeegeschmack notleidet.

5. Verwende zum Aufgießen stets frisch strudelndes, nie abgestandenes oder solches Wasser, das schon lange gekocht hat.
6. Koche weder den Kaffeezusatz, noch den Kaffee selbst, sonst teilt sich das Aroma wohl der ganzen Wohnung, nicht aber dem Getränk mit. Etwa mitgekochter Zusatz überdeckt den feinen Kaffeegeschmack.
7. Brühe Kaffee am besten mit dem Filter in der vorgewärmten Porzellankanne an.
8. Kaufe auch bei Tee nur edle Sorten, weil sie viel ergiebiger und deshalb billiger sind als gewöhnliche Sorten.
9. Mische bei Tee chinesische und indische Sorten. Beide ergänzen sich geschmacklich hervorragend. Ein empfehlenswertes Mischungsverhältnis ist: 1 Teil indischer, 2 Teile chinesischer Tee. Ersterer ist mild und aromatisch, letzterer kräftig im Geschmack.
10. Lege die Teeblätter in die Kanne, am besten in eine Porzellankanne, erwärme diese mit den trockenen Blättern und brühe sie mit frischkochendem Wasser an.
11. Lasse den Tee nie länger als 3–4 Minuten ziehen, sonst lösen sich die Bitterstoffe des Tees und verwischen das feine Teearoma.
12. Merke, dass billige Teesorten beim Ziehenlassen sehr rasch bitter werden.
13. Mische beim Anrühren von Kakao das Pulver mit Zucker, dann entstehen keine Knollen.
14. Lasse fertigen Kakao womöglich eine Zeitlang vor dem Auftragen an der Seite des Herdes stehen, er gewinnt dadurch an Aroma.

Bohnenkaffee

Zutaten: 1 l Wasser, 40–60 g Kaffeebohnen.
Zubereitung: Wenn man keine Kaffeemaschine besitzt, bereitet man guten Kaffee am einfachsten und besten auf folgende Weise: Man filtert ihn oder gibt das nicht zu fein gemahlene Kaffeemehl in eine erwärmte Porzellankanne und übergießt es in kleinen Abständen mit frischkochendem Wasser. Man deckt den Aufguss jedesmal sofort zu, damit er nichts an Aroma verliert und lässt ihn nach dem Anbrühen noch 3–5 Minuten ziehen, damit er klar wird. Das Klarwerden kann man beschleunigen durch Aufgießen einiger Löffel kalten Wassers. (Durch langes Stehenlassen leidet das Kaffeearoma not.) – Bohnenkaffee kann man verbilligen, wenn man ihn durch Zusatz streckt (1 l Wasser, 20 g Kaffee, 1 Würfel Kaffeegewürz).

Ersatzkaffee

Zutaten: 1 l Wasser, 1 Esslöffel Ersatzkaffee.
Zubereitung: Nach Gebrauchsanweisung auf den Packungen oder auf folgende Weise: Man überbrüht die gemahlene Ersatzmischung mit frischkochendem Wasser, lässt sie 5–10 Minuten ziehen und gießt den Kaffee ab. Er wird feiner im Geschmack, wenn man ihn wie Bohnenkaffee filtriert.

Malzkaffee oder Gerstenkaffee

Zutaten: 1 l Wasser, 20–30 g Malz- oder Gerstenkaffee, ein kleines Stück Zichorie.
Zubereitung: Der gemahlene Kaffee wird in kochendes Wasser gegeben, 3–5 Minuten gekocht, mit Zichorie vermischt und, sobald er sich gesetzt hat, abgegossen.

Schwarzer Tee

Zutaten: 1 l Wasser, 10–12 g Tee guter Qualität.

Zubereitung: Man gibt die Teeblätter in eine vorgewärmte Porzellankanne (ohne Tee-Ei), brüht ihn mit frischkochendem Wasser an, lässt ihn, je nach Geschmack, 3–4 Minuten, keinesfalls länger, ziehen und gießt ihn dann in eine ebenfalls vorgewärmte zweite Kanne ab oder verwendet ihn sofort.

Deutscher Tee

Brombeer-, Erdbeer-, Lindenblüten-, Pfefferminztee werden mit kochendem Wasser überbrüht und nach etwa 5–8 Minuten abgegossen. Hagebuttentee (2 Esslöffel auf 1 l Wasser) wird 1/2 Stunde tüchtig gekocht und je nach Geschmack noch längere Zeit ziehen gelassen.

Kakao

Zutaten: 1 l Flüssigkeit (Wasser oder Milch oder beides nach Belieben gemischt), 4 gestrichene Kaffeelöffel oder 2 gestrichene Esslöffel Kakaopulver, Zucker nach Geschmack.
Zubereitung: Das mit Zucker vermischte Kakaopulver rührt man mit einem Teil der warmen Flüssigkeit glatt an, lässt sie in die übrige, inzwischen zum Kochen gebrachte Flüssigkeit einlaufen, einmal aufkochen und zugedeckt noch ein paar Minuten ziehen.

2. Mischgetränke

Beinahe unerschöpflich ist die Fülle der Mischgetränke, die sich aus den verschiedensten Grundstoffen zusammenstellen lassen: Voll- und Magermilch, Joghurt, Sauermilch, Quark, Fruchtsäften, Fruchtmark, Frischobst, Mandeln, Nüssen, Sprudel, Kaffee, Tee, Kakao, Eiern, Zucker, Honig, Gewürzen, sogar Kräutern und Gemüse.

Alle süßen Mischgetränke kann man noch verfeinern, wenn man dem fertigen Gemisch vor dem Auftragen gutes Speiseeis zusetzt.

Zur Herstellung von Mischgetränken eignen sich am besten elektrische Mischgeräte, weil man frische Früchte, Mandeln, Nüsse, Karotten u. a. in ganzen Stücken oder grob zerschnitten vor Zugabe der Flüssigkeit breiartig zerkleinern kann, doch lassen sich die flüssigen Zutaten auch mit dem Schneebesen in einem tiefen Gefäß schlagen oder quirlen. Für kleine Mengen eignen sich auch Schüttelbecher aus Kunststoff, die jedoch durch Berührung mit Obstsäuren bei längerem Gebrauch matt werden.

Die Zubereitung von Mischgetränken in Mischgeräten ist besonders empfehlenswert, weil die Zutaten in wenigen Sekunden fein emulgiert werden, was Bekömmlichkeit und Geschmack erhöht und den Vitamingehalt kaum beeinträchtigt. Dies gilt besonders für das in Früchten und Säften enthaltene Vitamin C, das durch den Sauerstoff der Luft zerstört wird. Je rascher also die Getränke bereitet und verbraucht werden, desto höher bleibt ihr Wert für die Gesundheit. Mischgetränke eignen sich gut zu Beginn der Mahlzeit an Stelle von Suppen.

Merke deshalb folgende **Regeln**:

1. Verwende nur einwandfrei frische Zutaten.
2. Vermeide die Benützung rostender Geräte, weil diese den Vitamingehalt herabsetzen und Farbe und Geschmack beeinträchtigen.
3. Verwende Säfte womöglich in frischgepresstem Zustand.
4. Stelle alle Zutaten vor Gebrauch möglichst kühl.
5. Bewahre besonders Joghurt stets kühl und dunkel auf, weil das Licht zersetzend wirkt.
6. Bevorzuge zu Milchmischgetränken namentlich Joghurt und Sauermilch, weil diese für Magen und Darm besonders zuträglich sind.

7. Verwende zum Süßen vorzugsweise Honig, weil durch diesen Geschmack und Vitamingehalt gehoben werden.
8. Löse Honig vor dem Mischen stets mit etwas lauwarmem Wasser auf, damit er sich leichter mit den übrigen Zutaten verbindet. Bei Erwärmung des Honigs über 40 °C verliert er seinen besonderen Wert.
9. Setze bei Verwendung von Fruchtsäften stets zuerst Honig oder Zucker zu, ehe du Milch, Joghurt oder Sahne dazugibst, weil dadurch das grobe Gerinnen vermieden wird.
10. Süße die Mischgetränke nicht zu stark, damit sie erfrischend bleiben.
11. Trage sie stets so gut gekühlt als möglich sofort nach Fertigstellung auf und setze, falls du einen Kühlschrank hast, noch einige Eiswürfelchen oder gutes Vanilleeis zu.

Für die Zusammenstellung der einzelnen Mischgetränke gibt es keine strengen Grundrezepte. Man stellt sie nach eigenem Geschmack und mit Fantasie zusammen, doch folgen hier einige Anregungen:

Zitronenmilch

Zutaten: 1/2 l Milch, Saft von 2 kleinen Zitronen und nach Belieben Saft 1/2 Orange, Zucker oder Honig nach Geschmack.
Zubereitung: siehe Regeln.

Orangenmilch

Zutaten: 1/2 l Milch, Saft von 3 Orangen, 1 Glas Grapefruitsaft, 1 Teelöffel abgeriebene Orangenschale, Zucker nach Geschmack.
Zubereitung: siehe Regeln.

Erdbeermilch I

Zutaten: 1/2 l Milch, 1/8 l frischgepressten oder gedünsteten Erdbeersaft oder Mark, 1 Likörglas voll Zitronensaft, Zucker nach Geschmack.
Zubereitung: siehe Regeln.

Erdbeermilch II

Zutaten: 1/2 l Sauermilch, 150–250 g Erdbeeren, 1–2 Esslöffel Zucker, 1 Päckchen Vanillin.
Zubereitung: siehe Regeln.

Vielfruchtmilch

Zur Verwendung eignen sich nach obigen Angaben Saft von schwarzen Johannisbeeren, Heidelbeeren, Himbeeren, Brombeeren, Kirschen, Grapefruit, Melonen.
Zubereitung: siehe Regeln.

Sanddornmilch

Zutaten: 1/2 l Joghurt, Butter- oder Sauermilch, 1–2 Esslöffel Sanddornsaft, 1–2 Esslöffel Zucker, etwas Zitronenschale.
Zubereitung: siehe Regeln.

Bananenbecher

Zutaten: 2 Bananen, 1 Glas Ananas- oder Orangensaft, 3/8 l süße Milch, 1/8 l süße Sahne, 1 Eigelb, Zucker nach Geschmack.
Zubereitung: Die geschälten Bananen werden zerschnitten, eingezuckert, kaltgestellt und das Getränk kurz vor Gebrauch mit den übrigen Zutaten im Mischgerät fertiggestellt.

Pfirsichtrank
Zutaten: 1/2 l Milch, Fruchtfleisch von 3–4 Pfirsichen, 20 geschälte Mandeln, 2 Esslöffel Zucker, 1 Päckchen Vanillin.
Zubereitung: Die geschälten, entkernten Früchte werden mit den zuvor zerkleinerten Mandeln und dem Zucker im Mischgerät kurz gequirlt, dann mit der Milch zusammen fertiggestellt.

Honigtrank
Zutaten: 1/2 l Milch, 1–2 Esslöffel Honig, Zucker nach Geschmack, 2 Esslöffel Kakao, 2 Eigelb.
Zubereitung: siehe Regeln.

Mokkamilch
Zutaten: 1 gestrichener Esslöffel Nescafé, 1/2 l Milch, Zucker nach Geschmack, nach Belieben etwas Vanillezucker.
Zubereitung: siehe Regeln.

Göttertrank
Zutaten: 2 Eier, 2 Esslöffel Zucker, Saft von 4 Orangen, die abgeriebene Schale einer Orange, 1/2 l Milch.
Zubereitung: Wer ein Mischgerät hat, nimmt statt des Orangensaftes die geschälten entkernten Früchte und zerkleinert sie zunächst mit etwas Zucker, ehe man die übrigen Zutaten mitquirlt.

Karamelltrank
Zutaten: 100 g Zucker, 1/8 l Wasser, 1/8 l süße Sahne, 1/4 l Milch; (10–20 abgezogene Mandeln nach Belieben).
Zubereitung: Man röstet den Zucker hellbraun, löscht mit Wasser ab und lässt die Flüssigkeit kochen, bis sich der Zucker vollständig aufgelöst hat. Dann gibt man Sahne und Milch dazu und mischt die Masse tüchtig durch. Wer ein Mischgerät hat, gibt zuerst die vorgerichteten Mandeln hinein, zerkleinert sie und füllt dann mit der Karamellflüssigkeit nach.

Karottenmilch
Zutaten: 250 g Karotten, 1 Teelöffel Honig, Zitronensaft nach Gutdünken, 3/8 l Milch.
Zubereitung: Die gereinigten, geschabten Karotten werden im Mischgerät zerkleinert und ausgepresst. Den gewonnenen Saft quirlt man mit den übrigen Zutaten durch.

Tomatenmilch
Zutaten: 2–3 reife Tomaten, 1/4 l Milch, 1/8 l Sahne, 1/8 l Mineralwasser, Zucker oder Salz nach Geschmack; zur Verfeinerung 1 Ei.
Zubereitung: Zuerst werden die Tomaten im Mischgerät zerkleinert und dann mit allen übrigen Zutaten fertiggequirlt.
Oder Zutaten: 1 Tasse roh abgepresster Tomatensaft, Zitronensaft und Zucker nach Geschmack, Sahne zum Abschmecken.

Gurkenmilch
Zutaten: 1 kleine, längs aufgeschnittene und entkernte Gurke, Saft 1/2 Zitrone, Saft und Mark einer Orange, Zucker nach Geschmack, 1/2 l süße Milch oder Joghurt.
Zubereitung: Die Gurke und die geschälte Orange werden im Mischgerät zerkleinert, dann mit den übrigen Zutaten fertiggequirlt.

Kräutermilch
Zutaten: Küchenkräuter, wie sie die Jahreszeit bietet, 1/2 l Milch, Saft 1/2 Zitrone, 1 Messerspitze Salz, etwas Paprika.
Zubereitung: siehe Regeln.

3. Fruchtsirupe

Am erfrischendsten und wohlschmeckendsten sind alle aus Beeren hergestellten Fruchtsäfte (siehe die Herstellung von Fruchtsäften). Als Ersatz dafür eignen sich Fruchtsirupe, die man aus Zitronen oder Apfelsinen selbst herstellen kann.

Apfelsinensirup
Zutaten: 2 l Wasser, 2 kg Zucker, 40 g feingestoßene kristallisierte Zitronensäure, Saft und Schale von 8 Apfelsinen.
Zubereitung: Wasser und Zucker lässt man 1/2 Stunde kochen, gibt den Saft der Apfelsinen dazu und überbrüht mit dieser Mischung die mit der Zitronensäure vermengten, dünn abgeschälten, grobgewiegten Apfelsinenschalen. Dann rührt man die ganze Masse ein paarmal um und lässt sie zugedeckt über Nacht ziehen. Dann wird sie durch ein Tuch filtriert, in saubere Flaschen gefüllt, verkorkt und im Keller verwahrt. Beim Gebrauch nimmt man auf 1/4 l Wasser oder Sprudel 1 Esslöffel voll Sirup.

Zitronensirup
bereitet man ebenso, nur nimmt man Zitronen statt der Apfelsinen.

4. Das Herstellen von Fruchtsäften

Fruchtsäfte kann man aus allen Obstarten herstellen. Seit man die hohe Bedeutung der Mineralstoffe, der Vitamine und der Fruchtsäuren erkannt hat, kommt man mehr und mehr davon ab, sie vergären zu lassen, da durch die Gärung eben diese wertvollen Stoffe geschädigt werden. Man bereitet sie am besten durch das sogenannte Dampfentsaften. Man kann jedoch auch auf andere Art wohlschmeckende Säfte auf einfache Weise bereiten. Während man beim Dampfentsaften nach dem Grundrezept verfahren kann, lassen sich die im Anschluss daran angeführten Einzelrezepte ihrer verschiedenartigen Herstellung wegen nicht in ein Grundrezept einordnen. Die angegebenen Herstellungsweisen sind altbewährt und zuverlässig.

Regeln für das Herstellen von Fruchtsäften

1. Verwende nur voll ausgereifte Früchte, da diese mehr Aroma- und weniger Gelierstoffe enthalten.
2. Arbeite beim Verschließen der Flaschen so rasch als möglich und beachte genau die unter „Dünsten“ angegebenen Regeln.

Grundrezept für Fruchtsäfte:

500 g Beeren, bis 250 g Zucker.

Zubereitung: Die vorgerichteten Beeren werden mit dem Zucker gemischt. Nun füllt man einen großen Kochtopf mit wenig Wasser, stellt auf einen Untersatz eine leere Schüssel, die

Das Dampfentsaften mit dem Filtriertuch und mit dem Dampfentsaftgerät

zum Auffangen des Saftes dient, ein, hängt ein angefeuchtetes, großes Filtriertuch beutelartig in den Topf und bindet es, damit es nicht rutscht, am Topfrand vorläufig mit einer Schnur fest. Dann füllt man die mit Zucker vermischten Beeren in das Tuch, legt zum Auffangen des Dämpfwassers ein Pergamentpapier darüber, verschließt den Topf mit dem Deckel, bindet die vier überstehenden Tuchzipfel kreuzweise am Deckelgriff fest und entfernt hierauf die Schnur. Auf diese Weise kann der Deckel mit dem Beerensack zusammen abgenommen werden. (Man kann auch das Obst und den Zucker abwechselnd auf dem Filtriertuch ausbreiten, Pergamentpapier und Topfdeckel darüberlegen und die 4 Tuchzipfel am Deckelgriff verknoten, doch so, dass das Tuch nicht straff gespannt ist.) Nun bringt man das Wasser im Einmachtopf zum Kochen. Durch die aufsteigenden Dämpfe tropft der Saft mit dem Zucker so vollständig aus, dass nach etwa einer Stunde ein ganz blasser, fader, zu nichts mehr zu gebrauchender Obstrückstand im Beutel ist. Der abgetropfte heiße Saft wird sofort in vorbereitete Flaschen gefüllt, mit Gummikappe verschlossen oder sofort verkorkt und dann nach dem Erkalten mit Paraffin oder Flaschensiegellack abgedichtet. Noch einfacher geschieht das Entsaften und Abfüllen des Saftes mit modernen Dampfentsaftgeräten und Gebrauchsanweisung.

Auf diese Weise können alle Beerensäfte bereitet werden. Die Vorzüge dieses Verfahrens sind:

1. Ausgezeichnetes Aroma. 2. Hoher Vitamingehalt. 3. Vollkommen klares Aussehen. 4. Hohe Haltbarkeit.

Obstsäfte auf andere Art zuzubereiten

Johannisbeersaft I

Zutaten: 3 l gewaschene, abgezupfte, zerdrückte Johannisbeeren, 2 l Wasser, 25 g Weinsteinsäure; – auf 1 l Saft 1 kg Zucker.

Zubereitung: Die erstgenannten Zutaten werden gemischt, 24 Stunden stehengelassen, der Saft durch ein Tuch geseiht (ohne die Beeren zu drücken), abgemessen, mit der notwendigen Menge Zucker vermischt und solange stehengelassen, bis sich der Zucker vollkommen aufgelöst hat und der Saft klar ist. Dann wird er in tadellos saubere Flaschen gefüllt, mit ausgekochten neuen Korken (oder Gummikappen) verschlossen und die Flaschenköpfe in flüssiges Paraffin getaucht.

Johannisbeersaft II

Zutaten: 2 l gewaschene, abgezupfte, zerdrückte Johannisbeeren, 2 l Wasser, 30 g Weinsteinsäure; auf 1 l Saft 1–1 1/4 kg Sandzucker.

Zubereitung: Die Weinsteinsäure wird in dem Wasser aufgelöst, die Beeren damit übergossen und 24 Stunden stehengelassen. Nun seiht man den Saft ohne die Früchte zu drücken durch ein Tuch und macht ihn wie bei Nr. 1 fertig. (Der Zucker löst sich in etwa 3 Stunden auf, wenn man den Saft ein paarmal umrührt.)

Erdbeer- und Heidelbeersaft

können auf die gleiche Weise zubereitet werden.

Himbeersaft I

Zutaten und Zubereitung wie Johannisbeersaft II.

Himbeersaft II

Zutaten: 1 kg Himbeeren, 1/2 kg Johannisbeeren, 1 l Wasser; – auf 1 l Saft 1 kg Zucker.

Zubereitung: Die gewaschenen, verlesenen Beeren werden mit dem Wasser 3 Minuten gekocht und durch ein Tuch abgeseiht. Nun kocht man 1 l Saft mit 1 kg Zucker 1 Minute – ja nicht länger –, schäumt ihn ab, füllt ihn kochheiß in vorgewärmte saubere Flaschen und verschließt sie nach Vorschrift (siehe Seite 208, Regel 5).

Der Saft kann auch ohne Himbeeren nur aus roten oder schwarzen Johannisbeeren gemacht werden. (Bei längerem Kochen entsteht Gelee!)

Himbeersaft III

Zutaten: 1 kg verlesene Himbeeren, 1 kg Zucker.

Zubereitung: Die Beeren werden zerdrückt, mit dem Zucker gründlich durchgemischt, 1 Stunde zugedeckt in kühlem Raum stehengelassen, dann durch ein Tuch abgeseiht und der Saft in vorbereitete Flaschen gefüllt und mit Gummikappe verschlossen.

Himbeeressig

Zutaten: 2 l verlesene, zerdrückte, reife Himbeeren, 1 l unverdünnter Weinessig; auf 1 l Saft 700–800 g Zucker.

Zubereitung: Die Früchte werden in einer Porzellanschüssel (nicht in Metall) mit dem Essig übergossen, zugedeckt 24 Stunden im Keller stehengelassen, und verschiedenemal umgerührt. Dann wird die Masse in einen Filtrierbeutel oder auf ein Tuch geschüttet, abgepresst und nochmals 24 Stunden kaltgestellt.

Dann wird der klare Saft vorsichtig abgegossen, mit der notwendigen Menge Zucker 15 Minuten gekocht, abgeschäumt, nochmals über Nacht stehengelassen, dass er vollkommen klar wird, zuletzt in vorgerichtete Flaschen gefüllt und verkorkt. (Das Getränk ist außerordentlich durststillend.)

Brombeersaft

Zutaten: 2 kg Brombeeren, 1/2 l Wasser. Auf 1 l Saft 1 kg Zucker.
Zubereitung: Die Brombeeren werden mit dem Wasser kurz gekocht und zum Abtropfen auf ein Tuch geschüttet. Nun wird der Zucker mit 1/4 l Wasser aufgekocht, die Lösung mit dem Saft vermischt nochmals erhitzt, sofort in Flaschen gefüllt und mit Gummikappe verschlossen.

Kirschsaft

Zutaten: 1 kg entsteinte Sauerkirschen und 1 kg schwarze Einmachkirschen, 1/4 l Wasser; – auf 1 l Saft 800 g Zucker, Saft von 1–2 Zitronen.
Zubereitung: Die Kirschen werden mit dem Wasser weichgekocht, zum Abtropfen auf ein Sieb geschüttet, der Kirschsaft mit der nötigen Menge Zucker und dem Zitronensaft 10 Minuten gekocht, abgeschäumt, kochheiß in gewärmte Flaschen gefüllt und mit Gummikappe verschlossen.

Schlehensaft

Zutaten: 1 l Schlehen, 1 l Wasser, 500 g Zucker.
Zubereitung: Man übergießt die Schlehen mit kochendem Wasser, lässt sie 24 Stunden stehen und gießt den Saft ab. Diesen bringt man wieder zum Kochen, überbrüht die Schlehen damit, lässt wieder 1 Tag stehen und wiederholt dieses Verfahren noch zweimal. Beim letzten Abgießen muss die Flüssigkeit wieder nachgemessen und auf 1 l aufgefüllt werden. Nun wird in 1 l Saft 500 g Zucker 2–3 Minuten gekocht – nicht länger, sonst entsteht Gelee –, kochheiß in vorgewärmte Flaschen gefüllt und sofort mit Gummikappe verschlossen.

DAS OBST

Das Obst zählt zu unseren wichtigsten Nahrungsmitteln. Es enthält zwar (Schalenobst ausgenommen) viel Wasser und wenig Eiweiß und Fett, dagegen große Mengen von Mineralstoffen und Vitaminen. Der Kohlenhydratgehalt schwankt zwischen 3 und 17 v. H. Wie alle pflanzlichen Nahrungsmittel, so enthält alles Obst auch Zellulose. Diese sowie die Fruchtsäuren und -salze regen die Verdauungs- und Ausscheidungsorgane zur Tätigkeit an. Ihrer Nährstoffarmut wegen werden sie meist als Beilage, als Nachspeise oder Zwischenmahlzeit gereicht. Obst kann roh oder gekocht genossen werden. In rohem Zustand ist es hochwertiger, da der Vitamingehalt beim Kochen zum Teil verlorengeht. Ganz besonders geschätzt sind Obstsäfte, die mit oder ohne Zusatz von Milch köstlich erfrischend sind und von alt und jung mehr und mehr geschätzt werden. Bei manchen Krankheiten werden Obstsäfte als Heilmittel zu Kuren verwendet. Im allgemeinen gilt rohes, frisches, vollreifes Obst für leichtverdaulich. Steinobst verliert an Wohlgeschmack und Bekömmlichkeit durch längeres Lagern, Kernobst dagegen gewinnt dadurch. Um die Qualität des Obstes zu heben und dem Verbraucher eine einwandfreie Beschaffenheit der Ware zu gewährleisten, werden Äpfel, Birnen und Zwetschgen nach 4 Handelsklassen verkauft: Auslese, A, B, C. Für die beiden ersten gelten besonders strenge Bestimmungen hinsichtlich Aussehen, Sorten und Güte.

Für den Genuss von Frisch- und Dörrobst merke folgende **Regeln**:

1. Wasche jegliches Obst vor dem Genuss, besonders wenn es sich um Marktware handelt.
2. Beachte beim Einkauf die Handelsklassen.

3. Iss Äpfel und Birnen womöglich mit der Haut, weil beim Schälen wichtige Nährstoffe verlorengehen.
4. Verwende zum Rohessen nur vollkommen ausgereiftes Obst, weil nur dieses das volle Aroma und den höchsten Vitamingehalt hat.
5. Vermeide nach Genuss von Stein- und Beerenobst das Trinken von Wasser.
6. Iss alles Obst langsam und kaue es gut.
7. Wasche gekauftes Dörrobst, das mit Chemikalien behandelt sein kann, unter allen Umständen sehr gut und womöglich in heißem Wasser.

DIE HALTBARMACHUNG VON OBST

auf althergebrachte bewährte Art

Wie die meisten Nahrungsmittel, so sind auch alle Obstarten durch ihre Beschaffenheit der Fäulnis und Gärung ausgesetzt. Die Ursache für beides sind die in der Luft enthaltenen Gärpilze und Bakterien, deren Lebensbedingungen Feuchtigkeit, Wärme und Luft sind. Will man das Obst vor ihren schädigenden Einwirkungen bewahren, muss man sie auf folgende Weise bekämpfen:

1. Man kann ihnen die Lebensbedingungen entziehen,
   a) die Feuchtigkeit durch Trocknen oder Dörren oder Einkochen oder Zuckerzusatz, der durch sein Lösungsbedürfnis wasserentziehend wirkt;
   b) die Wärme durch kühle Aufbewahrung;
   c) die Luft durch Eindünsten.
2. Man muss die im Obst enthaltenen Bakterien töten
   a) durch Hitze beim Dörren, Einkochen, Eindünsten;
   b) durch fäulniswidrige Mittel: Essig, Zucker, Alkohol, Weinsteinsäure.
3. Man muss den Luftzutritt und damit das erneute Einwirken von Bakterien verhindern
   a) durch Eindünsten;
   b) durch Anwendung fäulniswidriger Mittel und durch zweckentsprechende Verschlüsse.

Für die Vorbehandlung des Obstes, der Geräte und Hilfsmittel zur Haltbarmachung gelten folgende

Regeln:

I. Für die Früchte:
1. Verwende nur einwandfreie, nicht angefaulte oder überreife Ware.
2. Wasche sie rasch und vor dem eigentlichen Zurichten, damit möglichst wenig Saft verloren geht.
3. Schäle Kernobst so dünn als möglich, am besten mit nichtrostendem Messer oder Schäler.
4. Schäle Steinobst durch kurzes Eintauchen der Früchte in kochendes Wasser.

II. Für die Geräte und Gefäße:
1. Verwende nie eiserne oder verzinkte Gefäße. In eisernen bilden sich durch die Fruchtsäuren grau aussehende, jedoch ungiftige, in verzinkten Gefäßen dagegen sehr giftige Verbindungen.
2. Benütze Cromargan-, massive Aluminium- oder nicht abgesprungene Stahlemailgeschirre (z. B. Silithstahl). Meide Messinggeschirre, sie zerstören das Vitamin C.
3. Lasse niemals Eingemachtes in Messinggeschirren erkalten oder länger stehen, weil die Fruchtsäuren das Metall angreifen und mit ihm Grünspan bilden, was schwere Vergiftungen hervorruft.

4. Verwende nur unbedingt saubere Töpfe, Rührlöffel, Schüsseln, Schaumlöffel, Siebe, Tücher, Schmutz und Staub sind Bakterienträger.
5. Spüle alle Gefäße, die der Aufbewahrung dienen, vor Gebrauch nochmals in heißem Wasser. Dazu gehören Eindünstgläser mit Deckeln, Marmeladegläser, Steinzeugtöpfe, Flaschen.
6. Koche Gummiringe aus. Scheide harte oder rissige Ringe aus.
7. Sieh alles nach und scheide Beschädigtes aus. Davon ist, besonders beim Eindünsten, das Gelingen weitgehend abhängig.

III. Für die Hilfsmittel:

1. Besorge rechtzeitig die notwendigen Verschlüsse für Gläser und Flaschen: Pergamentpapier, Einmachhaut, dünne Schnur, Korke, Flaschensiegellack, Paraffin, Gummikappen; ferner Alkohol usw.
2. Koche Korke oder Gummikappen aus, um etwaige Keime zu töten.

Arten der Haltbarmachung

Das Eindünsten

Hier wird das vorschriftsmäßig gefüllte und verschlossene Glas auf dem Einsatz mit dem Thermometer und so viel Wasser in den Eindünsttopf eingesetzt, dass es etwa handbreit aus

Die zum Eindünsten vorgerichteten Gläser

diesem herausragt. Nun wird der Topf mit seinem Inhalt langsam erwärmt, damit die Früchte nicht hochsteigen, wobei das Thermometer zu beobachten und die Einkochzeiten einzuhalten sind. Beim Erhitzen entstehen im Glas durch die Zuckerlösung (bei ungezuckertem Obst durch dieses allein) Dämpfe, die die Luft, die sich noch innerhalb des Glases befindet, zum Entweichen bringen und den leeren Raum während des Dünstens füllen. Das Entweichen der Dämpfe wird dadurch vermieden, dass durch den Druck der aufgesetzten Klammer der Gummiring sich einerseits am mattgeschliffenen Glas- und andererseits am mattgeschliffenen Deckelrand ansaugt. Nach der vorgeschriebenen Zeitdauer wird das Glas herausgenommen und mit der Klammer zum Abkühlen beiseite gestellt. Während des Abkühlens schlägt sich der Dampf im Glas in kleinen Wassertröpfchen nieder, so dass ein fast luftleerer Raum im Glas entsteht. Nimmt man jetzt die Klammer ab, drückt die das Glas umgebende Außenluft den Deckel so fest an, dass dieser erst wieder geöffnet werden kann, wenn man durch Herausziehen des Rings Luft einströmen lässt. Der festschließende Deckel verhindert das erneute Eindringen von Luft und Bakterien. Für die Haltbarmachung des Dunstgutes spielt die verwendete Zuckermenge gar keine Rolle, wohl aber für seinen Geschmack. Man könnte also die Früchte auch nur mit der nötigen Wassermenge dünsten. Da aber das Wasser den in den Früchten enthaltenen Zucker und die Geschmacksstoffe auslaugt, schmecken sie nach dem Dünsten vollkommen fade. Ein nachträgliches Zuckern kann daran wenig ändern. Die Früchte bleiben geschmacklos. Anders ist es, wenn man Früchte im eigenen Saft, z. B. Zwetschgen, Stachelbeeren, Heidelbeeren, die man im Winter als Kuchenbelag verwenden will, ohne Zucker, aber auch ohne Wasser, dünstet. Hier bleibt das Fruchtaroma erhalten. – Wenig saftreiche Früchte, z. B. Äpfel und Birnen, ohne Flüssigkeit zu dünsten ist nicht ratsam, weil sich die im luftleeren Raum befindlichen Teile verfärben, was zwar der Haltbarkeit keinen Eintrag tut.
Bei sehr saftreichen Früchten kann man den Zucker auch trocken dazwischenstreuen, statt sie mit Zuckerlösung zu übergießen. Sie ziehen durch das Einzuckern von selbst genügend Saft.

Regeln für das Eindünsten in Eindünstgläsern

1. Packe die Früchte beim Einlegen möglichst dicht zusammen, damit der Raum im Glas gut ausgenützt wird. Die Früchte sinken ohnedies beim Dünsten etwas zusammen. Die Gläser dürfen deshalb bis zum Rand gefüllt werden.
2. Gieße so viel Zuckerlösung darüber, dass oben ein zwei- bis dreifingerbreiter Rand freibleibt, der notwendig ist für den sich bildenden Saft und den beim Dünsten entstehenden, luftverdünnten Raum.
   Spare nicht am Zucker, nur genügend gesüßtes Obst gewährleistet ein schmackhaftes Kompott.
   Streue bei sehr saftreichen Früchten trockenen Zucker dazwischen, statt sie mit Zuckerlösung zu übergießen.
3. Wische vor dem Verschließen der Gläser die Glasränder sorgfältig mit einem in kochendes Wasser getauchten reinen Tuch oder Schwämmchen, nie mit einem trockenen, faserigen Tuch ab, damit auf dem mattgeschliffenen Rand, der den Gummiring festsaugen soll, keine Zuckerreste zurückbleiben. Ist der Rand nicht tadellos rein, saugt sich der Gummiring nicht fest und das Glas geht nach dem Dünsten auf.
4. Lege Gummiringe und Deckel sorgfältig auf und befestige beides mit der Klammer.
5. Stelle die Gläser mit dem nötigen Wasser auf den Einsatz des Eindünsttopfes oder einen entsprechenden Ersatz, damit sie nicht mit dem Boden des Topfes in Berührung kommen und durch die ungleichmäßige Erwärmung springen.
6. Dünste nach den Vorschriften der jedem Eindünsttopf kostenlos beigegebenen Kochbücher.

Beachte folgende Sterilisierzeiten: bei Beerenobst 20–25 Minuten bei 75 °C, bei Steinobst 25–30 Minuten bei 80 °C, bei Kernobst 30–35 Minuten bei 90 °C.

O d e r dünste ohne Eindünsttopf im elektrischen Backofen:

Stelle die vorgerichteten, mit Einzelklammern versehenen Eindünstgläser in die Fettpfanne mit einer zweifingerhohen Menge heißen Wassers.

Benütze gleichhohe Gläser und sorge, dass sie sich nicht berühren, auch an den Wänden des Backofens nicht anstoßen. (Der Backofen fasst 6 Gläser.)

Heize den Backofen auf 180 °C und stelle die Gläser ein.

Bedecke die Gläser zum Schutz der Gummiringe mit einem Stück nasser Wellpappe.

Schiebe die Fettpfanne mit den Gläsern auf den Boden des Backofens.

Schließe den Wrasenschieber.

Belasse die Temperatur auf 180 °C, bis der Inhalt der Gläser anfängt zu perlen, was etwa 1 Stunde dauert.

Schalte bei Obst aus und lasse die Gläser noch 20–30 Minuten in der Speicherwärme stehen.

Schalte bei Fleisch und Gemüse auf 150 °C um und lasse die Gläser je nach Inhalt noch 1–1/2 Stunden weiterdünsten; schalte dann aus, lasse die Gläser ebenfalls noch 20 Minuten in der Speicherwärme stehen und nimm dann die Gläser zum Abkühlen heraus.

7. Nimm die Gläser nach dem Dünsten langsam heraus und stelle sie auf ein Tuch, damit sie nicht allzurasch abkühlen und springen und schütze sie vor Zugluft. Die Gläser sollen n i c h t im Wasser abkühlen.
8. Entferne die Klammern erst n a c h dem Erkalten, nachdem sich durch das Abkühlen der luftleere Raum im Glas gebildet hat.
9. Wische die Gläser ab, sieh nach, ob sie alle tadellos geschlossen sind und versieh sie mit Aufschriften, die Inhalt und Jahreszahl angeben.
10. Bewahre sie an kühlem, trockenen Ort auf und prüfe sie in den ersten Wochen öfters nach, damit aufgegangene Gläser ausgeschieden und, falls der Inhalt noch tadellos ist, verwendet werden können.
11. Schaffe dir einen Zuckervorrat für die kommende Einmachzeit an, indem du leergewordene Gläser sofort wieder mit Zucker füllst.

Grundrezept für Zuckerlösung zum Eindünsten:

Auf 1 l Wasser etwa 450 g Zucker. Bei sehr süßen Früchten kann man die Zuckermenge kürzen, bei sauren sie erhöhen; auf 1 l Glasinhalt rechnet man etwa 1/4 l Zuckerlösung.

Zubereitung: Der Zucker wird mit kaltem Wasser zugesetzt, unter gelegentlichem Umrühren langsam erhitzt und aufgelöst. Erst dann bringt man ihn zum Kochen und schäumt ihn ab.

Erdbeeren

Zutaten: Reife Gartenerdbeeren. Zuckerlösung: 1 l Wasser, 300–350 g Zucker.

Zubereitung: Die Früchte werden verschiedenemal sehr sorgfältig gewaschen, d a n n e r s t von den Stielen und Kelchblättern befreit, indem man diese abdreht, nicht herauszieht, und nun unter häufigem Schütteln in die vorgerichteten Eindünstgläser gefüllt. Nun gibt man die noch heiße Zuckerlösung, die man mit etwas Johannisbeer- oder Kirschensaft rot färben kann, darüber, verschließt die Gläser und dünstet sie 15–20 Minuten bei 75°C. Notwendig ist, sie ganz langsam und ja nicht zu stark zu erhitzen, da sie sonst zusammensitzen und die Farbe verlieren. Man nimmt die Gläser nach der vorgeschriebenen Zeit sofort aus dem Wasser und lässt sie langsam abkühlen.

Erdbeeren mit Rhabarber

Zutaten: Reife Gartenerdbeeren, in Würfelchen geschnittene Rhabarberstengel (1 kg Erdbeeren, 500 g Rhabarber.) Zuckerlösung: 1 l Wasser, 400–500 g Zucker.
Zubereitung: Die Erdbeeren werden wie oben vorgerichtet, abwechselnd mit den Rhabarberstückchen eingeschichtet und immer wieder geschüttelt, damit möglichst viel Obst in das Glas hineingeht. Dann wird die Zuckerlösung darüber gegeben, die Gläser verschlossen und 20 Minuten bei 75°C wie obenstehend gedünstet. Das Kompott schmeckt sehr erfrischend und angenehm säuerlich.

Himbeeren

Zutaten: Reife, trockene Himbeeren. Zuckerlösung: 1 l Wasser, 350–400 g Zucker.
Zubereitung: Die verlesenen von Schädlingen befreiten Beeren werden in Gläser gefüllt, eine Weile stehengelassen, damit sie etwas zusammensitzen und dann nachgefüllt. Nun schüttet man die Zuckerlösung darüber, verschließt die Gläser, erhitzt sie langsam auf 75°C und dünstet sie 15 Minuten.

Brombeeren

Zutaten und Zubereitung siehe Himbeeren.

Johannisbeeren (Träuble)

Zutaten: Gewaschene, abgezupfte Johannisbeeren, 400–600 g Zucker auf 1 kg Beeren – oder Zuckerlösung: 1 l Wasser, 500–600 g Zucker.
Zubereitung I: Die vorgerichteten Beeren werden abwechselnd mit dem Zucker in die sauberen Gläser gefüllt (zwischendurch immer wieder auf einem zusammengefalteten Tuch aufgestoßen, damit die Früchte etwas zusammensitzen), diese verschlossen und langsam 20 Minuten bei 80°C gedünstet.
Zubereitung II: Die vorgerichteten Beeren werden unter Schütteln in Gläser gefüllt, mit Zuckerlösung übergossen und 15 Minuten bei 80°C gedünstet. Damit sie die Farbe behalten, muss man sie langsam erhitzen und (außerhalb des Wassers) ebenso abkühlen.
Zubereitung III: Man kann die Beeren zu Kuchen auch ohne oder mit wenig Zucker in Gläser füllen, verschließen und 15 Minuten bei 80°C dünsten.

Johannisbeeren – Himbeeren, gemischt

Zutaten: 1 kg gemischte Früchte, 400–500 g Zucker.
Zubereitung: 15 Minuten bei 80°C dünsten.

Stachelbeeren

Zutaten: Unreife Stachelbeeren, Zuckerlösung 1 l Wasser, 400–700 g Zucker (auf 2 kg Beeren).
Zubereitung: Die gewaschenen Beeren werden von Stiel und Blüte befreit – damit sie beim Dünsten nicht platzen – mit einem spitzen Hölzchen einigemal eingestochen, in die vorgerichteten Gläser gefüllt, mit Zuckerlösung übergossen und 25 Minuten bei 80°C gedünstet. Will man die Früchte zu Kuchen dünsten, wozu sie sich sehr gut eignen, kann man die Zuckermenge beliebig kürzen.

Heidelbeeren

Zutaten: Reife Heidelbeeren; auf 1 kg Beeren 300–400 g Zucker; kein Wasser.
Zubereitung: Die verlesenen, sauber gewaschenen Beeren werden abwechselnd mit dem Zucker eingefüllt und langsam 30 Minuten bei 80°C gedünstet.

Trauben

Zutaten: Weiße oder blaue Trauben. Zuckerlösung: 1 l Wasser, 500 g Zucker.
Zubereitung: 20 Minuten bei 80°C langsam dünsten.

Rhabarber

Zutaten: 1 kg Rhabarberstückchen, 300–400 g Zucker. Keine Zuckerlösung, weil Rhabarber viel Saft zieht.
Zubereitung: Die sauber gewaschenen, nicht geschälten Rhabarberstengel werden in daumendicke Würfel geschnitten, abwechselnd mit dem Zucker in die vorgerichteten Gläser gefüllt und 30 Minuten bei 80°C ganz langsam gedünstet.

Kirschen

Zutaten: Reife schwarze Kirschen; Zuckerlösung: 1 l Wasser, 350 g Zucker.
Zubereitung I: Die gewaschenen, entstielten Kirschen werden in Gläser gefüllt, verschiedenemal durchgeschüttelt, dass sie möglichst eng zusammensitzen, mit Zuckerlösung übergossen, verschlossen und je nach Härte der Kirschen 25–30 Minuten bei 80°C gedünstet.
Zubereitung II: Sehr saftige Früchte kann man auch ohne Zuckerlösung dünsten, indem man den Zucker beim Einlegen der Kirschen löffelweise dazwischenstreut. (Auf 1 kg Früchte 4–6 Esslöffel Zucker). Letztere Art eignet sich für Kuchen.

Weichsel- oder Sauerkirschen

Zutaten: Auf 1 kg Weichselkirschen 8–10 Esslöffel Zucker zum Dazwischenstreuen; oder Zuckerlösung: 1 l Wasser, 500–750 g Zucker. Zubereitung: Siehe Kirschen.

Mirabellen

Zutaten: Zuckerlösung: Je nach Reifegrad der Früchte auf 1 l Wasser 500–600 g Zucker.
Zubereitung: Die gewaschenen Früchte werden mit einem spitzen Hölzchen einigemal eingestochen, wie üblich mit Zuckerlösung übergossen und 20–30 Minuten bei 80°C gedünstet.

Aprikosen oder Pfirsiche

Zutaten: Reife Früchte. Zuckerlösung auf 1 l Wasser 600–800 g Zucker. – Auf jedes Glas einige geschälte Fruchtkerne.
Zubereitung: Die Früchte werden zuerst geschält, indem man sie in einem Sieb kurz in kochendes Wasser taucht. Dann werden sie halbiert, entkernt, mit der Kernseite nach unten in die vorgerichteten Gläser eingelegt, mit Zuckerlösung übergossen, mit einigen geschälten Kernen bestreut und 30 Minuten bei 80°C gedünstet.

Zwetschgen

Zutaten: Reife feste Früchte. Zuckerlösung auf 1 l Wasser 400–600 g Zucker.
Zubereitung I: Die gewaschenen, halbierten, entsteinten Früchte werden mit der Kernseite nach unten in die Gläser geschichtet, mit Zuckerlösung übergossen und 30 Minuten bei 80°C gedünstet.
Zubereitung II: Zu *Kuchen* werden die halbierten Früchte ohne jeden Zuckerzusatz in Gläser dicht eingelegt und 30 Minuten bei 80°C gedünstet.

Zubereitung III: Man kann die Früchte auch unzerteilt wie Mirabellen 20–30 Minuten bei 80°C dünsten.
Zubereitung IV: Man kann die Zwetschgen auch (durch Eintauchen in kochendes Wasser) schälen und ganz oder halbiert wie Aprikosen dünsten. Der Geschmack der Früchte wird durch das Schälen stark verändert; sie schmecken aber ausgezeichnet.

Birnen

Zutaten: Schöne Einmachbirnen. Zuckerlösung: 1 l Wasser, 400–600 g Zucker, etwas Zitronensaft oder 1 Stück ganzer Zimt.
Zubereitung: Die gewaschenen Birnen werden geschält, je nach Größe ganz gelassen, oder in 2–4 Stücke zerteilt und sofort in leicht gesäuertes Wasser gelegt. Bei den ganzen Früchten lässt man die Stiele, die man etwas kürzt und schabt, daran. Die zerschnittenen Früchte werden entstielt und vom Kernhaus befreit. Nun werden sie so in die Gläser eingelegt, dass die Kernhausseite oder die Stiele nach innen kommen. Hierauf werden sie mit Zuckerlösung übergossen, verschlossen und je nach Größe und Sorte 40–50 Minuten bei 90°C gedünstet. Man kann die Birnen auch, besonders wenn es sich um sehr harte Sorten handelt, in Zuckerlösung vorkochen, bis sie nahezu weich sind, dann erst in Gläser füllen, verschließen und 20–30 Minuten bei 90°C nachdünsten.

Äpfel

Zutaten: Solche Sorten, die man nicht lange lagern kann. Zuckerlösung: Auf 1 l Wasser 200–300 g Zucker, 1 Stück ganzer Zimt oder 1 Stück dünn abgeschälte Zitronen- oder Apfelsinenschale.
Zubereitung: Die Äpfel werden gewaschen, geschält, halbiert, vom Kernhaus befreit und sofort in leichtes Salzwasser gelegt, damit sie weiß bleiben. Nun werden sie mit der gewölbten Seite nach außen in die vorgerichteten Gläser eingeschichtet, mit Zuckerlösung übergossen, verschlossen und 30 Minuten bei 85°C gedünstet. – Man kann die Äpfel auch mit Preiselbeeren zusammen einlegen und dünsten, was ganz hervorragend schmeckt. Die Zuckermenge muss jedoch dann etwas erhöht werden.

Quitten

Reife Apfel- oder Birnquitten. Zuckerlösung: 1 l Wasser, 500 g Zucker.
Zubereitung I: Die sauber abgeriebenen Quitten werden geschält, halbiert, vom Kernhaus befreit und in beliebig große Stücke zerteilt. Diese kocht man in der Zuckerlösung halbweich, legt sie in die vorgerichteten Gläser, gibt die Zuckerlösung darüber, verschließt die Gläser und dünstet die Früchte 30 Minuten bei 90°C.
Schalen und Kernhäuser können zur Herstellung von Quittengelee verwendet werden.
Zubereitung II: Man kann die vorgerichteten, rohen Quitten auch gleich in Gläser füllen, mit Zuckerlösung übergießen, verschließen und 60 bis 80 Minuten bei 95°C dünsten.

Quitten-, Apfel-, Birnen- oder Zwetschgenmus

Zutaten: Billige oder beschädigte, jedoch nicht faule Früchte, Wasser, kein Zucker.
Zubereitung: Man stellt eingedünstete Obstmuse her, wenn man das Obst in großen Mengen billig kaufen und später nach Bedarf zu guten Marmeladen weiterverwerten will. Die Früchte werden – jede Sorte für sich, oder nach Geschmack auch gemischt – mit wenig Wasser weichgekocht, durch ein Sieb geschlagen, in Eindünstgläser gefüllt, gut verschlossen und 20 Minuten bei 100°C gedünstet. Das Mus kann später nach Belieben gesüßt als Beilage zu Milch- und Mehlspeisen gereicht, oder zu Marmeladen weiter verarbeitet werden.

DAS HERSTELLEN VON MARMELADEN

Man kann Marmeladen auf verschiedene Weise zubereiten:

Erste Art

Man kocht die vorgerichteten Früchte, und zwar alle Stein- und Beerenobstsorten mit der vorgeschriebenen Menge Zucker ein. Wird dem Obst in genügender Menge Zucker zugesetzt, so entzieht er diesem so viel Wasser, dass eine stark angereicherte Zuckerlösung entsteht, in der die Bakterien nicht mehr leben können. Es erübrigt sich deshalb langes Kochen. Kurzes Kochen ist aber nötig, um die dem Obst noch anhaftenden Bakterien unschädlich zu machen und den Zucker vollständig aufzulösen.

Kernobst wird vor dem Kochen mit Zucker in wenig Wasser vor- und weichgekocht und durch ein Sieb gestrichen. Als Gewichtsgrundlage für die Berechnung des Zuckers dient nunmehr das Mus, nicht mehr das rohe Obst.

Zweite Art

Auf demselben Grundsatz beruht die moderne Art der Zubereitung mit Geliermitteln, aus den Fruchtpektinen des Apfels gewonnene Erzeugnisse, die die Gelierfähigkeit aller Obstsorten, auch der pektinarmen, stark unterstützen. Da beim Gelieren eine große Menge Wasser gebunden wird, ist es notwendig, allen mit Geliermitteln hergestellten Marmeladen sehr viel Zucker zuzusetzen. Dadurch wird die Gesamtgewichtsmenge noch stärker erhöht als bei gewöhnlichem kurzem Kochen mit mäßigem Zuckerzusatz. Sehr empfehlenswert ist das Einmachen mit Geliermitteln, wenn man aus Früchten, die fast keine Gelierstoffe enthalten, steife Marmeladen herstellen will. Solche Geliermittel sind in allen Drogerien zu haben. Genaue Kochanweisungen werden kostenlos dazu abgegeben.

Dritte Art

Man kocht die Früchte mit der Hälfte der im Grundrezept angegebenen Zuckermenge, bis die Marmelade beim Umrühren in breiten, dicken Lappen vom Rührlöffel fällt. Diese Dickflüssigkeit wird erreicht durch langes Kochen. Dabei wird bewirkt, dass ein großer Teil des Wassergehaltes eindampft, so dass jetzt auch die kleine Zuckermenge zur Haltbarmachung ausreicht. Der Gewinn, der durch die Zuckerersparnis entsteht, wird aber wieder aufgehoben durch den Verlust an Gewicht, Farbe, Aroma und Vitamingehalt, den das Eingemachte durch das lange Kochen erleidet.

Zusammenfassend kann gesagt werden, dass für die meisten Obstarten die *erstbeschriebene Zubereitungsweise am empfehlenswertesten ist.* Sie bietet folgende *Vorteile:*

1. Die *Gelier- oder Pektinstoffe* des Obstes leiden durch kurzes Kochen nicht Not und lassen das Eingemachte beim Erkalten so stark erstarren, dass sich an der Oberfläche eine Haut bildet, die eine Schutzschicht gegen Schimmelpilz darstellt.
2. Die *Aromastoffe* bleiben in vollem Maß erhalten.
3. Die *Vitamine*, die in allen Obstarten in reicher Menge enthalten sind, werden durch kurzes Kochen kaum zerstört.
4. Der *Gewichtsverlust* ist durch das kurze Kochen sehr gering.
5. Die *Gesamtmenge* des Eingemachten wird durch genügenden Zuckerzusatz erhöht, der gleichzeitig das wertvolle Vitamin C schützt.
6. Aus obigen Gründen empfiehlt sich, nicht mehr als 1 kg Früchte auf einmal zu kochen.

Regeln für das Herstellen von Marmeladen

1. Koche die Früchte, vom Siedepunkt ab gerechnet, bei vorgeschriebener Zuckermenge 3 bis allerhöchstens 10 Minuten, um Farbe, Aroma, Vitamingehalt und Gesamtmenge nicht zu beeinträchtigen. Die Marmelade ist fertig, wenn beim Herausziehen des Rührlöffels die letzten Tropfen zähflüssig zusammenlaufen.
2. Fülle das Eingemachte in kochendheißem Zustand in vorgerichtete, vorgewärmte, saubere Gläser oder Steinzeugtöpfe, und zwar randvoll, weil sich die Masse beim Abkühlen senkt und der Luftraum zwischen Marmelade und Verschluss nicht zu groß sein soll.
3. Wische sofort nach dem Einfüllen die Ränder der Gefäße sehr sauber mit einem in heißes Wasser getauchten Tuch ab, damit durch zurückgebliebene Marmeladetropfen der Verschluss später nicht aufweicht. Wische aber nicht zu spät ab, damit die inzwischen entstandene Schutzhaut nicht beschädigt wird.
4. Lasse die Marmeladen ohne Verschluss vollständig erkalten, damit die Oberfläche trocknen kann.
5. Lege bei vollgefüllten erkalteten Marmeladegläsern vor dem Zubinden ein in Alkohol getauchtes Pergamentpapier auf die Schutzhaut, damit etwa eindringende Schimmel- oder Gärpilze getötet werden.
6. Verschließe die Gefäße durch Zubinden mit Einmachhaut, die aber, damit sie sich glatt anschmiegt, zuvor mit Wasser angefeuchtet werden muss.
7. Bringe Aufschriften an mit Jahreszahl und Inhalt.
8. Bewahre alle Gefäße an trockenem, kühlem Ort auf und sieh sie von Zeit zu Zeit nach.
9. Strecke süße Marmeladen für den Sofortgebrauch mit Apfel-, Rhabarber- oder Möhrenmus.

Grundrezept für Marmeladen:

500 g Früchte oder Fruchtmus, 375–500 g Zucker.

Zubereitung: Die vorgerichteten Früchte werden mit dem Zucker gemischt, aufgestellt, vom Siedepunkt ab gerechnet höchstens 10 Minuten bei starker Hitze tüchtig gekocht, sofort eingefüllt und nach den in den Regeln angegebenen Vorschriften fertiggemacht. Das Kaltrühren von Marmeladen ist nicht mehr zu empfehlen, seit man weiß, dass dadurch das Vitamin C weitgehend zerstört wird. – Es empfiehlt sich nicht, die Zuckermenge für Marmeladen allzu sehr herabzusetzen, da das Risiko für die Haltbarkeit sehr erhöht wird. Man kann jedoch ohne die Marmeladen allzulange kochen zu müssen, den Zucker vor der Zugabe der Früchte solange erhitzen, bis er sich ballt. Gibt man dann erst die Früchte dazu, wird der überhitzte Zucker sozusagen mit dem wasserhaltigen Obst abgelöscht, wobei die Flüssigkeit rascher verdampft als beim gewöhnlichen Einkochen. Man kann bei diesem Verfahren die Zuckermenge auf 250 g für 500 g Obst kürzen.

Johannisbeermarmelade

Zutaten: Auf 1 kg rote Johannisbeeren 1 kg Zucker.
Zubereitung I: Die Beeren werden mehrmals gewaschen, abgezupft und abwechslungsweise mit der vorgeschriebenen Menge Zucker in eine Schüssel oder einen Stahlemailtopf geschichtet und einige Stunden, am besten über Nacht, stehengelassen, damit die Früchte Saft ziehen und der Zucker sich zum größten Teil löst. Nun bringt man die Masse rasch zum Kochen, lässt sie – vom sprudelnden Kochen ab gerechnet – 10 Minuten kochen, füllt sie randvoll in die vorgerichteten Gläser und verschließt sie nach Vorschrift.

Zubereitung II: Man kocht die vorgerichteten Früchte wie bei I 8 Minuten, rührt sie durch ein Haarsieb, damit alle Häute und Körnchen zurückbleiben, kocht das Durchgeschlagene nochmals kurz auf, füllt es kochheiß in Gläser und verschließt sie nach Vorschrift.
Zubereitung III: Man kann auch Johannisbeeren und Himbeeren zu gleichen Teilen mischen, auf 1 kg Mischung 750 g Zucker geben, wie oben zubereiten und fertigmachen.

„Schwarze" Johannisbeermarmelade

Zutaten: 1 kg schwarze Johannisbeeren, 1 kg Zucker.
Zubereitung: Die gewaschenen, abgezupften Beeren werden mit dem Zucker zusammen aufs Feuer gesetzt, unter Umrühren 5 Minuten gekocht, durch ein Sieb gerührt, damit die etwas herb schmeckenden Häute und Körnchen zurückbleiben, die Marmelade nochmals zum Kochen gebracht, siedend heiß in die vorbereiteten Gläser gefüllt und verschlossen.
Wer will, kann die schwarzen Johannisbeeren zu gleichen Teilen mit roten oder weißen Johannisbeeren mischen und auf gleiche Weise fertigmachen.
Man kann in allen Fällen das Durchrühren der Früchte durch ein Sieb unterlassen.

Stachelbeermarmelade

Zutaten: 1 kg grüne Stachelbeeren, 1 kg Zucker, nach Belieben 1 Stückchen Vanilleschote, 1/4 l Wasser.
Zubereitung: Die gewaschenen, von Stiel und Blüte befreiten Stachelbeeren werden halbiert, mit den übrigen Zutaten aufgesetzt, unter Umrühren 10 Minuten gekocht (nach Belieben durch ein Sieb getrieben, dann aber nochmals aufgekocht!), sofort eingefüllt und nach Vorschrift verschlossen.

Stachelbeeren mit Himbeeren oder Johannisbeeren oder Erdbeeren

Zutaten: 1 kg vorgerichtete, zerschnittene grüne Stachelbeeren, 1 kg Himbeeren oder Johannisbeeren oder Erdbeeren, 1 1/2 kg Zucker.
Zubereitung: Die Früchte werden mit dem Zucker und einer Bodendecke Wasser aufgesetzt, unter Rühren 10–20 Minuten gekocht und wie üblich fertiggemacht.

Stachelbeeren mit schwarzen Johannisbeeren

Zutaten: 1 kg reife Stachelbeeren, 1 kg schwarze Johannisbeeren, 2 kg Zucker.
Zubereitung: Die gewaschenen, von Stiel und Blüte befreiten reifen Stachelbeeren werden ohne Zucker mit etwas Wasser zugesetzt, aufgekocht, bis die Früchte weich sind, dann die schwarzen Johannisbeeren und der Zucker zugesetzt, alles zusammen 5–8 Minuten gekocht, noch heiß in Gläser gefüllt und nach Vorschrift verschlossen.

Himbeermarmelade

Zutaten: 1 kg Himbeeren, 600 g Zucker.
Zubereitung: Die verlesenen Himbeeren werden mit dem Zucker bestreut, etwas geschüttelt und über Nacht stehengelassen, damit sie Saft ziehen. Dann setzt man sie zu, kocht sie 10 Minuten, schäumt sie ganz zuletzt ab, füllt sie in die vorbereiteten Gläser und verschließt nach Vorschrift.

Dreifrucht

Zutaten: 1 kg verlesene Himbeeren, 1 kg gewaschene, abgezupfte Johannisbeeren, 1 kg ausgesteinte Kirschen, 1 1/2 kg Zucker.

Zubereitung: Die vorgerichteten Früchte werden mit dem Zucker durchgeschüttelt und alles über Nacht stehengelassen, damit die Früchte Saft ziehen. Nun kocht man sie bei starker Hitze unter Umrühren 10 Minuten, stellt sie dann beiseite und lässt sie bei schwacher Hitze so lange weiterkochen, bis die Masse dicklich und dunkelrot wird. Dann füllt man sie kochheiß in die vorgerichteten Gläser und verschließt sie nach Vorschrift.

Erdbeeren

Zutaten: 1 kg Erdbeeren, 750 g Zucker.

Zubereitung: Die Erdbeeren werden sehr sauber gewaschen, zum Abtropfen auf ein breites Sieb gelegt, vorsichtig entstielt (große Früchte zerschneiden) und zunächst ohne jeden Zusatz auf dem Feuer 1/4 Stunde unter Schütteln gekocht. Dann streut man den Zucker darüber, kocht die Früchte damit 20 Minuten, füllt sie kochheiß in vorgerichtete kleine Gläser, bedeckt sie nach dem Erkalten mit einem in Arrak oder Rum getauchten Papier und bindet sie nach Vorschrift mit Pergamentpapier oder Zellophan zu.

Erdbeeren mit Rhabarber

Zutaten: 1 1/2 kg Erdbeeren, 1/2 kg Rhabarber, 1 1/2 kg Zucker.

Zubereitung: Die Erdbeeren werden sehr sauber gewaschen und entstielt, der gewaschene Rhabarber in Scheibchen geschnitten und beides eingezuckert eine Zeitlang stehengelassen. Nun setzt man die Masse auf, kocht sie 15–20 Minuten (bis beides zu Mus geworden ist), füllt die Marmelade in vorgerichtete Gläser und verschließt diese nach Vorschrift. Man kann den Rhabarbergeschmack, der das Erdbeeraroma ausgezeichnet ergänzt, auch stärker hervortreten lassen und die Zutaten in folgendem Mengenverhältnis nehmen: 1 kg Erdbeeren, 1 kg Rhabarber, 1 1/2 kg Zucker, nach Belieben noch den Saft einer ganzen, Schale einer halben Zitrone. Kochzeit 20 bis 30 Minuten.

Erdbeeren mit Stachelbeeren

Zutaten: 1 kg Erdbeeren, 1 kg unreife Stachelbeeren, Saft einer Zitrone, 2 kg Zucker.

Zubereitung: Die gewaschenen, entstielten Erdbeeren und die von Stiel und Blüte befreiten, gewaschenen, halbierten Stachelbeeren werden am Vorabend eingezuckert, dann 10–15 Minuten unter Rühren kräftig durchgekocht, mit dem Zitronensaft vermischt, kochheiß in die vorgerichteten Gläser gefüllt und nach Vorschrift verschlossen. Diese Mischung ist sehr empfehlenswert, weil Stachelbeeren und Erdbeeren einander im Geschmack ergänzen.

Brombeermarmelade

Zutaten: 1 kg Brombeeren, 1 kg Zucker.

Zubereitung: Die verlesenen, gewaschenen Brombeeren werden einige Stunden eingezuckert stehengelassen, dann 10 Minuten gekocht, sofort in Gläser gefüllt, erkaltet mit Rumpapier bedeckt und zugebunden.

Brombeer-Apfelmarmelade

Zutaten: 1 kg Brombeeren, 1 kg Apfelmark, 1 kg Zucker, Saft 1 Zitrone.

Zubereitung: Die gewaschenen, ungeschälten Äpfel werden je nach Größe in 2–4 Stücke zerschnitten, mit wenig Wasser ohne Zucker weichgekocht und durch ein Sieb geschlagen. Die Brombeeren werden mit dem Zucker zusammen 5 Minuten vorgekocht, mit dem Apfelmark vermischt weitere 10–15 Minuten gekocht, heiß in Gläser gefüllt und wie üblich verschlossen.

Preiselbeeren
Zutaten: 1 kg Preiselbeeren, 1/2–3/4 kg Zucker, 1 Glas Weißwein.
Zubereitung: Wein und Zucker lässt man zusammen 5 Minuten kochen, gibt dann die verlesenen, gewaschenen Preiselbeeren dazu hinein, kocht sie 15–20 Minuten auf starkem Feuer durch, füllt sie kochheiß in die vorgerichteten Gläser, lässt sie erkalten, belegt sie mit einem in Rum oder Arrak getauchten Papier und bindet sie zu.

Preiselbeermarmelade mit Äpfeln oder Birnen
Zutaten: 1 kg Preiselbeeren, 1/2 kg Äpfel oder Birnen, 1 kg Zucker, 1/8 l Wasser.
Zubereitung: Die geschälten, vom Kernhaus befreiten Äpfel oder Birnen werden in Scheiben geschnitten, die Beeren verlesen und gewaschen. Nun löst man den Zucker mit dem Wasser auf, gibt die Früchte dazu hinein, kocht sie unter Umrühren weich, füllt sie kochheiß in Gläser, lässt sie erkalten, belegt sie mit einem in Alkohol getauchten Papier und bindet sie zu.

Heidelbeermarmelade
Zutaten: 1 kg Heidelbeeren, 1/2 kg Zucker.
Zubereitung: Die verlesenen, gewaschenen Heidelbeeren werden womöglich über Nacht mit dem Zucker vermischt stehengelassen, dann 10–15 Minuten gekocht, noch heiß in die vorgerichteten Gläser gefüllt und verschlossen.

Holundermarmelade
Zutaten: 1 kg reife, schwarze Holunderbeeren, 1/2 kg Zucker, Saft 1 Zitrone.
Zubereitung: Die gewaschenen, abgezupften Beeren werden eingezuckert eine Stunde stehengelassen, dann des hohen Wassergehalts wegen 30 Minuten unter Umrühren gekocht, mit Zitronensaft vermischt, kochheiß in Gläser gefüllt, erkaltet mit einem in Alkohol getauchten Papier bedeckt und zugebunden. Wer will, kann statt lauter Holunderbeeren halb Holunderbeeren halb Zwetschgen nehmen, diese aber entsteinen und durch die Hackmaschine treiben. Diese Mischung schmeckt kräftiger.

Kirschmarmelade
Zutaten: 1 kg schwarze, entsteinte Kirschen, 750 g Zucker, 1/4 l ungesüßter Johannisbeersaft.
Zubereitung: Man löst den Zucker in dem kochenden Johannisbeersaft auf, gibt die Kirschen dazu hinein und kocht die Masse 20 Minuten bei starker Hitze. Dann wird die Marmelade kochheiß in die vorgerichteten Gläser gefüllt und nach Vorschrift verschlossen.

Aprikosenmarmelade
Zutaten: 1 kg Aprikosen, 700–800 g Zucker, je nach Reifegrad der Früchte.
Zubereitung: Die Aprikosen werden entkernt, von schwarzen Stellen befreit, beliebig zerschnitten, mit wenig Wasser (damit sie nicht anbrennen) ohne Zucker weichgekocht und durch ein Sieb gestrichen. Das gewonnene Mark setzt man mit dem Zucker zusammen auf, gibt einige aufgeschlagene, geschälte Aprikosenkerne dazu, kocht die Marmelade 10 bis 15 Minuten, nimmt die Kerne wieder heraus, füllt die Masse in die vorbereiteten Gläser und verschließt sie nach Vorschrift. (Man kann das Durchpassieren auch unterlassen.)

Pfirsichmarmelade wird ebenso zubereitet.

Zwetschgenmarmelade I
Zutaten: 2 kg Zwetschgen (nicht entsteint gewogen), 500 g Zucker, 1 Stück ganzer Zimt, 1/8 l guter Weinessig.

Zubereitung: Die Früchte werden entsteint, mit dem Zucker schichtweise in einen Einmachtopf gegeben und über Nacht stehengelassen, damit die Früchte reichlich Saft ziehen. Dann setzt man sie (mit dem Zimt) auf mäßiges Feuer, bringt sie, ohne sie umzurühren, zum Kochen und lässt sie nun auf schwacher Hitze oder der Sparflamme so lange kochen, bis der Saft nahezu eingekocht ist. (Kochdauer etwa 2 Stunden.) Nun nimmt man die Zimtstange heraus, gibt den Essig dazu, verrührt die Früchte damit, lässt das Ganze noch einmal aufkochen, füllt die Marmelade in die vorgerichteten Gläser und verschließt nach Vorschrift. *Auf diese Weise zubereitet, brennt die Marmelade nicht an.* Beginnt man aber während des Kochens umzurühren, zerfallen die fleischigen Früchte und das Mus brennt leicht an.

Zwetschgenmarmelade II

Zutaten: 1 kg Zwetschgen, entsteint gewogen, 500 g Zucker, nach Belieben ein Stückchen ganzer Zimt.
Zubereitung: Die rohen Früchte werden durch die Hackmaschine getrieben, mit dem Zucker vermischt, unter fortwährendem Rühren 15–20 Minuten gekocht, in die vorgerichteten Gläser gefüllt und nach Vorschrift verschlossen.

Zwetschgen-Mischmarmelade

Zutaten: 2 1/2 kg Zwetschgen, 2 1/2 kg Äpfel, 2 1/2 kg Birnen, 1 kg Zucker, der Saft und die abgeriebene Schale 1 Zitrone.
Zubereitung: Die Zwetschgen werden entsteint und in Stücke geschnitten, die Äpfel und Birnen geschält, vom Kernhaus befreit und fein geschnitzelt. Nun schichtet man die Früchte abwechselnd mit dem Zucker in einen Einmachtopf (keinesfalls in einen Messingtopf), lässt sie über Nacht Saft ziehen und kocht sie wie Zwetschgenmarmelade dick ein.

Tomaten-Apfel-Marmelade

Zutaten: 2 1/2 kg Äpfel, 1 1/2 kg reife Tomaten, 1 1/2 kg Zucker, Saft 1/2 Zitrone. Wenig Wasser.
Zubereitung: Die gewaschenen Äpfel werden von Blüte und Stiel befreit und in Viertel geschnitten, die Tomaten abgerieben und ebenfalls in Stücke geschnitten. Nun werden die beiden Früchte ohne Zucker mit etwas Wasser aufgestellt, weichgekocht und durchgetrieben, mit dem Zucker vermischt und 20–25 Minuten tüchtig durchgekocht. Hierauf wird die Marmelade kochheiß in die vorgerichteten Gläser gefüllt, erkaltet mit Rumpapier bedeckt und zugebunden.

Quittenmarmelade I

Zutaten: Ausgereifte Quitten, Wasser zum Weichkochen; auf 2 kg Quittenmark 1 kg Zucker.
Zubereitung: Die Quitten werden abgerieben, in Viertel geschnitten, vom Kernhaus befreit und mit so viel Wasser aufgesetzt, dass die Früchte oben bedeckt sind, und weichgekocht. Dann werden sie durch ein Sieb getrieben, mit dem Zucker vermischt 10–15 Minuten auf starkem Feuer unter ständigem Rühren gekocht, zuletzt abgeschäumt, kochheiß in die vorgerichteten Gläser oder Töpfe gefüllt und nach Vorschrift verschlossen.

Quittenmarmelade II

Zutaten: Ausgereifte Quitten, Wasser, Zucker.
Zubereitung: Die abgeriebenen Quitten werden geschält, halbiert und vom Kernhaus befreit. Nun gibt man erst die Quitten, dann die Schalen und Kernhäuser und soviel Wasser daran, dass alles gut bedeckt ist und kocht die Quitten weich. Dann wird der Saft abgegossen, Schalen und Kernhäuser entfernt, und die Quitten in ganz kleine Scheibchen geschnitten.

Hierauf kocht man 750 g Zucker mit 1/4 l Quittensaft auf, schäumt ab, gibt 1 kg der vorgerichteten Quittenscheibchen hinein und lässt diese so lange unter häufigem Umrühren kochen, bis sie zartrosa aussehen und die Marmelade dicklich wird. Sie wird kochheiß in die vorgerichteten Gläser gefüllt und nach Vorschrift verschlossen.
Den übrigen Quittensaft kann man zu Gelee kochen.

Hagebuttenmark (Hägenmark) I

Zutaten: 1 kg Hagebuttenmark (Hägenmark), 1 kg Zucker.
Zubereitung: Die Hagebutten werden von Stiel und Blüte befreit, halbiert, entkernt, sauber ausgeschabt und mit Weißwein angefeuchtet 8 Tage zugedeckt in den Keller gestellt. Man rechnet auf 1 kg vorgerichtete Hagebutten 1/4 l Wein. Man rührt die Früchte jeden Tag einmal durch, damit sie gleichmäßig feucht und weich werden. Nun streicht man sie durch das Haarsieb. Dann kocht man 1 kg Zucker mit 3/8 l Wein oder Wasser tüchtig durch, schäumt ab, kocht die Lösung bis zum Faden, schüttet sie über 1 kg Mark und rührt beides zusammen 1/2–1 Stunde. Das Mark wird nicht gekocht. Man füllt die fertig gerührte Marmelade in vorgerichtete Gläser, belegt sie mit in Rum getauchte Scheiben aus Pergamentpapier oder Zellophan und bindet sie zu. Auf diese Weise zubereitet, bleibt das Hägenmark besonders schön rot.

Hagebuttenmark (Hägenmark) II

Zutaten: 1 kg käufliches, ungesüßtes Hagebuttenmark (Hägenmark), 1 kg Zucker, Saft 1 Zitrone.
Zubereitung: Man mischt die Zutaten gut durch, kocht sie 10–15 Minuten, füllt sie kochheiß in vorgerichtete Gläser, bedeckt sie nach dem Erkalten mit in Rum oder Arrak getauchte Scheiben aus Pergamentpapier oder Zellophan und verschließt sie nach Vorschrift.

Apfelsinenmarmelade I

Zutaten: 10 Apfelsinen, 2 Zitronen, 2 1/2 kg Zucker, 3 l Wasser.
Zubereitung: Die Früchte werden möglichst dünn abgeschält, die Schale in ganz schmale Streifen geschnitten und alles Weiße, das noch an den Früchten haftet, sorgfältig abgeschabt. Nun werden diese in dünne Scheiben geschnitten, entkernt, mit den Schalenstreifen zusammen mit Wasser übergossen und 24 Stunden stehengelassen. Nun kocht man die Masse 2 Stunden und lässt sie nochmals einige Stunden stehen. Endlich gibt man den Zucker hinein, kocht alles zusammen nochmals 30 Minuten tüchtig durch, füllt die Marmelade kochheiß in Gläser und verschließt nach Vorschrift.

Apfelsinenmarmelade II (engl. Art)

Zutaten: 12 große Apfelsinen, 6 kg Zucker, 6 l Wasser.
Zubereitung: Die Früchte werden mit der Schale in dünne Scheiben geschnitten, die Kerne entfernt, das Wasser darübergegossen, 48 Stunden stehengelassen, 4 Stunden ohne und noch 1 Stunde mit dem Zucker gekocht, in die vorbereiteten Gläser gefüllt und nach Vorschrift verschlossen.

Grüne Nüsse

Zutaten: 1 kg grüne, innen noch weiche Walnüsse, 1 kg Zucker, 1/2 l Wasser, 1 Stück Ingwerwurzel, 1 Stück ganzer Zimt, einige Gewürznelken.
Zubereitung: Die Nüsse werden mit einem spitzen Hölzchen oder einer dicken Stricknadel durchstochen, 14 Tage lang mit täglich erneuertem Wasser gewässert, dann in kochendem Wasser weichgekocht und abgetropft. Nun lässt man Wasser, Zucker und Gewürze zehn Minuten kochen, schäumt ab und schüttet die erkaltete Zuckerlösung über die Nüsse. Nach

3–4 Tagen wird sie wieder abgeschüttet, zum Kochen gebracht, die Nüsse und die Gewürze dazu hineingegeben, 30 Minuten gekocht und heiß in vorbereitete Töpfe oder Gläser gefüllt. Am nächsten Tag wird der Saft wieder abgegossen, dick eingekocht, siedend heiß über die Nüsse geschüttet und die Gläser nach Vorschrift verschlossen.

DAS HERSTELLEN VON FRUCHTGELEES

Natürliche Fruchtgelees kann man nur aus solchen Früchten herstellen, die reich an Gelierstoffen, den sogenannten Fruchtpektinen, sind. Pektinarme Früchte können durch Geliermittel, aus den Pektinen des Apfels gewonnene Erzeugnisse, gesteift werden.

Erstere kann man bereiten aus fast allen Beerensorten – Erdbeeren und Holunderbeeren ausgeschlossen –, ferner aus Quitten und halbreifen Äpfeln. Bei den beiden letzteren Obstarten nimmt die Gelierfähigkeit mit zunehmender Reife ab. Lang abgelagerte Quitten geben kein steifes Gelee mehr. Zur Bereitung von Gelee dient nicht wie bei Marmeladen das Obstmark, sondern der mit den Pektinen aus dem Obst gewonnene Saft. Saft und Pektine sind in dem Zellulosegewebe der Früchte eingeschlossen und müssen daraus gelöst werden. Dies kann auf verschiedene Weise geschehen.

Man kocht die Früchte vor.

a) Beerenfrüchte setzt man ohne oder mit wenig Wasser zu, kocht sie, bis sie aufplatzen und genügend Saft geben und lässt diesen durch ein angefeuchtetes leinenes Tuch oder einen Stoffsack ablaufen.

b) Kernobst schneidet man, ohne Schale und Kernhaus zu entfernen, in Viertel, setzt diese mit soviel Wasser zu, dass sie knapp bedeckt sind, kocht sie weich und schüttet das Ganze zum Ablaufen auf ein angefeuchtetes leinenes Tuch. (Der Saft der Apfelquitten gibt ein steiferes, schöneres Gelee als das der Birnquitten. Hat man aber nur letztere zur Verfügung, so lässt man beim Kochen das schleimig machende Kernhaus weg.)

Das Gelieren dieser Säfte wird erzielt: Durch Zusatz von Zucker und durch Kochen.

Die Zuckermenge und die Kochdauer sind entscheidend für das Gelingen eines steifen, klaren Gelees. Merke deshalb folgende

Regeln für das Herstellen von Fruchtgelees:

1. Nimm Saft und Zucker womöglich je in gleicher Menge. Die höchstzulässige Zuckerkürzung beträgt die Hälfte des Saftgewichts.
2. Koche alle Geleesorten in kleinen Mengen in niederen, weiten Gefäßen, damit das erforderliche Eindampfen der überschüssigen Wassermenge rasch vor sich geht. Höchstmenge an Saft 1 l (bei Töpfen von Haushaltgröße). Das Einkochen des Saftes in kleinen Mengen beansprucht wegen des raschen Verdampfens der Flüssigkeit eine kürzere Zeitdauer zur Fertigstellung des Gelees als das Kochen großer Mengen auf einmal.
3. Merke, dass die Gelierstoffe durch langes Kochen ihre Bindekraft verlieren und dass das Aroma notleidet.
4. Bedenke, dass durch langes Kochen großer Saftmengen überhaupt kein Gelee, sondern nur dunkel aussehender, sirupähnlicher Saft entstehen kann.

Den Saft der weichgekochten Früchte lässt man zum Gelee durch ein Filtriertuch ablaufen

5. Beachte, dass die Kochdauer bei Gelee um so kürzer ist, je säuerlicher die Früchte sind und mit je weniger Wasserzusatz der Saft gewonnen worden ist. Es kann also keine einheitliche Zeitdauer für das Geleekochen geben. Beispiel: Johannisbeergelee ohne Wasserzusatz 1–3 Minuten Kochdauer, mit Wasserzusatz 10–15 Minuten Kochdauer.
6. Mache bei Apfel- und Quittengelee, die auf alle Fälle mit Wasser vorgekocht werden, die sogenannte Geleeprobe: Lasse einige Tropfen auf einen kalten Porzellanteller fallen. Erstarren sie, ist das Gelee fertig. – Oder: Ziehe den Rührlöffel aus dem kochenden Saft und lass ihn abtropfen. Wenn die letzten Tropfen zusammenlaufend erstarren, ist das Gelee fertig.
7. Schäume beim Geleekochen den Saft so lange ab, bis er klar erscheint.
8. Fülle fertiges Gelee kochend heiß ein wie Marmelade und verschließe und verwahre die Gefäße wie diese.

9. Bevorzuge zum Einfüllen von Gelee kleine, womöglich oben erweiterte Gläser, damit es sich leicht stürzen lässt.

10 *Merke ein für allemal folgendes:*
Falsch ist es, in Töpfen von Haushaltgröße mehr als 1 l Saft auf einmal zu kochen.
Falsch ist es, hohe, enge Gefäße zum Kochen zu nehmen, die das rasche Verdampfen ihrer kleinen Oberfläche wegen verhindern.
Falsch ist es, zum Weichkochen von Kernobst mehr als die angegebene Wassermenge zu nehmen, weil die Kochdauer des Gelees durch das Verdampfen des überschüssigen Wassers unnötig verlängert wird.
Falsch ist es, an Zucker zu sparen, weil er das überschüssige Wasser bindet und dadurch die Gesamtgewichtsmenge erhöht. Spare nur dann, wenn dich der Zuckermangel dazu nötigt.

Grundrezept für Gelees:

1/2 l = 500 g Saft, 250–500 g Zucker. Nach Belieben Gewürze wie Vanille oder Zitrone.

Zubereitung: Man setzt Saft und Zucker zusammen auf, kocht beides bis zur Geleeprobe, schäumt während des Kochens pünktlich ab und füllt das fertige Gelee sofort in vorgerichtete, vorgewärmte Gläser. Das Erstarren der verschiedenen Geleesorten dauert nicht in jedem Fall gleich lang und kann mehrere Stunden in Anspruch nehmen. Die Gläser dürfen erst verschlossen werden, wenn das Gelee steif und vollständig abgekühlt ist. Das Verschließen der Gläser selbst geschieht wie bei Marmeladegläsern.

Johannisbeergelee I

Zutaten: 1 l Johannisbeersaft, 1 kg Zucker.
Zubereitung: Die sauber gewaschenen Johannisbeeren werden abgezupft, mit einer Bodendecke Wasser zugesetzt und so lange gekocht, bis die Früchte platzen. Nun lässt man den Saft ablaufen, gibt 1 l desselben in einen Einmachtopf und streut nun langsam unter fortwährendem Rühren den Zucker dazu. Man kann ihn, damit er langsam und gleichmäßig untergemischt werden kann, in eine spitze Tüte geben und an dieser unten die Spitze abschneiden. Das Einrühren des Zuckers soll erst beendet sein, wenn der Saft eben anfängt zu kochen. Dann lässt man ihn zugedeckt etwa 1/2 Stunde stehen, nimmt vorsichtig die Haut ab, die sich unterdessen gebildet hat und füllt den nun vollkommen klaren Saft in vorbereitete kleine Geleegläser. Nachdem das Gelee erstarrt ist, werden die Gläser nach Vorschrift verschlossen.

Johannisbeergelee II

Zutaten: 2 kg gewaschene, nicht abgezupfte, zerdrückte Johannisbeeren, 1/2 l Wasser. – Auf 1 l Saft 1 kg Zucker.
Zubereitung: Die vorgerichteten Beeren werden mit dem Wasser zusammen 5 Minuten schäumend gekocht und auf ein angefeuchtetes Tuch geschüttet, damit der Saft abtropfen kann. Nun löst man den Zucker in dem Saft wie bei I auf, lässt das Gelee 10–15 Minuten kochen, schäumt zuletzt ab, füllt es in die vorgerichteten Geleegläser und verschließt diese nach dem Erkalten nach Vorschrift.

Das Kochen von Gelee

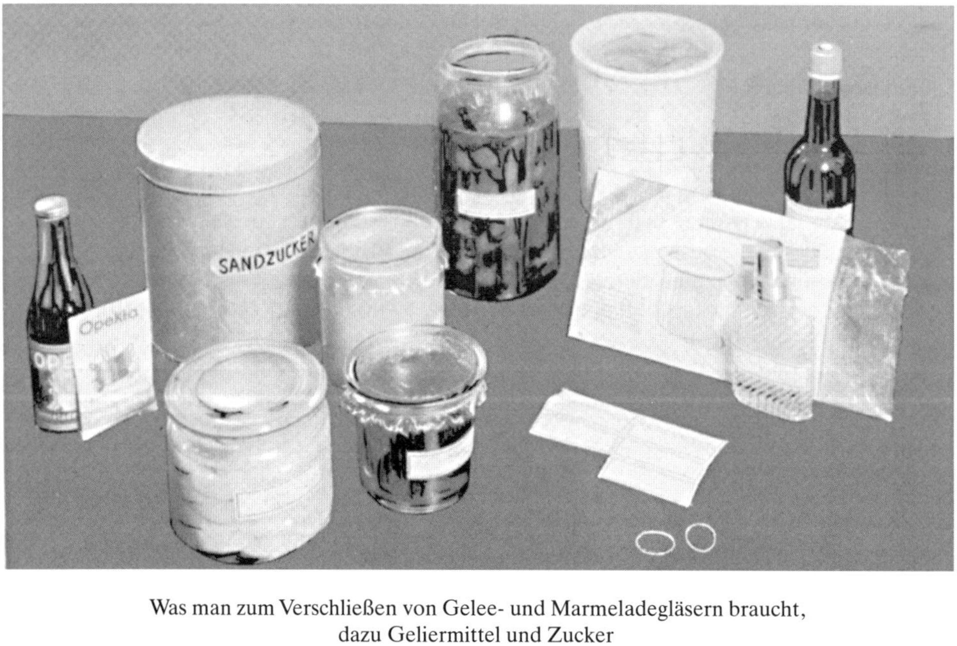

Was man zum Verschließen von Gelee- und Marmeladegläsern braucht, dazu Geliermittel und Zucker

Gelee aus schwarzen Johannisbeeren

Zutaten: 2 kg schwarze Johannisbeeren, 1/2 l Wasser. – Auf 1 l Saft 1 kg Zucker.
Zubereitung: Die Beeren werden sauber gewaschen, abgezupft, mit Wasser weichgekocht, zum Abtropfen auf ein Tuch geschüttet und der Saft mit dem Zucker zum Kochen gebracht. Man lässt das Gelee 10 Minuten kochen, schäumt es ab, füllt es kochheiß in die vorgerichteten Gläser und verschließt sie nach dem Erkalten nach Vorschrift. Den Beerenrückstand kann man nochmals mit etwas Wasser auskochen, durchstreichen und das Mus mit gleichschwer Zucker zu Marmelade kochen.

Gelee aus schwarzen und roten Johannisbeeren

Zutaten: 1 kg rote, 1/2 kg schwarze Johannisbeeren, 1/4 l Wasser. – Auf 1 l Saft 1 kg Zucker.
Zutaten und Zubereitung wie Johannisbeergelee I.

Himbeergelee

Zutaten: 1 kg Himbeeren, 1 kg abgezupfte Johannisbeeren, 1/8 l Wasser. – Auf je 1 l Saft 1 kg Zucker.
Zubereitung: Die vorgerichteten Beeren werden mit dem Wasser weichgekocht, der Saft abgegossen, mit dem Zucker 10–15 Minuten gekocht, abgeschäumt, in Gläser gefüllt und nach dem Erkalten verschlossen. Der Beerenrückstand kann mit einem Zusatz von frischen Beeren zu Marmelade gekocht werden.

Gelee aus Himbeeren, roten und schwarzen Johannisbeeren

Zutaten: 1/2 kg Himbeeren, 1/2 kg rote, 1/2 kg schwarze Johannisbeeren, 1/4 l Wasser. – Auf 1 l Saft 1 kg Zucker.
Zubereitung wie Himbeergelee.

Brombeergelee

Zutaten: 1 1/2 kg Brombeeren, 1/4 l Wasser. – Auf 1 l Saft 800–1000 g Zucker.
Zubereitung wie Himbeergelee.

Traubengelee

Zutaten: 2 kg halbreife Trauben, 1/2 kg Apfelquitten, Wasser. – Auf 1 l Saftgemisch 1 kg Zucker.
Zubereitung: Die gewaschenen, abgezupften Beeren werden mit ganz wenig Wasser weichgekocht und der Saft durch ein Tuch abgegossen. Die Quitten werden abgerieben, in dünne Scheiben geschnitten (ohne Schale und Kernhaus zu entfernen), mit Wasser weichgekocht und der Saft ebenfalls abgeseiht. Nun kocht man das Saftgemisch mit dem Zucker bis zur Geleeprobe (vgl. Regel 6, Seite 220), schäumt es ab, füllt das fertige Gelee in Gläser, lässt es erkalten und verschließt nach Vorschrift.

Preiselbeergelee

Zutaten: 2 kg Preiselbeeren, etwas Wasser. – Auf 1 l Saft 1 kg Zucker.
Zubereitung: Die verlesenen Beeren werden mit einer Bodendecke Wasser weichgekocht, der Saft durch ein Tuch geseiht und dieser mit dem Zucker 8–10 Minuten gekocht (es geliert sehr rasch!); hierauf abgeschäumt, wie üblich fertiggemacht und verschlossen.

Stachelbeergelee

Zutaten: Unreife, von Stiel und Blüte befreite Stachelbeeren, Wasser. – Auf 1 l Saft 1 kg Zucker.

Zubereitung: Die Beeren werden knapp mit Wasser bedeckt aufgestellt, langsam weichgekocht, der Saft abgegossen und dieser wie bei Preiselbeergelee fertiggekocht. – Die Beerenrückstände kann man zu Marmelade kochen.

Apfelgelee
Zutaten: Unreife Äpfel, Wasser. – Auf je 1 l Saft 750 g Zucker, Saft von 2 Zitronen.
Zubereitung: Die Äpfel werden sauber gewaschen, von Blüte, Stiel und allen unbrauchbaren Stellen befreit, mit soviel Wasser aufgestellt, dass sie knapp bedeckt sind und langsam (damit sie nicht zerfallen) weichgekocht. Der Saft wird durch ein Tuch abgeseiht, mit Zucker und Zitronensaft bis zur Geleeprobe gekocht (vgl. Regel 6, Seite 220), abgeschäumt und wie die übrigen Geleesorten eingefüllt und verschlossen.

Apfelmischgelee
Zutaten: 3/4 l Apfelsaft, 1/4 l Himbeer-, Johannisbeer-, Brombeer- oder Preiselbeersaft, 750 g Zucker.
Zubereitung wie Apfelgelee. Es erhält durch die Beeren eine herrliche Farbe und einen ausgezeichneten Geschmack.

Quittengelee I
Zutaten: Ausgereifte, aber nicht lange gelagerte Apfelquitten, Wasser. – Auf 1 l Saft 750 g Zucker.
Zubereitung: Die abgeriebenen, von Stiel und Blüte befreiten Quitten werden in dünne Scheiben geschnitten, mit kaltem Wasser knapp bedeckt zugesetzt, weichgekocht, abgegossen und der Saft wie Apfelgelee fertiggemacht. (Die Quittenscheiben werden durch ein Sieb getrieben, mit Zucker (auf 1 kg Mark 500 g) unter Rühren 15 Minuten gekocht, mit dem Saft 1 Zitrone vermischt, in Gläser gefüllt und nach Vorschrift verschlossen.)

Quittengelee II
Zutaten: 3/4 l Quittensaft, 1/4 l Apfelsaft. Saft von 1–2 Zitronen, 1 kg Zucker.
Zubereitung wie Apfel- oder Quittengelee.

DAS HALTBARMACHEN VON GEMÜSE
auf althergebrachte bewährte Art

1. Das Eindünsten

Wie das Obst, so kann man auch das Gemüse auf verschiedene Weise haltbar machen. Eine besonders gute Art der Haltbarmachung ist das Eindünsten. Hierfür gelten sinngemäß alle für das Eindünsten von Obst angegebenen Regeln. Statt der Zuckerlösung nimmt man leicht gesalzenes Wasser. Da sich auf Gemüse – im Gegensatz zu Obst – sporenbildende Bakterien aufhalten, die schwerer unschädlich gemacht werden können als z. B. Hefe- und Schimmelpilze, müssen diese besonders bekämpft werden. Während die meisten Pilze schon von 80 °C Wärme an zugrunde gehen, müsste man, um die Sporen zu vernichten, das Dunstgut stundenlang kochen. Dabei würde aber das Gemüse wertlos werden. Da festgestellt worden ist, dass sich die Sporen auch im luftleeren Raum in 1–2 Tagen wieder zu Bakterien entwickeln können, dünstet man sämtliche Gemüse 1–2 Tage nach dem ersten Dünsten eine Viertelstunde bei 100 °C nach, um eben diese aus den Sporen hervorgegangenen Bakterien zu töten. In dieser kurzen Zeitspanne ist es unmöglich, dass sich wieder Sporen entwickeln können. Wartet man aber mit dem Nachdünsten länger zu, so tötet man wohl die Bakterien, nicht aber deren Sporen ab und der Inhalt verdirbt auch im festverschlossenen Glas. Das Vorrichten und Dünsten der Gemüse geschieht, wie beim Dünsten von Obst, nach den zu den Eindünsttöpfen unentgeltlich abgegebenen Kochbüchern.

2. Das Einlegen der Gemüse mit fäulniswidrigen Mitteln

Die althergebrachte einfache Art der Haltbarmachung von Gemüsen ist das Einlegen mit fäulniswidrigen Mitteln, wie Salz, Zucker, Essig. Für diese Art des Haltbarmachens kommen hauptsächlich in Betracht: Weißkohl, Bohnen, Gurken, rote Rüben. Die Haltbarmachung beruht auf einem Entziehen des Wassergehaltes durch Zucker oder Salz und der keimtötenden Wirkung beider Mittel, ferner auf einer sich dabei abspielenden Milchsäuregärung. Die durch die Gärung in den Gemüsen hervorgerufenen Veränderungen machen diese leicht verdaulich.

Das Einmachen von Sauerkraut (Sauerkohl)

Zutaten: 25 kg fein eingehobeltes Weißkraut, 250 g Kochsalz, nach Belieben einige Wacholderbeeren; etwas Kümmel und feingeschnitzelte Äpfel.
Zubereitung: Ein sauber geputztes, frisch ausgebrühtes Fass wird am Boden mit Krautblättern ausgelegt. Nun schichtet man Kraut, Salz und Geschmackszutaten abwechselnd ein und stampft nach jeder Krautschicht so lange mit einem Stampfer ein, bis sich Saft bildet. Ist das Kraut eingestampft, belegt man es auch oben mit Krautblättern, breitet ein reines Tuch darüber, legt passende Holzbrettehen und einen schweren Stein darauf und lässt das Kraut im Keller vergären. Alle 8–14 Tage muss man Stein, Brettchen und Tuch abwaschen, ebenso den leeren inneren Teil des Gefäßes. Beim Entnehmen von Kraut muss man immer gleichmäßig von der oberen Schicht wegnehmen, ohne Vertiefungen zu hinterlassen. Dann wird es wieder abgedeckt und beschwert.

Das Einmachen von Bohnen

Ähnlich wie Sauerkohl kann man auch Bohnen mit wenig Salz einmachen. Man rechnet auf 10 kg Bohnen 500 g Salz. Die wie zu Gemüse vorgerichteten Bohnen werden (rasch nacheinander) in kochendem Salzwasser ganz kurz abgewellt, sofort wieder herausgenommen und abgekühlt. Dann drückt man sie schichtweise mit Salz in einen Steinzeugtopf, deckt sie mit einem sauberen weißen Tuch und Holzbrettchen zu und beschwert sie mit einem Stein. Die sich bildende Brühe wird bei Entnahme von Bohnen jeweils abgeschöpft und reines Wasser nachgegossen.

Das Einmachen von rote Rüben (rote Beete)

Siehe bei Gemüsen und Salaten (Seite 57).

Kleine Essiggurken

Zutaten: Kleine Gurken, Salz, Wein- oder Einmachessig und folgende Gewürze: Ganze Pfefferkörner, ganze Nelken, Lorbeerblätter, Knoblauchzehen, Estragon nach Belieben, einige rohe Meerrettichscheiben.
Zubereitung I: Die Gurken werden sauber gewaschen, abgetrocknet, mit viel Salz bestreut, über Nacht stehen gelassen, am andern Tag mit einem reinen Tuch abgetrocknet und abwechselnd mit den Gewürzen in Eindünstgläser von 1 l Inhalt gefüllt. Nun schüttet man eine Mischung von 1 l gutem Kräuteressig, 1/2 l Wasser, 1–2 Esslöffel Zucker und 1/2 Kaffeelöffel Salz darüber, verschließt die Gläser und sterilisiert sie 25 Minuten bei 85 °C.
Zubereitung II: Die gewaschenen, abgetrockneten Gurken werden zusammen mit Gurkengewürzen in saubere Eindünstgläser geschichtet, mit einer Mischung von 1 l Wein- oder

Kräuteressig, 1 1/4 l Wasser, 100 g Zucker und 80 g Salz übergossen und 25 Minuten bei 85 °C eingedünstet. Sie sind sehr mild.

Das Eindünsten von Paprikaschoten

Zutaten: 2,5 kg rote und grüne Paprikaschoten, 1 l Kräuteressig, 2 gehäufte Esslöffel Salz, 2 gehäufte Esslöffel Zucker, 3/4 l Wasser, einige Peperoni, einige Perlzwiebeln.
Zubereitung: Die sauber gewaschenen Schoten werden halbiert, vom Kernhaus und allen Samen befreit und in beliebig breite Streifen geschnitten. Zuvor mischt man Essig und Wasser mit den Gewürzen gut durch, damit sich Zucker und Salz ganz auflösen. Nun schichtet man die Schoten zusammen mit einigen kleingeschnittenen Peperoni in Eindünstgläser, gibt die Flüssigkeit und – nach Belieben noch etwas Gurkengewürz hinein und dünstet sie 25 Minuten bei 85 °C.

Das Einmachen von Tomaten

Tomatenmark

Zubereitung: Reife Tomaten werden in Stücke geschnitten, ohne Wasserzugabe weichgekocht, durchgestrichen und das gewonnene Mark nochmals so lange gekocht, bis es wie eine dicke Soße aussieht. Dann füllt man es kochend heiß in vorgerichtete kleine Flaschen und verschließt sie sofort mit Korken oder Gummikappen.

Tomatenketschup (Soßengewürz)

Zutaten: 1 1/2 kg Tomaten, 1/2 kg Zwiebeln, 1 Tasse Essig, 1 Esslöffel Zucker, 1 Esslöffel Salz, 2–3 ganze oder 1 Messerspitze gemahlene Nelken, 1 Teelöffel Paprika, 1 Teelöffel Ingwer.
Zubereitung: Die zerschnittenen Tomaten und Zwiebeln werden mit den übrigen Zutaten ohne Wasser aufgestellt, 4 Stunden gekocht, durch ein Sieb gestrichen, nochmals kurz aufgekocht, in kleine Gläser gefüllt und wie Marmeladegläser zugebunden. Der Inhalt hält sich in angebrochenem Zustand wochenlang ohne zu gären.

Tomatensenf

Zutaten: 5 kg Tomaten, 1 Esslöffel englisches Senfmehl, 2 Esslöffel Salz, 1 Teelöffel gemahlene Nelken, 2 Teelöffel gemahlenen Pfeffer, 1/2 Teelöffel Zimt, 4 Lorbeerblätter, 1/4 l Weinessig.
Zubereitung: Die zerschnittenen Tomaten werden zu einem dünnen Brei gekocht und durch ein Sieb gestrichen. Nun gibt man alle Gewürze und den Essig hinein, kocht alles zu einem dicken Mus ein, entfernt die Lorbeerblätter, füllt die Masse in kleine Gläser und bindet sie nach dem Erkalten mit Einmachhaut zu. Kühl aufbewahrt hält sich der Tomatensenf auch in angebrochenen Gläsern sehr lange. 1–2 Messerspitzen voll Tomatensenf machen eine Bratensoße würzig und pikant.

SAUERSÜSSE FRÜCHTE

Den Abschluss der verschiedenen Konservierungsmethoden bildet die Herstellung sauersüßer Früchte, die gerne als Beilage zu Fleisch- und Kartoffelgerichten gegessen werden. Sie sind allzu verschieden, als dass sie sich in ein Grundrezept einordnen lassen. Es folgen deshalb nur einige Einzelrezepte.

Sauersüße Gurken

Zutaten: 2 1/2 kg vorgerichtete Gurken, 1 1/2 l Weinessig, 1 1/2 kg Zucker, ganzer Zimt und Gewürznelken nach Geschmack.
Zubereitung: Mittelgroße Gurken werden geschält, halbiert, mit einem silbernen Löffel von den Kernen und allen weichen Teilen befreit und in beliebige Stücke geschnitten. Diese legt man über Nacht in starkes Salzwasser, nimmt sie wieder heraus und trocknet sie ab. Nun kocht man Essig, Zucker und Gewürze auf, gibt die Gurkenstücke (soviel darin Platz haben) hinein und kocht sie knapp weich und glasig. Dann nimmt man sie heraus, legt sie in die vorgerichteten Steintöpfe, kocht den Rest der Gurken ebenso weich, schichtet auch diese ein und schüttet zuletzt die noch etwas eingedickte Essigzuckerlösung darüber. Man deckt die Steintöpfe zu, kocht nach einigen Tagen die abgegossene Essigzuckerlösung noch einmal auf, gibt sie erkaltet über die Früchte und verschließt die Töpfe wie bei Marmeladen (siehe Regel 6, Seite 209).

Sauersüße Kürbisse I

Zutaten: 2 1/2 kg ausgereifte Kürbisse, 1 l reiner Einmach- oder Weinessig; Zuckerlösung von 1/2 l Wasser, 1250–1500 g Zucker; 1 Stange ganzer Zimt, einige Gewürznelken.
Zubereitung: Die Kürbisse werden geschält, von den Kernen befreit und in 6–7 cm lange, 2–3 cm breite Streifen geschnitten. Diese legt man in den unverdünnten Essig, bindet das Gefäß mit Pergamentpapier zu, damit keine Unreinigkeiten hineinkommen und lässt sie 15 Stunden stehen. Dann werden sie herausgenommen. Nun kocht man die Zuckerlösung mit den Gewürzen auf, gibt die Kürbisse hinein, kocht sie halbweich, nimmt sie heraus und legt sie in die vorgerichteten Gläser. Hierauf mischt man die Zuckerlösung mit dem Weinessig, kocht beides zusammen stark ein und schüttet die erkaltete Flüssigkeit – nachdem man die Gewürze wieder entfernt hat – über die Früchte, die mit Flüssigkeit bedeckt sein sollen. Die Gläser werden wie üblich zugebunden.

Sauersüße Kürbisse II

Zutaten: 1 kg Kürbisse, 1/2 kg Zucker, 1/2 l Weinessig, 1/2 l Weißwein, 1 Stück ganzer Zimt, einige Gewürznelken.
Zubereitung: Der geschälte, von den Kernen und dem weichen Inneren befreite Kürbis wird in fingerlange Streifen geschnitten. Nun wird der Zucker mit den Gewürzen in Essig und Wein zugesetzt, durchgekocht, abgeschäumt und die Kürbisstückchen darin weichgekocht. Diese werden nun herausgenommen, in vorgerichtete Gläser gelegt, mit der stark eingekochten Zuckerlösung übergossen und wie üblich zugebunden.

Sauersüße Tomaten

Zutaten: Grüne Tomaten, Weinessig; – auf 1 kg Tomaten 750 g Zucker, 1/2 l Wasser, 1 Stück ganzer Zimt, einige Gewürznelken, 1 Stückchen Zitronenschale.
Zubereitung: Die sauber abgeriebenen, nicht zu kleinen Tomaten werden in Stücke geschnitten, mit so viel reinem Weinessig übergossen, dass sie knapp bedeckt sind, und über Nacht zugedeckt stehen gelassen. Nun kocht man die nötige Menge Zucker in Wasser auf, schäumt ab, gibt den abgegossenen Weinessig und die Gewürze dazu und kocht die Früchte in dieser Mischung weich. Dann werden sie mit einem Schaumlöffel herausgenommen, in vorgerichtete Gläser oder Steinzeugtöpfe gelegt und mit dem dick eingekochten Saft übergossen. Sie werden nach dem Erkalten mit einer in Arrak getauchten Papierscheibe belegt und wie üblich zugebunden.

Sauersüße Zwetschgen

Zutaten: 2 kg Zwetschgen, 1 kg Zucker, 1 l reiner Weinessig, 20 g ganzer Zimt, 5 g ganze Gewürznelken.

Zubereitung: Die Zwetschgen werden abgerieben und mit einem spitzen Hölzchen einigemal eingestochen. Essig, Zucker und Gewürze kocht man zusammen auf und kühlt die Lösung wieder ab. Dann werden die Zwetschgen dazu hineingegeben und ganz langsam erhitzt, jedoch nicht gekocht. Sobald die Häute anfangen, ganz leicht einzureißen, werden die Zwetschgen herausgenommen, in vorgerichtete Gläser gelegt und mit dem noch etwas eingekochten Saft übergossen. Am nächsten Tag wird dieser wieder abgeschüttet, nochmals etwas eingekocht und heiß über die Früchte geschüttet. Nach dem Erkalten werden sie – mit einem Rumpapier bedeckt – wie üblich zugebunden.

Sauersüße Kirschen I

Zutaten: 1 kg Weichsel- oder Herzkirschen, 1/2 kg Zucker, 1/4 l Weinessig, 1 Stückchen Vanilleschote.

Zubereitung: Die gewaschenen Kirschen werden ausgesteint, mit dem Essig übergossen und zugedeckt über Nacht stehen gelassen. Nun lässt man den Saft ablaufen, gibt den Zucker und die aufgeschnittene Vanilleschote hinein, kocht die Flüssigkeit gut durch, setzt dann die Kirschen zu und kocht sie darin weich. Hierauf legt man sie in die vorgerichteten Gläser, lässt den Saft dick einkochen, gibt ihn darüber und verschließt die Gläser wie üblich.

Sauersüße Kirschen II

Zutaten: 2 kg Weichselkirschen, 1 kg Zucker, 1 l Weinessig, 10 g ganzer Zimt, 5 g ganze Gewürznelken.

Zubereitung: Die Kirschen werden gewaschen, die Stiele gekürzt und in Gläser geschichtet. Nun kocht man Essig, Zucker und Gewürz tüchtig durch, schäumt ab und gießt die Flüssigkeit über die Kirschen. Nach 2 Tagen schüttet man die Flüssigkeit ab, kocht den Saft auf, schüttet ihn über die Früchte und gießt ihn am nächsten Tag wieder ab. Dann wird er noch etwas eingekocht, erkaltet über die Kirschen gegossen, diese mit Rumpapier bedeckt und die Gläser mit Pergamentpapier verschlossen.

DAS HALTBARMACHEN VON LEBENSMITTELN DURCH KÄLTE

Hier unterscheidet man zwischen Frischhaltung im Kühlschrank bei Temperaturen über dem Gefrierpunkt von + 2° bis + 6° C und einer längeren Lagerung bei Temperaturen unter dem Gefrierpunkt, der Gefriertechnik im Tiefkühlverfahren. Bei der **Frischhaltung** im Kühlschrank handelt es sich meist um eine Lagerung von Lebensmitteln aller Art über einige Tage. Nach Ergebnissen der Bundesforschungsanstalt für Hauswirtschaft, Stuttgart-Hohenheim, beträgt die Lagerdauer von Lebensmitteln im Haushaltskühlschrank bei +2°C bis +6°C ohne Qualitätsminderung

	Lagerdauer in Tagen		Lagerdauer in Tagen
Butter, tägl. Bedarf	2	Schinken, Speck, Dauerwurst	10
Butter, Vorrat	6	Fisch, roh	1
Milch, Sahne, Konditorwaren	2	Fisch, zubereitet	2
Eier	10	Gemüse, Salate	3
Käse	4	Wurzelgemüse	8
Fleisch, roh, zubereitet	3	Beerenobst	2
Hackfleisch	1/2	Steinobst	3
Wurst, frisch	1	Kernobst	8
Wurst, angeräuchert	4	Zubereitete Speisen	2

Da manche leicht verderbliche Nahrungsmittel, wie z.B. Fisch, Käse u.a., einen starken Eigengeruch haben, andere, wie z.B. Milch, Sahne, Butter, leicht fremde Gerüche annehmen, sollte man starkriechende und geruchsempfindliche Nahrungsmittel stets in zugedeckten Gefäßen aufbewahren. Da der am Verdampfer sich bildende Reif Geruchsstoffe stark bindet, sollte man den Kühlschrank häufig abtauen und gründlich reinigen. Das in modernen Kühlschränken vorhandene Kaltfach ist zur Lagerung bereits gefrorener Lebensmittel vor dem Verbrauch bestimmt. Industriell gefrorene Lebensmittel sollten höchstens 1 Woche darin aufbewahrt werden.

Merke: Gekaufte, eingefrorene Tiefkühlkost darf keine Unterbrechung der Kühlkette erfahren. Sie muss entweder im Gefrierfach des Kühlschrankes aufbewahrt oder sofort nach dem Einkauf verbraucht werden.

Bei der **Gefriertechnik** handelt es sich um ein Einfrieren von Lebensmitteln bei Temperaturen bis zu − 35° C und anschließender Lagerung bei − 18° C bis − 20° C in Gefriertruhen und Gefrierschränken. Die vorteilhafteste und sicherste Art der Haltbarmachung von Lebensmitteln ist das Einfrieren. Man braucht dazu keinerlei Konservierungsmittel, hat kaum eine Veränderung an Nähr- und Wirkstoffen, Vitaminen und Geschmackstoffen, auch bleiben Farbe und Aroma bei vorschriftsmäßiger Behandlung und richtiger Verwendung der eingefrorenen Ware erhalten. Ein großer Vorzug ist ferner, dass man jederzeit sämtliche Arten von Lebensmitteln zur günstigsten Zeit und in bestem Zustand einfrieren kann. Auch ist es möglich, kochfertig vorgerichtete Gemüse-, Fleisch- und Fischspeisen, ja sogar tischfertig vorbereitete Mahlzeiten einzufrieren, was für viele Haushalte in Zeiten besonderer Arbeitsspitzen Zeit und Kraft sparen hilft. Da das Einfrieren mit laufenden Stromkosten verbunden ist, wird man sich vor allem auf das Einfrieren von Fleisch, feinen Gemüse- und Obstarten, sowie auf die Lagerung eingefrorener Lebensmittel (Tiefkühlkost), gekochter, gebratener und gebackener Fertiggerichte beschränken. Zur Gefrierlagerung für kurzfristige Erhaltung (bis zu 1 Monat) von Tiefkühlkost und verpackte Fertiggerichte eignen sich Temperaturen von −8°C bis −15°C im Tiefkühlfach des Kühlschrankes oder bei Lagertemperatur von −18°C bis −20°C in der Kühltruhe. Zum raschen Einfrieren von Lebensmitteln sind Anfangstemperaturen von mindestens 24°C erforderlich, wobei es sich empfiehlt, die Waren an den Truhenboden oder an den Truhenrand, wo Verdampferschlangen eingebaut sind, anzulegen, also nicht übereinander zu schichten. Nach dem vollständigen Einfrieren der Waren genügt die Lagertemperatur von −18°C bis −20°C. Für eine langfristige Erhaltung der Waren für die Dauer von mehreren Monaten sind Temperaturen von −18°C bis −23°C notwendig.

Wesentlich für die Gewinnung einwandfreier gefrorener Lebensmittel ist die richtige Verwendung vorschriftsmäßigen Verpackungsmaterials. Es eignen sich z.B. Spezial-Kunststoff-Folien in Beutel- und Schlauchform oder Folien in Meterware, deren Enden man verschweißen, oder mit eingelegten Metallstreifen verklemmen, oder mit Gummiringen verschließen kann. Ferner eignet sich heiß verklebbares Spezialglas, dessen Nähte man nach dem Herausstreichen der Luft mit einem mäßig heißen Bügeleisen schließen oder mit Tesafilmstreifen zukleben kann. Für lichtempfindliche Waren sind Aluminiumfolien zu empfehlen, die besonders luftdicht und anschmiegsam sind. Das Packmaterial ist in jedem Fall fest anzudrücken, die Luft herauszustreichen, die Pakete sind gut zu verschließen und auf jedem ein frostbeständiger Klebstreifen mit Inhaltsangabe, Gewicht und Einlegedatum anzubringen. Dabei soll die Beschriftung gut lesbar sein und obenaufliegen. Für das Einfrieren von Obst, Säften, Mus u.a. kann man Plastik-, Aluminium- oder Glasbehälter mit Deckel verwenden oder sie mit Kunststoff-Folie zubinden. Auch Pergabecher und Faltkartons sind nach Gebrauchsanweisung zu verwenden. Auf alle Fälle empfiehlt sich eine rechteckige Verpackung, da sie raumsparend wirkt. Auch sollte man stets Verpackungsmaterial vorrätig halten.

Für das Einlegen und die nachherige Verwendung der einzelnen Nahrungsmittel sind noch folgende Regeln zu beachten:

1. Fleisch

Lege Fleisch nur in Portionspackungen für einzelne Mahlzeiten ein, da an- oder aufgetautes Fleisch nicht ohne Nachteile von neuem gefroren werden kann. Erfahrungsgemäß eignen sich Packungen bis zu 1–1,5 kg Gewicht ohne Knochen am besten. Verwende stets nur abgehangenes Fleisch, da es in der Kühltruhe nicht mehr nachreifen kann. Lege zwischen kleine Fleischstücke, wie Schnitzel, Rouladen, Koteletts, Streifen von Zellglas oder Folie ein, damit man sie bei der Zubereitung in angetautem Zustand leicht voneinander lösen kann. Kleine Fleischstücke von 1–5 cm Höhe kann man in gefrorenem oder angetautem Zustand in üblicher Weise zubereiten. Das Antauen größerer Stücke geschieht bei +4°C bis +8°C im Kühlschrank in etwa 12 Stunden, in warmem Raum bei +20°C in 6–8 Stunden, oder im Backofen bei +40°C in 1–1½ Stunden. Größere Fleischstücke von über 5 cm Höhe können als Kochfleisch in gefrorenem Zustand zugesetzt werden, zum Braten jedoch ist ein Auftauen in 8–12 Stunden unbedingt erforderlich, da das Fleisch sonst innen nicht gar wird. Das Auftauen geschieht – wie das Antauen – ohne Verpackung im Kühlschrank, in warmem Raum oder im Backofen, braucht aber etwas mehr Zeit als das Antauen. (Etwa ausgetretener Fleischsaft kann mit Mehl angerührt zur Soße verwendet werden.) Die Lagerdauer der verschiedenen Fleischstücke sind aus der dem Kühlgerät beigegebenen Tabelle ersichtlich.

2. Geflügel

Taue Geflügel, das heute überall in bratfertigem Zustand angeboten wird, wie bei Fleisch angegeben an und brate es bei 200–210 °C in der üblichen Weise je nach Größe (Hähnchen in 50 Minuten, Ente in 1 1/2 Stunden, Gans in 3–3 1/2 Stunden). Entferne vor der Zubereitung die im Innern des Tieres gesondert verpackten Innereien, die sich nach dem Antauen leicht herausnehmen lassen, und verwende sie entweder zur Füllung oder mit Suppengrün zu einer guten Brühe.

3. Fische

Bereite tiefgekühlte kleinere Fische und Fischfilets in angetautem Zustand wie frische Fische zu. Taue größere Fische zuvor ganz auf. Zubereitung und Garzeit ist wie bei frischer Ware.

4. Gemüse

Bereite gartenfrisches Gemüse kochfertig vor, welle es in 3–4 Minuten in kleinen Mengen in strudelndem Wasser ab, kühle es sofort in kaltem fließendem Wasser nach, lasse es abtropfen, fülle es vorschriftsmäßig in Spezialbeutel oder Schläuche, drücke die Luft aus, verschließe durch Umwickeln mit Gummiring und schlage die überstehende Folie um. Versehe mit Inhaltsangabe! – Hoble am Stück gefrorene Gurken in gefrorenem Zustand ein und taue sie in der Salatsoße in etwa 2 Stunden auf. Tauche gefrorene Tomaten kurz in kochendes Wasser, ziehe die Haut ab, schneide sie in Scheiben und taue sie ebenfalls in der Salatsoße auf. – Nicht oder unvorschriftsmäßig abgewelltes Gemüse hält sich nicht, da die Fermentation im Innern weitergeht. Auch geht der Vitamingehalt nahezu verloren. – Dünste oder koche das Gefriergemüse unmittelbar aus der Truhe wie Frischgemüse. Die Garzeit ist jedoch um 1/3 kürzer.

5. Obst

Zuckere reifes Beerenobst nach dem Waschen und Entstielen mit Staubzucker ein (auf 500 g Beeren 50–75 g Zucker), fülle es in Spezialbeutel und verschließe es wie Frischgemüse. Zur besseren Erhaltung der Form lassen sich Beeren auch ungezuckert einfrieren, doch bleibt das Aroma bei gezuckerten Früchten besser erhalten. Oder friere die Beeren statt sie einzuzuckern mit Zuckerlösung (auf 1/2 l Wasser 250–350 g Zucker) in Pergabechern ein. Sie müssen vollständig bedeckt sein, da sie sich sonst verfärben. – Friere Steinobst nach dem Waschen und Entstielen mit oder ohne Kerne wie Beerenobst ein. Ziehe bei Aprikosen und Pfirsichen vor dem Entkernen die Haut ab durch kurzes Eintauchen in kochendes Wasser und friere sie in Zuckerlösung ein. Verwende das Obst in aufgetautem Zustand zu Süßspeisen, Kompotten, Bowlen u. a., was in warmem Raum etwa 6–8 Stunden dauert. Wenn Obst als Kuchenbelag mitgebacken wird, kann es unaufgetaut oder angetaut verwendet werden.

6. Backwaren

Friere frisches, abgekühltes Gebäck, z. B. Brötchen, Hefekleingebäck, Hefe- und Rührkuchen u. dgl. am besten in Zellglasbogen oder Spezialbeuteln ein und taue das Gebäck bei der Temperatur im Backofen auf, bei der es gebacken worden ist. Friere Blätterteig, Mürbteig und Knetteig in Mengen von 250–350 g in Spezialbeuteln auf Vorrat ein.
(Lagerdauer 2 Monate.) Taue die Teige bei Zimmertemperatur auf und verwende sie, sobald sie sich auswellen lassen.

7. Fertiggerichte

Taue Fertiggerichte und Speisereste vor dem Wärmen bei Zimmertemperatur auf.

Merke: Pflege dein Kühlgerät nach der vorgeschriebenen Gebrauchsanweisung!

DAS BACKEN

Es gibt kaum Mädchen und Frauen, denen das Backen keine Freude machen würde. Es ist ihnen durch zuverlässige Rezepte und Hilfsmittel aller Art, namentlich auch durch moderne temperaturgeregelte Elektro- und Gasgeräte leichter gemacht als Frauen früherer Zeiten, doch will das Backen gelernt und die sich dabei abspielenden Vorgänge verstanden sein, wenn man Misserfolge vermeiden will.

Regeln für die Behandlung des Backofens

1. Prüfe die verschiedenen Hitzegrade:
   a) Sehr starke Hitze (220–225°C). Diese empfindet man beim Hineingreifen in den Ofen als stechend. Ein Stückchen eingelegtes Zeitungspapier wird rasch braun. Diese Hitze ist notwendig für Blätter- und Brüh- oder Brandteig.
   b) Gute Hitze (180–220°C) empfindet man beim Hineinfassen in den Ofen als starkes Prickeln in den Fingerspitzen. Diese Hitze ist notwendig für Hefegebäck, gerührte Teige, Mürbteige, Obstkuchen.
   c) Mittelhitze (180–190°C) empfindet man mit der Hand als gut warm. Diese eignet sich für Biskuitteig, Anisbrot, dünne Plätzchen, Makronengebäck.
   d) Schwache Hitze (100–150°C) fühlt sich mit der Hand warm an. Sie ist geeignet für Schäumchen, „Springerle“, Vanilleplätzchen.
2. Sorge dafür, dass immer die volle Höhe der gewünschten Hitze erreicht wird, ehe das Backwerk eingeschoben wird. Ist diese nicht erreicht, so ist von vornherein der Backerfolg in Frage gestellt. Nach dem Einstellen ist nur noch ein gleichmäßiges Weiterheizen, das die Anfangshitze hält, erforderlich.
3. Heize beim Backen mit Gas stets mit voller Flamme vor, bis die notwendige Anfangshitze erreicht ist. Stelle dann klein und prüfe die Wärme mit der Hand nach. Backe mit kleingestellter Flamme fertig, da diese zur Aufrechterhaltung der Anfangshitze fast immer genügt. Es muss jedoch jeder Herd ausprobiert werden, weil die Brennerarten und der Gasdruck oft sehr verschieden sind. Achte darauf, dass bei Schwenkbrennern die Flamme vom Vorheizen bis zum Fertigbacken liegen muss.
   Schalte beim Backen mit Strom auf 3 ein, bis die notwendige Anfangshitze erreicht ist und schalte nach dem Einstellen des Gebäckes auf 1. Bei Stromschwankungen ist entsprechend der Stromstärke auf schwächer oder stärker zu schalten.
4. Stelle zum Backen nie 2 Bleche zusammen ein, weil sonst dem einen die Ober-, dem andern die Unterhitze fehlt, was in beiden Fällen das Ergebnis beeinträchtigt. Die vermeintliche Brennstoffersparnis wird dadurch aufgehoben, dass 2 Bleche zusammen fast die doppelte Zeit im Ofen bleiben müssen, weil die Anfangshitze durch das Einschieben zweier Bleche so vermindert wird, dass der Backvorgang selbst erst viel später einsetzt, als wenn nur ein Blech eingeschoben wird. Dieses Herabmindern der Anfangshitze ist besonders bei Buttergebäck verhängnisvoll.
5. Beachte für das Einstellen der Bleche und Backformen folgendes:
   a) Stelle Bleche oder Formen niemals unmittelbar auf den Boden des Ofens und nicht unmittelbar an die Rückwand. Die Teige sollen durch das Umspülen mit heißer Luft gebacken werden und nicht einseitig unten bräunen.

b) Stelle gerührte Teige, Hefeteige, Mürbteige etwa so ein, dass über und unter der Backform gleich viel leerer Raum ist. Obstkuchen untere Schiene.
c) Stelle Backwerk, das Füßchen bekommen soll (Springerle, Vanilleplätzchen. Schäumchen), möglichst tief ein, damit sie oben blaß bleiben und mehr der Unterhitze ausgesetzt sind.
d) Stelle Backwerk, das gelblich werden soll, etwa in der Mitte, zu bräunendes so hoch als möglich ein.

Etwas vom schwierigsten ist das scheinbar einfachste: das Backen von gutem Schwarzbrot. Es sei deshalb – wie das Herstellen guten Hefegebäcks – an den Anfang des großen Backkapitels gesetzt. Es empfiehlt sich, die einführenden Abschnitte und die für jede Gebäckart typischen Regeln genau zu lesen, ehe man sich ans Werk macht.

Der Sauerteig

Eines der ältesten Lockerungsmittel ist der Sauerteig.

Rührt man Mehl und Wasser zu einem weichen Teig an und lässt diesen einige Tage in einem warmen Raum stehen, fängt er an, Blasen zu bekommen und säuerlich zu riechen. Dies hat seine Ursache darin, dass allerlei Bakterien und Keime aus der Luft in den Teig fallen und diesen zu zersetzen beginnen. Es handelt sich dabei vorwiegend um Hefepilze, Milchsäure- und Essigsäurebakterien, die sich in der Wärme im feuchten Teig vermehren und die Nährstoffe zum Teil verändern. Die Hefepilze verwandeln allmählich die Stärke des Mehles in Zucker und diesen zum Teil in Alkohol und Kohlensäure. Der Zucker wird teilweise auch in Milchsäure, der Alkohol in Essigsäure verwandelt, und zwar durch die im Mehl und der Hefe enthaltenen Fermente und durch die Einwirkung der Bakterien. Da aber außer den vorgenannten Gärungserregern auch Fäulniserreger in den Teig gelangen, verdirbt er rasch und bekommt einen unangenehmen Geschmack.

Lässt man dagegen von einem mit Hefe hergestellten, gut gegangenen Teig einen Rest übrig, so trocknet dieser infolge seiner Festigkeit an der Oberfläche rasch aus, so dass keine fremden Gärungs- und Fäulniserreger in ihn eindringen können. Die Säuerung im Teigrest schreitet jedoch durch die Einwirkung des Sauerstoffs der Luft weiter. Die Hefepilze werden durch den Mangel an Nährstoffen in ihrer Weitervermehrung gehemmt, sterben aber nicht ab. Setzt man den Sauerteig mit warmer Flüssigkeit einem neuen Teig zu, so beginnt alsbald die Sprossung und damit die Vermehrung der Hefepilze und der Teig beginnt zu gären. Es handelt sich also beim Backen mit Sauerteig um dieselben Vorgänge wie beim Backen mit frischer Hefe, nur hinterlässt ersterer im Brot einen angenehm säuerlichen Geschmack. Damit dieser nicht allzustark hervortritt (was bei Verwendung von altem Sauerteig leicht vorkommt), nimmt man zum Backen von Schwarzbrot halb Sauerteig, halb frische Hefe.

Schwarzbrot

Zutaten für einen mittelgroßen Laib von etwa 1 1/2 kg: 1 kg Mehl, 10 g Hefe, 1/2 Tasse Sauerteig, 1 Esslöffel Salz, 1 Esslöffel Kümmel, warmes Wasser oder Magermilch. Zubereitung: Man macht den Teig wie Hefeteig (siehe Seite 235), knetet ihn tüchtig durch, bis er sich von Hand und Schüssel löst, lässt ihn erst in der Schüssel, dann in einer gutgefetteten Brotkapsel oder in einem bemehlten Strohkörbchen schön gehen und bäckt ihn in sehr guter

Hitze. Kurz vor dem Herausnehmen des fertigen Brotes bestreicht man die Oberfläche mit kaltem Wasser, schiebt es nochmals in den Ofen und lässt es vollends ausbacken. Das Brot bekommt dadurch eine glatte, glänzende Kruste, die angenehm bitter schmeckt und leichtlösliches Dextrin und Eiweiß enthält.
Die Backdauer und der Geschmack von Schwarzbrot sind wesentlich von der oder den verwendeten Mehlsorten abhängig. Meistens wird halb Roggen-, halb Weizenmehl oder Gerstenmehl dazugenommen. Backzeit 1 Stunde bei 200°C.

Roggenmischbrot

Zutaten für 3–4 Laibe: 100 g Sauerteig, 2 1/4 kg Roggenmehl, knapp 1 kg Weizenmehl, 1 kg gekochte geriebene Kartoffeln, Wasser nach Bedarf, 50 g Kochsalz.
Zubereitung: Der Sauerteig wird mit 1/4 l lauwarmem Wasser verrührt und mit knapp 1/2 kg Roggenmehl gemischt. Diesen Vorteig lässt man zugedeckt über Nacht gehen. Am Morgen gibt man die übrigen Zutaten hinein, knetet den Teig tüchtig durch und lässt ihn etwa 3 Stunden mit Mehl bestreut in warmem Raum gehen. Dann teilt man den Teig in 3–4 Teile, wirkt die Stücke mit Mehl tüchtig durch, gibt sie in gutgefettete Brotkapseln oder Backkörbe und bestreicht sie mit Wasser, was man verschiedenemal wiederholt, um ein Aufreißen des Brotes beim Backen zu vermeiden. Sind die Brote nochmals aufgegangen, werden sie nochmals tüchtig nassgemacht und in heißem Ofen gebacken. Das auf diese Weise bereitete Roggenbrot kann in kühlem trockenem Raum 2–3 Wochen aufbewahrt werden, ohne dass es schimmelt. Es hält sich sehr gut feucht. Backzeit 1 Stunde bei 200°C. Nimmt man vorwiegend Roggenmehl, muss man einen sehr festen Teig machen. Das Brot wird dunkel und feucht. Ein Zusatz von Gerstenmehl lässt es rasch austrocknen. Durch einen Zusatz von einigen gekochten geriebenen Kartoffeln bleibt das Brot lange feucht. Von starkem Einfluss auf den Geschmack ist es auch, ob man das Brot unmittelbar auf dem heißen Stein oder in irgendeiner Form bäckt.
Wichtig ist, das Brot nach dem Backen sofort und rasch abzukühlen, da es sonst leicht Fäden zieht.

Die Hefe

1. Allgemeines

Voraussetzung für die Gewinnung eines guten Hefegebäcks ist die Verwendung guter Hefe. Man verwendet heute die sogenannte Presshefe, die in einem Gärungsprozess, bei dem Alkohol gewonnen wird, fabrikmäßig hergestellt wird. In einem besonderen Verfahren wird aus dem fertigen Gärgut (Hefe und alkoholhaltige Würze) durch einen mehrfachen Trennungsvorgang auf besonderen Maschinen und durch nachfolgendes Pressen auf Filterpressen die Hefe von der alkoholhaltigen Gärungsflüssigkeit getrennt und in feste Form gebracht. Um stets einwandfreies Hefegebäck zu erhalten, sollte man immer nur so viel frische Hefe kaufen, als man jeweils benötigt. Gute Hefe soll einen angenehmen Geruch haben, sich leicht bröckeln lassen und eine gelblichgraue Farbe haben. Alte Hefe sieht dunkel aus, ist häufig trocken oder schmierig.

Die Hefe besteht aus mikroskopisch kleinen Sprosspilzen, die sich durch Teilung vermehren. Ihre Lebensbedingungen sind Feuchtigkeit, Wärme und geeignete Nährstoffe, vorwiegend Stärke und Zucker. Die Fermente der Hefepilze spalten einen Teil des im Mehl und den sonstigen Backzutaten enthaltenen Zuckers in Alkohol und Kohlensäure. Die Kohlensäurebläschen steigen im Teig auf und lockern ihn, indem sie ihn gleichmäßig durchsetzen. Beim Backen selbst wird der beim Gären entstandene Alkohol, ebenso ein Teil der zum Teig verwendeten Flüssigkeit gasförmig, Diese Dämpfe blähen mit der Kohlensäure zusammen den Teig auf und suchen zu entweichen. Sie werden aber durch die in der Backhitze entstehende Kruste zum Teil zurückgehalten und machen auf diese Weise das Gebäck schwammig und locker. Man kann bei Hefegebäck deshalb an Eiern und Fett sparen.

2. Anwendung beim Teigmachen

Die erste Lebensbedingung der Hefe ist die Wärme. Bei einer Temperatur von 32°C können sich die Hefepilze am raschesten vermehren. Es sollen deshalb alle Zutaten womöglich etwas vorgewärmt werden. Im Winter stellt man das Mehl einige Zeit in warmen Raum. Eier legt man vor dem Teigmachen einige Minuten in handwarmes Wasser. Das Fett lässt man zergehen. Die Flüssigkeit wird ebenfalls leicht angewärmt. Die Wärme darf jedoch nicht höher als auf 32°C steigen. Zwischen 50 und 60°C sterben die Hefepilze ganz ab. Darum Vorsicht! Zum „Gehen" oder besser Gären stellt man den Teig zur Wärme, allerdings nie unmittelbar auf oder an den Herd oder an den heißen Ofen. Man kann ihn höchstens, wenn man keinen andern warmen Platz hat, auf einen dampfenden Topf stellen, muss aber dabei zwischen Schüssel und Topf durch Dazwischenlegen von Holzklötzchen oder Holzlöffeln so viel Zwischenraum schaffen, dass sie keinesfalls heiß wird. Im temperaturgeregelten Backofen kann man den Teig bei 50°C gehen lassen. Im Sommer genügt es, nur die zum Teigmachen nötige Flüssigkeit leicht anzuwärmen, weil die herrschende Außenwärme für die Tätigkeit der Hefe ausreicht.

Eine weitere Lebensbedingung ist die Feuchtigkeit. Je weicher also ein Teig ist, desto rascher „geht" er. Aus diesem Grund macht man, wenn man wenig Zeit zur Verfügung hat, vor dem eigentlichen Teig den sogenannten Vorteig, den man aus der mit warmer Flüssigkeit verrührten Hefe in der Mitte des Mehles dickflüssig anrührt. Hier können sich die Hefepilze viel rascher vermehren als im festen Hauptteig und so kommt es, dass bei gleichen Zutaten, gleicher Hefemenge und gleicher Raumtemperatur ein mit Vorteig hergestellter Teig doppelt so rasch geht als ein sofort fertiggemachter Teig. Da sich im Vorteig die Hefe rasch vermehrt, kann man, wenn man jenen frühzeitig „anlässt", an Hefe sparen.

Wenn der Vorteig am Abend zuvor angesetzt wurde, rechnet man bei Zimmerwärme auf 500 g Mehl 3–5 g Hefe, bei vierstündiger Gesamtzubereitungszeit auf 500 g Mehl 10–15 g, bei zweistündiger Gesamtzubereitungszeit 20–40 g Hefe auf 500 g Mehl. Bei sogenannten schweren Teigen mit viel Fett, Mandeln, Rosinen und dergleichen die doppelte Hefemenge.

Die dritte Lebensbedingung der Hefe ist das Vorhandensein von Nährstoffen. Sofort gärungsfähig ist der im Mehl enthaltene und durch süße Zutaten beigegebene Zucker. Kommen keine süßen Zutaten zum Teig, so wandeln die Fermente der Hefe und die im Mehl enthaltenen Enzyme einen Teil der Stärke auch allmählich in gärungsfähigen Zucker um, den sie dann in Alkohol und Kohlensäure spalten. Die Hefe braucht aber, um ihre Zellen zu vermehren, außer Zucker auch Eiweiß- und Fettstoffe, die sie dem Teig entzieht. Je mehr man also an Hefe spart, desto mehr gehen von den Nährbestandteilen des Teiges durch Spaltung und Gärung verloren. Je mehr man Hefe zusetzt, desto schmackhafter und nährstoffreicher wird das Gebäck, zumal die eiweißreiche und sehr vitaminreiche Hefe ja beim Backen im Teig bleibt. Je kürzer ein Teig „geht", desto besser wird das Gebäck. Der Kleber braucht jedoch 1 Stunde Zeit, um völlig auszuquellen. Man kann, wenn man genügend Hefe zusetzt, den Vorteig ruhig weglassen. Auf 500 g Mehl kann man bis zu 40 g frische Hefe zusetzen, ohne dass sie vorschmeckt.

3. Das Backen selbst

Der Hefeteig ist „reif" zum Backen, wenn er die doppelte Höhe erreicht hat. Lässt man ihn länger gehen, beginnen die Kohlensäurebläschen den Teig oben aufzureißen und zu entweichen. Der Teig sitzt zusammen und wird schwer. Außerdem bildet sich aus dem Alkohol durch Luftzutritt allmählich Essigsäure und der Teig wird sauer. Man muss deshalb die Gärung rechtzeitig durch Backen unterbrechen. Ein gutgegangener Teig braucht gute Hitze, etwa 200°C, damit er oben rasch zubäckt und eine Kruste bildet. Ist der Ofen nicht heiß genug, so bildet sich jene zu langsam, die Backgase entweichen, das Gebäck sitzt zusammen, läuft in die Breite und wird „speckig" und schwer. Ist der Ofen zu heiß, wird die Kruste zu rasch dunkel, ehe die Krume durch den gerinnenden Kleber festgeworden ist und das Gebäck wird klebrig. In beiden Fällen wird es schwer verdaulich.

Allgemeine Backregeln

1. Bevorzuge, wenn du mit wenig Wirtschaftsgeld auskommen musst, die Herstellung von Hefegebäck, weil es auch mit wenig Fett und ohne Ei gut und schmackhaft wird.
2. Verwende zum Strecken des Teiges Quark oder gekochte geriebene Kartoffeln. Beides macht den Teig feuchter und erhält fettarmes Gebäck länger frisch.
3. Bedenke, dass e i n e minderwertige Zutat das ganze Gebäck verderben kann. Benütze deshalb nur einwandfreie Zutaten, namentlich stets frische Hefe.
4. Verwende zu Dauerwaren nur Butter oder geruch- und geschmackloses Kokosfett oder Öl.
5. Stelle lieber eine kleine Menge gutes, als eine große Menge minderwertiges Gebäck her. Backe lieber einfaches, gutes Brot als schlechten Kuchen.
6. Wenn du bei Hefegebäck an teuren Zutaten sparen willst, so kürze lieber an Eiern als an Fett. Eier machen das Gebäck trocken, Fett hält es feucht.
7. Mache nur dann einen Vorteig, wenn du sehr wenig Zeit zur Verfügung hast und Hefe sparen musst, andernfalls spare dir diesen Arbeitsgang und mache den Hauptteig sofort fertig.
8. Verarbeite den Teig zu kleinen Hefestücken s o f o r t nach dem Kneten. Er lässt sich leichter formen und man kann das ganze Gebäck in einem Arbeitsgang fertigmachen.
9. Beachte folgende Kniffe, wenn der Hefeteig so rasch als möglich gehen soll:
   a) Verwende zum Vorteig die gesamte zum Teig nötige Flüssigkeit, damit sich die Hefe in dem großen weichen Vorteig rasch vermehren kann.
   b) Setze der Hefe beim Anrühren mit Flüssigkeit etwas Zucker zu, damit die Gärung sofort beginnen kann. Rühre jedoch nie die trockene Hefe allein mit Zucker, da dieser den Hefezellen Wasser entzieht und sie dadurch schädigt.
   c) Wärme alle Zutaten vor und stelle Vor- und Hauptteig zur Wärme.
   d) Vermeide heiße Flüssigkeiten zum Anlassen.
   e) Stelle den Teig zum „Gehen" nicht unmittelbar in die Hitze.
10. Spare nicht zu sehr an Fett beim Bestreichen der Bleche und Backformen, damit die Außenflächen der Kuchen nicht beschädigt werden. Das Fett verbessert nebenbei die Kruste! Bestreue bei sehr weichen, gerührten Teigen die gefetteten Formen außerdem noch mit Brosamen oder gemahlenen Mandeln.
11. Stelle Obstkuchen auf der untersten Schiene ein, damit der Teig bäckt, ehe das Obst Saft zieht. Schiebe hohe Kuchen (Rührteig) so ein, dass der Teig nicht über die oberste Schiene hinausragt.
12. Beachte bei temperaturgeregelten Backöfen die vorgeschriebenen Wärmegrade.

13. Lass Backwerk nie im Blech erkalten, sondern kühle es rasch ab. Die Dämpfe weichen die Rinde auf und das Gebäck nimmt den Geruch des Bleches an.

HEFEGEBÄCK

Hefeteig eignet sich besonders gut zur Herstellung von Formgebäck, wie es uns aus allen deutschen Landschaften, ja sogar von einzelnen Orten her bekannt ist. So werden viele Symbole aus alter Zeit auch heute noch verewigt, auch wenn den Herstellern deren Bedeutung nicht mehr bewusst ist. Es handelt sich vor allem um Symbole des Jahreslaufs, Fruchtbarkeitssymbole, des Lebensbaums, die in den verschiedenartigsten Formen dargestellt werden: Brezeln, Ringe, Rauten, Zöpfe, Räder, Stäbe, Kreuze u. v. a.

Grundrezept für salziges Hefegebäck:

500 g Mehl, 20 g Hefe, 1/4 l Milch, 1 Kaffeelöffel Salz, 80–100 g Fett, nach Geschmack etwas Kümmel.

Zubereitung I: Man rührt mit der lauwarmen Milch die Hefe glatt an und macht in die Mitte des Mehles einen weichen, glatten Vorteig, den man, mit einem reinen Tuch bedeckt, in der Wärme gehen lässt. Dann gibt man die übrigen Zutaten hinein und schafft den Teig,

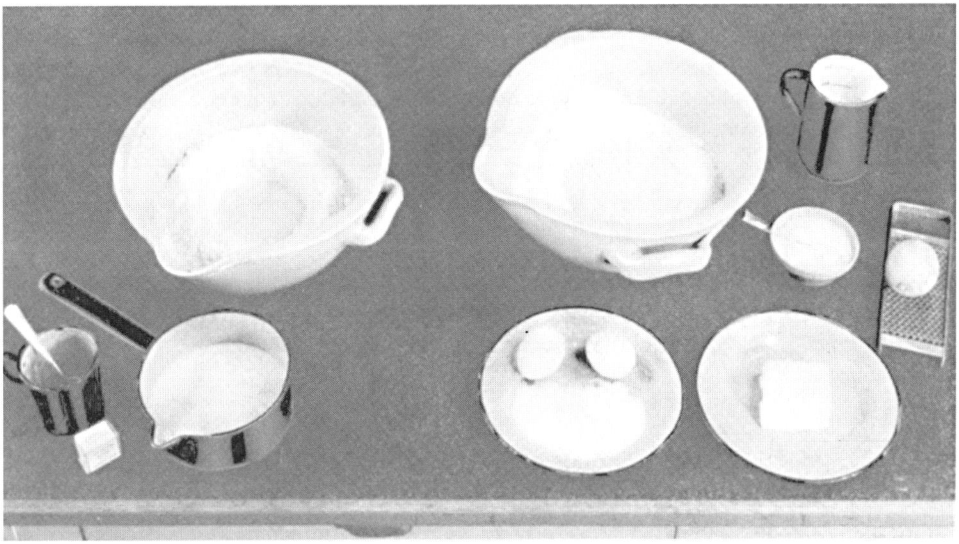

Die Zutaten zum Hefeteig mit angerührtem und „gegangenem“ Vorteig

am besten mit der Hand, so lange, bis er glatt ist, Blasen wirft und sich von Hand und Schüssel löst. Nun lässt man ihn in der Schüssel zur doppelten Höhe gehen und verarbeitet ihn zu beliebigem Gebäck.

Zubereitung II: Hat man im Winter keinen warmen Raum zur Verfügung, so kann man den Hefeteig auch in kaltem Wasser gehen lassen und ist dann unabhängig von der äußeren Wärme. Bei der Herstellung des Teiges ist aber folgendes zu beachten: Man lässt den vierten Teil des Mehls zurück (ebenso bei süßem Hefegebäck den Zucker und die Gewürze). Dann arbeitet man den Teig ohne Vorteig wie bei Zubereitung I, formt einen runden Kloß

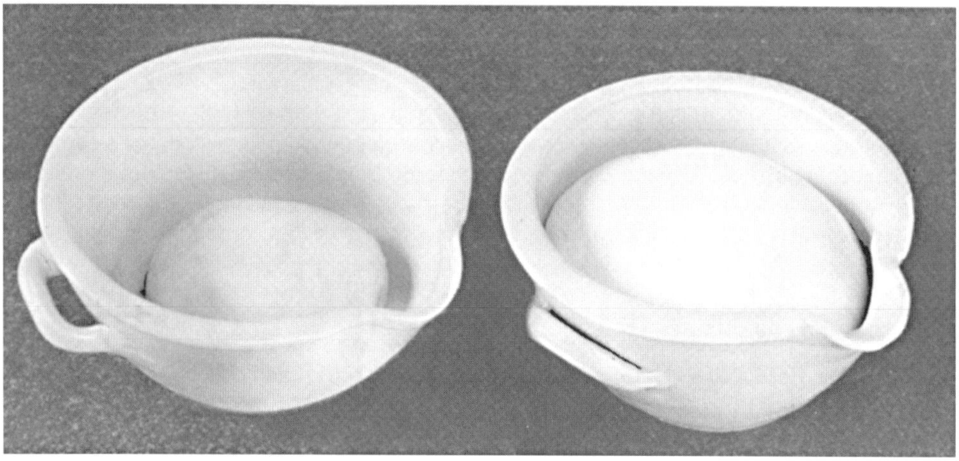

Der Teig nach dem Kneten und in der richtigen „Reife" zum Backen

und gibt diesen in ein tiefes Gefäß mit viel kaltem Wasser. Der anfänglich unten sitzende Teig fängt langsam an, sich abzulösen, dreht sich einmal um, hat nach etwa einer halben Stunde die doppelte Höhe erreicht und schwimmt oben. Dann nimmt man ihn heraus, lässt ihn abtropfen, arbeitet dann die zurückgelassenen Zutaten, bei süßem Gebäck erst Zucker und Gewürze, dann erst das Mehl darunter, und arbeitet den Teig nochmals tüchtig auf dem Backbrett durch. Dann wird er beliebig weiterverarbeitet.

Butterkuchen

Aus dem Grundrezeptteig wirkt man auf dem Backbrett einen länglichen Laib, lässt ihn auf dem gefetteten Blech nochmals gehen und verziert ihn oben auf folgende Weise: Man lässt außen einen zweifingerbreiten Rand stehen und zieht mit einem scharfen Messer eine Linie ein. In das Oval zieht man verschobene Vierecke ein, bestreicht die ganze Oberfläche mit Ei, streut Kümmel und Salz darauf und bäckt ihn in guter Hitze. 200-210 °C.
Backdauer etwa 30–40 Minuten.

Mürbe Brezeln

Zubereitung: Aus dem gut und glatt gearbeiteten Grundrezeptteig macht man sofort nach dem Kneten 12–16 Stücke, wirkt diese mit möglichst wenig Mehl auf dem Backbrett zu Streifen aus, die in der Mitte etwas dicker sind als außen, schlingt Brezeln zusammen, lässt sie auf einem gefetteten Blech kurz gehen und streicht sie, kurz ehe sie in den Ofen kommen, mit Ei. Lässt man sie gestrichen lange stehen, so verlieren sie beim Backen den Glanz. Sie müssen rasch in starker Hitze gebacken werden, sonst trocknen sie aus (200–210 °C). Backdauer 10–15 Minuten.

Kümmelstangen

Zubereitung: Man wirkt aus dem Grundrezeptteig sofort nach dem Kneten fingerdicke Stangen aus, lässt sie kurz gehen, streicht sie mit Ei, bestreut sie mit Kümmel und Salz und bäckt sie rasch in guter Hitze hellbraun (200 bis 210°C). Backdauer 10 Minuten.

Mohnbrötchen

Zubereitung: Man teilt den Grundrezeptteig sofort nach dem Kneten in 20 Stücke, wirkt längliche Laibchen daraus, lässt sie auf dem gefetteten Blech schön gehen, streicht sie mit Wasser, Milch oder Ei, bestreut sie mit Mohnsamen und bäckt sie rasch in guter Hitze. 200–210°C. Backdauer 15–20 Minuten.

Speckwecken

Man teilt den Grundrezeptteig sofort nach dem Kneten in 20 Stücke, zieht diese etwas auseinander und füllt sie mit in kleine Würfelchen geschnittenem geräuchertem Speck. Nach dem Gehen streicht man sie mit Milch und bestreut sie mit Kümmel. Man bäckt sie in guter Hitze 210°C. Backdauer 15–20 Minuten.

Hefeteigwürstchen

Zutaten: Grundmenge des gesalzenen Hefeteigs, dazu 1–2 Eier, 250 g gekochte, geriebene Kartoffeln, nach Belieben 1 Prise Pfeffer oder Muskatnuss.
Zubereitung: Man macht aus den angegebenen Zutaten einen schönen glatten Hefeteig, formt sofort nach dem Kneten fingerlange und fingerdicke Rollen, lässt sie schön aufgehen und backt sie schwimmend in heißem Schmalz. Sie eignen sich vorzüglich als Beilage zu allen Gemüsen, die mit Buttersoße angerichtet werden.

Kuchenböden

Zu: Zwiebel- und Speckkuchen. Für ein mittelgroßes rundes Blech reicht die halbe Menge des Grundrezepts (Seite 234). Belag siehe flache Kuchen (siehe Seite 295/296).

Hefeklöße

Man macht den ohne Fett und mit Wasser hergestellten gezalzenen Hefegrundrezeptteig, teilt ihn nach dem Gehen in 4–6 große Klöße, gibt diese in kochendes Salzwasser, lässt sie 20–25 Minuten fest zugedeckt darin kochen, richtet sie an, reißt sie oben mit 2 Gabeln auseinander und schmälzt sie mit brauner Butter.
Beilagen: Tomatensoße oder Sauerkraut, nach Belieben auch Kompott oder gekochtes Dörrobst.

Grundrezept für einfaches, süßes Hefegebäck:

500 g Mehl, 20 g Hefe, knapp 1/4 l Milch, 80–100 g Butter oder Margarine, 50–80 g Zucker, 1–2 Eier, 1 Prise Salz, nach Belieben etwas Zitronenschale oder Anis.

Zubereitung: Man bereitet den Hefeteig wie zu salzigem Gebäck, lässt ihn zur doppelten Höhe gehen und verarbeitet ihn auf verschiedenste Weise.

Dampfnudeln, gebackene

Zubereitung: Man teilt den Grundrezeptteig sofort nach dem Kneten in 12 bis 16 Stücke, formt daraus kleine, glatte Laibchen, lässt sie auf gutgefettetem Blech kurz gehen, bestreicht sie mit Ei, streut groben Zucker darauf und bäckt sie in guter Hitze hellbraun. – Man kann, statt die Nudeln einzeln zu formen, auch einen länglichen Strang auswirken und die Nudeln mit einem Glas ausstechen. 210 °C. Backdauer 15–20 Minuten.

Dampfnudeln, aufgezogene

Zubereitung: Man lässt die Nudeln statt auf dem Blech auf dem bemehlten Nudelbrett gut gehen. Nun bringt man in einer eisernen Kasserolle 1/8 l Wasser oder Milch oder halb Wasser halb Milch mit einem nussgroßen Stück Butter und 1 Esslöffel Zucker zum Kochen, setzt die Nudeln dicht zusammen hinein, deckt sie mit einem gutschließenden Deckel zu und lässt sie 12–15 Minuten kochen, ohne sie während dieser Zeit aufzudecken. Zieht man sie auf Gas auf, muss die große Flamme etwas abgedrosselt werden. Die Sparflamme allein genügt nicht. Zum Aufziehen des Teiges der ganzen Grundrezeptmenge braucht man 2 mittelgroße Kasserollen (22 cm Durchmesser). Die Nudeln sind fertig, wenn die Flüssigkeit eingekocht ist und

Aufgezogene Dampfnudeln

der Duft der sich unten bildenden Kruste nach außen dringt. Solange man noch das brodelnde Geräusch der Flüssigkeit wahrnimmt, darf der Deckel keinesfalls abgenommen werden.
Statt des süßen kann man auch den salzigen Hefeteig verwenden und beim Aufziehen statt Zucker etwas Salz nehmen.

Dampfnudeln, wahre

Zubereitung: Man spannt über einen breiten großen Topf ein Tuch in der Weise, dass man es mit einer Schnur am Topf festbindet und nachher eine Vertiefung eindrückt, die so groß ist, dass man die Dampfnudeln nach dem Einlegen zudecken kann. Zuvor gibt man eine dreifingerdicke Bodendecke Wasser hinein. Sobald es kocht, legt man die gegangenen Nudeln auf das Tuch, deckt fest zu, schlägt die Tuchenden über den Deckel und lässt sie 15–20 Minuten im Dampf gar werden. Wer will, kann die Nudeln mit Marmelade oder, bei gesalzenem Teig, mit Speckwürfelchen füllen. Man kann sie auch im Backofen garen. Man bespannt den Gitterrost mit einem locker gewebten Safttuch, bestreut es mit Mehl, setzt die Nudeln darauf, gibt in die vorgeheizte Fettschale 1/2 l kochendes Wasser, legt den Rost mit den Nudeln darauf und gart sie im geschlossenen Backofen etwa 20 Minuten.

Quarknudeln

Zutaten: Grundrezept des süßen Hefeteigs, 250 g Quark, entsprechend weniger Milch.
Zubereitung: Wie gebackene Dampfnudeln. 200–210 °C. Backdauer 18–20 Minuten.

Rohrnudeln

Zubereitung: Man setzt aus dem schön gegangenen Grundrezeptteig 12 Nudeln in eine gutgefettete tiefe Blechform oder Kasserolle, gießt vor dem Backen 1 Tasse Milch und 1–2 Esslöffel zerlassenes Fett darauf und bäckt sie in guter Hitze. Diese Nudeln werden ganz besonders zart und feucht. 200–210 °C. Backdauer 20–25 Minuten.

Böhmische Buchteln

Zubereitung: Einen schön gegangenen süßen Grundrezeptteig teilt man in 16 Stücke, zieht sie auseinander, gibt einen Teelöffel Himbeermarmelade darauf und rafft den Teig wieder zusammen, so dass runde Klöße entstehen. Diese wälzt man in zerlassener Butter, setzt sie mit der glatten Seite nach unten dicht zusammen in eine gefettete Kasserolle, lässt sie nochmals gehen und bäckt sie bei guter Mittelhitze, 210 °C, etwa 1/2 Stunde.
Man kann als Füllung auch ausgesteinte Zwetschgen oder sonstige süße rohe Früchte hineingeben, keinesfalls aber Gelee, weil dieses beim Backen ausfließen kann und die Buchteln dann anhängen würden. Die fertigen Buchteln sollen beim Stürzen leicht auseinanderfallen. Man gibt sie auf eine runde Platte, bestreut sie noch heiß mit Zucker und reicht Vanille-Karamellsoße oder gekochtes Obst dazu.

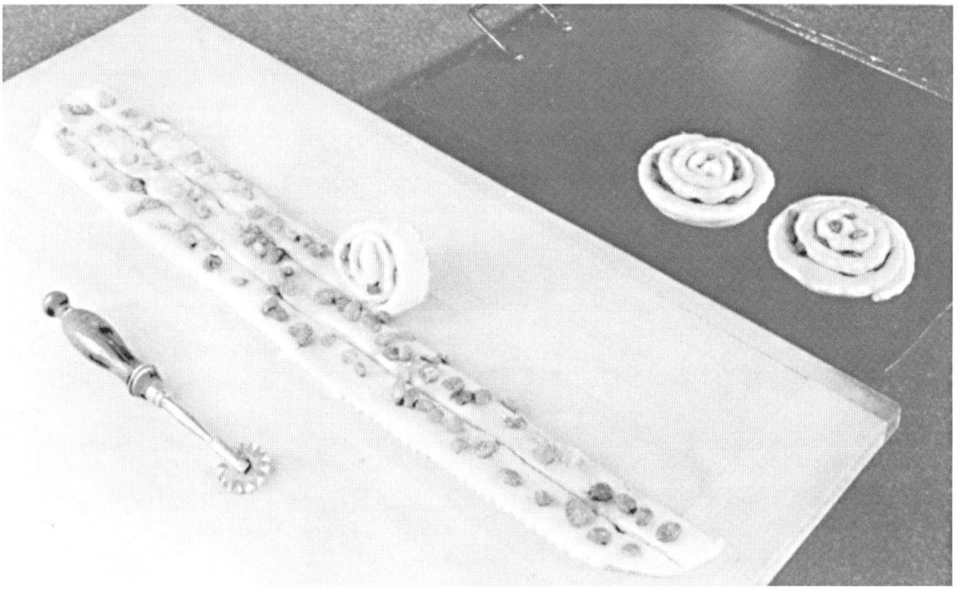

Wie man Schneckennudeln macht

Schneckennudeln I

Zubereitung: Den in der Schüssel gegangenen Grundrezeptteig nimmt man auf das bemehlte Nudelbrett, wellt einen kleinfingerdicken, rechteckigen Streifen aus, bestreicht diesen mit zerlassenem Fett, streut Zucker, Zimt und sauber gewaschene, wieder getrocknete Rosinen darauf und schneidet mit dem Backrädchen 3 cm breite Streifen ab. Diese wickelt man locker auf, lässt sie auf einem gutgefetteten Blech nochmals gehen und bäckt sie hellbraun. Man kann auch den ganzen Teigstreifen locker aufwickeln, 2 cm dicke Scheiben abschneiden und auf das vorgerichtete Blech setzen. Man kann sie vor dem Backen mit Ei oder nach dem Backen noch heiß mit Zuckerglasur (Seite 319) bestreichen. 210°C. Backdauer 15–20 Minuten.

Schneckennudeln II (Rosenkuchen)

Zubereitung: Man setzt die Nudeln ganz dicht zusammen auf ein tiefes rundes Blech, gießt, nachdem sie nochmals kurz gegangen sind, 1 Tasse Milch mit etwas zerlassener Butter darüber und bäckt sie in guter Hitze. Nach dem Erkalten überzieht man sie mit Zuckerlgasur Seite 319). 200–210°C. Backdauer 20 Minuten.

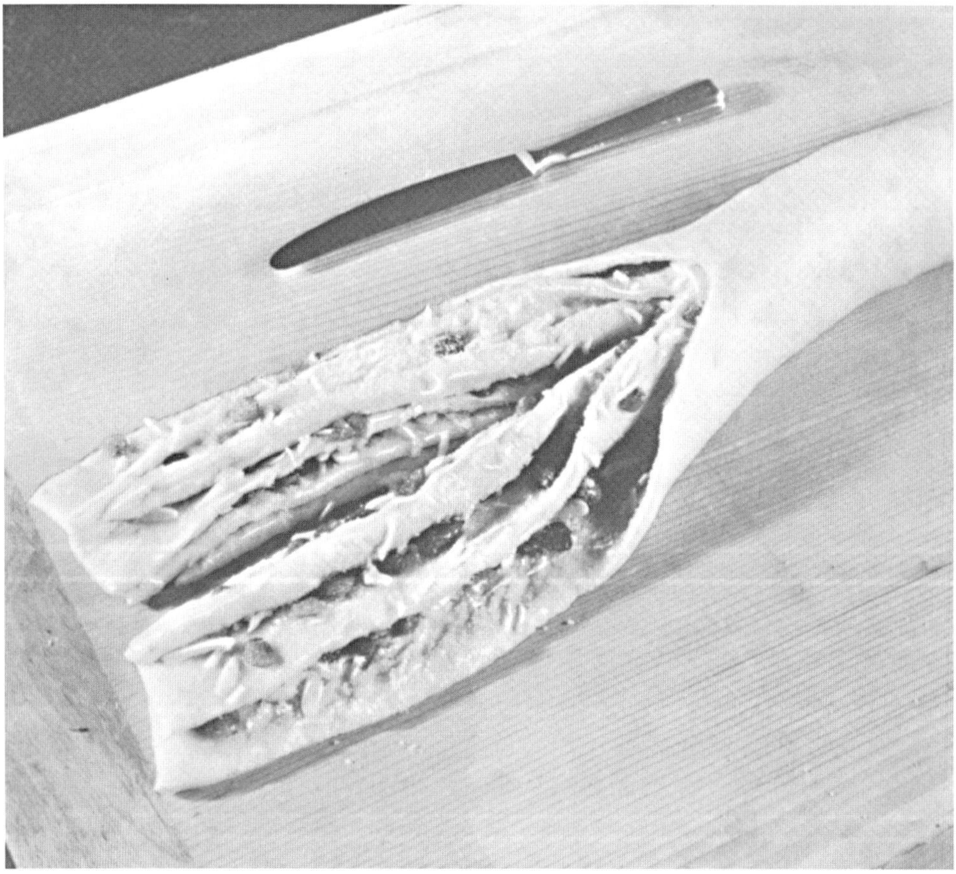

Die Teigrolle zum Schwäbischen Kranz wird der Länge nach aufgeschnitten

Apfelnudeln – Zwetschgennudeln

Zubereitung: Man braucht außer den Zutaten des Grundrezepts (Seite 235) noch 750 g in feine Scheibchen geschnittene, nach Geschmack gezuckerte, mit Rosinen vermischte Äpfel und etwas zerlassenes Fett.

Den schön gegangenen Teig teilt man in 12 Stücke, wellt jedes rund und dünn aus, bestreicht sie mit Fett und gibt auf jedes 2–3 Esslöffel voll vorgerichtete Apfelscheibchen oder entsteinte Zwetschgen, in die man je einen Würfelzucker steckt. Nun zieht man den überstehenden Teig von allen Seiten über die Äpfel oder Zwetschgen her, dreht die Nudeln um, setzt sie auf ein gutgefettetes Blech, lässt sie nochmals kurz gehen, streicht sie mit Ei oder Milch und bäckt sie hellbraun bei 210°C. Backdauer 20–25 Minuten.

Hefepudding

Zubereitung: Man macht aus der halben Menge des Grundrezepts (Seite 235) einen schönen glatten Teig, gibt ihn sofort nach dem Kneten in eine gutgefettete Puddingform und lässt ihn in dieser zur doppelten Höhe gehen. Die Form muss groß sein, damit genügend Raum zum Aufgehen frei bleibt. Dann verschließt man die Form und kocht den Pudding im Wasserbad 1 Stunde. Hierauf wird er gestürzt und mit gekochtem Obst oder Dörrobst zu Tisch gebracht.

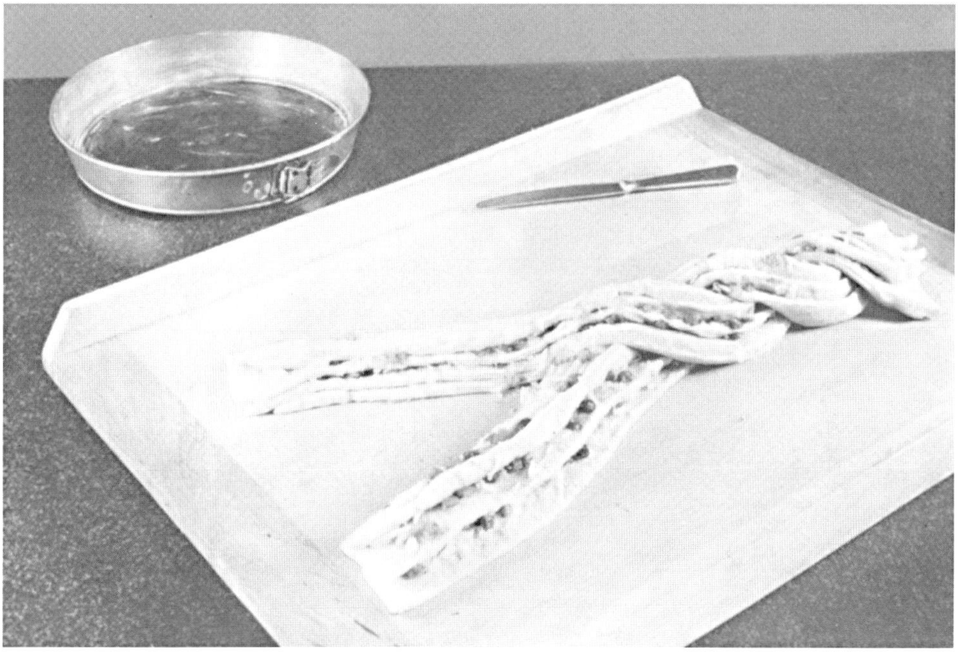

... hierauf geschlungen und in ein gut gefettetes rundes Blech gelegt

Schwäbischer Kranz

Zutaten zur Füllung: 1 großer Esslöffel Fett oder 1–2 Eiweiß, 50–80 g Zucker, Zimt nach Geschmack, 50–100 g Sultaninen, 50 g in Stifte oder Scheiben geschnittene Mandeln oder Haselnüsse.

Zubereitung: Den schön gegangenen Grundrezeptteig wellt man zu einem kleinfingerdicken, rechteckigen Streifen aus, bestreicht ihn mit Fett oder Eiweiß, streut die oben ange-

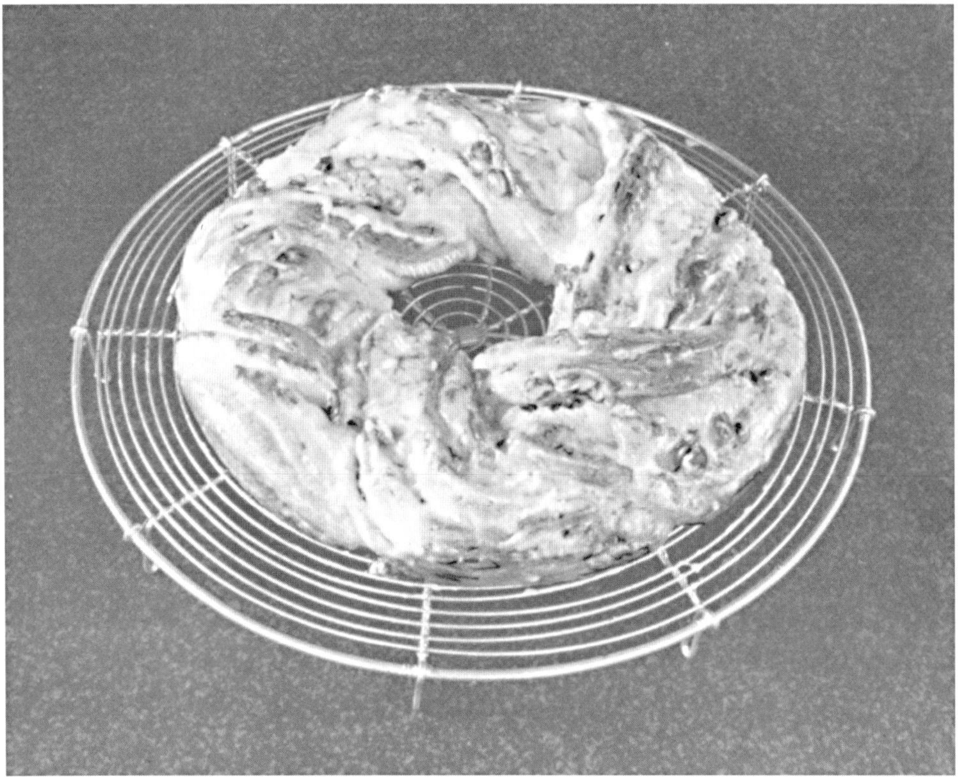

Der fertig gebackene, zum Auskühlen auf dem Kuchengitter liegende glasierte Schwäbische Kranz

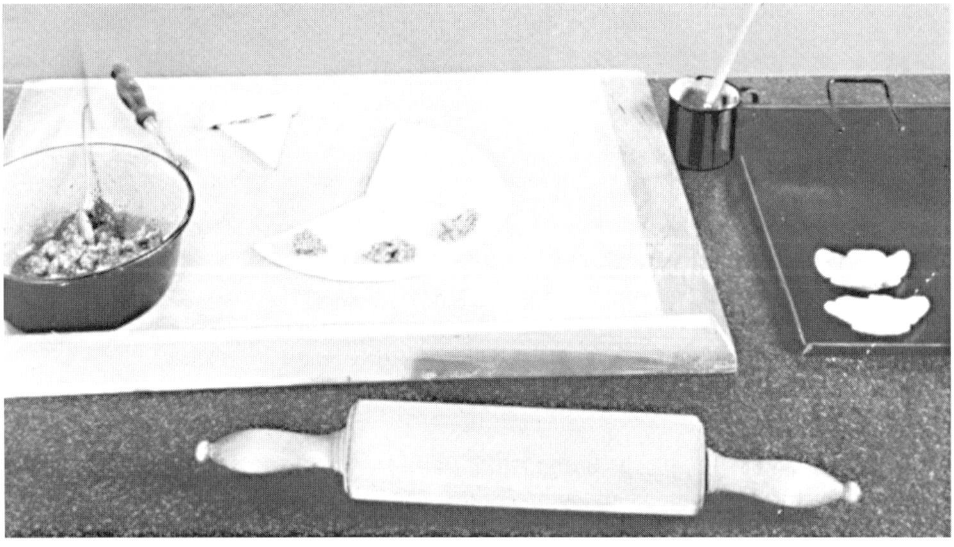

So macht man Nusshörnchen

gebenen Zutaten darauf und wickelt ihn von der Breitseite her auf. Die dadurch entstandene Teigrolle schneidet man mit einem scharfen Messer der Länge nach durch und schlingt die beiden Hälften so zusammen, dass die Schnittflächen nach oben zu liegen kommen. Man kann das Ganze als Kranz in einem runden Blech, oder als Zopf auf einem rechteckigen Blech backen. Vor dem Einschieben in den Ofen lässt man ihn nochmals kurz gehen, bäckt ihn in guter Hitze und bestreicht ihn noch heiß mit Zuckerglasur (Seite 319). 200–210°C. Backdauer 40–50 Minuten.
Man kann statt der oben erwähnten Mandel- oder Nussfüllung den mit Fett oder Eiweiß bestrichenen Teig mit einer Mischung von Kakao und Zucker bestreuen und den Kranz auf die gleiche Weise fertigbacken. (Mit Eiweiß bestrichen halten die durchschnittenen Hälften beim Schlingen besser zusammen.)

Nussbogen
Zutaten: Grundrezept des süßen Hefeteigs; – Füllung: 50 g gehackte Walnüsse oder Haselnüsse, 50 g Sultaninen, je 50 g Zitronat und Orangeat, beides fein geschnitten, 50 g Zucker, 50 g Honig, 1 Teelöffel Zimt.
Zubereitung: Der schön gegangene Hefeteig wird zu einem rechteckigen, 1 cm dicken Stück ausgerollt, mit den Nüssen, Sultaninen, Zitronat und Orangeat gleichmäßig bedeckt, mit Zucker und Zimt bestreut und teelöffelweise mit dem flüssigen Honig überträufelt. Nun rollt man das Teigstück von der breiten Seite her auf, legt die Rolle halbmondförmig auf ein gefettetes Blech, bestreicht sie mit zerlassener Butter und bäckt sie rasch in heißem Ofen. Das Gebäck bleibt sehr lange feucht und ist sehr wohlschmeckend. 200–210°C. Backdauer etwa 40 Minuten.

Nusshörnchen
Zutaten zur Füllung: 125 g geriebene Haselnüsse, 50 g Zucker, 1 Päckchen Vanillin, 5 Esslöffel süße Sahne (nicht mehr!) zum Anfeuchten. Man kann zum Anfeuchten auch übriges Eiweiß nehmen.
Zubereitung: Den schön gegangenen Grundrezeptteig teilt man in 2 Hälften und wellt jede zu einer runden, 1/2 cm dicken Platte aus. Diese schneidet man mit dem Backrädchen in je 8 Stücke, wie man einen Obstkuchen aufschneidet, so dass also langgezogene Dreiecke entstehen. – Die zur Füllung angegebenen Zutaten werden kurz vor Gebrauch angerührt. Man gibt auf jedes Dreieck an der Breitseite 1 Kaffeelöffel Füllmasse, wickelt dieses auf und biegt gleichzeitig die Zipfel etwas ein. Man lässt die Hörnchen auf dem gefetteten Blech noch kurz gehen und streicht sie entweder vor dem Backen mit Ei oder nach dem Backen noch heiß mit Zuckerglasur (Seite 319).
200°C. Backzeit 20 Minuten.

Nussring (Haselnussring)
Man nimmt denselben Teig und die doppelte bis dreifache Menge Füllung wie bei Nusshörnchen.
Zubereitung: Der schön gegangene Teig wird zu einem rechteckigen zentimeterdicken Streifen ausgewellt, mit der Füllung, die nicht sehr weich sein darf, bestrichen und aufgerollt. Man legt die Rolle in eine gutgefettete Ringform, und zwar so, dass die beiden Teigenden zusammenstoßen und die glatte Seite der Rolle nach unten kommt. Dann lässt man den Ring zugedeckt in der Wärme schön gehen und bäckt ihn in guter Hitze.
Anmerkung: Macht man die Füllung zu feucht, so treibt der beim Backen entstehende Dampf die Zwischenräume zu stark auseinander, und der Ring lässt sich schlecht aufschneiden.
200°C. Backdauer 45–55 Minuten.

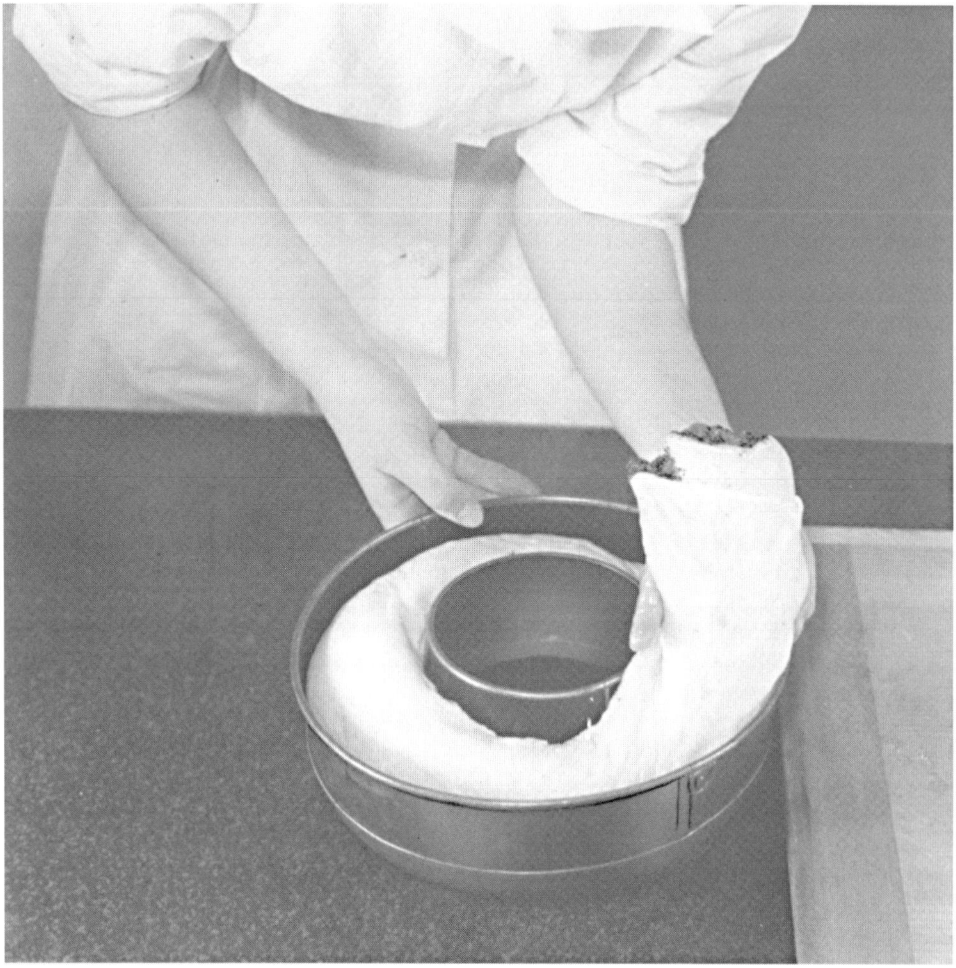

Wie man den Haselnussring in die Form legt

Mohnring

Statt der Nussfüllung verwendet man folgende Mohnfüllung: Man mahlt 1 Tasse Mohn durch die Kaffeemühle (jedoch nie auf Vorrat, weil er rasch ranzig wird), gibt ihn mit 1 Tasse Grieß in 1/2 l kalte Milch nebst Zucker nach Geschmack und schlägt die Masse auf dem Herd bis zum Kochen. Wenn der Brei dick ist, nimmt man ihn vom Feuer, schmeckt ihn mit Vanille, Zimt oder Rum ab und streicht ihn nach dem Erkalten auf den ausgewellten Teig. Man macht ihn wie Nussring fertig. 200°C. Backdauer 45–55 Minuten.

Feiner schmeckt folgende Füllung:

Zutaten: 3/8 l Milch- oder süße Sahne, 1/2 l Mohn, 100 g Zucker, 5 Esslöffel Honig, 1 Päckchen Vanillin.

Zubereitung: Man lässt den Honig heiß werden, mischt den gemahlenen Mohn und das Vanillin damit, rührt die kochende Milch oder die Sahne daran und lässt die Masse erkalten. Dann wird sie auf der Teigplatte gleichmäßig verteilt.

Wie der Mohnring beim Anschneiden aussehen soll

Der Französische Zopf

Französischer Zopf

Füllung wie zu Mohnring.
Zubereitung: Man wellt den gutgegangenen Grundrezeptteig rechteckig aus und schneidet an beiden Längsseiten in halbschräger Richtung in etwa 4 cm Entfernung fingerlange Schnitte ein, die Mitte des Teigstreifens wird mit der Mohnfüllung belegt und die Streifen rechts und links wie zu einem Zopf darüber gelegt. Sie dürfen jedoch nur knapp übereinander gehen, sonst decken sie den folgenden Einschnitt zu. Man lässt den Zopf in der Wärme nochmals gehen, bestreicht ihn mit Ei und bäckt ihn bei guter Hitze (200–210°C). Backdauer 35–40 Minuten.

Streuselkuchen

Streusel: 125 g Zucker, 125 g Butter, 125 g Mehl, 125 g grobgeschnittene Mandeln oder Haselnüsse, etwas Zimt oder Vanillin.
Zubereitung: Man wellt den Grundrezeptteig (halbe Menge) sofort nach dem Kneten zu einem runden, flachen Kuchen aus, den man in einem gutgefetteten Blech kurz gehen lässt. Dann streicht man die ganze Oberfläche mit Ei und verteilt den unterdessen hergestellten Streusel darauf. Die Zutaten zum Streusel hackt man auf dem Backbrett mit einem breiten Messer so lange, bis kleine Brösel entstehen. – Nach dem Verteilen des Streusels wird der Kuchen sofort in guter Hitze gebacken. 200°C. Backdauer 20–30 Minuten.

Bienenstich

Zutaten zum Belag: 125 g Zucker, 125 g geschälte, gehackte Mandeln, 60 g Butter, Vanillin, einige Esslöffel kondensierte Milch.
Zubereitung: Man wellt den Grundrezeptteig nach dem Gehen zu einer rechteckigen Platte aus, bestreicht sie mit der zerlassenen Butter, verteilt die aus Mandeln, Zucker und Kondensmilch angerührte Füllung darauf und bäckt den Bienenstich nach nochmaligem Gehen hellbraun. Erkaltet wird er in rechteckige Stücke geschnitten.
Wer will, kann ihn zuvor mit Buttercreme füllen.
200°C. Backdauer 20–25 Minuten.

Hefenkranz

Zubereitung: Dazu nimmt man je nach Bedarf und Blechgröße die 1 1/2fache oder die doppelte Menge des Grundrezepts (Seite 236). Wenn der Teig sehr gut gegangen ist, teilt man ihn auf dem Nudelbrett in drei gleiche Teile und wirkt diese zu langen Strängen aus. Diese flicht man in der Weise zusammen, dass man in der Mitte zu flechten beginnt und den Zopf nach beiden Seiten hin fertigmacht. So werden die Teigstränge weniger verzogen. Nun legt man den Zopf kranzförmig in ein gefettetes Blech, fügt die Teigenden schön ineinander, lässt ihn, damit er oben schön reißt, nur ganz kurz gehen, streicht ihn mit Ei, streut mit Zucker vermischte, geschälte und länglich geschnittene Mandeln oder Nüsse darauf und bäckt ihn in starker Hitze. Ist das Blech etwas klein, kann man, damit der Kranz in der Mitte nicht zusammenläuft, eine außen gutgefettete Büchse vor dem Backen in die Mitte des Bleches setzen. Lässt man den Kranz im Blech zu lange gehen, wird er beim Backen gleichmäßig braun, ohne zu reißen, was unschön aussieht. 200°C. Backdauer je nach Größe 35–45 Minuten.

Zwieback

Zubereitung: Man lässt den Grundrezeptteig in der Schüssel sehr schön gehen, wirkt ihn dann auf dem Brett zu einer langen Stange aus und lässt diese sehr gut, aber langsam, gehen, damit der Teig innen kleinporig und zart wird und oben beim Backen nicht reißt.

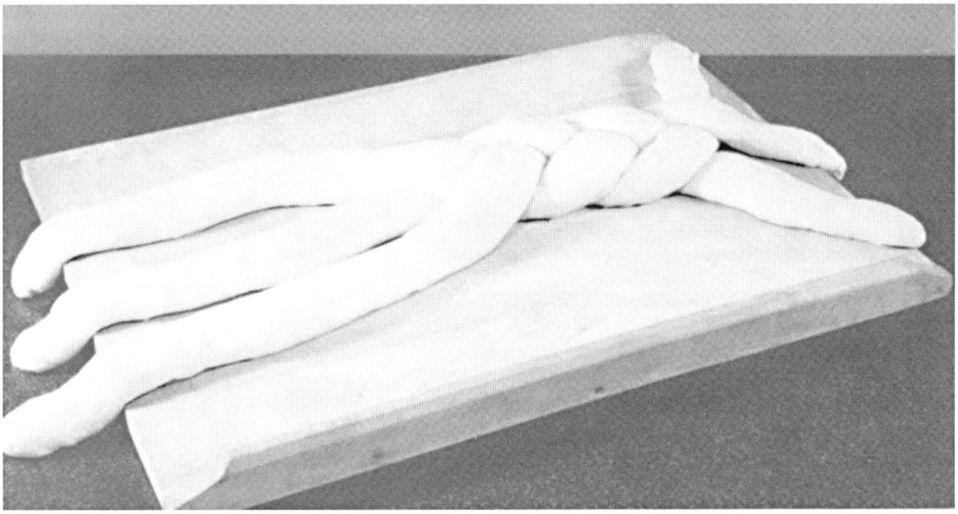

Der Zopf wird von der Mitte her geflochten

. . . die Teigenden geschickt ineinander gefügt

Der Zwieback lässt sich nur dann schön schneiden, wenn die Kruste oben völlig glatt ist. Man bäckt den Teig in starker Hitze, schneidet am nächsten Tag zentimeterdicke Scheiben auf, wendet diese in einer Mischung von Zucker und Vanillin oder Zucker und Zimt, setzt sie dicht zusammen auf ein ungefettetes Blech und röstet sie auf beiden Seiten bei 120 °C Hitze hellgelb. Backtemperatur 200–210 °C. Backdauer 25 Minuten.

Fastnachtküchlein

Zubereitung: Man wellt den schön gegangenen Grundrezeptteig kleinfingerdick aus, schneidet mit dem Backrädchen verschobene Vierecke ab, lässt sie nochmals schön gehen und

... und schön knusprig gebacken

bäckt sie langsam und schwimmend in Fett auf beiden Seiten hellbraun. Das Backfett setzt man mit einem rohen Kartoffelstück auf. Wenn dieses sich bräunt, hat das Fett die richtige Hitze. Bäckt man die Küchlein zu rasch aus, werden sie innen nicht gar und dadurch schwerverdaulich. Nach dem Backen lässt man sie, am besten auf Brotresten, die man nachher zu Brotsuppe verwenden kann, abtropfen und dreht sie in Zucker und Zimt.

Schweineöhrchen
Zubereitung: Aus dem sehr gutgegangenen Grundrezeptteig wellt man eine zentimeterdicke Platte aus und schneidet mit einem Backrädchen 12 cm lange und 2 cm breite Streifen ab. Diese schneidet man am einen Ende knopflochartig ein und steckt das andere Ende durch die Schnittöffnung. Nun lässt man die „Öhrchen" nochmals aufgehen, bäckt sie langsam schwimmend in heißem Fett auf beiden Seiten, lässt sie abtropfen und dreht sie in Zucker und Zimt. Sie schmecken am besten frisch aus der Pfanne.

Rieser Küchle
Zubereitung: Man formt aus dem Grundrezeptteig kleine, runde Küchle, lässt sie auf dem bemehlten Brett schön gehen, zieht sie dann in der Mitte ganz dünn aus und bäckt sie schwimmend in heißem Fett hellbraun. Man lässt sie gut abtropfen und bestreut sie mit Zucker.

Berliner Pfannkuchen

Zubereitung: Man nimmt die üblichen Zutaten des Grundrezepts (Seite 235), jedoch etwas mehr Milch, damit der Teig weicher wird. Wenn er gut gegangen ist, wellt man ihn kleinfingerdick aus, sticht mit einem dünnwandigen Glas oder einer Ausstechform oder einem breitrandigen Blechdeckel runde Plätzchen aus. Die Hälfte derselben bestreicht man am Rand mit Eiweiß, gibt in die Mitte ein Kaffeelöffelchen dicke Marmelade (ja kein Gelee!), am besten Himbeeren, legt die leeren Plätzchen darauf und zwar so, dass nirgends Eingemachtes sichtbar wird. Man darf sie ja nicht zu stark füllen, damit sie beim Backen zusammenhalten. Schlecht zusammengefügte Plätzchen gehen beim Backen auseinander, das Eingemachte

Wie man Berliner Pfannkuchen macht

verbrennt im Backfett und macht dieses unbrauchbar. Nach dem Füllen lässt man sie sehr gut in kühlem Raum gehen und bäckt sie langsam auf beiden Seiten schwimmend in Fett. Beim Einlegen gibt man immer die Oberseite zuerst hinein, weil sie besser gegangen ist. Nach dem Abtropfen wendet man sie in Zucker und Zimt.

Natronringlein

In diesem Rahmen sind die Natronringlein „Außenseiter“, weil das Triebmittel nicht Hefe, sondern Backpulver ist. Sie gehören jedoch zum Fettgebäck.
Zutaten: 100 g Butter, 100 g Zucker, 2 Eier, 1/2 Tasse Milch, 1 Prise Salz, 1 Päckchen Backpulver, 500 g Mehl.

... und in heißem Fett schwimmend ausbäckt

Zubereitung: Man rührt Butter, Zucker und Eier schaumig, mischt das mit Backpulver vermischte Mehl darunter nebst so viel Milch, dass ein geschmeidiger, weicher Teig entsteht, den man eben noch ausstechen kann. Man wellt den Teig auf gemehltem Brett aus, sticht kleine Ringe aus und bäckt sie schwimmend in heißem Fett. Nach gründlichem Abtropfen wälzt man sie in Zucker und Zimt.

Hefegebäck mit abgeändertem Grundrezept

Flachswickel

Zubereitung: Man macht den Grundrezeptteig (Seite 235) ohne Zucker, teilt ihn sofort nach dem Kneten in 16–20 Stücke, wirkt diese statt mit Mehl in Kristallzucker zu etwa fingerdicken Strängen aus, schlingt sie zusammen, lässt sie auf dem gefetteten Blech schön gehen und bäckt sie in nicht zu heißem Ofen hellbraun, 190°C. Backdauer 15 bis 20 Minuten. Will man Flachswickel auf Vorrat backen, macht man den sogenannten „schnellen“ Hefeteig, indem man aus 500 g Mehl, 250 g Butter, Salz, 1 Ei, 20 g in ½ Tasse Milch aufgelöste Hefe einen gehackten Teig herstellt und wie oben weiterverarbeitet.

Schuhsohlen

Zubereitung: Man macht den Grundrezeptteig ohne Zucker, aber mit 40 g Hefe, sticht sofort nach dem Kneten pflaumengroße Teigstückchen ab, die man zu Kugeln formt und sofort in grobem Zucker von der Mitte aus nach oben und unten schuhsohlenartig rasch auswellt. Man legt die fertigen Sohlen jeweils auf der nicht bezuckerten Seite auf ein gefettetes Blech und bäckt sie – ohne sie gehen zu lassen – sofort hellgelb heraus. Stückzahl 40–50 Stück. 190°C. Backdauer 10 Minuten.

So formt man Flachswickel

Gugelhopf

Zubereitung: Man nimmt außer den Zutaten des Grundrezepts (Seite 235) 1–2 Esslöffel Zucker und 1–2 Eigelb, damit der Teig etwas zarter, weicher und süßer wird. Er muss deshalb weicher sein, damit er den Model schön glatt ausfüllt und beim Backen oben eine glatte Oberfläche erhält. Der Teig muss so lange geschlagen werden, bis er sich von der Schüssel löst. Dann wird er in die mit Butter bestrichene Form gefüllt, zum Gehen zugedeckt, etwa 3/4 Stunden in die Wärme gestellt und bei 200 °C gebacken. Backdauer 40–50 Minuten.

Gerührter Hefegugelhopf

Zutaten: 500 g Mehl, 30 g Hefe, 175 g Butter, 100 g Zucker, 100 g Sultaninen, Schale 1/2 Zitrone, 1 Prise Salz, 5 ganze Eier, knapp 1/4 l Milch.
Zubereitung: Man macht mit einem Teil der Milch einen Vorteig und lässt ihn in der Wärme aufgehen. Unterdessen rührt man die Butter mit Zucker und Eiern gut schaumig, gibt das Mehl und zuletzt den gegangenen Vorteig darunter und schlägt den Teig mit dem Rührlöffel, bis er Blasen wirft. Dann mischt man die mit etwas Mehl abgeriebenen Sultaninen darunter und lässt den Teig schön gehen. Hierauf füllt man ihn in eine gut gebutterte, mit geriebenen Mandeln bestreute Gugelhopfform, lässt ihn wieder k u r z zum Gehen kommen und bäckt ihn bei 200–210 °C 45–55 Minuten.

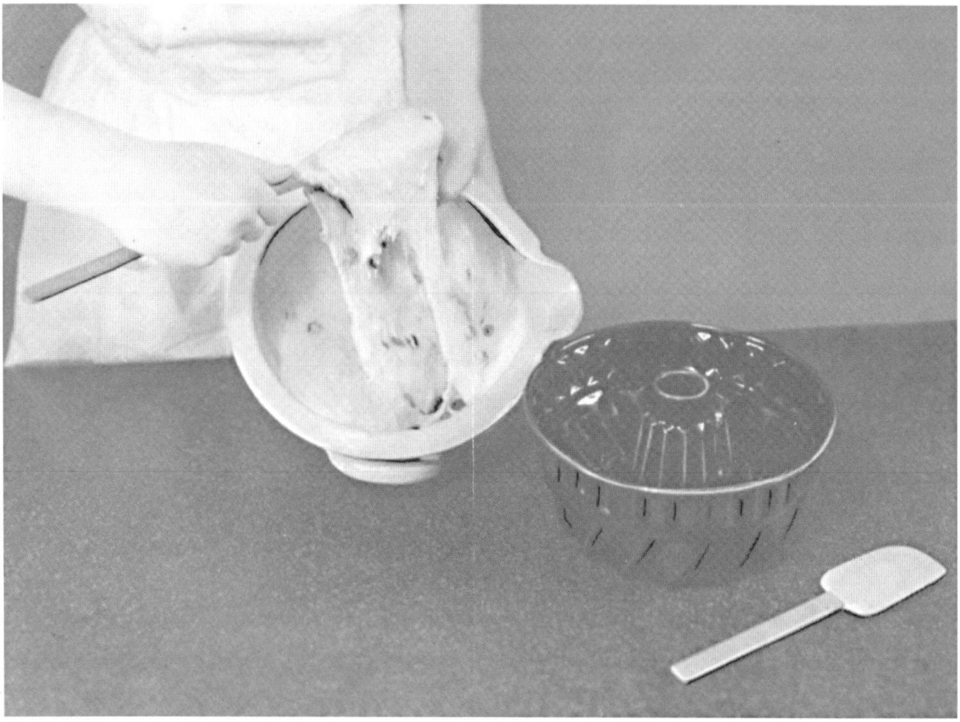

So muss der Teig zum gerührten Hefegugelhopf aussehen

Grundrezept für Hefeblätterteig:

Zutaten: 500 g Mehl, 20 g Hefe, knapp 1/4 l Milch, 65 g Butter, 60 g Zucker, 1 Ei, 1 Kaffeelöffel Salz, Zitronenschale. – Zum Einwellen: Eine Mischung von 150–200 g Butter und 50 g Mehl oder 35 g Ziehbutter.

Zubereitung: Man bereitet den Hefeteig wie zu einfachem Hefegebäck, lässt ihn langsam in kühlem Raum gehen, weil sich die ebenfalls kaltgestellte Butterknetmasse leichter einwellen lässt. Das Einwellen selbst geschieht wie bei echtem Blätterteig (siehe Seite 255) am besten in einem kalten Raum, und zwar mit 2–3 Touren. Man lässt ihn nach jedem Wellen wieder 10 Minuten ruhen und verwendet ihn dann zu jeglicher Art von Hefegebäck, vor allem zu Hefekleingebäck: Russischen Brezeln, Nusshörnchen, Bienenstich, Schnecken u. a. Man verarbeitet den Hefeblätterteig stets in kühlem Raum.

Russische Brezeln

Zutaten: Grundrezept des süßen Hefeblätterteigs; (150 g Butter zum Einwellen).
Zubereitung: Man macht am Vorabend einen süßen Hefeteig, lässt ihn an kühlem Ort stehen und wellt ihn am anderen Morgen dünn und gleichmäßig zu einem langen, schmalen Streifen aus. Die Hälfte davon bedeckt man mit der in Scheiben geschnittenen Butter, schlägt die leere Teighälfte darüber, drückt sie mit dem Wellholz etwas an und rollt wieder einen langen schmalen Streifen aus. Auf diese Weise wellt man ihn mit viertelstündiger Pause 3mal aus und wellt zuletzt einen langen Streifen aus, den man wiederum in schmale Streifen teilt. Diese dreht man, und zwar immer 2 zusammen, ein paarmal um, formt Brezeln daraus, lässt

sie auf gefettetem Blech nochmals gehen, bäckt sie rasch in guter Hitze und überpinselt sie, solange sie noch heiß sind, mit gekochter Zuckerglasur.
200°C. Backdauer 15–20 Minuten.

Weihnachtsstollen

Zutaten des Grundrezepts jedoch nur 1/8 l Milch (Seite 235) und außerdem 60 g Rosinen, 60 g Sultaninen, 60 g geschälte, in Würfelchen geschnittene Mandeln, (einige bittere) 60 g Zitronat oder Orangeat, weitere 60–100 g Butter; – 100 g Butter zum Bestreichen.
Zubereitung: Man macht aus den üblichen Grundrezeptzutaten und mit den übrigen Zutaten zusammen einen schönen glatten Teig. Man lässt ihn nach dem Kneten gut gehen, nimmt ihn dann auf das bemehlte Backbrett, wellt ihn zu einem runden Stück aus, formt den Stollen, indem man eine Seite zu einem Drittel umschlägt und über den verbliebenen Teil so herschlägt, dass dieser noch etwas vorsieht. Nach dem Backen bei 200°C wird er noch heiß mit Butter bestrichen und dick mit Puderzucker bestreut. Stellt man beim Einschieben in den Backofen einen Teller mit Wasser auf den Boden desselben, so wird die Kruste unten nicht hart. (Backzeit 1 Stunde.)

Der fertige, mit Staubzucker bestreute Gugelhopf

Der Weihnachtsstollen

Schnitzbrot (Früchtebrot)

Zutaten: 2,5 kg Mehl, 1 kg getrocknete Birnen, 1 kg Dörrzwetschgen, 1 kg Feigen, $^1/_2$ kg Nüsse (ohne Schale gewogen), $^1/_2$ kg Zibeben oder Sultaninen, $^1/_8$ kg Zucker, $^1/_8$ kg Zitronat, $^1/_8$ kg Orangeat, 30 g Zimt, 10–15 g Anis, 5 g gemahlene Nelken, etwas Salz, Schale einer Zitrone, 125 g Hefe.

Zubereitung: Die Birnen und Zwetschgen werden mit leicht gesüßtem Wasser weichgekocht, die Brühe abgegossen, die Zwetschgen ausgesteint und mit den Birnen grob zerkleinert. Die Feigen werden in Streifen, die Nusskerne in Stückchen, Zitronat und Orangeat in Würfelchen geschnitten. Die Zibeben werden gewaschen und in Wasser oder Wein aufgekocht, damit sie aufquellen. Nun wird mit der warmen Schnitzbrühe wie bei sonstigem Hefebackwerk ein Vorteig und, nachdem dieser gegangen ist, der ganze Teig gemacht und tüchtig durchgeknetet. Erst wenn dieser sich von der Schüssel löst, gibt man die übrigen, vorgerichteten Zutaten hinein und knetet den Teig nochmals durch. Er muss fest sein, sonst läuft das Schnitzbrot beim Backen in die Breite. Ist der Teig schön aufgegangen, formt man Laibchen daraus, lässt diese auf gefetteten Blechen nochmals gehen und bäckt sie bei guter Hitze wie Schwarzbrot. Sobald das Schnitzbrot aus dem Ofen kommt, wird es mit Schnitzbrühe bestrichen oder glasiert (siehe Seite 319). 200–220°C. Backdauer je nach Größe der Brote verschieden, etwa 1 Stunde.

DAS FETT ALS LOCKERUNGSMITTEL

Bei feinem mürbem Kleinbackwerk verschmäht man jegliche Triebmittel, weil sie den Wohlgeschmack der übrigen Zutaten, besonders aber das Aroma des Fettes verwischen. (Am besten schmeckt natürlich gute, frische Süßbutter). Als Ersatz kann man auch frische Margarine nehmen, besonders wenn das Gebäck sofort verwendet wird. Will man das Gebäck aber längere Zeit aufbewahren, ist Butter unbedingt vorzuziehen. Trotzdem wird feines Mürbgebäck tadellos locker, und zwar aus folgenden Gründen: Das Fett, das entweder schaumig gerührt mit den übrigen Zutaten vermischt, oder mit letzteren zusammen gehackt oder eingewellt wird, schließt in allen Fällen Luft ein. Im heißen Ofen sucht diese, da sie leichter als die Zutaten ist, zu entweichen und reißt dabei den Teig in die Höhe. Außerdem wird ein Teil des Fettes und die durch die Zutaten hinzugefügte Flüssigkeit (Ei, Zitronensaft, Arrak, Rum und dergleichen) gasförmig. Diese Gase, die sich in der Hitze stark dehnen, durchdringen ebenfalls den Teig und machen ihn porös und locker. Der schlagendste Beweis für die Lockerungsfähigkeit des Fettes ist der Blätterteig. Hier wird das Fett nicht mit den übrigen Zutaten vermischt, sondern in eine Art Nudel- oder Strudelteig eingewellt. Die beim Backen in guter Hitze entstehenden Dämpfe treiben die einzelnen Teiglagen so auseinander, dass kleine Zwischenräume entstehen, die dem Gebäck ein blättriges Gefüge geben. Selbstverständlich reicht Fett als Triebmittel nur aus, wenn es in reichlicher Menge im Teig enthalten ist und in einem ganz bestimmten Verhältnis zu den übrigen Zutaten steht.

Zutaten zum Grundteig für den echten Blätterteig (Regel 3)

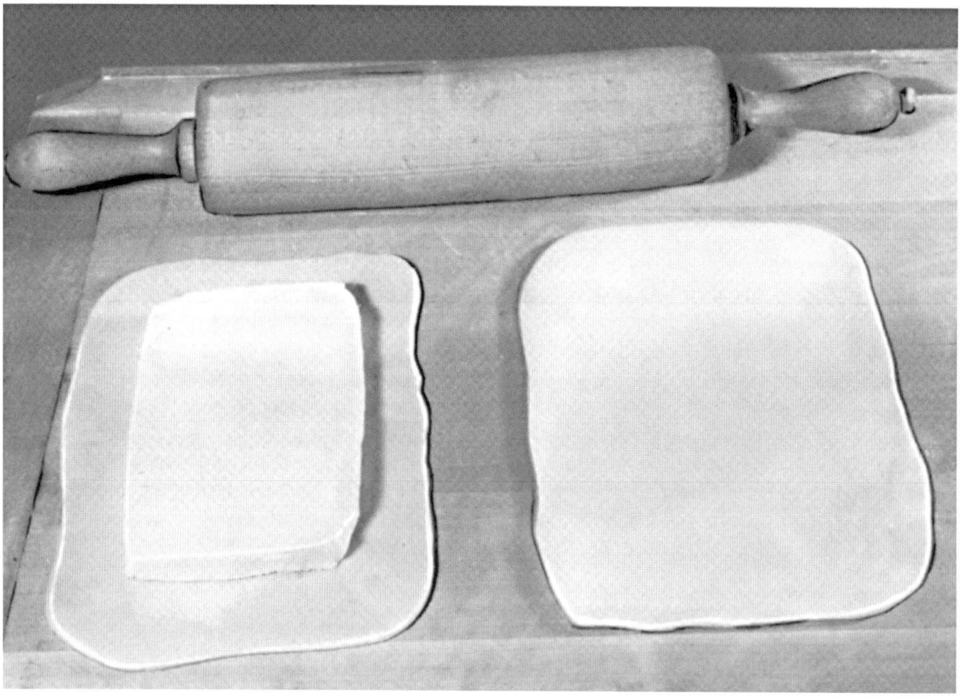

Die in Ziegelform vorbereitete Butter auf der „ausgeruhten“ Teigplatte (Regel 4)

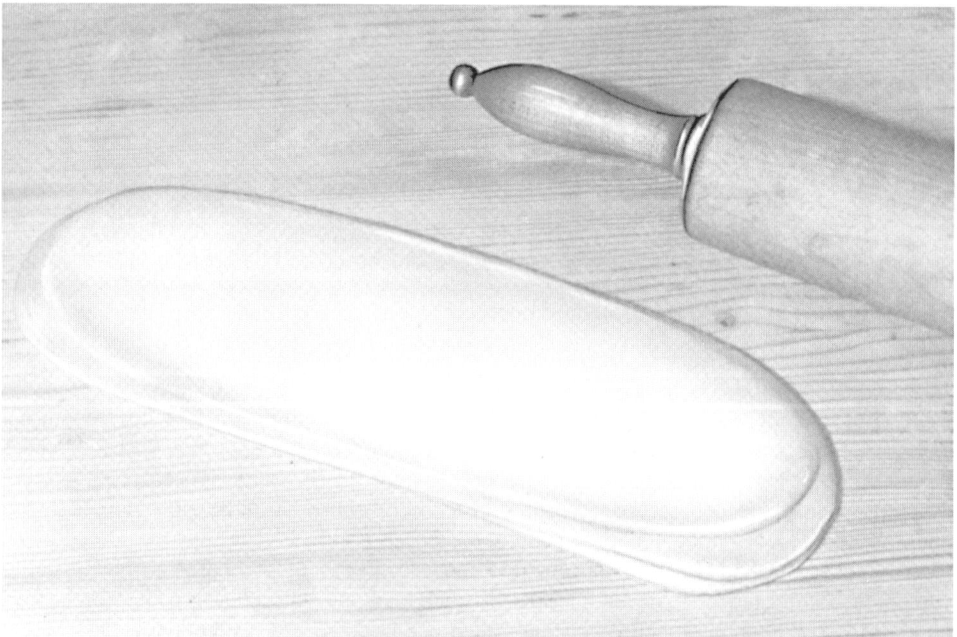

Das mit der zweiten Teigplatte bedeckte ausgewellte Stück (Regel 5)

Es versteht sich von selbst, dass man in Notzeiten oder wenn man sehr sparen muss, gerade dieses Lockerungsmittel ganz zurückstellt. Man kann aber zu besonders festlichen Gelegenheiten auch einmal „reiches" Gebäck herstellen. Deshalb seien hier die bekanntesten fetten mürben Teige angeführt.

Echter Blätterteig

Blätterteig gilt mit Recht als einer der vornehmsten Teige. Blätterteiggebäck ist leicht, locker, mürbe und zart. Der Teig lässt sich ebensogut zu salzigem wie zu süßem Gebäck verwenden und auf die verschiedenste Weise formen. Wenn er einwandfrei gelingen soll, arbeite ihn in kühlem Raum und beachte folgende Regeln:

1. Nimm stets Fett und Mehl im Verhältnis 1:1 und verwende die Zutaten in kaltem Zustand.
2. Arbeite 1/10 der Butter mit dem Mehl zum Grundteig und knete 1/10 des Mehls in die Butter hinein, um diese zum Einwellen in den Teig geschmeidig und möglichst wasserarm zu machen.
3. Verarbeite den Grundteig wie einen weichen Nudelteig glatt, welle daraus 2 rechteckige Platten und lass diese mindestens 15 Minuten ruhen, damit er nachquellen kann und die durch das Kneten erzielte Spannung verliert.
4. Forme die vorbereitete Butter zu einem rechteckigen Stück, lege es auf eine der beiden Teigplatten und decke sie mit der zweiten Platte zu (Bild Seite 254).
5. Drücke die Ränder zusammen und welle sie zu einem langgestreckten Streifen aus (Bild Seite 255).
6. Lege diesen vierfach zusammen, und zwar so, dass die beiden Teigenden nicht in der Mitte, sondern seitlich zusammenstoßen, damit die Umschlagstelle beim Auswellen nicht bricht (Bild Seite 256). Dann wird nochmals nach der offenen Seite ausgewellt und vierfach zusammengeschlagen.
7. Lasse das zusammengelegte Teigstück 1/4 Stunde im Kühlschrank liegen, wickle es jedoch in eine Folie ein, damit der Teig außen nicht trocken und beim Wellen nicht rissig wird.
8. Wiederhole dieses Auswellen drei- bis viermal und lass jedesmal den Teig mindestens 10 Minuten in der Kälte, am besten im Kühlschrank, ruhen, ehe du ihn weiterverarbeitest.
9. Welle den Teig möglichst ohne Mehl aus oder pinsele das Mehl ab.
10. Spüle das Backblech vor dem Auflegen der Teigstücke stets mit kaltem Wasser ab, statt es einzufetten, da der Teig fetthaltig genug ist, ohne beim Backen anzuhängen.
11. Achte darauf, dass beim Bestreichen der Teigstücke das Ei nie über den Rand läuft, weil dieser sonst beim Backen verklebt und an dieser Stelle nicht aufgeht.
12. Stelle Blätterteig bei 250°C ein, schalte nach 5 Minuten auf 220–225°C und nach der halben Backzeit auf 200°C zurück.

Grundrezept:

Zutaten: 250 g Mehl, 250 g Butter, 1/8 l Wasser, nach Belieben 1 Ei oder statt dessen etwas mehr Wasser, 1/8 l Teelöffel Salz, 1 Esslöffel Rum.

Zubereitung: Man nimmt 1 gehäuften Esslöffel Mehl von der Gesamtmenge weg und knetet es unter die Butter, von der man ebenfalls etwa 25 g weglässt. Nun nimmt man das Mehl aufs Brett, macht in die Mitte eine Vertiefung, gibt in diese Wasser, Salz, Rum, Ei und die in Scheibchen geschnittene Butter, hackt diese Zutaten mit einem Messer untereinander,

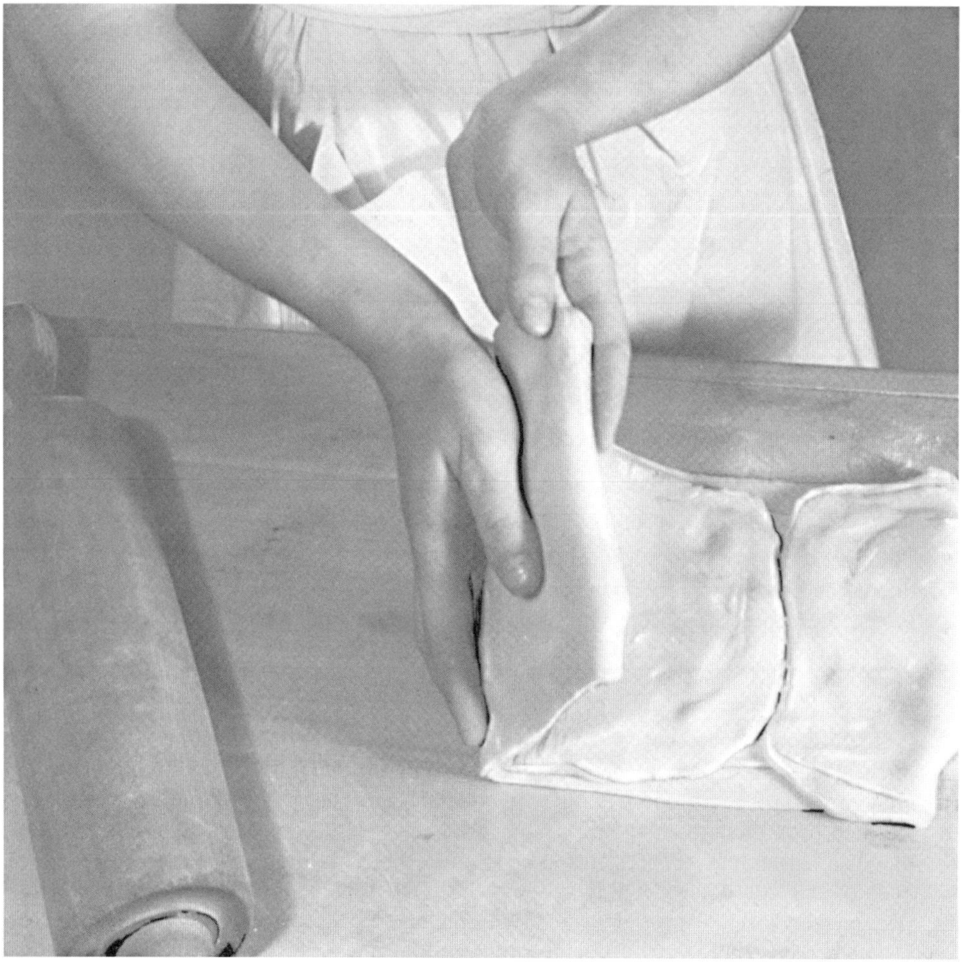

So wird der Teig zusammengelegt (Regel 6)

knetet den Teig tüchtig durch, bis er ganz zart und glatt ist, teilt ihn in 2 Hälften, wellt sie zu rechteckigen Stücken aus und lässt sie mindestens 15, besser 30 Minuten liegen, damit der Kleber gut ausquellen und der Teig ruhen kann. Unterdessen formt man die Butter zu einem rechteckigen Stück, wie in Regel 4 (Bild Seite 255) beschrieben, legt sie zwischen die 2 Teigplatten, drückt diese, vor allem die Ränder, an, wellt aus, legt ihn vierfach, wellt nochmals aus und lässt ihn mindestens 1/4 Stunde ruhen. Auf diese Weise wellt man ihn 3–4mal mit doppelten Touren und regelmäßigen Zwischenpausen von mindestens 20 Minuten aus, wickelt ihn jedesmal ein und stellt ihn kalt. Bei der letzten Tour wellt man ihn etwa 1/2 cm dick aus, sticht beliebige Stücke aus, setzt sie auf ein mit kaltem Wasser abgespültes Blech, schiebt Blätterteig stets in einen gut vorgeheizten Ofen ein, bestreicht die einzelnen Stücke mit Ei und bäckt sie bei guter Hitze. Ist die Hitze zu schwach, vergast das Fett und die Feuchtigkeit nicht rasch genug, ersteres schmilzt aus, statt den Teig hochzutreiben, und das Gebäck wird nieder und schwer.

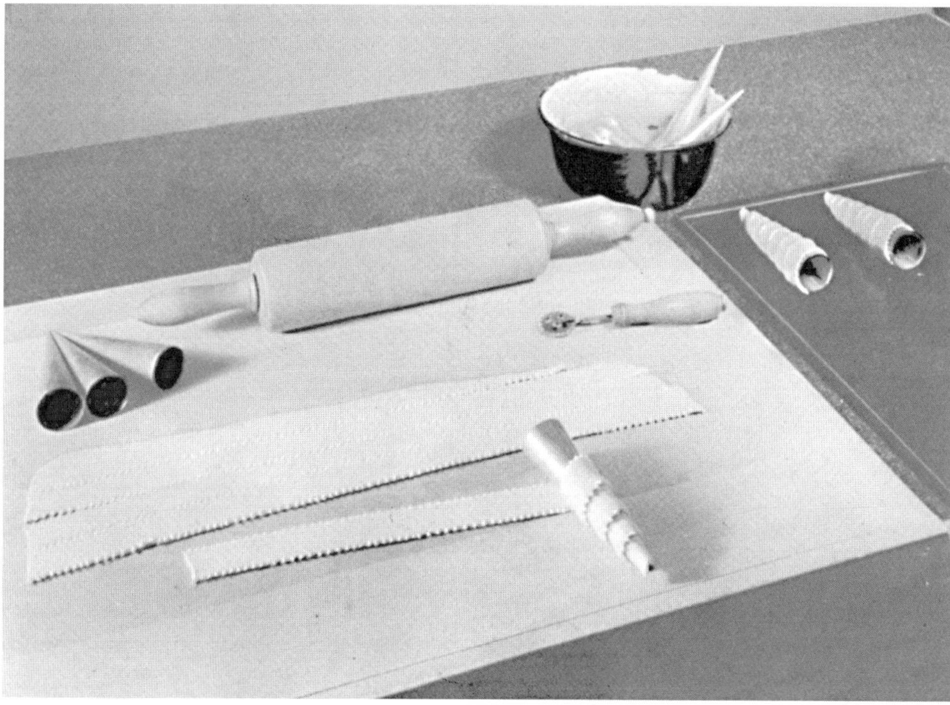

Wie man aus Blätterteig Schillerlocken bereitet

So sehen gut gelungene Schillerlocken und Krapfen aus

Schillerlocken

Zutaten: Grundrezept von Blätterteig, Eigelb zum Streichen, Kristallzucker, 1/2 l Schlagsahne, 1–2 Esslöffel Zucker, nach Belieben etwas Vanillin.

Zubereitung: Der Teig aus dem Grundrezept wird 1/2 cm dick ausgewellt, mit dem Backrädchen in fingerbreite Streifen geschnitten, diese um spitze, mit Wasser abgespülte Backformen aufgewickelt, und zwar so, dass immer der untere Streifen vom oberen zur Hälfte gedeckt ist. Man legt die umwickelten Formen auf ein mit kaltem Wasser abgespültes Blech, bestreicht sie mit Eigelb, bestreut sie mit grobem Zucker und bäckt sie in heißem Ofen hellgelb. 225°C. Backdauer 20–25 Minuten. Vor Gebrauch füllt man sie mittels eines Spritzsacks mit Sternfülle mit steifer gesüßter Schlagsahne.

Krapfen

Zutaten: Blätterteig (Grundrezept), dicke Himbeer- oder Aprikosenmarmelade zum Füllen.

Zubereitung: Aus dem gut „ausgeruhten" Blätterteig wellt man eine 1/2 cm dicke Platte aus, sticht mit einer gezackten runden Ausstechform von 8–10 cm Durchmesser runde Platten aus, belegt diese in der Mitte mit 1 Kaffeelöffel Marmelade, streicht den Rand mit Eiweiß, klappt sie zusammen, bestreicht sie vorsichtig mit Ei und bäckt sie bei guter Hitze zart gelb. Nach dem Erkalten bestreut man sie mit Puderzucker. 225°C. Backdauer 25 bis 30 Minuten.

Feinste Äpfel im Schlafrock

Zutaten: Grundrezept von Blätterteig, 12–15 säuerliche, geschälte, entkernte ganze Äpfel, Sultaninen, Zucker und gehackte Mandeln zum Füllen.

Feinste Äpfel im Schlafrock

Zubereitung: Den fertigen Blätterteig rollt man zu einer dünnen rechteckigen Platte aus und schneidet daraus mit dem Backrädchen viereckige Stücke ab. Man legt auf jedes einen Apfel, dessen Höhlung mit Mandeln, Sultaninen und Zucker gefüllt ist, zieht die 4 Teigenden hoch, verbindet sie mit Eiweiß, streicht das Ganze mit Ei, streut Zucker und gehackte Mandeln darauf und bäckt die Äpfel in guter Hitze (220–225 °C). Backdauer 20–25 Minuten. Der Apfel muss weich sein, was man mit einer Spicknadel prüfen kann.

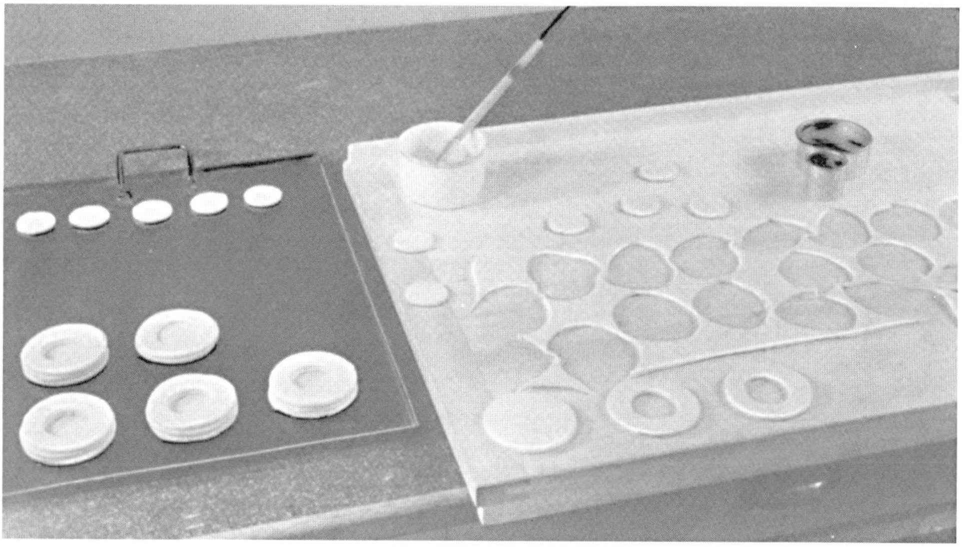

Wie man kleine Pastetchen herstellt

Kleine Pastetchen mit verschiedenem Ragout

Zutaten: Grundrezept von Blätterteig (12 Pastetchen), zur Füllung: Ragout von Kalbsbrieschen; Buttersoße von 1 Esslöffel Butter, 2 Esslöffel Mehl, 1 Tasse Brühe, Zitronensaft; 1 Eigelb, ein in Salzwasser abgekochtes, gehäutetes, kleinwürflig geschnittenes Kalbsbrieschen, 1 Esslöffel Kapern; – alles gut gemischt und kräftig abgeschmeckt. – Oder: Ragout von Zunge, Champignons, Fisch oder Hirn, das in gleicher Weise mit dicker legierter Buttersoße hergestellt wird.

Zubereitung: Der Blätterteig wird etwa 3 mm dick ausgewellt und runde Platten von etwa 8 cm Durchmesser ausgestochen. Zu 1 Pastetchen braucht man 3 Platten, davon die erste zum Boden, von den beiden anderen sticht man in der Mitte 1 rundes Stück aus, so dass 2 Ringe und 2 Plätzchen entstehen. Die letzteren verwendet man als Deckelchen. Nun bestreicht man die Böden mit Eiweiß, legt die Ringe darauf, wobei der erste ebenfalls mit Eiweiß bestrichen wird. Den zweiten bepinselt man vorsichtig mit Eigelb, jedoch so, dass die Schnittkanten unberührt bleiben, da sonst der Teig verklebt und nicht aufgehen kann. Auf dieselbe Weise bepinselt man die Deckelchen. Nun setzt man die Pastetchen und daneben die Deckelchen auf ein nass abgespültes Blech, bäckt sie bei guter Hitze hellbraun, füllt sie mit dem heißen Ragout, setzt die Deckelchen darauf und bringt sie heiß als Vorspeise zu Tisch. 225 °C. Backdauer 30–35 Minuten.

Schinkenhörnchen

Zutaten: Grundrezept von Blätterteig. Füllung: 125 g gekochter Schinken, nach Belieben Zwiebel und Petersilie, fein gehackt und in Butter gedünstet, 1–2 Esslöffel saure Sahne.

… und wie man sie nach dem Backen füllt. Beachte die im Wasserbad heißgehaltene Füllung

Zubereitung: Der Blätterteig wird 1/3 cm dick ausgewellt und zu 10 cm großen Quadraten geschnitten. Beim Auswellen entstehende Abfälle legt man aufeinander (ohne sie zusammenzukneten) und wellt sie aus, damit sie gut aufgehen. Zur Füllung wird der Schinken durch den Fleischwolf gedreht, mit den übrigen Zutaten gemischt, abgeschmeckt und auf die vorbereiteten Quadrate verteilt. Diese rollt man von der Ecke her auf, setzt sie auf ein benetztes Blech, bestreicht sie mit Ei und bäckt sie bei guter Hitze. 225°C. Backdauer 25–30 Minuten.

Kalbsschnitzel in Blätterteig

Zutaten: Grundrezept von Blätterteig. Füllung: 6 dünne Kalbschnitzel, Salz, Pfeffer, Zitronensaft.
Zubereitung: Der fertige Blätterteig wird 1/3 cm dick ausgewellt und zu 12 runden Teigplatten ausgestochen. – Die Schnitzel werden leicht geklopft, gesalzen, mit Zitronensaft eingerieben und quer durchschnitten, so dass 12 halbmondförmige Stücke entstehen. Mit diesen belegt man die Teigplatten, streicht sie am Rand mit Eiweiß, klappt sie zusammen, drückt die Ränder leicht an, bestreicht sie oben mit Eigelb, ohne die Kanten zu berühren und bäckt sie bei guter Hitze. 225°C. Backdauer 25–30 Minuten.
Das Gericht eignet sich als Vorspeise oder als Beilage zu feinen Gemüsen und grünen Salaten.

Schinkenpastete

Zutaten: Blätterteig von 200 g Mehl, 200 g Butter, 1 Prise Salz, 1 Esslöffel Rum und Wasser. Zur Füllung: Fleischteig von 200 g Schweinefleisch, 200 g Kalbfleisch, beides durch den Wolf gedreht, 2 altbackene Brötchen, 2 Eier, 20 g in feine Würfelchen geschnittenen geräucherten Speck, 2 gewiegte Sardellen, 2 kleine Löffel Kapern, 2 Esslöffel feingewiegte, gedünstete Zwiebeln und Petersilie, Salz, Pfeffer, Muskat. – 200 g in Scheiben geschnittenen Schinken. Zubereitung: Von dem fertigen „gelagerten" Blätterteig nimmt man 1/3 weg und wellt daraus ein etwa 12 cm breites und 24 cm langes Stück. Dieses legt man auf das nasse Backblech und streicht etwa 1/4 des Fleischteigs darauf, jedoch so, dass außen ein fingerbreiter Rand frei bleibt. Nun gibt man abwechselnd eine Lage Schinken und eine Lage Fleischteig darauf, bis alles verbraucht ist. Die oberste Schicht soll aus Fleischteig bestehen. Nun wellt man den übrigen Teig zu einem entsprechend größeren Stück aus, das als Deckel für die Pastete dient. Man bestreicht den freigelassenen Rand der Pastete mit Eiweiß, legt das ausgewellte Teigstück darüber, drückt die Ränder zusammen und schneidet die Außenkante der Pastete schön glatt ab. Hierauf sticht man mit einem Ausstechförmchen in der Mitte der Pastete ein rundes Loch aus, das als „Kamin" zum Abziehen des beim Backen entstehenden Dampfes

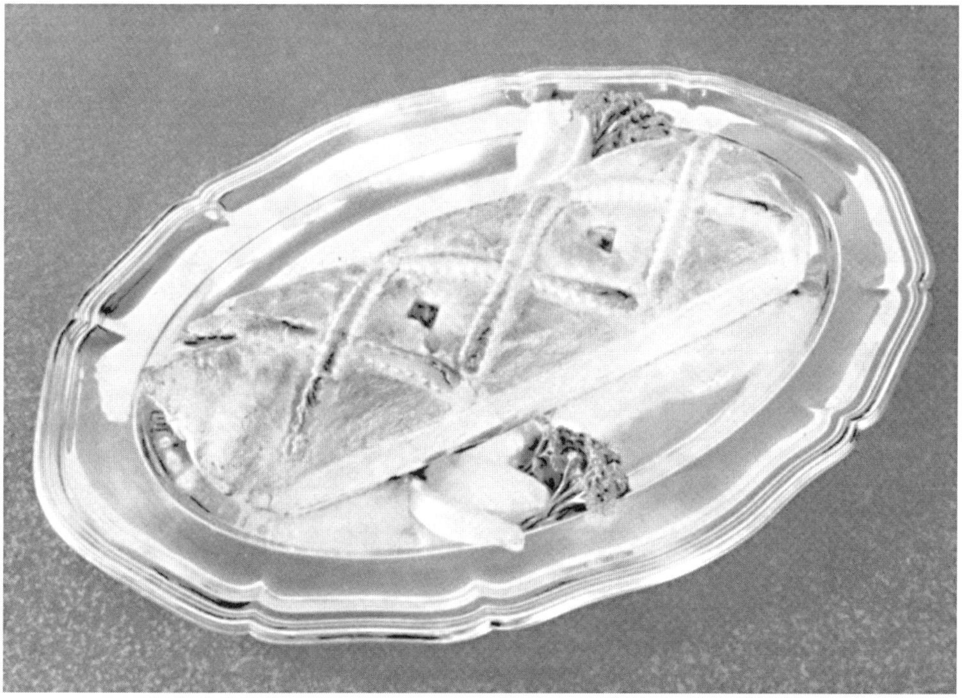

Hübsch angerichtete Schinkenpastete

dient und lässt das Förmchen beim Backen daran, damit die Rundung glatt und offen bleibt. (Wer will, kann 2 „Kamine" einsetzen, um ein „Reißen" der Pastete zu verhüten. – Die übrigen Teigstückchen wellt man zu einer dünnen Platte aus, schneidet diese mit dem Backrädchen in Streifen, verziert die Pastete damit, bestreicht sie mit Ei und bäckt sie bei guter Hitze. 225°C. Backdauer 60 Minuten. (Die Pastete eignet sich zum Abendessen mit Kopfsalat.)

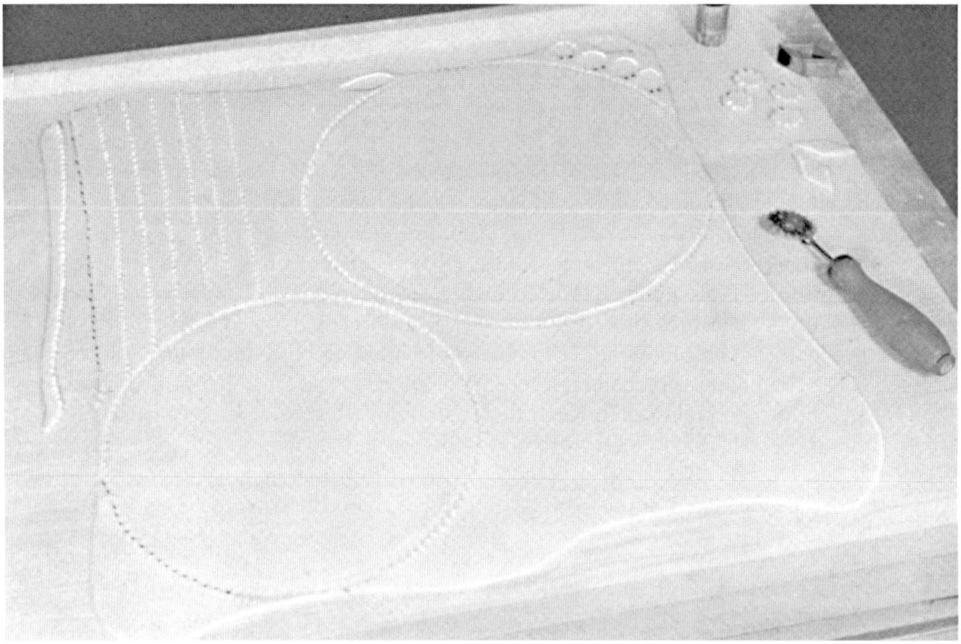

„Boden“ und „Deckel“ der Hohlpastete

Die darauf gelegte in Papier gewickelte Serviette

Blinde Pastete (Vol au vent)

Zutaten: Grundrezept von Blätterteig.
Zubereitung: Man teilt den Teig in 2 Teile und wellt zunächst eine dünne runde Platte zum Boden aus, mit der man ein nass abgespültes rundes Blech bedeckt. Den Blechrand lässt man frei. Nun wellt man die zweite Platte aus, die etwas größer als die Bodenplatte sein muss.

Die Hohlpastete vor dem Einschieben in den Backofen

Aus den Teigresten wellt man schmale Streifen aus. Nun bestreicht man den äußeren Rand des Bodens mit Ei, legt einen Teigstreifen darauf und gibt nun in die Mitte eine schneckenartig zusammengewickelte in weißes Papier eingehüllte Serviette oder Papierstreifen. Nun legt man die Teigplatte darauf, drückt sie auf die Bodenplatte auf, kerbt den ganzen Rand ringsum ein, legt den übrigen Teigstreifen oben ringförmig auf (so dass man hier nach dem Backen einen Deckel abschneiden kann), bestreicht die Pastete mit Ei und bäckt sie in guter Hitze hellgelb. Sobald sie aus dem Ofen kommt, schneidet man vorsichtig einen Deckel ab, zieht die Serviette und das Papier heraus und füllt die Pastete mit feinem Frikassee oder Ragout von Geflügel, Zunge, Pilzen, Kalbfleisch, Kalbsmilch (Briesle), Hirn, Wild, Fisch und anderem. 225°C. Backdauer 30–45 Minuten.

Die fertige Pastete, oben offen zur Entfernung des Papiers und der Serviette, daneben der Deckel

MÜRBTEIGE

Grundrezept für echten, salzigen Mürbteig:

Zutaten: 250 g Mehl, 125 g Butter oder Schmalz, 1/2 Kaffeelöffel Salz, etwa 1/10 l Wasser, 1 Messerspitze Backpulver oder 1 Ei. – Mehl und Fett stehen im Verhältnis 2:1. Da meist kein Ei zum Teig genommen wird, auch die Wassermenge sehr gering ist, nimmt man zum Treiben eine kleine Menge Backpulver. Verwendet man Ei, bleibt das Backpulver weg.
Zubereitung: Man reibt Mehl, Fett, Backpulver mit den Händen zu einer bröseligen Masse, fügt dann esslöffelweise so viel kaltes Wasser dazu, bis ein glatter und geschmeidiger Teig entsteht.
Man kann ihn wie den echten Blätterteig zu allen süßen und salzigen Krapfen, Törtchen, Pasteten usw. verwenden. Er ist sehr rasch und einfach herzustellen.

Fleischpastete mit Makkaroni
Zutaten: Mürbteig von 200 g Mehl, 100 g Butter, 4 Esslöffel Sahne oder Milch, 1 Prise Salz, 200 g Makkaroni; – Grundrezept von Fleischteig, doppelte Menge.
Zubereitung: Eine gefettete Auflaufform wird mit Mürbteig ausgelegt, die Makkaroni unzerbrochen in Salzwasser weichgekocht, mit kaltem Wasser abgespült und abgetropft, ein gutabgeschmeckter Fleischteig, den man mit Sahne und etwas Rauchspeck verfeinern kann, hergestellt. Nun gibt man auf den Mürbteig 1 Lage Fleischteig, 1 Lage spiralförmig eingelegte Makkaroni, wieder Fleischteig und Makkaroni, zuletzt Fleischteig. Obenauf legt man einen Deckel aus Mürbteig, sticht mit der Gabel ein paarmal ein, bestreicht zuvor mit Eigelb und bäckt die Pastete in guter Hitze.
Beilagen: Gemüse und grüne Salate. 225°C. Backdauer 60 Minuten.

Schinkenkrapfen
Zutaten: Mürbteig wie zur Fleischpastete. Füllung: 150 g feingewiegter gekochter Schinken, 50 g geräucherter feinwürflig geschnittener Speck, Zwiebeln und Petersilie gehackt und gedünstet.
Zubereitung: Aus dem fertigen Mürbteig wellt man eine 1/2 cm dicke Platte aus, sticht runde Böden aus und streicht sie am Rand mit Ei, gibt in die Mitte 1 Kaffeelöffel von der aus

den angegebenen Zutaten gemischten Füllung, klappt sie halbmondförmig zusammen, kerbt sie am Rand etwas ein, bestreicht sie mit Eigelb und bäckt sie in guter Hitze. 225 °C. Backdauer 25–30 Minuten.

Fleischtorte

Zutaten: Mürbteig von 275 g Mehl, 150 g Butter, 1 Ei, Salz, knapp 1/8 l Wasser; zur Füllung: Fleisch von 250 g Rind- und 250 g Schweinefleisch, 2 Brötchen, 1 Ei, Salz, Pfeffer, Zwiebeln nach Geschmack.

Zubereitung: Mit dem gehackten oder geriebenen Mürbteig belegt man ein gefettetes Springblech, verteilt den Fleischteig gleichmäßig darauf, legt aus Mürbteig einen Deckel darauf, verziert diesen mit kleinen ausgestochenen Teigplätzchen, bestreicht die Torte mit Eigelb und bäckt sie 1 Stunde bei guter Hitze.

Beilagen: Gemüse in Buttersoße (Blumenkohl, Spargel u. a.), Salzkartoffeln. 225 °C. Backdauer 40–50 Minuten.

Englische Obstpasteten

Zutaten: Grundrezept des gesalzenen Mürbteigs; Füllung: 1 kg feingeschnitzelte mürbe Äpfel, oder entsteinte, zerschnittene Zwetschgen, oder in Würfel geschnittener Rhabarber, oder entsteinte, zerschnittene Aprikosen, oder Kirschen, oder halbierte Stachelbeeren; Zucker nach Bedarf, je nach Obstart, etwas Wasser.

Zubereitung: Man verwendet zu diesen Pasteten etwa 7 cm tiefe, 25 cm lange, rechteckige Pastetenschüsseln, die oben einen etwa zwei fingerbreiten flachen Rand haben. Nun stellt man in die Mitte der Pastetenschüssel einen umgestürzten Eierbecher (zum Halt für die Teigdecke), gibt schichtweise das Obst und den nach Belieben mit Zimt vermischten Zucker, dessen Menge sich nach der Obstart richtet, und träufelt noch einige Esslöffel Wasser oder Weißwein darüber. Nun belegt man den gefetteten Schüsselrand mit einem Streifen Pastetenteig, streicht diesen mit Wasser und legt nun den unterdessen 1/2 cm dick ausgewellten Pastetenteig als Deckel darüber. Den überstehenden Teig schneidet man ab. Nun kerbt man den Rand etwas ein, macht rechts und links des Eierbechers mit dem Messer einen Einschnitt, damit der Dampf des Obstes entweichen kann, bestreicht die Pasteten mit Ei und bäckt sie im heißen Backofen etwa 3/4 Stunden. Man serviert sie mit frischer, ungeschlagener süßer Sahne und Zucker zum Nachsüßen. 225 °C. Backdauer 30–45 Minuten.

Sultaninenschnitten (ruff-puff-pastry)

Zutaten: 500 g Mehl, 400 g Margarine, etwa 1/8 l Wasser, 1 Prise Salz; – 250 g Sultaninen, 250 g groben Zucker.

Zubereitung: Man siebt das Mehl in eine Schüssel, schneidet die sehr kalte und harte Margarine in kleine gleichmäßige Stückchen in der Größe von Würfelzucker, gibt sie mit dem Salz zum Mehl und gibt esslöffelweise so viel Wasser dazu, bis beim losen Umrühren das Mehl gebunden ist. Die Fettstückchen sollen dabei nicht gedrückt werden. Nun schüttet man die etwas bröckelige, unzusammenhängende Masse aufs Brett, schiebt sie zu einem rechteckigen Hügel zusammen und wellt diesen zu einem länglichen Streifen aus. Nun legt man ihn dreiteilig zusammen, dreht ihn mit der geschlossenen Seite nach vorne und wellt ihn noch 3mal in derselben Weise aus. Beim letztenmal belegt man 2/3 des Teiges ganz dicht mit den abgeriebenen Sultaninen, legt das leere Drittel darüber und schlägt das nun gedoppelte Stück über die restlichen Sultaninen. Nun dreht man die Teigplatte wieder mit der geschlossenen Seite nach vorne, wellt ihn nochmals zu einem etwa 12 cm breiten und 50–60 cm langen Streifen aus, bestreicht ihn mit Wasser und bestreut ihn dick mit Zucker. Hierauf schneidet man etwa 4 cm breite Schnitten ab, legt sie auf ein nass abgespültes Blech und bäckt sie bei starker Hitze zart gelb. 225 °C. Backdauer 20 Minuten.

Quarkblätterteig, feiner
Zutaten: 250 g Mehl, 250 g Margarine, 250 g Quark, 1/2 Teelöffel Salz.
Zubereitung: Man hackt die in Stückchen geschnittene Margarine und den zerbröselten Quark mit Mehl und Salz auf dem Backbrett zu einer gleichmäßig bröseligen Masse, knetet sie rasch zusammen, wellt den Teig dreimal aus wie den echten Blätterteig und lässt ihn jeweils zwischen den Touren 5–10 Minuten ruhen. Dann wird er wie Blätterteig verwendet. Das Gebäck sollte jedoch am selben Tag verwendet werden. Backtemperatur 200–220°C, Backdauer je nach Größe. Der Teig eignet sich besonders gut zu Schinkenhörnchen und gibt 16 Stück.

Grundrezept für echten süßen Mürbteig ohne Ei:

Zutaten: 375 g Mehl, 250 g Butter, 125 g Zucker.

Mehl, Fett und Zucker stehen also im Verhältnis von 3:2:1. Die Zuckermenge lässt sich ohne Schaden für das Gebäck um die Hälfte erhöhen, so dass man also das Verhältnis 3:2:1 1/2 bekommt. Nimmt man mehr als 1 1/2 Teile Zucker, besteht die Gefahr, dass das Backwerk zerläuft, da außer dem Mehl keine weiteren bindenden Zutaten im Teig sind. Das Mehl-Fettverhältnis muss deshalb eingehalten werden, weil bei erhöhter Mehlmenge der Teig zu trocken und nicht mürbe wird und bei größerem Fettzusatz das überschüssige Fett beim Backen ausschmilzt. (Backtemperatur 180–200°C.)

Grundrezept für echten süßen Mürbteig mit Ei:

a) Zutaten: 250 g Mehl, 125 g Butter, 65 g Zucker, 1 Ei (oder 2 Eigelb und 1 Esslöffel Sahne)
b) 250 g Mehl, 125 g Butter, 125 g Zucker, 1 Ei, keine Flüssigkeit

Mehl, Fett und Zucker stehen bei Rezept a) im Verhältnis von 4:2:1. Die Veränderung des Mehl-Fett-Verhältnisses von 3:2 auf 4:2 ist deshalb möglich, weil durch den Fettgehalt des Eigelbs und der Sahne die Mehlmenge erhöht werden kann, ohne dass das Gebäck weniger mürbe wird. Das Fett-Zucker-Verhältnis kann von 2:1 1/2 auf 2:2 gesteigert werden, weil durch den Eiweißzusatz der Zucker gebunden wird (vergleiche Rezept b). (Backtemperatur 180–200°C.)

Die Grundzubereitungsarten von Mürbteig

a) Der gehackte Teig:
Man schüttet das Mehl auf das Backbrett, macht in die Mitte eine Vertiefung, gibt in diese erst den Zucker, dann Ei oder, zum Strecken der Eier, etwas Wasser oder Milch und außen herum das in Scheiben geschnittene Fett. Keinesfalls darf man die Eier auf das trockene Mehl geben, weil der Teig sonst fleckig wird. Nun hackt man mit einem breiten Messer die Zutaten zu einer bröseligen Masse. Wenn sie anfängt, sich zu ballen, knetet man sie mit der Hand rasch zusammen, bis sie gleichmäßig glatt ist und lässt den Teig bis zur weiteren Verarbeitung eine Zeit lang, mindestens aber 1/4 Stunde, ruhen. Während dieser Zeit verbinden sich die Zutaten stärker miteinander, so dass sich der Teig leichter verarbeiten lässt. Vor allem verliert er an Sprödigkeit.

b) Der gerührte Teig:
Man rührt die Butter so lange schaumig, bis sie weich, glatt und sahnig wird. Im Winter stellt man die Butter vorher einige Stunden ins warme Zimmer. Man kann sie statt dessen auch auf

dem Herd zergehen lassen, braucht aber dann zum Rühren viel mehr Zeit, als wenn man sie zuvor nur erweichen lässt. Dann gibt man Zucker, Eier, Gewürze und Mehl hinein, knetet den Teig ganz kurz durch und lässt ihn vor der Weiterverarbeitung ebenfalls eine Zeitlang ruhen.

Die Zutaten zum gehackten Mürbteig

Die Zutaten werden zu einer bröseligen Masse gehackt

Zur Verfeinerung des Teiges kann man beim gehackten und beim gerührten Teig geschälte, geriebene Mandeln oder geriebene Haselnüsse zusetzen.

c) Die Anwendung beider Zubereitungsarten:

Beide Zubereitungsarten bieten dieselbe Gewähr für gutes Gelingen. Die Zubereitungsdauer des gehackten Teiges ist jedoch kürzer als die des gerührten Teiges. Auch wird ersterer weniger weich, lässt sich also, besonders im Sommer, leichter verarbeiten.
Man kann die Teige zu allem mürben Gebäck verwenden.

Verbilligte Mürbteige

Quarkblätterteig, billiger

Zutaten: 250 g Mehl, 160 g Butter, 250 g Quark, 1/2 Teelöffel Salz.
Zubereitung: Man stellt einen einfachen gehackten Teig her und verwendet ihn an Stelle von echtem Blätterteig. Er muss vor der Weiterverarbeitung eine Zeit lang kaltgestellt werden. Gebäck aus Quarkblätterteig sollte noch am selben Tag gegessen werden, weil das Gebäck seine Blättrigkeit verliert.

Einfacher Mürbteig mit Backpulver

Zutaten: 250 g Mehl, 50 g Butter, 50–75 g Zucker, 1 Ei, 2–3 Esslöffel Milch, 1 gestrichener Kaffeelöffel Backpulver.
Zubereitung: Siehe gehackter Teig Seite 267.
Verwendung: Zu Obstkuchen, Krapfen u. dgl. bei 180 °C.

Einfacher Mürbteig mit Hefe

Zutaten: 10 g Hefe, 2 Esslöffel Milch, 75–125 g Butter, 50 g Zucker, 1 Ei, 250 g Mehl.
Zubereitung: Die mit der Hefe verrührte Milch gibt man zu den übrigen Zutaten auf das Backbrett und macht einen gehackten Teig wie Seite 267. Er wird auch genau so verwendet.
Man kann den Teig auch ohne Zucker machen und beliebig verwenden.
Man braucht ihn nicht besonders gehen zu lassen, sondern kann ihn sofort weiterverarbeiten. Anwendung: Flachswickel, Schnecken, Hörnchen.

Mürbteig für Obstkuchen, Krapfen u. dgl.

Für ein mittelgroßes, rundes Kuchenblech reicht das Grundrezept für echten Mürbteig mit Ei (a und b) oder die einfachen Mürbteige mit Backpulver oder Hefe.
Zubereitung: Der Teig wird gehackt (siehe Seite 266), rund und gleichmäßig ausgewellt, vorsichtig, damit er nicht bricht, in ein gefettetes mit Semmelmehl bestreutes Blech gelegt, am Blechrand oben abgeschnitten und nach Belieben verziert (durch Einkerben mit einem Löffel oder mit dem Backrädchen). Ehe man den Teig belegt, sticht man ihn mit einer spitzen Gabel ein paarmal ein, dass etwaige Luftblasen entweichen. Liegt der Teig nicht satt auf dem Blech auf, bäckt er nicht gleichmäßig durch, da die Luft die Hitze nicht rasch genug leitet. (Untere Schiene!) Backtemperatur 200 °C, Backdauer 45–60 Minuten.

Fruchttörtchen

Zubereitung: Man macht einen gehackten süßen Mürbteig nach dem Grundrezept, wellt den Teig 1/2 cm dick aus, sticht 8 runde Platten aus, legt runde Röllchen aus dem Teig als Rand auf, bestreicht sie mit Eigelb und bäckt sie in heißem Ofen hellgelb. Nach dem Backen belegt man die Törtchen mit eingezuckerten rohen Früchten, überzieht sie mit Opektaguss oder

Geleeguss und verziert sie mit Schlagsahne. Man kann statt frischer Früchte auch Marmelade oder eingedünstetes Obst zum Füllen der Törtchen verwenden. Wer will, kann auch statt des süßen Mürbteigs den echten salzigen (Seite 265) verwenden. Backtemperatur 180°C, Backdauer 15 Minuten.

Äpfel im Schlafrock, einfache Art

Zubereitung: Aus dem 1/2 cm dick ausgewellten echten oder einfachen Mürbteig schneidet man mit dem Backrädchen Vierecke ab, setzt auf jedes einen geschälten, entkernten, mit Rosinen und Zucker gefüllten mürben Apfel, legt ein Stückchen Butter darauf, zieht die vier Zipfel hoch, drückt sie zusammen, klebt ein kleines rundes Teigplätzchen oder Streifen nit Ei darauf, bestreicht sie mit Ei und bäckt sie in guter Hitze hellbraun. Das Grundrezept reicht für 6–8 Stück. 200°C. Backdauer 30 Minuten .

Mohnrolle

Zutaten: Grundrezept vom süßen Mürbteig; 250 g Mehl, 125 g Butter, 60 g Zucker, 2 Eier, 1 Prise Salz; zur Füllung: 1/4 l Mohn, 3/16 l Milch, 50 g Zucker, 2–3 Esslöffel Honig; nach Belieben Vanille oder Zimt zum Würzen.
Zubereitung: Aus dem gehackten, gut durchgekneteten Mürbteig wellt man eine rechteckige 1/2 cm dicke Platte aus. Zur Füllung wird der gemahlene Mohn mit Milch und Zucker dick gekocht, abgekühlt, mit dem zerlassenen Honig und den Gewürzen gemischt, auf den

Fruchttörtchen mit Schlagsahne garniert

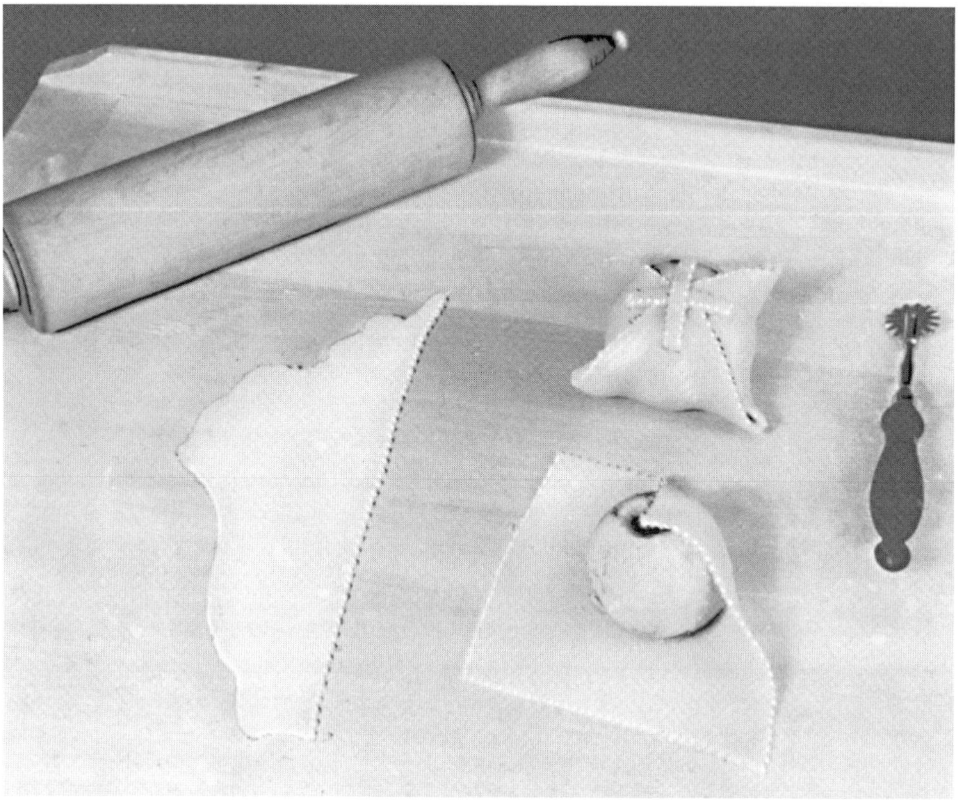

So schlägt man die Äpfel in den Teig ein

Mürbteig aufgestrichen, aufgerollt, mit Eigelb bestrichen und auf gefettetem Blech im heißen Ofen goldbraun gebacken. 200–210°C. Backdauer 35–40 Minuten. Man kann vor dem Backen oben einen Zickzackstreifen ausschneiden, so dass beim Backen die Füllung sichtbar wird, was hübsch aussieht.

Sebastopol-Schnitten

Zutaten: Mürbteig von 500 g Mehl, 250 g Zucker, 200 g Butter, 2 Eier, Zitronenschale, 1 Prise Salz, 1 Messerspitze Backpulver. – Belag: 125 g gemahlene Mandeln, 175 g Zucker, 1 Eiweiß, 1 Messerspitze Zimt, 2 Esslöffel Wasser.
Zubereitung: Aus dem gehackten Mürbteig wellt man 2 handbreite, halbzentimeterdicke Streifen aus und legt sie auf ein gefettetes Blech. Die Zutaten zum Belag werden zusammengemischt und auf dem Feuer gerührt, bis die Masse Blasen wirft. Hierauf streicht man sie auf die Mürbteigstreifen, lässt sie abkühlen, bäckt sie im Ofen hellgelb und schneidet sie noch heiß in Schnitten. 200–210°C. Backdauer 15–20 Minuten.

Die folgenden Rezepte gehören zum traditionellen Weihnachtsgebäck des gesamten süddeutschen Sprachraums, der eine in Jahrhunderten gewachsene, reiche Backkultur hat. Derartig „reiche" Gebäcksorten werden nur zur Weihnachtszeit hergestellt. Es lassen sich jedoch auch mit wesentlich bescheideneren Mitteln gute Gebäcksorten herstellen, die aber alle als kennzeichnende Lockerungsmittel Backpulver, Natron, Hirschhornsalz oder Pottasche enthalten. Ihnen ist an anderer Stelle ein breiter Raum eingeräumt. Siehe Seite 284.

Feine Ausstecherle
Zutaten: 500 g Mehl, 250 g Butter, 200 g Zucker, 2 große oder 3 kleine Eier oder 6 Eigelb, etwas abgeriebene Zitronenschale, 1 Prise Salz; Eigelb, grober Zucker.
Zubereitung: Man macht einen gehackten Teig (Seite 266), wellt ihn 1/2 cm dick aus, sticht beliebige Förmchen aus, lässt sie in der Kälte steif werden, streicht sie mit Eigelb, bestreut sie mit grobem Zucker oder gehackten Mandeln und bäckt sie hellbraun. (Gibt 60–80 Stück.) Den Teig kann man auch zu Butter-S nehmen. 180–200°C.
Backdauer 8–10 Minuten.

Spritzgebäck
Zutaten: 250 g Butter oder Margarine, 250 g Zucker, 2 Eier oder 4 Eigelb, 2 Päckchen Vanillin, 500 g Mehl.
Zubereitung: Man macht einen gerührten Teig (Seite 266), drückt ihn durch die Backspritze (mit dem Sterneinsatz), schneidet die Streifen in fingerlange Stücke, legt Ringe zusammen oder Stangen, setzt sie vorsichtig, damit sie nicht zerdrückt werden, auf ein schwach gefettetes Blech und bäckt sie goldgelb. Nimmt man den schmalen Schlitzeinsatz, so entsteht beim Durchdrücken des Teigs durch die Backspritze ein gezacktes Band, das in beliebig lange Stücke geschnitten wird. Diese bäckt man auf schwachgefettetem Blech zartgelb. (Gibt 70–80 Stück.) 200°C. Backdauer 8–12 Minuten.

Butter-S
Zutaten: 250 g Butter, 125 g Zucker, 1 Ei, 1 Eigelb, stark 375 g Mehl. – Oder die Zutaten der feinen Ausstecherle. – Eiweiß und Kristallzucker.
Zubereitung: Man macht einen gerührten Teig (Seite 266) und lässt ihn in der Kälte ruhen, bis er ganz steif ist. Dann formt man fingerlange und kleinfingerdicke Stangen, legt sie S-förmig auf ein schwachbemehltes Brett, lässt sie abermals in der Kälte erstarren, taucht sie dann mit der Oberseite erst in übriges Eiweiß, dann in Kristallzucker und bäckt sie in guter Hitze hellgelb. (Gibt 60–80 Stück.) 200–210°C. Backdauer 10–12 Minuten.

Teeplätzchen
Zutaten: 250 g Mehl, 125 g Zucker, 125 g Butter, 2 Eigelb, 2 Esslöffel Weißwein.
Zubereitung: Man stellt einen gehackten Teig (Seite 266) her, wellt ihn 1/2 cm dick aus, sticht Plätzchen aus, bäckt sie goldgelb und überzieht sie nach dem Erkalten mit Zitronenglasur (Seite 319). Man streicht diese mit einem breiten Messer auf und lässt die Plätzchen im warmen Zimmer trocknen. (Gibt 70 Stück.) 200°C. Backdauer 8–10 Minuten.

Kartenblätter
Zutaten: 125 g Butter, 250 g Zucker, 2 Eier, 375 g Mehl, 125–250 g Mandeln.
Zubereitung: Man stellt einen gerührten Mürbteig (Seite 266) her, wellt ihn so dünn als möglich aus, sticht Rechtecke in der Größe von Kartenblättern aus, bestreicht sie unmittelbar vor dem Backen mit Wasser und klebt nach Art von Spielkarten halbe, geschälte Mandeln darauf. Man bäckt die Kartenblätter in guter Hitze blassgelb. – Der Teig ist sehr weich

und muss vor dem Auswellen unbedingt kalt, womöglich auf Eis oder in den Kühlschrank gestellt werden, damit er erstarrt. (Gibt 50–60 Stück.) Da der Teig sehr süß ist, bekommt das Gebäck rasch Farbe, deshalb äußerste Wachsamkeit beim Backen. Die „Karten“ bleiben in geschlossener Blechdose lange Zeit knusprig. 200–210 °C. Backdauer 6–8 Minuten.

Spitzbuben

Zutaten: 300 g Mehl, 200 g Butter, 150 g Zucker, 1 Päckchen Vanillin.
Zubereitung: Man wellt den wie üblich hergestellten gehackten Teig (Seite 266) sehr dünn aus, sticht runde Plätzchen aus und bäckt sie auf ungefettetem Blech blassgelb. (Sie behalten dadurch eine schönere Außenkante.) Sobald sie aus dem Ofen kommen, setzt man immer zwei Plätzchen mit der Unterseite zusammen, bestreicht zuvor das eine mit Hagebuttenmark und klebt das andere darauf. Die Füllung darf nicht über den Rand hinausragen. Dann wendet man sie, solange sie noch warm sind, in feinem Zucker. Statt dessen kann man sie auch nach dem Erkalten und Füllen leicht mit Staubzucker bestreuen. (Gibt 50 Stück.) 200 °C. Backdauer 8–10 Minuten.

Zebraplätzchen

Zutaten: 200 g Butter, 200 g Zucker, 1 Päckchen Vanillin, 400 g Mehl; – 2 Esslöffel Kakao, 2 Esslöffel Milch.
Zubereitung: Man stellt einen gerührten Mürbteig her, den man rasch zusammenknetet und dann teilt. Die eine Hälfte wird mit dem Kakaopulver dunkel gefärbt und mit Hilfe der Milch zur gleichen Beschaffenheit wie den hellen Teig gebracht. Nun wellt man beide Teige zu dünnen Platten aus, bestreicht die helle mit Eiweiß, legt die dunkle darauf und wickelt beide zusammen zu einer Rolle auf. Diese lässt man im Kühlschrank oder in der Kälte erstarren, schneidet dünne Scheiben ab, legt sie auf ein dünngefettetes Blech und bäckt sie hellgelb. 210 °C. Backdauer 10–12 Minuten.

Mandelbrezelchen

Zutaten: 250 g Butter, 250 g Zucker, 2 ganze Eier, 2 Eigelb, 250 g geschälte, geriebene Mandeln. – 500 g Mehl; – Ei zum Bestreichen, Kristallzucker.
Zubereitung: Man macht einen gerührten Teig (Seite 266) und lässt ihn in der Kälte einige Zeit ruhen. Dann formt man durch Auswirken kleiner Teigstückchen Brezelchen, lässt sie wieder steif werden, streicht sie mit Ei, taucht sie in groben Zucker und bäckt sie goldgelb. (Gibt 40–60 Stück.) 210–220 °C. Backdauer 10–15 Minuten.

Hufeisen

Zutaten: 300 g Butter, 200 g Zucker, 1 Ei, 200 g geschälte, geriebene Mandeln (darunter einige bittere), 400 g Mehl; – Eiweißglasur.
Zubereitung: Man stellt einen gerührten Mürbteig (Seite 266) her, den man in der Kälte steif werden lässt. Dann wellt man ihn 1/2 cm dick aus und sticht mit einem Förmchen kleine Hufeisen aus. Solange man diese wieder steif werden lässt, rührt man 125 g Staubzucker mit 1 Eiweiß und einigen Tropfen Zitronensaft oder Bittermandelessenz glatt und dickflüssig, bestreicht die Hufeisen damit und bäckt sie in guter Hitze zartgelb. (Gibt 50 bis 60 Stück.) 200 °C. Backdauer 8–10 Minuten.

Strohhütchen

Zutaten: 375 g Mehl, 250 g Butter, 125 g Zucker, 125 g geriebene Haselnüsse, 1 Päckchen Vanillin; – 60 bis 80 schöne Haselnüsse zum Garnieren. Eiweißglasur wie zu Hufeisen.
Zubereitung: Aus dem gehackten oder gerührten Mürbteig (Seite 266) macht man zenti-

meterdicke runde Plätzchen, bestreicht sie mit Eiweißglasur, setzt in die Mitte eine Haselnuss und bäckt die Plätzchen in guter Hitze hellgelb. (Gibt 60–80 Stück.) 210–220° C. Backdauer etwa 12 Minuten.

Wiener Kipferl

Zutaten: 320 g Butter, 180 g Zucker, 180 g gemahlene, ungeschälte Mandeln, 420 g Mehl.
Zubereitung: Man macht einen gehackten Mürbteig, knetet ihn rasch zusammen, formt daraus 60 Hörnchen, die man zu beiden Seiten etwas einbiegt. Man bäckt sie ganz blassgelb bei mäßiger Hitze und dreht sie noch warm in einer Mischung von feinem, mit Vanillezucker gemischtem Puderzucker. 200° C. Backdauer 10–12 Minuten.

Mandelringle

Zutaten: 250 g Butter, 200 g Zucker, 125 g geschälte, geriebene Mandeln, 1 Ei, 1/2 Päckchen Vanillin, 450 g Mehl.
Zubereitung: Man macht einen gehackten Mürbteig, spritzt daraus Ringe (mit dem Sterneinsatz der Backspritze) und bäckt diese bei Mittelhitze zartgelb.
Man kann den Teig auch mit Mehl 1/2 cm dick auswellen, Halbmonde ausstechen, diese hellgelb backen und noch heiß in Vanillezucker wenden. 200°C. Backdauer 10–12 Minuten.

Indische Nussplätzchen

Zutaten: 70 g Mehl, 80 g braunen Zucker, 2 Eigelb, 70 g Butter, 120 g geriebene Ceshew-Nüsse, 1/3 Kaffeelöffel gemahlenen Ingwer, 1 Messerspitze Kardamom.
Zubereitung: Man stellt einen gehackten Mürbteig her, formt aus der Masse 50 kleine Kugeln, drückt sie auf dem gefetteten Blech etwas flach und bäckt sie blassgelb. 180° C. Backdauer 12–15 Minuten.

Mürbe Rosinenbrötchen

Zutaten: 250 g Butter, 375 g Zucker, 5 Eier, 125 g Rosinen, die abgeriebene Schale einer Zitrone, 500–600 g Mehl.
Zubereitung: Man macht einen gerührten Teig, setzt mit einem Kaffeelöffel kleine Häufchen auf ein gefettetes Blech und bäckt sie in guter Hitze hellgelb. (Gibt 60–80 Stück.) 200° C. Backdauer 12–15 Minuten je nach Größe.

Makronenplätzchen

Zutaten: Mürbteigmasse von 500 g Mehl, 250 g Butter, 125 g Zucker, 6 Eigelb, 1 Prise Salz; Makronenmasse von 6 Eiweiß, 375 g Zucker, 375 g geriebenen Haselnüssen oder Mandeln, Schale einer halben Zitrone, 1 gestrichener Kaffeelöffel Zimt.
Zubereitung: Aus den erst angegebenen Zutaten macht man einen gehackten Teig (Seite 266), wellt ihn 1/2 cm dick aus und sticht runde Plätzchen aus. Dann schlägt man die Eiweiß zu steifem Schnee, rührt diesen mit dem Zucker 10 Minuten, mischt Haselnüsse oder Mandeln und die Gewürze darunter und setzt auf jedes Plätzchen mit einem Kaffeelöffel kleine runde Makronen auf. Man setzt sie auf ein gefettetes Blech und bäckt sie in guter Hitze. (Gibt etwa 60 Stück.) 210°C. Backdauer etwa 20–25 Minuten.

Schokolade-Biskuit-Schnitten

Zutaten: 125 g Butter, 160 g Zucker, 6 Eigelb; – 60 g Mehl, 140 g erwärmte Schokolade, Schnee von 6 Eiweiß, 80 g Mandeln.
Zubereitung: Butter, Zucker und Eigelb rührt man schaumig, gibt das Mehl, die erweichte Schokolade und den steifen Eischnee darunter und verteilt die Masse auf ein mit Butter bestrichenes Blech in 2 cm Höhe. Dann streut man die abgezogenen, der Länge nach fein-

blättrig geschnittenen Mandeln gleichmäßig darüber und bäckt die Masse in nicht zu heißem Ofen. Nach dem Erkalten schneidet man den Biskuit in fingerlange Streifen. (Gibt 40 Stück.) 190 °C. Backdauer etwa 20 Minuten.

DAS EI ALS LOCKERUNGSMITTEL

Allgemeines
Wie das Fett, so ist auch das Ei ein ausgezeichnetes, natürliches Lockerungsmittel für Gebäck, Klöße und Teigwaren aller Art. Das Ei enthält neben etwa 74 v. H. Wasser, 12 v. H. Fett und 13 v. H. Eiweiß. Der fettreiche Eidotter kann die Teige locker und mürb machen (siehe das Fett als Lockerungsmittel, Seite 253). Dass das Eiweiß auch allein als Lockerungsmittel dienen kann, hat folgenden Grund: Das klebrige Eiweiß hat die Fähigkeit, beim Schlagen oder Rühren sehr viel Luft festzuhalten. Mischt man Eischnee unter den Teig, so wird dieser mit kleinen Luftbläschen durchsetzt, die sich beim Backen dehnen. Da gleichzeitig in der Hitze das Eiweiß gerinnt, verhindert es das völlige Entweichen der Luft und bindet außerdem die übrigen untergemischten Zutaten. Da aber nicht nur das Eiweiß, sondern auch der Dotter eiweißhaltig ist, werden viele Teige auch durch das Rühren der ganzen Eier gelockert. Man unterscheidet deshalb bei Kleinbackwerk 2 Hauptgruppen von Eiergebäck, nämlich: Kleinbackwerk mit ganzen Eiern und Kleinbackwerk mit Eiweiß.

KLEINBACKWERK MIT GANZEN EIERN

Grundrezept I für Kleinbackwerk mit ganzen Eiern:

3–6 Eier, 500 g Zucker, 500 g Mehl, Gewürze.

Die Menge der zu verwendenden Eier hängt davon ab, ob außer Mehl noch bindende Zutaten wie Mandeln oder Nüsse, oder nur Gewürze hinzukommen. Werden nur Gewürze unter den Grundteig gemischt, braucht man die Höchstmenge Eier. Da diese aber, was Größe und Gewicht anlangt, sehr verschieden sind, dürfen 5 große oder 6 kleine Eier als gleiche Menge gerechnet werden. – Das feststehende Mehl-Zuckerverhältnis ist 1 : 1.

Grundrezept II für Kleinbackwerk mit ganzen Eiern:

3 Eier, 500 g Zucker, 500 g geriebene Mandeln oder Haselnüsse, 50 g Mehl, Gewürze.

Hier darf die oben angeführte Mindestzahl an Eiern als Höchstzahl gelten, da geriebene Mandeln oder Nüsse weniger Feuchtigkeit aufsaugen als Mehl. Die geringere Bindekraft der geriebenen Mandeln oder Nüsse wird durch den Mehlzusatz von 1/10 der Mandelmenge ausgeglichen. – Das feststehende Mandel-Zuckerverhältnis ist 1 : 1.

Vanillebrötchen
Zutaten: 5–6 Eier, 500 g Zucker, 500 g Mehl, 1–2 Päckchen Vanillin.
Zubereitung: Man rührt Eier und Zucker 30–40 oder mit dem Mixer 3–4 Minuten schaumig, mischt das Vanillin und das Mehl darunter und setzt mit einem Löffel kleine Häufchen auf ein gefettetes Blech. Man lässt sie über Nacht trocknen und bäckt sie auf unterster Schiene in schwacher Hitze bei 150–160 °C hellgelb. Durch das Trocknen werden sie beim Backen

oben hell, bleiben glatt und bekommen „Füßchen“. (Gibt 70–80 Stück.) Backdauer 30–35 Minuten.

Pomeranzenbrot

Zubereitung: Man nimmt statt Vanillin je nach Geschmack 50–100 g feingeschnittene Pomeranzenschale (Orangeat) oder halb Zitronat, halb Pomeranzenschale und macht den Teig wie den von Vanillebrötchen. Sie werden wie diese fertiggemacht. (Gibt 70–80 Stück.) 150–160 °C. Backdauer 30–35 Minuten.

Himbeerbrötchen

Zutaten: 4 große Eier, 375 g Zucker, 125 g dicke Himbeermarmelade, 500 g Mehl.
Zubereitung: Siehe Vanillebrötchen (siehe oben). (Gibt 70–80 Stück.) 160–175 °C. Backdauer 30 Minuten.

Löffelbiskuit

Zutaten: 5 Eier, 1 Eigelb, 190 g Zucker, 150 g Mehl, 50 g Weizenpuder.
Zubereitung: Das Eiweiß wird zu steifem Schnee geschlagen, die Eigelb und der Zucker abwechselnd dazugegeben und zuletzt der Weizenpuder und das Mehl locker untergezogen. Nun setzt man mit dem Spritzsack auf ein mit Papier belegtes Blech fingerlange Streifen in Form des Löffelbiskuits auf, besiebt sie mit Sand- oder Staubzucker und bäckt sie bei schwacher Hitze hellgelb.
Nach dem Backen löst man sie mit einem langen schmalen Messer ab und bewahrt sie in gut schließender Blechdose auf. 170–180 °C. Backdauer 15 Minuten.

Bemalte Springerle

Bemalte Springerle

Zuckerlebkuchen oder Weiße Lebkuchen

Zutaten: 4–5 Eier, 500 g Zucker, 500 g Mehl, 125 g grob geschnittene Mandeln, 125 g grobgeschnittenes Zitronat und Orangeat, 15 g Zimt, Schale 1/2 Zitrone, 1 Messerspitze gemahlene Nelken. (Nach Belieben 1 Messerspitze Hirschhornsalz.)

Zubereitung: Man rührt Eier und Zucker tüchtig schaumig, gibt die Mandeln, das Zitronat und Orangeat, die Gewürze und zuletzt das Mehl darunter. Dann wellt man den Teig zentimeterdick aus, sticht Lebkuchen aus, setzt sie mit fingerbreiten Zwischenräumen auf ein gefettetes Blech, lässt sie, damit sie „Füßchen“ bekommen, über Nacht stehen und bäckt sie in mittlerer Hitze. (Gibt 60–70 Stück.) 175–180 °C. Backdauer 15–20 Minuten.

Springerle

Zutaten: 4 große Eier, 500 g Staubzucker, 500 g Weizenmehl Type 405, 1 Messerspitze Hirschhornsalz.

Zubereitung: Eier und Zucker rührt man sehr gut schaumig, mischt das Mehl, das man einige Tage zum Austrocknen im warmen Zimmer stehen hatte, darunter, und wirkt den Teig auf dem Brett gut durch. Dann lässt man ihn, mit einem Tuch bedeckt, in der Kälte 1 Stunde ruhen. Nun schneidet man kleine Stücke davon ab, wellt diese auf der Schnittseite zentimeterdick aus, bestäubt den Springerlesmodel mit einem mit Mehl gefüllten, kleinen Leinwandbeutel und drückt das leicht bemehlte Teigstück mit der Oberseite gut in den Model. Dann dreht man ihn um, löst den Teig vorsichtig ab, schneidet die „Bilder" mit einem scharfen Messer oder dazu passenden Ausstecher aus und lässt sie 12 bis 24 Stunden abtrocknen, jedoch nicht in stark geheizten Räumen. Dann bestreicht man sie unten mit Wasser, legt sie auf ein gefettetes, mit Anis bestreutes Blech und bäckt sie in abgekühltem Ofen blassgelb. Die richtige Backhitze und ein genügend langes Trocknen vor dem Backen ist für das Gelingen ausschlaggebend. (Gibt etwa 50 Stück.) 160°C. Backdauer 22–30 Minuten. Nach dem Backen kann man sie mit Zuckerfarbe bemalen, sie ergeben einen reizenden Christbaumschmuck.

Haselnussschnitten

Zutaten: 3 Eier, 500 g Zucker, 500 g feingeriebene Haselnüsse oder halb Haselnüsse, halb Mandeln, 2 Esslöffel Mehl, 1 Messerspitze Zimt.
Zubereitung: Man schlägt die 3 Eiweiß zu steifem Schnee, rührt Eigelb und Zucker 10 Minuten mit und mischt dann die übrigen Zutaten darunter. Man wellt den Teig auf einem mit Mehl bestreuten Brett 1/2 cm dick aus, sticht schmale Schnitten aus, lässt diese abtrocknen, streicht sie (mit einem Messer) mit Eiweißglasur (Seite 318) und bäckt sie blassgelb. (Gibt 80–100 Stück.) 175–180°C. Backdauer 15–20 Minuten.

Elisenlebkuchen (Nürnberger Rezept)

Zutaten: 6 Eier, 500 g Zucker, 500 g Mandeln, 75 g kleingeschnittene Pomeranzenschale, 15 g Zimt, 1/2 geriebene kleine Muskatnuss, die abgeriebene Schale von 1–2 Zitronen.
Zubereitung: Man schlägt die 6 Eiweiß zu steifem Schnee, rührt ihn mit Eigelb und Zucker tüchtig schaumig, mischt die Gewürze, die Pomeranzenschale und zuletzt die ungeschälten, feingeriebenen Mandeln darunter. Man setzt von dem Teig kleine Häufchen auf runde Oblaten und bäckt sie in milder Hitze. Nach dem Backen glasiert man sie noch heiß mit Zitronen- oder Schokoladenglasur. 180°C. Backdauer 20–25 Minuten.

Elisenlebkuchen, andere Art

Zutaten: 8 Eiweiß, 500 g Zucker, 8 Eigelb, 10 g Zimt, 4 g Nelken, 65 g feinwürflig geschnittenes Zitronat, 65 g ebenso vorgerichtetes Orangeat, Schale 1 Zitrone, 500 g Mandeln, 375 g Mehl.
Zubereitung: Die Mandeln werden tags zuvor abgezogen, auf einem Blech etwas geröstet und grob geschnitten. – Mit dem steifen Eischnee rührt man Eigelb und Zucker 1/2 Stunde tüchtig schaumig, gibt dann die Gewürze, die Mandeln und zuletzt das Mehl darunter. Nun setzt man aus dem Teig auf Oblaten kleine Häufchen, gibt in die Mitte eine abgezogene Mandel oder ein quadratzentimetergroßes Stück Zitronat und bäckt sie bei Mittelhitze hellgelb. (Größe der Oblaten 6 x 6 cm.) 180°C. Backdauer 20 Minuten.

Einfache Zimtsterne

Man macht den Haselnussschnittenteig, nimmt aber etwas mehr Zimt und die abgeriebene Schale 1/2 Zitrone dazu. Statt der Lebkuchen sticht man Sterne aus. Man bestreicht sie vor dem Backen mit Eiweißglasur (siehe Seite 318) und bäckt sie bei 180°C. Backdauer 15–20 Minuten. (Gibt 60–70 Stück.)

Mandelhäufchen

Zutaten: 4 Eier, 500 g Zucker, 500 g Mandeln, 200 g Mehl, nach Belieben etwas abgeriebene Zitronenschale oder Zimt.

Zubereitung: Man macht den Teig wie den von Haselnussschnitten (siehe Seite 277), setzt auf ein gefettetes Blech kleine Häufchen auf und bäckt sie hellbraun. (Gibt 100–120 Stück.) 175 °C. Backdauer 15–20 Minuten.

KLEINBACKWERK MIT EIWEISS

Hier unterscheidet man zwischen Makronen- und Schaumgebäck.

Grundrezept I: Makronengebäck

6 große oder 8 kleine Eiweiß, 500 g Zucker, 500 g feingeriebene Mandeln oder Haselnüsse, oder Kokosflocken usw.

Die Menge von 6 großen Eiweiß entspricht etwa der Menge von 3 ganzen Eiern. Die Zucker-Mandel-Menge bleibt im Verhältnis 1 : 1 wie bei Grundrezept II mit ganzen Eiern. Der kleine Mehlzusatz fällt weg, weil 6 große Eiweiß stärker binden als 3 ganze Eier. Die Eiweißmenge muss gekürzt werden, wenn man Zitronen- oder Orangensaft als Backwürzen verwendet, und muss erhöht werden, wenn der Teig durch Grieß- oder Semmelmehl gestreckt wird. Ausschlaggebend für das Gelingen ist die Frische der Eier. Das Eiweiß von Wasserglas- und Kalkeiern hat nicht mehr die volle Bindekraft. Es empfiehlt sich, Makronen vor dem Backen mindestens einige Stunden abtrocknen zu lassen, damit die Oberfläche beim Backen nicht reißt. Bäckt man sie auf Oblaten, so lassen sie sich leichter vom Blech wegnehmen und bleiben länger feucht. Backtemperatur 180 °C. Backdauer 12–15 Minuten (untere Schiene).

Grundrezept II:

a) Schaumgebäck zum Spritzen oder Aufsetzen

6 große Eiweiß, 500 g Zucker, 125 g geriebene Mandeln oder Nüsse.

Hier verringert sich nur die Mandel- oder deren Ersatzmenge auf 1/4 der Grundmenge. Backtemperatur 150 °C. Backdauer 60–70 Minuten (untere Schiene).

b) Schaumgebäck zum Auswellen

3 große Eiweiß, 500 g Zucker, 125 g geriebene Mandeln oder Nüsse, oder stark 125 g Schokolade.

Hier wird gegenüber Rezept a) nur die Eiweißmenge gekürzt. Denn: zum Spritzen braucht man einen weichen, zum Auswellen einen festen Teig. 150 °C. Backdauer 60–70 Minuten (untere Schiene).

Apfelsinenmakronen

Zutaten: 5–6 Eiweiß, 500 g Zucker, 500 g geschälte, getrocknete, feingeriebene Mandeln, Schale von 2 Apfelsinen, Saft 1 kleinen Apfelsine, wenn nötig 1–2 Esslöffel Grieß.

Zubereitung: Mit dem Schnee der 5 oder 6 Eiweiß rührt man den Zucker 20–30 Minuten, mischt dann Apfelsinensaft und -schale, Mandeln und wenn der Teig sehr feucht sein sollte, etwas Grieß darunter. Dann setzt man runde Makronen auf, drückt sie in der Mitte etwas ein, lässt sie über Nacht abtrocknen und bäckt sie bei schwacher Hitze hellgelb. Mit dem Saft einer Apfelsine rührt man soviel Staubzucker an, dass eine dicke Glasur entsteht, die man noch mit etwas Apfelsinenschale würzen kann. Mit dieser setzt man nach dem Backen auf jede Makrone in die Mitte einen runden Tupfen und lässt sie trocknen. (Gibt 80 Stück.) 180°C. Backdauer 15 Minuten.

Haselnussmakronen

Zutaten: 6 Eiweiß, 500 g Staubzucker, 500 g feingeriebene Haselnüsse, 1 Päckchen Vanillin.
Zubereitung: Die Eiweiß werden zu steifem Schnee geschlagen, der Zucker mit diesem dick und schaumig gerührt, dann mit den übrigen Zutaten vermischt. Man setzt auf ein gefettetes Blech kleine, runde Makronen, setzt in die Mitte eine Haselnuss und bäckt sie in milder Hitze. (Gibt 80 Stück.) 180°C. Backdauer 15 Minuten.

Vanillemakronen

Zutaten: 8 kleine Eiweiß, 500 g Zucker, 500 g geschälte, feingeriebene Mandeln (nach dem Schälen gewogen), 1 Esslöffel Zitronensaft, 1 Päckchen Vanillin.
Zubereitung: Zucker, Mandeln, Zitronensaft und 3–4 Eiweiß rührt man auf schwachem Feuer so lange, bis die Masse lauwarm wird und sich ballt. Nachdem sie vollständig ausgekühlt ist, mischt man den Schnee der übrigen Eiweiß darunter, setzt mit 2 Kaffeelöffeln kleine Makronen auf ein schwachgefettetes Blech oder auf weißes Papier, lässt sie einige Stunden oder über Nacht trocknen und bäckt sie in milder Hitze hellgelb. Hat man sie auf Papier gebacken, legt man dieses auf ein angefeuchtetes Tuch und löst die Makronen ab, sobald das Papier feucht wird. Nach dem Erkalten rührt man 250 g Staubzucker mit soviel Zitronensaft an, dass eine dickflüssige, glatte Glasur entsteht. Diese streicht man dünn auf und lässt die Makronen im warmen Zimmer trocknen. (Gibt 80 Stück.) 150 bis 180°C. Backdauer 15 Minuten.

Schokolademakronen I

Zutaten: 8 große Eiweiß, 500 g Staubzucker, 500 g ungeschälte feingeriebene Mandeln oder Haselnüsse, 100 g geriebene Schmelzschokolade, 1 Päckchen Vanillin.
Zubereitung: Mit dem steifen Eischnee mischt man den Zucker, rührt beides schaumig und gibt dann die übrigen Zutaten darunter. Nun setzt man mit 2 Kaffeelöffeln längliche Makronen auf, lässt sie einige Stunden trocknen und bäckt sie in Mittelhitze. (Gibt 80 Stück.) 180°C. Backdauer 15 Minuten.

Schokolademakronen II

Zutaten: 8 Eiweiß, 500 g Sandzucker, 500 g ungeschälte, geriebene Mandeln, 300 g geriebene Schokolade, Saft 1 Zitrone.
Zubereitung: Man rührt Eiweiß und Zucker tüchtig schaumig (ohne zuvor Schnee zu schlagen), mischt dann den Zitronensaft, die Schokolade und zuletzt die Mandeln darunter, formt kleine Kugeln daraus, setzt sie auf ein gefettetes Blech und bäckt sie in milder Hitze. (Gibt 60–80 Stück.) 180°C. Backdauer 15 Minuten.

Kokosmakronen

Zutaten: 8 Eiweiß, 500 g Sandzucker, 500 g Kokosflocken, Saft einer halben, Schale einer ganzen Zitrone.
Zubereitung: Mit dem sehr steifen Eischnee rührt man den Zucker schaumig, mischt

dann Zitronensaft und -schale und die Kokosflocken rasch darunter, setzt mit 2 Kaffeelöffeln kleine Makronen auf ein gefettetes Blech und bäckt sie blassgelb. (Gibt 80 Stück.) 180°C. Backdauer 10–15 Minuten.

Grießmakronen

Zutaten: 8 Eiweiß, 500 g Zucker, 500 g geschälte, geriebene Mandeln, Saft und Schale von 1 1/2 Zitronen, 250 g Grieß.
Zubereitung: Man macht den Teig wie den von Kokosmakronen, gibt zuletzt den Grieß hinein, setzt kleine Makronen auf ein gefettetes Blech und bäckt sie in schwacher Hitze hellgelb. (Gibt 80–100 Stück.) 180°C. Backdauer 10–15 Minuten.

Hausmakronen

Zutaten: 8–9 Eiweiß, 625 g Zucker, 500 g geschälte, feingeriebene Mandeln, 10 geschälte, geriebene bittere Mandeln, Saft und Schale 1/2 Zitrone, 4 von der Rinde befreite, altbackene, geriebene Milchbrötchen.
Zubereitung: Siehe Grießmakronen. 180°C. Backdauer 10–15 Minuten.

Hägenmarkmakronen

Zutaten: 7 Eiweiß, 500 g Zucker, 500 g geschälte, feingeriebene Mandeln, 2–3 Esslöffel Hägenmark (Hagebuttenmark).
Zubereitung: Mit dem steifen Eischnee rührt man den Zucker schaumig, mischt erst das Hägenmark, dann die Mandeln darunter, setzt längliche Makronen auf Oblaten, auf Papier (siehe Vanillemakronen) oder auf ein schwach bestrichenes Blech, lässt sie über Nacht trocknen und bäckt sie in schwacher Hitze. Man kann sie nach Belieben mit Zitronenglasur bestreichen und im warmen Zimmer trocknen lassen. (Gibt 80 Stück.) 180°C. Backdauer 15 Minuten.

Dattelmakronen („Busserl“)

Zutaten: 8 Eiweiß, 280 g Zucker, 200 g Haselnüsse, 200 g Mandeln, 200 g entkernte Datteln.
Zubereitung: Eiweiß und Zucker schlägt man über einem dampfenden Wassertopf in der Schüssel so lange, bis die Masse wie dickflüssiger Honig vom Schneebesen läuft. Dann mischt man die würflig geschnittenen Haselnüsse und Mandeln und die kleingeschnittenen entkernten Datteln darunter, setzt längliche Makronen auf Oblaten oder auf ein mit weißem Papier belegtes Blech und bäckt sie in milder Hitze. Nach dem Backen löst man sie wie Vanillemakronen vom Papier ab und lässt sie an der Unterseite trocknen. 180°C. Backdauer 15 Minuten.

Zedernbrot

Zutaten: 2 Eiweiß, 500 g Staubzucker, 625 g geschälte, feingeriebene Mandeln, Saft und Schale einer großen Zitrone.
Zubereitung: Mit dem steifgeschlagenen Eischnee mischt man die übrigen Zutaten und knetet den Teig mit der Hand in der Schüssel so lange, bis er sich ballt. Dann nimmt man ihn auf ein mit Zucker bestreutes Brett, bestreut ihn mit Zucker und drückt den Teig mit dem Wellholz zu einer zentimeterdicken Platte aus. Ein eigentliches Auswellen ist nicht möglich, weil die Masse durch ihren geringen Eiweißgehalt nicht gut zusammenhält. Nun sticht man Halbmonde oder verschobene Vierecke aus, lässt sie etwas abtrocknen und bäckt sie dann erst in mäßiger Hitze hellgelb. Nach dem Erkalten bestreicht man sie mit Zitronenglasur (die Glasur darf nie mitgebacken werden) und lässt sie abtrocknen. Zitronenglasur siehe Seite 318. (Gibt 70–80 Stück.) 180°C. Backdauer 10 Minuten.

Schokolademuscheln, Bärentatzen

Zutaten: 6 große Eiweiß, 500 g ungeschälte, feingeriebene Mandeln oder Haselnüsse, 500 g gestoßener Zucker, 250 g gute, geriebene Schokolade, 1/2 Kaffeelöffel Zimt, Schale einer halben Zitrone, wenn nötig 1–2 Esslöffel Kakao.

Zubereitung: Man macht den Teig wie den zu Schokolademakronen, formt daraus nussgroße Kugeln, dreht diese in gestoßenem Zucker, drückt sie in das Muschelförmchen, setzt die Muscheln auf ein gefettetes Blech, lässt sie über Nacht trocknen und bäckt sie in milder Hitze. Statt 6 Eiweiß kann man auch 3 ganze Eier nehmen. (Gibt 80–100 Stück, je nach der Größe des Muschelförmchens.)

Backtemperatur 180°C. Backdauer 15 Minuten.

Feine Zimtsterne

Zutaten: 6 Eiweiß, 500 g Zucker, Schale einer halben Zitrone, 15–30 g Zimt, 500 g ungeschälte, feingeriebene Mandeln. – Eiweißglasur Seite 318.

Zubereitung: Mit dem steifen Schnee der 6 Eiweiß rührt man den Zucker tüchtig schaumig, gibt dann die Gewürze und die Mandeln hinein, wellt den Teig auf einer Mischung von halb Mehl, halb Sandzucker aus, sticht Sterne aus, bestreicht sie vor dem Backen mit Eiweißglasur und backt sie blassgelb. (Gibt 60 Stück.) 180°C. Backdauer 10–15 Minuten.

Belgrader Brot

Zutaten: 8 Eiweiß, 500 g Zucker, 500 g geschälte, länglich geschnittene Mandeln, 500 g Mehl, 15 g Zimt, 3 g Nelken, Schale einer Zitrone, 50 g feingeschnittenes Zitronat.

Zubereitung: Man macht den Teig wie Elisenlebkuchen, wellt ihn auf dem bemehlten Brett 1/2 cm dick aus, sticht schräge Vierecke aus und bäckt sie bei mäßiger Hitze. Wer will, kann sie, solange sie noch warm sind, mit Zuckerglasur bestreichen und im warmen Zimmer trocknen. 180°C. Backdauer 15–20 Minuten.

Wespennester

Zutaten: 6 Eiweiß, 500 g Zucker, 500 g geschälte, getrocknete, in Stifte geschnittene Mandeln, 80–100 g s t a r k entölter Kakao (mit schwach entöltem, also sehr fetthaltigem Kakao, laufen sie in die Breite), 2 Päckchen Vanillin.

Zubereitung: Mit dem sehr steifen Eischnee rührt man den Zucker 20 Minuten, mischt dann den Kakao, das Vanillin und zuletzt die Mandeln darunter. Nun setzt man mit 1 Kaffeelöffel kleine Häufchen auf ein gefettetes Blech und bäckt sie bei mäßiger Hitze. (Gibt 70–80 Stück.) 180°C. Backdauer 10–15 Minuten.

Aufgesetzte Zitronenschäumchen

Zutaten: 4 Eiweiß, 500 g Staubzucker, Saft 1 Zitrone.

Zubereitung: Mit dem sehr steifen Eischnee rührt man Zucker und Zitronensaft tüchtig schaumig, am besten mit dem Mixer, setzt kleine Häufchen auf ein mit Zucker bestreutes weißes Papier, lässt sie trocknen und bäckt sie bei schwacher Hitze. (Gibt etwa 50 Stück.) 100–120°C. Backdauer 100 Minuten, untere Schiene.

Aufgesetzte Schokoladeschäumchen

Zutaten: 6 Eiweiß, 500 g Staubzucker, Saft einer Zitrone, 125 g geriebene Schokolade.

Zubereitung: Der steife Schnee von 6 Eiweiß wird mit Zucker und Zitronensaft schaumig gerührt und dann die Schokolade daruntergemischt. Nun belegt man das Blech mit weißem Papier, bestreut es mit Sandzucker, setzt mit einem Löffel oder mit dem Spritzsack längliche Schäumchen auf und bäckt sie bei schwacher Hitze. (Gibt 70 Stück.) 100–120°C. Backdauer 80–100 Minuten, untere Schiene.

Gewellte Schokoladeschäumchen

Zutaten: 150 g feine Schmelzschokolade, 3 Eiweiß, 500 g Staubzucker.
Zubereitung: Die im Wasserbad geschmolzene Schokolade wird mit dem rohen Eiweiß und dem Staubzucker vermischt, die Masse kurz zusammengeknetet, bis sie sich ballt und der Teig auf Sandzucker 1/2 cm dick ausgewellt. Dann sticht man beliebige Förmchen aus, setzt sie auf ein schwach gefettetes mit Mehl bestäubtes Blech, lässt sie etwas abtrocknen und bäckt sie in ganz schwacher Hitze. 90–100°C. Backdauer etwa 60 Minuten.

Merinken

Zutaten: 4 Eiweiß, 250 g Zucker; – Zucker zum Bestreuen des Bodens; 1/2 l süße Sahne zum Schlagen; Zucker und Vanillin nach Geschmack.
Zubereitung: Man schlägt die Eiweiß zu sehr steifem Schnee, gibt 2/3 des Zuckers darunter und schlägt die Masse so lange, bis sie steif und zäh ist. Dann gibt man rasch den übrigen Zucker lose darunter und füllt die Masse sofort in den Spritzsack. Das Blech bedeckt man mit Papier, besiebt es leicht mit Zucker, setzt 10–12 Merinken auf und bäckt sie in milder Hitze. 80–90°C. Backdauer etwa 100–120 Minuten. Nach dem Backen nimmt man sie vom Papier ab, drückt sie am Boden etwas ein, füllt sie mit leicht gesüßter Schlagsahne und setzt immer zwei Merinken aufeinander.

Wiebele

Zutaten: 250 g Staubzucker, 140 g Eiweiß, 200–250 g feines gesiebtes Mehl, 1 Päckchen Vanillin.
Zubereitung: Das Eiweiß schlägt man zu sehr steifem Schnee, mischt die übrigen Zutaten darunter, gibt den Teig sofort in einen Spritzbeutel und setzt auf ein mit Butter bestrichenes Blech die Wiebele auf. Man hält dabei den Spritzsack leicht schräg, setzt die Tülle dicht am Blech auf, gibt einen leichten Druck auf den Teig, so dass ein Tropfen aufs Blech kommt, hebt die Tülle leicht ab und setzt den zweiten Tropfen aufs Blech. Durch dieses leichte Abheben der Tülle entsteht die schmale „Mitte" der Wiebele. Wenn alle aufgesetzt sind, lässt man sie abtrocknen und bäckt sie bei 150°C. Backdauer etwa 30 Minuten (untere Schiene).

Rosinenbrötchen

Zutaten: 4 Eiweiß, 250 g Zucker, Saft und Schale von 1 Zitrone, 60 g Rosinen, 250 g Mehl.
Zubereitung: Mit dem steifen Schnee der 4 Eiweiß rührt man den Zucker schaumig, gibt dann die übrigen Zutaten hinein, setzt mit einem Kaffeelöffel kleine Brötchen auf ein gefettetes Blech und bäckt sie bei Mittelhitze hellgelb. (Gibt 50 Stück.) 175°C. Backdauer 20 bis 25 Minuten (untere Schiene).

Glasuren für Kleinbackwerk siehe Seite 318.

DIE KÜNSTLICHEN LOCKERUNGSMITTEL

Wenn man die nur durch Fett oder Ei gelockerten Gebäcksorten auf ihre Zutaten hin prüft, wird man sofort gewahr, dass alle ziemlich kostspielig sind. Will man an Fett und Ei sparen und trotzdem lockeres, leicht verdauliches Gebäck herstellen, benützt man die pulverförmigen künstlichen Lockerungsmittel.

Hefe kommt bei sehr süßem Gebäck, z.B. Honigkuchen, deshalb nicht in Betracht, weil große Zuckermengen die Hefeentwicklung und damit die Gärung verhindern. Die künstlichen Lockerungsmittel sind, was Ausgiebigkeit und Geschmack anlangt, sehr verschieden.

Das Natron

Eines der ausgiebigsten Mittel ist das doppeltkohlensaure Natron. In der Hitze gibt es einen Teil seiner Kohlensäure ab. Es hinterlässt aber, besonders wenn man etwas zuviel nimmt, einen salzigen laugenhaften Geschmack. Genaue Grundmengen für die Teige kann man deshalb nicht angeben, weil die Teigzusammensetzungen allzu verschieden sind. Flüssige, gerührte Teige werden durch zuviel Natron zu großporig und außerdem rot, weshalb man zu diesen besser Backpulver nimmt. Natron eignet sich am besten zu Honigteigen, da Honig den salzigen Natrongeschmack überdeckt. Man rechnet bei Honigteigen ohne Ei auf 1 kg Teiggewicht 4 g = 1 knappen Kaffeelöffel Natron.

Das Hirschhornsalz

Ein besonders zu *fett*freiem Kleinbackwerk viel verwendetes Mittel ist das Hirschhornsalz (doppeltkohlensaures Ammonium). Es besteht aus 2 Gasen, die sich im Ofen rasch verflüchtigen. Da beide entweichen, hinterlassen sie in flachem Kleingebäck keinerlei Nachgeschmack. (Zu gerührtem Kuchen oder sonstigem Gebäck, das in Kastenform gebacken wird, eignet sich Hirschhornsalz nicht, weil die Ammoniakdämpfe nicht genügend entweichen können.) Übermäßige Hirschhornsalzmengen machen das Gebäck strohig und großlöcherig.

Hirschhornsalz muss festverschlossen aufbewahrt werden, da es sich auch ohne Einwirkung von Hitze an der Luft allmählich verflüchtigt. Es ist enorm ausgiebig, da es beim Backen ohne Rückstände völlig vergast.

Die Pottasche

Seltener benützt wird die Pottasche, ein kohlensaures Salz (kohlensaures Kali). Es zerfällt durch die Einwirkung von Säure, wobei die Kohlensäure entweicht und den Teig lockert. Man verwendet Pottasche meist zu Honigteigen, die man vor dem Backen tagelang ruhen lässt.

Das Backpulver

Am häufigsten verwendet werden die in 20-g-Beuteln erhältlichen Backpulver. Sie enthalten doppeltkohlensaure Salze und das saure Salz der Weinsäure. Diese treibt die schwächere Kohlensäure aus und lockert dadurch den Teig. Da durch die Einwirkung von Feuchtigkeit die Triebkraft des Pulvers zu wirken beginnt, dürfen weiche Backpulvervorteige nicht lange stehen, sondern müssen sofort nach Fertigstellung in den Ofen kommen.

Allgemeine Regeln über die Verwendung künstlicher Lockerungsmittel

1. Da alle Pulver aus der Luft Feuchtigkeit aufnehmen, bilden sich bei längerem Lagern Klümpchen, besonders leicht bei Hirschhornsalz. Diese müssen vor der Verwendung im Teig vollständig zerrieben werden, damit das Gebäck gleichmäßig gelockert wird und keine salzigen Stellen oder Blasen darin entstehen. Es empfiehlt sich deshalb, das Lockerungsmittel stets unter das Mehl zu mischen und dieses hierauf 2mal zu sieben. Natron, Pottasche und Hirschhornsalz können auch in *kalter* Flüssigkeit aufgelöst an die Teige gegeben werden.
2. Bei allen Honigteigen darf das Lockerungsmittel erst zugesetzt werden, wenn der aufgelöste Honig abgekühlt ist, sonst entweichen die Gase, ehe sie ihre Wirkung auf den Teig ausgeübt haben.
3. Alle künstlichen Lockerungsmittel wirken also durch entweichende Gase, die vorwiegend durch Hitze aus den Pulvern ausgetrieben werden. Das Gebäck darf also im Ofen nicht sofort zubacken, wie es bei einem „gegangenen“ Hefeteig notwendig ist, sondern die Masse muss erst Zeit haben, langsam aufzugehen, um erst dann eine Kruste zu bekommen. Man bedeckt deshalb gerührte Backpulverkuchen gleich beim Einschieben in den Ofen mit einem

gefetteten Papier, das die Hitze so lange abhält, bis der Teig aufgegangen ist. Die Oberfläche des Kuchens wird dadurch glatt und nicht rissig. Man bäckt deshalb *alle Backpulverkuchen* in milder Hitze. Anfangstemperatur 180°C, nach der halben Backzeit 200°C.

KLEINBACKWERK MIT KÜNSTLICHEN LOCKERUNGSMITTELN

Merke: Man kann bei allen Gebäcksorten mit künstlichen Lockerungsmitteln Fett, Zucker und Eimengen etwas kürzen, ohne fürchten zu müssen, dass das Gebäck missrät, da das Lockerwerden von ersteren abhängig ist. Es ist jedoch meist notwendig, dass man die fehlende Teigfeuchtigkeit durch Zugabe von etwas Milch ersetzt.

Keks mit Kartoffelmehl

Zutaten: 125 g Butter, 250 g Zucker, 4 Eier, 250 g Kartoffelmehl, 1 Päckchen Vanillin, 500 g Mehl, 1 Kaffeelöffel Backpulver.
Zubereitung: Butter, Eier und Zucker rührt man schaumig, gibt das Kartoffelmehl und das mit Backpulver vermischte gesiebte Weizenmehl hinein und knetet den Teig zuletzt mit der Hand gut durch. Man wellt den Teig sehr dünn aus, sticht die Kekse aus, setzt sie auf ein gefettetes Blech und bäckt sie hellgelb. (Gibt 100–120 Stück.) 180°C. Backdauer 10 bis 12 Minuten.

Roggenmehlkeks

Zutaten: 125 g Butter, 250 g Zucker, 3 Eier, 1 Päckchen Vanillin, 500 g Roggenmehl, 1 knapper Teelöffel Hirschhornsalz.
Zubereitung wie Kartoffelmehlkeks.

Zimtkeks

Zutaten: 50 g Butter, 250 g Zucker, 1 Ei, 10 Esslöffel Milch, 1 gestrichener Kaffeelöffel Zimt, 500 g Mehl, 1/2 Päckchen Backpulver.
Zubereitung: Man macht einen gerührten oder gehackten Mürbteig, wellt ihn dünn aus, sticht Plätzchen aus und bäckt sie rasch in Mittelhitze hellgelb. 180°C. Backdauer 10 bis 12 Minuten.

Haferflockenkeks mit Ei

Zutaten: 100 g Butter, 100 g Zucker, 1 Päckchen Vanillin, 1 Ei, 200 g Haferflocken, 50 g Mehl.
Zubereitung: Man rührt Butter, Zucker, Vanillin und Ei schaumig, mischt die Haferflocken und das Mehl darunter, wellt den Teig auf einem mit Mehl bestäubten Brett aus, sticht Plätzchen aus und bäckt sie goldgelb. (Gibt 30 Stück.) 180°C. Backdauer 10–12 Minuten.

Einfache Keks

Zutaten: 125 g Butter, 125 g Zucker, 2 Eigelb und 2–3 Esslöffel Milch, oder 2 kleine Eier, 1 Päckchen Vanillin, 375 g Mehl, 1 Kaffeelöffel Backpulver.
Zubereitung: Butter, Eigelb, Zucker und Vanillin rührt man schaumig, gibt das mit Backpulver vermischte Mehl darunter, knetet den Teig rasch zusammen, wellt ihn 1/2 cm dick aus, sticht beliebige Förmchen aus, streicht sie mit Ei, streut sie mit Kristall- oder Hagelzucker und bäckt sie hellgelb. (Gibt 40–50 Stück.) 180°C. Backdauer 10–12 Minuten.

Einfache Ausstecher ohne Ei (Knusperchen)

Zutaten: 100 g Butter, 150 g Zucker, 1 Päckchen Vanillin, 4 Esslöffel Milch, 300 g Mehl, 1 Kaffeelöffel Backpulver.

Zubereitung: Butter, Zucker, Milch und Vanillin rührt man schaumig, arbeitet das mit Backpulver vermischte Mehl darunter, wellt den Teig sehr dünn aus, sticht Plätzchen oder fingerlange und fingerbreite Schnitten aus, bestreicht sie mit Milch oder übrigem Eigelb, streut 1 Prise Zucker darauf und bäckt sie hellgelb. 180°C. Backdauer 10–12 Minuten.

Albertle

Zutaten: 125 g Margarine oder Butter, 250 g Zucker, 4 Eier, oder 2 Eier und einige Esslöffel Milch, 1 Päckchen Vanillin, 625 g Mehl, 5 g Hirschhornsalz.

Zubereitung: Siehe Keks. Man kann den Teig nach dem Auswellen auch stückweise über ein Reibeisen legen, leicht andrücken, abnehmen und mit einem Glas ausstechen. (Gibt etwa 100 Stück.) 180°C. Backdauer 10 Minuten.

Teebrot

Zutaten: 200 g Butter, 250 g Zucker, 2 Eier, 2 Eigelb, 1 Kaffeelöffel Zimt, 500 g Mehl, ½ Kaffeelöffel Backpulver. – Eigelb zum Streichen.

Zubereitung: Man macht den Teig wie den Keksteig, wellt ihn ½ cm dick aus, sticht längliche Brötchen aus, streicht sie dick mit Eigelb und bäckt sie bei Mittelhitze. (Gibt 70 Stück.) 180°C. Backdauer 10–12 Minuten.

Gewürzküchlein

Zutaten: 65 g Fett, 150 g Zucker, 1 Ei, 50 g kleingeschnittenes Zitronat, ½ Teelöffel Zimt, 1 Prise Nelken, 1 Prise Muskat, 300 g Mehl, ½ Kaffeelöffel Backpulver, 2 Esslöffel Milch.

Zubereitung: Man macht den Teig wie bei Teebrot, formt kleine Kugeln daraus und bäckt sie bei Mittelhitze hellbraun. 180°C. Backdauer 10–12 Minuten.

Haferflockenhäufchen

Zutaten: 100 g Butter, 150 g Zucker, 2 Eier, 1 Päckchen Vanillin, 6 Esslöffel Milch, 250 g Haferflocken, 100 g Mehl, 2 gestrichene Kaffeelöffel Backpulver.

Zubereitung: Man röstet die Haferflocken mit 1 Esslöffel Butter und 2 Esslöffel Zucker auf flacher Pfanne hellbraun und lässt sie erkalten. Den Rest der Butter und den Zucker rührt man mit Eiern und Milch schaumig, gibt Vanillin, die Flocken, das mit Backpulver vermischte Mehl dazu, setzt kleine Häufchen auf ein gefettetes Blech und bäckt sie bei Mittelhitze. (Gibt etwa 50 Stück.) 180°C. Backdauer 12–15 Minuten je nach Größe.

Falsche Schokolademakronen

Zutaten: 50 g Butter, 250 g Zucker, 2 Eier, 250 g Haferflocken, 1 gehäufter Esslöffel Kakao, einige Tropfen Bittermandelöl, 2 Esslöffel Milch, 1 Prise Backpulver.

Zubereitung: Man röstet mit der Hälfte des Zuckers die Haferflocken hellgelb und knusprig und lässt sie erkalten. Nun rührt man die Butter mit den Eiern und dem Rest des Zuckers schaumig, schafft alle übrigen Zutaten darunter, formt kleine Kugeln aus dem Teig und bäckt sie auf gefettetem Blech bei Mittelhitze. 180°C. Backdauer 12–15 Minuten.

Hafermarkhäufchen

Zutaten: 125 g Butter, 125 g Zucker, 2 Eier, 2 Esslöffel Milch, 50 g gehackte Haselnüsse oder Mandeln, Schale einer halben Zitrone, 200 g Hafermark, 1 gestrichener Kaffeelöffel Backpulver.

Zubereitung: Man macht einen gerührten Teig, setzt Häufchen oder gespritzte Ringe auf ein gefettetes Blech und bäckt sie bei Mittelhitze goldgelb. 180°C. Backdauer 12–15 Minuten.

Milchspringerle (dieses Rezept erträgt keine Veränderung der Zutaten)
Zutaten: 1/4 l Milch, 500 g Staubzucker, 5 g Hirschhornsalz, 750 g gut ausgetrocknetes Mehl.
Zubereitung: Milch, Zucker und Hirschhornsalz lässt man angerührt 4–5 Stunden stehen und rührt ab und zu um. Dann schafft man das Mehl darunter und macht die Springerle wie Eierspringerle Seite 27 fertig. 150–170°C. Backdauer 20–25 Minuten.

Ingwerplätzchen
Zutaten: 125 g Butter, 125 g Zucker, 125 g Honig, Schale 1 Zitrone, 1 Teelöffel gemahlener Ingwer, 1/2 Teelöffel Natron in 1 Esslöffel kaltem Bohnenkaffee aufgelöst, 300 g Mehl.
Zubereitung: Man rührt Butter, Zucker und Honig zusammen schaumig, gibt die Gewürze, das aufgelöste Natron und zuletzt das Mehl darunter. Man wellt den Teig knapp einhalbzentimeterdick aus, sticht Plätzchen aus, setzt sie auf ein schwach gefettetes Blech und bäckt sie bei milder Hitze hellgelb. (Sie bräunen sehr rasch, weil der Teig sehr süß ist.) Die Plätzchen halten sich in verschlossener Blechdose wochenlang knusprig. 180°C. Backdauer 12–15 Minuten.

Honiglebkuchen I, einfache, ohne Eier
Zutaten: 500 g Honig, 750 g Zucker, 1/4 l Wasser, 125 g grobgeschnittene Mandeln, Walnüsse oder Haselnüsse, 125 g kleinwürflig geschnittenes Zitronat und Orangeat, Schale einer Zitrone, 2 gehäufte Esslöffel Zimt, 1 Messerspitze gemahlene Nelken, 12 g Hirschhornsalz, 1 1/2 kg Mehl.
Zubereitung: Honig, Wasser und Zucker lässt man aufkochen und wieder abkühlen. Dann mischt man die übrigen Zutaten, zuletzt das mit Hirschhornsalz vermengte Mehl darunter. Hierauf wellt man den Teig zentimeterdick aus, sticht Lebkuchen aus, setzt sie dicht zusammen (sonst zerlaufen sie) auf ein gefettetes Blech und bäckt sie in Mittelhitze. Man schneidet sie noch heiß auseinander. 180°C. Backdauer 20–25 Minuten.

Herzlebkuchen
Zutaten: Wie bei Honiglebkuchen I, einfache, ohne Eier und weitere 300–400 g Mehl.
Zubereitung: In den Honiglebkuchenteig I wird soviel Mehl eingeknetet, dass er sich ziemlich fest und nicht mehr stark klebrig anfühlt. Dann wird er mit viel Mehl ausgewellt, in Herzform ausgestochen, die Lebkuchen mit großen, etwa zweifingerbreiten Zwischenräumen auf gefettete, mit Mehl bestäubte Backbleche gesetzt, mit Wasser bestrichen, nach Belieben mit geschälten ganzen Mandeln verziert und bei guter Hitze gebacken. Solange sie noch heiß sind, bestreicht man sie mit einer aus Staubzucker und Wasser dickflüssig angerührten Glasur und lässt sie trocknen. Wer will, kann sie mit Eiweißglasur (Seite 318) spritzen oder sie mit bunten Zucker- oder Schokoladeplätzchen verzieren, die man ebenfalls mit Eiweißglasur anklebt. – Die Stückzahl kann nicht angegeben werden, sie richtet sich nach der Größe der Ausstechform. 180°C. Backdauer 20–25 Minuten.

Honiglebkuchen II, feinste, ohne Eier
Zutaten: 500 g Honig, 250 g Zucker, 250 g grobgeschnittene Mandeln, 250 g grobgeschnittenes Zitronat oder Orangeat, Schale einer Zitrone, 15 g gemahlener Zimt, 5 g gemahlene Nelken, 1 geriebene kleine Muskatnuss, 1/16 l Kirschwasser, knapp 750 g Mehl, 10 g Hirschhornsalz.
Zubereitung: Man mischt mit dem aufgelösten, abgekühlten Honig die übrigen Zutaten, wellt den Teig zentimeterdick aus, sticht Lebkuchen aus, setzt sie dicht zusammen (sonst

zerlaufen sie) auf ein gut gefettetes Blech und bäckt sie in milder Hitze hellbraun. Man schneidet sie noch heiß auseinander. 180°C. Backdauer 15–20 Minuten.

Basler Lebkuchen

Zutaten: 1/2 l Honig, 250 g Zucker, 250 g grobgeschnittene Mandeln, 60 g Zitronat, 60 g Orangeat, 15 g Zimt, 4 g Nelken, die abgeriebene Schale 1 Zitrone, 1/8 l Kirschwasser, 550 g Mehl, 1 Kaffeelöffel Natron.

Zubereitung: Den Honig bringt man zum Kochen und schüttet ihn über die vorgerichteten Mandeln, das feingeschnittene Zitronat und Orangeat und die Gewürze. Nun gibt man das Kirschwasser darüber, zündet es mit einem Streifen brennenden Papiers an und rührt die Masse so lange durch, als der Kirsch brennt. Hierauf arbeitet man das mit Natron vermischte Mehl darunter und lässt den Teig 1–2 Tage stehen. Dann wellt man ihn auf bemehltem Brett aus, sticht Lebkuchen aus, setzt sie dicht zusammen auf ein gefettetes Blech und bäckt sie in mittlerer Hitze. Man schneidet sie, solange sie noch heiß sind und glasiert sie mit Zuckerglasur. 180°C. Backdauer 15–18 Minuten.

Basler Leckerli

Zutaten: Knapp 1/2 l Honig, 250 g Zucker, 250 g ungeschälte, geschnittene Mandeln, je 125 g feingeschnittenes Zitronat und Orangeat, 15 g Zimt, 2–3 g Nelken, 650 g Mehl, 1 Messerspitze Pottasche.

Zubereitung: Man vermischt alle Zutaten mit dem kurz aufgekochten Honig und teilt nach dem Erkalten den Teig in 12 Teile. Jeder Teil muss wieder für 12 Lebkuchen reichen, womit angedeutet wird, wie dick man den Teig auszuwellen hat. Man bäckt die Lebkuchen bei milder Hitze und schneidet sie noch heiß auseinander. Zum Glasieren kocht man 500 g Zucker mit 1/2 Glas Wasser zur großen Perle, bestreicht die Lebkuchen damit und lässt sie trocknen. 180°C. Backdauer 15–20 Minuten.

Thorner Kathrinchen

Zutaten: 500 g Honig, 125 g Butter, 250 g Zucker, 250 g gehackte Mandeln, 125 g feingeschnittenes Zitronat und Orangeat, Schale 1 Zitrone, 8 g gemahlener Zimt, 4 g gemahlene Nelken, 750 g Mehl, 10 g Pottasche.

Zubereitung: Honig und Butter löst man zusammen auf. Mehl und Pottasche werden gut durchgemischt. Nun arbeitet man alle Zutaten zu einem glatten Teig, lässt diesen einige Tage ruhen, wellt dann 1 cm dicke Platten aus, sticht Lebkuchen ab, setzt sie dicht zusammen auf ein gefettetes, bemehltes Blech, bäckt sie hellbraun und schneidet sie noch heiß auseinander. 180°C. Backdauer 25–30 Minuten.

Eierlebkuchen

Zutaten: 500 g Honig, 500 g Zucker, knapp 1 kg Mehl, 3 Eier, 2 Päckchen Zimt, 1/2 Teelöffel gemahlene Nelken, Schale einer Zitrone, 125 g grobgeschnittene, in etwas Zucker geröstete Mandeln oder Haselnüsse, 125 g würflig geschnittenes Zitronat und Orangeat, 5 g Hirschhornsalz (= 1 leicht gehäufter Kaffeelöffel voll).

Zubereitung: Den Honig löst man mit der Hälfte des Zuckers ohne Wasser auf dem Herd auf, kühlt ihn ab und rührt so viel Mehl darunter, dass ein weicher Teig entsteht. – Die 3 Eiweiß schlägt man zu steifem Schnee, rührt diesen mit Eigelb und Zucker schaumig, mischt Mandeln und Gewürze darunter und schafft zuletzt den mit Hirschhornsalz vermischten Rest des Mehls darunter. Nun arbeitet man beide Teige zusammen, wellt die Masse zentimeterdick aus, sticht Lebkuchen aus, setzt sie dicht zusammen (sonst zerlaufen sie) auf ein gefettetes Blech, streicht sie dick mit Eigelb, bäckt sie in milder Hitze und schneidet sie noch heiß auseinander. (Gibt 80 Stück.) 180°C. Backdauer 15–20 Minuten.

Printen
Zutaten: 400 g Sirup, 90 g gelber Farinzucker, 1 Prise Salz, 90 g feingeschnittenes Orangeat, 5 g Anis, 3 g Zimt, 1 g gemahlene Nelken, 1 Prise geriebene Muskatnuss, nach Belieben etwas gemahlenen Ingwer, 6 g Pottasche in etwas Milch aufgelöst, 500 g Mehl, 90 g groben Zucker zum Auswellen.
Zubereitung: Mit dem erhitzten, wieder abgekühlten Sirup vermischt man die übrigen Zutaten und lässt den Teig einige Tage ruhen. Dann wellt man auf dem groben Zucker Streifen aus, schneidet die Printen und lässt sie vor dem Backen nochmals 1 Tag liegen. Wer will, kann sie noch heiß glasieren. 180 °C. Backdauer 14–18 Minuten.

Kapuzinerbrot
Zutaten: 4 Eier, 500 g Zucker, 250 g Honig, 125 g würflig geschnittenes Zitronat und Orangeat, 125 g grobgeschnittene Haselnüsse, Schale einer Zitrone, 1 Esslöffel gemahlener Zimt, 1 Messerspitze gemahlene Nelken, 750 g Mehl, 1 Messerspitze Natron.
Zubereitung: Mit dem Schnee der 4 Eiweiß rührt man Eigelb und Zucker schaumig, gibt den zerlassenen, abgekühlten Honig und die übrigen Zutaten, zuletzt das mit Natron vermischte Mehl darunter. Nun formt man mit den bemehlten Händen nussgroße Kugeln, setzt sie nicht zu dicht zusammen auf ein gefettetes Blech und bäckt sie in milder Hitze. (Gibt 80 bis 100 Stück.) 180 °C. Backdauer 15–20 Minuten.

FLACHE KUCHEN

Allgemeines über flache Kuchen
Bei den nachstehenden süßen und salzigen Kuchen kommen als Grundlage alle Grundrezeptteige zur Anwendung.

1. Süße und salzige Hefeteige (für einfache Kuchen)
2. Mürbteige und Blätterteige (für verfeinerte, süße Kuchen)
3. Gerührte Teige (für feine Kuchen)
4. Eiweißteig (für Guss auf Obstkuchen)
5. Brühteig (für Kirsch- und Johannisbeerkuchen).

Es steht jedem frei, beliebige Teige als Kuchengrundlage zu wählen. Man kann also ohne Mühe Rezepte vereinfachen und verbilligen, oder sie verfeinern.
Merke! Obstkuchen bäckt man auf der untersten Schiene, damit der Teig bäckt, ehe das Obst Saft zieht.

Apfelkuchen I, einfacher
Zutaten: Teige siehe Grundrezept des Hefeteiges (Seite 235, halbe Menge). Belag: 1 kg Äpfel, Zucker, je 50 g Rosinen oder Sultaninen, gemahlene Nüsse, 1 Esslöffel Butter oder Margarine, etwas Zimt.
Zubereitung: Für ein mittelgroßes rundes Blech reicht die halbe Menge des Grundrezepts von Hefeteig. Man setzt die geschälten, entkernten, in Viertel geschnittenen Äpfel auf das mit Hefeteig belegte Blech, streut die Rosinen und die mit Zucker und Zimt gemischten Mandeln darauf und verteilt zuletzt das in Stückchen geschnittene Fett. Man bäckt den Kuchen rasch in guter Hitze. 200 °C. Backdauer 30–35 Minuten.

Kartoffelguss für Apfel- und andere Obstkuchen
Zutaten: 125 g gekochte, geriebene Kartoffeln, 100 g Zucker, 60 g gemahlene Mandeln oder Nüsse, 30–60 g zerlassene Butter, etwas Zimt oder Zitronenschale, 4 Esslöffel Sahne oder Butter- oder Sauermilch, 2 Eigelb; Schnee von 2 Eiweiß.

Der feine Apfelkuchen

Zubereitung: Man rührt alle Zutaten, ausgenommen das Eiweiß, glatt an und zieht den steifen Eischnee darunter.

Apfelkuchen II, feiner

Zutaten: Teig siehe Mürbteig nach Grundrezept (Seite 266). Belag: 1–1½ kg Äpfel, 60 g Zucker, 60 g Sultaninen, 60 g geschälte, in Stifte geschnittene Mandeln, 60 g Butter.
Zubereitung: Die möglichst gleich großen, säuerlichen Äpfel werden geschält, halbiert, entkernt und fächerartig eingeschnitten. Dann streut man auf ein mit Mürbteig belegtes Blech zuerst einen Teil der mit etwas Mehl abgeriebenen Sultaninen, gibt hierauf die Äpfel, die restlichen Sultaninen, dann die Mandeln und den Zucker und verteilt zuletzt die zerlassene Butter darüber. Gibt man die Zutaten in der angegebenen Reihenfolge darauf, bleiben die Sultaninen beim Backen saftig und die Mandeln oder Nüsse werden durch Zucker und Fett besonders schmackhaft geröstet. – Man bäckt den Kuchen in mittlerer Hitze. 200°C. Backdauer 45–50 Minuten.

Apfelkuchen III, guter

Zutaten: Teig siehe Grundrezept des Mürbteigs (Seite 266). Belag: 1 kg geschälte, in Viertel geschnittene, leicht eingezuckerte Äpfel. (Die Menge reicht für 1 mittelgroßes Blech.) – Guss: Schnee von 2–3 Eiweiß, 2–3 Eigelb, 100 g Zucker, nach Belieben 50 g Mandeln oder Wal- oder Haselnüsse, etwas Vanillin oder Zitronenschale. (Der Guss kann für alle Obstkuchen verwendet werden.)

Zubereitung: Die Äpfel werden auf das mit Mürbteig belegte Blech gesetzt. Nun rührt man mit dem steifen Eischnee Eigelb, Zucker und Zitronenschale und mischt die Hälfte der geriebenen Mandeln darunter. Die andere Hälfte streut man auf die Äpfel und verteilt dann den Guss darauf. Bei Rhabarber- und Heidelbeerkuchen streut man die Mandeln oder statt dessen etwas Brösel nicht auf, sondern unter das Obst. Man bäckt den Kuchen bei mittlerer Hitze. 200–210°C. Backdauer 35–45 Minuten.

Apfelkuchen, versunkener

Zutaten: Teig siehe gerührte Teige (Seite 299), halbes Grundrezept. Belag: 1 kg geschälte, entkernte, in Viertel geschnittene Äpfel.
Zubereitung: Als Unterlage für die Äpfel eignet sich der Blitzkuchenteig (das 3-Ei-schwer-Rezept) oder ein einfacher Backpulverteig, halbes Grundrezept. Man füllt den Teig in eine sehr gut gefettete, mit Brosamen oder gemahlenen Mandeln bestreute Springform, setzt die Äpfel ganz leicht darauf und bäckt den Kuchen. (Drückt man die Äpfel zu tief ein, hängt der Kuchen leicht an.) 180–200°C. Backdauer 35–45 Minuten.

Gedeckter Apfelkuchen

Zubereitung: Wenn im späten Frühjahr die Äpfel nicht mehr sehr saftig sind, werden sie ohne Guss nicht mehr richtig weich. Dann empfiehlt es sich, die geschälten, in Viertel geschnittenen, vom Kernhaus befreiten und blättrig eingeschnittenen Äpfel mit ganz wenig Zuckerwasser aufzusetzen und weichzudämpfen. Sie dürfen aber nicht zerfallen. Dann werden sie auf ein mit Mürbteig belegtes Blech aufgesetzt, mit Rosinen, Mandelstiften oder geriebenen Haselnüssen bestreut und mit einer dünnen Mürbteigplatte zugedeckt. Der Kuchen wird wie üblich bei 200°C in etwa 45 Minuten gebacken und nach dem Abkühlen mit Rum- oder Arrakglasur (siehe Seite 320) überzogen. Er schmeckt wunderbar saftig und hält sich gut frisch.

Zwetschgenkuchen (Pflaumenkuchen, Aprikosenkuchen)

Zutaten: Hefe- oder Mürbteig siehe Grundrezept. Belag: 1–1 1/2 kg Zwetschgen, Zucker und Zimt nach Geschmack, 50 g geschälte, in Stifte oder Würfelchen geschnittene Mandeln, Nüsse, 30 g Butter, einige Esslöffel Sahne oder ungesüßte kondensierte Milch.
Zubereitung: Die Hälfte der Mandeln streut man auf das mit Mürb- oder Hefeteig belegte Blech, setzt die entsteinten Zwetschgen möglichst dicht zusammen darauf und verteilt die übrigen Zutaten darüber. 200°C. Backdauer 45–50 Minuten.
Auf dieselbe Weise kann man Aprikosenkuchen herstellen, man braucht jedoch mehr Zucker.

Träubleskuchen, einfache Art (Johannisbeerkuchen)

Zutaten: Boden siehe Mürbteig (Seite 266). Belag: 500 g abgezupfte Beeren. Guss: Grießbrei von 1/2 l Milch, 125 g grobem Grieß, 200 g Zucker, 50 g Butter, etwas abgeriebener Zitronenschale; 3 Eigelb, 50 g geschälte, geriebene Mandeln oder Nüsse, 3 Eiweiß zu Schnee.
Zubereitung: Man kocht aus den angegebenen Zutaten einen dicken Brei, nimmt ihn vom Feuer, rührt erst die Eigelb, dann die Mandeln, die Beeren und zuletzt den steifen Schnee darunter. Man verteilt die Masse auf dem mit Mürbteig belegten Blech und bäckt den Kuchen in guter Hitze. 200–210°C. Backdauer 55–60 Minuten.
Die Beeren und der Eischnee werden deshalb zuletzt daruntergemischt, damit die Beeren möglichst wenig zerdrückt werden und der Schnee von seinem Luftgehalt möglichst wenig einbüßt.

Träubleskuchen, feinere Art (Johannisbeerkuchen)

Zutaten: Mürbteig nach Grundrezept (Seite 266). Belag: 500 g abgezupfte Johannisbeeren. Guss: 6 Eiweiß, 200–250 g Zucker, 100 g ungeschälte, gemahlene Mandeln oder Haselnüsse.

Zubereitung: Die Eiweiß werden zu steifem Schnee geschlagen, Zucker und Mandeln kurz mitgerührt und die Masse geteilt. Die eine Hälfte vermischt man mit den Beeren, verteilt diese auf dem mit Mürbteig belegten Blech, deckt die übrige Mandelmasse darüber und bäckt den Kuchen in guter Hitze. 200°C. Backdauer 50–60 Minuten. Man kann auch den Guss vom feinen Traubenkuchen oder vom Stachelbeerkuchen I verwenden.

Feiner Traubenkuchen

Zutaten: Mürbteig nach Grundrezept (Seite 266). – Belag: 1 kg Trauben, etwas Arrak. – Guss: Schnee von 4 Eiweiß, 4 Eigelb, 125 g Zucker, Schale 1/2 Zitrone, 1 Messerspitze Zimt, 125 g geschälte, geriebene Mandeln.

Zubereitung: Eischnee, Eigelb, Zucker und Gewürze rührt man tüchtig schaumig, gibt dann die Mandeln und die vorgerichteten Trauben darunter, verteilt die Masse auf einem mit Mürbteig belegten Springblech und bäckt den Kuchen in guter Hitze. 200°C.
Backdauer 50–60 Minuten.

Stachelbeerkuchen I

Zutaten: Mürbteig siehe Grundrezept. – Belag: 1 kg grüne (unreife) Stachelbeeren. – Guss: 3–4 Eigelb, 200–250 g Zucker, 100 g geschälte, geriebene Mandeln, einige Esslöffel saure Sahne, etwas abgeriebene Zitronenschale, 3–4 Eiweiß zu Schnee.

Zubereitung: Die gewaschenen, von Stiel und Blüte befreiten Stachelbeeren werden auf einem mit Mürbteig belegten Blech gleichmäßig verteilt. Nun rührt man die 3–4 Dotter mit dem Zucker und so viel Sahne, dass sich die Zutaten rühren lassen, gut schaumig, gibt die vorgerichteten Mandeln, etwas geriebene Zitronenschale und zuletzt den steifen Eischnee darunter. Dann bedeckt man die Früchte gleichmäßig mit dem Guss und bäckt den Kuchen in guter Hitze. 200°C. Backdauer 50–60 Minuten.

Man kann den Kuchen auch aus reifen Früchten herstellen, muss aber dann die Zucker- und Sahnemenge entsprechend kürzen. Der aus unreifen Beeren bereitete Kuchen schmeckt feiner, weil die Beerenhäute zarter und dünner sind. Große Beeren werden halbiert.

Man kann auch eingedünstete Stachelbeeren zu Kuchen verwenden, muss aber den Saft weglassen und die Zucker- und Sahnemenge kürzen.

Stachelbeerkuchen II (mit klarem Guss)

Zutaten: Mürbteig siehe Grundrezept, halbe Menge. – Belag: 1 kg grüne Stachelbeeren; 1/4 l Zuckerwasser. – Guss: Gelee aus dem bei der Zubereitung der Beeren gewonnenen Saft; 1/4 l Schlagsahne.

Zubereitung: Man kocht die von Stiel und Blüte befreiten Beeren in etwa 1/4 l Zuckerwasser halb weich, nimmt sie heraus, lässt sie abtropfen, verteilt sie auf dem mit Mürbteig belegten Blech und bäckt den Kuchen in guter Hitze. Nachdem er erkaltet ist, wiegt man den Saftrückstand, nimmt halb so viel Zucker als dieser wiegt und kocht beides zusammen bis zur Geleeprobe. Dann schüttet man das Gelee gleichmäßig über die Beeren und lässt es darauf erstarren. Man spritzt den Kuchen vor dem Auftragen mit Schlagsahne. 200°C. Backdauer 20–30 Minuten.

Rhabarberkuchen

Zutaten: Mürbteig siehe Grundrezept, 1 1/2fache Menge. Belag 500 g Rhabarber, 3–4 Eigelb, 300 g Zucker (mit Vanillin gewürzt), Schnee von 3–4 Eiweiß.

Zubereitung: Ein gefettetes Blech wird mit Mürbteig belegt und mit etwas gemahlenen

Mandeln bestreut. Der gewaschene Rhabarber wird in Würfelchen geschnitten. Nun rührt man die Eigelb mit der Hälfte des Zuckers schaumig, mischt die Rhabarberstückchen darunter und verteilt die Masse auf dem Mürbteig. Dann rührt man den Eischnee mit dem restlichen Zucker schaumig und deckt mit dieser Masse den Rhabarber zu. Man belegt den ganzen Kuchen mit einem Gitter aus in Streifen geschnittenem Mürbteig und bäckt den Kuchen bei 200°C 35–45 Minuten.

Kirschkuchen, einfacher

Zutaten: 1 l Milch, 250 g Grieß, 200–250 g Zucker, 1 Tasse Sahne oder 50 g zerlassene Butter, 3–4 Eigelb, 1 Kaffeelöffel Zimt, Schale einer halben Zitrone, 50 g gemahlene Haselnüsse, 1 Kaffeelöffel Backpulver, 1 kg Kirschen, 3–4 Eiweiß.

Zubereitung: Aus Milch, Grieß und Zucker kocht man einen dicken Brei, nimmt ihn vom Feuer, rührt ein Eigelb um das andere hinein, lässt die Masse auskühlen und mischt die übrigen Zutaten, zuletzt den steifen Eischnee, darunter. Man füllt die Masse in ein gut gefettetes, mit gemahlenen Mandeln oder Brosamen bestreutes Springblech und bäckt den Kuchen in guter Hitze. 200°C. Backdauer 60 Minuten.

Kirschkuchen, feiner

Zutaten: 200 g Butter, 200 g Zucker, 5–6 Eigelb, 1 Messerspitze Zimt, 1 Prise gemahlene Nelken, 100 g geriebene Mandeln, 4 altbackene, in Milch eingeweichte, ausgedrückte Brötchen, 2 Esslöffel Kirschwasser, 4 Esslöffel Sahne; – 1 kg Kirschen, Schnee von 5–6 Eiweiß.

Zubereitung: Butter, Zucker und Eigelb rührt man schaumig, mischt erst die Gewürze, dann Mandeln, Brötchen, Kirschen und zuletzt den steifen Eischnee darunter. Man bäckt den Kuchen in gefetteter Springform. 200°C. Backdauer 60–75 Minuten.

Erdbeerkuchen

Zutaten: Teig siehe Biskuitrolle, halbe Menge (Seite 301) oder Grundrezept für gerührte Kuchen, halbe Menge (Seite 296). – Belag: 1 kg reife Gartenerdbeeren. – Guss: 120–150 g Zucker, 2 Blatt weiße, 1 Blatt rote Gelatine; 1/4 l Sahne.

Zubereitung: In ein gefettetes Blech gibt man einen Biskuitteig oder Rührteig und bäckt ihn in mäßiger Hitze aus. Die Erdbeeren lässt man eingezuckert so lange stehen, bis sie Saft gezogen haben. Nun belegt man den ausgekühlten Kuchenboden mit den Beeren. Den Saft lässt man mit dem Zucker aufkochen, löst darin die in kaltem Wasser eingeweichte, ausgedrückte Gelatine auf, schüttet die abgekühlte, leicht sämige Masse über die Beeren und lässt sie erstarren. Vor dem Auftragen spritzt man den Kuchen mit leicht gesüßter Schlagsahne. Statt Gelatineguss kann man auch Opektaguss nach Gebrauchsanweisung verwenden. 190°C. Backdauer 15–20 Minuten.

Erdbeerkuchen, feinere Art

Zubereitung: Man beträufelt den Biskuitboden mit einer Mischung von 2–3 Esslöffel Zuckerwasser und 1 Esslöffel Arrak oder Rum, streicht eine aus 65 g Butter, 65 g Zucker und etwas Rum angerührte Buttercreme darüber und belegt ihn dann mit den frischen, leicht gezuckerten Erdbeeren. Zuletzt gibt man den Gelatine- oder den käuflichen Tortenguss darüber und spritzt ihn mit Schlagsahne.

Pfirsichkuchen – Aprikosenkuchen

Zutaten: Grundrezept des Mürbteigs. – Belag: 1 großes 2-l-Glas eingedünstete Pfirsiche oder Aprikosen; Zucker nach Geschmack, 30 g geschälte, blättrig geschnittene Mandeln, nach Bedarf noch 2–3 Blatt weiße Gelatine; – 1/8 l Sahne.

Zubereitung: Man belegt ein gut gefettetes rundes Kuchenblech mit Mürbteig. Außen wird

Wohlgeratener Aprikosenkuchen

eine 2 cm breite und ebenso hohe Teigrolle mit etwas Eiweiß angeklebt, bestrichen und eingekerbt. Dann sticht man den Boden verschiedenemal mit der Gabel ein, damit keine Luftblasen darunter bleiben und bäckt den Boden bei 200°C etwa 12–18 Minuten. Man kann statt Mürbteig auch die 1/2 Menge des Grundrezepts für Rühr- oder Biskuitteig von 125 g Mehl, 100 g Zucker, 2 Eier, 2 Esslöffel Wasser verwenden, muss aber dann ein Spezialblech mit Rand benützen und vorbacken. Nach dem Erkalten legt man die unterdessen abgetropften Früchte mit der gewölbten Seite nach oben darauf, kocht den gesüßten, mit Gelatine gebundenen Saft kurz auf und verteilt ihn nach dem Erkalten, wenn er anfängt sämig zu werden, gleichmäßig über die Früchte. Den Rand bestreut man mit den vorgerichteten Mandeln und lässt den Guss erstarren. Vor dem Auftragen spritzt man den Rand mit Sahne.

Ananaskuchen – Apfelsinenkuchen – Bananenkuchen

werden auf ähnliche Weise hergestellt. Man belegt den vorgebackenen Mürbteig- oder Biskuitboden mit Scheiben aus eingedosten Ananasscheiben, rohen eingezuckerten Apfelsinen-, Bananenscheiben oder beliebigen anderen Früchten, gibt den mit Gelatine, Opekta oder Stärkemehl angedickten, sämigen Obstsaft darüber und spritzt den Kuchen vor Gebrauch mit Schlagsahne.

Will man zu größeren Veranstaltungen derartige Obstkuchen auf Vorrat machen, kann man das Aufweichen des Mürbteigbodens auf folgende Weise verhindern: Man stellt eine Wasserbiskuittorte her, schneidet diese mehrmals quer durch, so dass man etwa 4 „Böden“ erhält. Mit diesen belegt man die vorgebackenen Mürbteigböden und gibt Obst- und Saftguss darüber. Der Saft wird durch die Biskuitmasse aufgesogen, so dass die Kuchen saftig und die

Mürbteigböden knusprig bleiben. Vor Gebrauch werden die Kuchen mit Schlagsahne verziert.

Heidelbeerkuchen

Zutaten: Mürbteig nach Grundrezept (Seite 267). – Belag: 1 kg Heidelbeeren, 125 g Zucker, 125 g gemahlene Mandeln oder Haselnüsse, 1 Teelöffel Zimt, einige Butterscheiben.
Zubereitung: Zucker, Zimt, Mandeln oder Haselnüsse mischt man, streut die Hälfte auf das mit Mürbteig belegte Blech, verteilt die sauber verlesenen Heidelbeeren darauf und streut den Rest des Mandelgemisches darüber. Man legt Butterscheibchen darauf und bäckt den Kuchen in guter Hitze. 200°C. Backdauer 30–40 Minuten.

Sauermilchkuchen

Zutaten: Mürbteig nach Grundrezept (Seite 267). – Belag: 1/2 l Sauermilch; 2 Esslöffel Butter, 2 stark gehäufte Esslöffel Zucker, 2–3 Eigelb, Zitronenschale oder Vanillin, 2–3 Esslöffel Sahne, 2 gehäufte Esslöffel Mehl; Schnee von 2–3 Eiweiß; – 50 g Sultaninen.
Zubereitung: Butter, Zucker, Eigelb und Sahne rührt man schaumig, mischt dann das Mehl, die gut zerquirlte Sauermilch und zuletzt den steifen Schnee darunter. Diese Masse schüttet man auf ein mit Mürbteig belegtes, mit Sultaninen bestreutes Blech und bäckt den Kuchen in mittlerer Hitze. 200°C. Backdauer 45–55 Minuten.

Quarkkuchen (Käsekuchen)

Zutaten: Mürbteig nach Grundrezept (Seite 266). – Füllung: 750-1000 g Quark, 50 g Butter, 125–150 g Zucker, 4–5 Eigelb, Schale und Saft einer Zitrone, 2 Esslöffel Kartoffelmehl, 1 Tasse saure Sahne, Schnee von 4–5 Eiweiß; 50–100 g Sultaninen, 1 Eigelb zum Bestreichen.
Zubereitung: Butter, Zucker und Eigelb rührt man sehr gut schaumig, mischt dann Zitronensaft und -schale, das Kartoffelmehl, den durch die Hackmaschine getriebenen Quark, die Sahne und zuletzt den steifen Schnee darunter. Man bestreut das mit Mürbteig belegte Blech mit Sultaninen, verteilt die Füllung darauf, streicht die Oberfläche mit Eigelb und bäckt den Kuchen sehr langsam in guter Hitze. 200°C. Backdauer 60–70 Minuten. Wird der Kuchen rasch gebacken, geht er zwar im Ofen schön auf, sitzt aber nachher zusammen. Zum Auskühlen wird er auf ein Kuchengitter gestürzt und nach dem Erkalten auf die Kuchenplatte gegeben.

Zwiebelkuchen

Zutaten: Teig: Die halbe Grundrezeptmenge des salzigen Hefeteigs (Seite 233) oder folgenden einfachen, billigen aber guten Mürbteig: 250 g Mehl, 60 g zerlassenes abgekühltes Schweineschmalz, 1 Tasse Wasser, 1 Kaffeelöffel Backpulver, 1/2 Kaffeelöffel Salz.
Belag: 1 kg große Zwiebeln, 60 g Fett, 50 g in Würfelchen geschnittener, geräucherter Speck, 1/4 l saure Sahne oder Sauermilch, 60 g Mehl, 2–3 Eier, 1 Kaffeelöffel Kümmel, Salz nach Gutdünken, nach Belieben 250 g Quark.
Zubereitung: Das gefettete Blech belegt man mit Hefeteig oder mit dem oben angegebenen Mürbteig. Zu letzterem werden die Zutaten wie zu einem Spatzenteig angerührt und dieser so lange geschlagen, bis er glatt ist und sich von der Schüssel löst. Dann wellt man ihn rund und gleichmäßig aus und belegt das Blech damit. Zum Belag werden die in Würfelchen geschnittenen Zwiebeln mit Fett und Speck glasig gedünstet, vom Feuer genommen, erst mit dem Mehl, hierauf mit den Eiern (Quark), dann mit der Sahne und zuletzt mit dem Gewürz gemischt. (Gibt man Salz zuerst hinein, ziehen die Zwiebeln Saft und der Kuchenteig wird „speckig".) Man verteilt den Belag auf dem Kuchenteig, bestreut ihn mit Butterflöckchen oder Speckwürfelchen und bäckt ihn in guter Hitze. 200–220°C. Backdauer 60 Minuten. – Für ein Backofenblech braucht man Teig von 300 g Mehl und die 1 1/2fache Menge der Füllung.

Kartoffelkuchen
Zutaten: Teig: Die halbe Grundrezeptmenge des salzigen Hefeteigs (Seite 233).
Belag: 750 g gekochte, geriebene Kartoffeln, 2 Esslöffel Mehl, 2 Esslöffel zerlassene Butter, 1–2 Eier, 1 Tasse saure Sahne, etwas Salz und Pfeffer.
Zubereitung: Die Zutaten zum Belag werden verrührt, auf dem mit Hefeteig belegten Blech verteilt, oben mit Butterflöckchen oder kleinen Speckwürfelchen bestreut und in heißem Ofen rasch ausgebacken. 200 °C. Backdauer 25–35 Minuten.

Flammkuchen, gesalzen
Zutaten: Teig: Die halbe Grundrezeptmenge des salzigen Hefeteigs (Seite 233).
Belag: 1 Tasse saure Sahne, 1–2 Eier, Salz, Kümmel, 1 Tasse Speckwürfelchen oder Grieben.
Zubereitung: Sahne, Eier und Gewürz rührt man an, gießt die Masse auf das mit gut gegangenem Hefeteig belegte Blech, verteilt die Speckwürfel darauf und bäckt den Kuchen rasch in starker Hitze. Er schmeckt, wie alle gesalzenen Kuchen, am besten frisch aus dem Ofen. 200–220 °C. Backdauer 15–20 Minuten.
Bei Flammkuchen kann man auch Schwarzbrotteig nehmen.

Flammkuchen, süß
Belag: 1 Handvoll auf dem Reibeisen geriebenes trockenes Schwarzbrot, Zucker und Zimt nach Geschmack, 1 Tasse Sahne, 1 Ei, Butterflöckchen.
Zubereitung: Auf den mit Weißbrotteig belegten Kuchenboden verteilt man die gezuckerten Brosamen, die mit Ei und etwas Zucker zerquirlte Sahne und kleine Butterflöckchen und bäckt den Kuchen rasch in starker Hitze. Er wird frisch aus dem Ofen gegessen. 200–210 °C. Backdauer 15–20 Minuten.

GERÜHRTE KUCHEN

Als Lockerungsmittel kommen in Betracht:
a) bei einfacheren Kuchen: Künstliche Lockerungsmittel, meist Backpulver neben sparsamer Verwendung von Eiern und Fett;
b) bei feinen Kuchen: Eier, Fett, Alkohol.

Grundrezept für einfachere gerührte Kuchen (Backpulverkuchen):

Einfache gerührte Kuchen

Zutaten: Auf 500 g Mehl rechnet man 1 Päckchen Backpulver, 125–250 g Butter, 250–500 g Zucker, 3–6 Eier, 1/4–1/8 l Milch, je nach Eiermenge und Gewürzzutaten wie Sultaninen, Mandeln, Zitronen und dergleichen, 1 Prise Salz.

Zubereitung: Das Fett wird schaumig gerührt, hierauf Zucker, Eigelb und Gewürze mitgerührt, dann abwechselnd das mit Backpulver vermischte 1–2 mal durchgesiebte Mehl und die Milch daruntergeschafft; zuletzt der steife Schnee untergezogen. Die Masse wird in eine gut gefettete Form gefüllt und in Mittelhitze gebacken (etwa 1 Stunde). Der Kuchen ist innen gar, wenn beim Einstechen mit einem spitzen Hölzchen keine Teigkrümelchen mehr an diesem hängen bleiben. Während der ersten 45 Minuten darf der Kuchen weder eine Erschütterung noch eine Abkühlung erfahren, sonst sinkt er zusammen und wird schwer und „speckig“.
Nach dem Backen lässt man alle gerührten Kuchen in der Form noch ein Weilchen stehen, stürzt sie dann vorsichtig auf ein Kuchengitter und lässt sie langsam auskühlen.

M e r k e : Damit der Kuchen oben schön glatt bleibt, stellt man ihn bei 180 °C ein, bis er aufgegangen ist. Dann öffnet man den Wrasenschieber ein wenig und heizt bis 190–200 °C. Backdauer 1 Stunde.

Grundrezepte für Backpulverteige:

Sorte	Fett	Zucker	Eier	Mehl	Backpulver	Milch
Einfacher Gugelhopf	125 g	250 g	3 Stück	500 g	1 Päckchen	1/4 l
Besserer Gugelhopf	200 g	250 g	4 Stück	500 g	1 Päckchen	kn. 1/2 l
Feiner Gugelhopf	250 g	300 g	4–5 Stück	500 g	1 Päckchen	1/16 l
Feinster Gugelhopf	250 g	500 g	6 Stück	500 g	1 Päckchen	1/8 l

Der gerührte Backpulverteig muss „schwer“ vom Löffel fallen

Übersicht für Backpulverteige

Aus den angeführten Verhältniszahlen ist ersichtlich, dass bei gleichbleibender Mehl- und Backpulvermenge die übrigen Zutaten so geändert werden können, dass bei ansteigender Fett- und Zuckermenge die Zahl der Eier steigt und die Milchmenge sinkt. Da jedoch bei den gerührten Kuchen in erster Linie das Backpulver lockert, können auch Fett- und Eiermengen stark gekürzt werden. Die dadurch fehlende Teigfeuchtigkeit kann durch Milch oder

Ein schöner Marmorkuchen

Kaffee ersetzt werden. Ist der Teig jedoch zu feucht, sitzt er ab und wird „speckig". Man hat also die Möglichkeit, die verschiedenartigsten Rezepte selbst zusammenzustellen. Man kann ohne weiteres auch die Teige durch Mandeln, Nüsse, Sultaninen, Korinthen, Kakao und anderes verfeinern und so aus einfachen gerührten Kuchen einfache Torten machen. Sie bilden den Übergang zu feinen gerührten Kuchen und den Torten.

Einfacher Gugelhopf
Zutaten: 125 g Butter, 250 g Zucker, 3 Eier, Zitronenschale, 500 g Mehl, 1 Prise Salz, 1 Päckchen Backpulver, 1/4 l Milch.
Zubereitung: Siehe Grundrezept.
180–200° C. Backdauer 60 Minuten.

Besserer Gugelhopf
Zutaten: 200 g Butter, 200 g Zucker, 4 Eier, 1 Päckchen Vanillin oder etwas Zitronenschale, 1 Prise Salz, 500 g Mehl, 1 Päckchen Backpulver, knapp 1/4 l Milch.
Zubereitung: Siehe Grundrezept.

Arrakring
Zutaten: 250 g Butter, 250 g Zucker, 1 Päckchen Vanillin, 6 Eigelb, 100 g Sultaninen, 400 g Mehl, 100 g Mondamin, 1 Päckchen Backpulver, 1 Prise Salz, 1 kleine Dose (1/2 l) Kondensmilch, Schnee von 6 Eiweiß. Guss: 300 g Staubzucker, Arrak.
Zubereitung des Teiges siehe Grundrezept. Man füllt den Teig in eine gut gefettete Ringform und bäckt den Kuchen 60 Minuten bei 190–200° C. – Zum Guss wird der Staubzucker mit so viel Arrak angerührt, dass eine dickflüssige Masse entsteht. Mit dieser überzieht man den erkalteten Ring und lässt ihn trocknen.

Marmorkuchen
Zubereitung: Man bereitet den einfachen, besseren oder feinen Gugelhopfteig (siehe Seite 296) und teilt ihn in eine größere und eine kleinere Menge. Letztere mischt man mit 1–2 Esslöffel Kakaopulver, 1 Esslöffel Zucker und 2–3 Esslöffeln Milch. Nun füllt man beide Teige abwechselnd in eine gefettete Gugelhopfform und bäckt den Kuchen in guter Hitze 1 Stunde. Man kann den Teig auch lagenweise einfüllen, mit dem hellen beginnen und schließen. 180–200° C. Backdauer 60 Minuten.

Besonders feiner Marmorkuchen
Zutaten: 250 g Butter, 375–500 g Zucker, 5–6 Eier, 1–2 Päckchen Vanillin, 1 Prise Salz, 500 g Mehl, 1 Päckchen Backpulver, knapp 3/16 l Milch oder 1 kleine Dose Kondensmilch.
Zubereitung: Siehe oben.
Anfangstemperatur 180° C, nach halber Backzeit 200° C. Backdauer 1 Stunde.
Dem Teig 100 g geriebene Schokolade zugesetzt, gibt die Masse für
Einfache Schokoladetorte

Heller Napfkuchen
Zutaten: 200 g Butter, 200 g Zucker, 3 Eier, Zitronenschale, 1 Prise Salz, 50 g Sultaninen, 50 g geschälte, in Stifte geschnittene Mandeln oder Nüsse, 375 g Mehl, 1 Päckchen Backpulver, knapp 1/4 l Milch.
Zubereitung: Siehe Grundrezept. – 180–200° C. Backdauer 50–60 Minuten.

Brauner Napfkuchen
Zutaten: 125 g Butter oder Margarine, 125 g Zucker, 2 Eigelb, 2 Esslöffel ungesüßte kondensierte Milch, 2 Kaffeelöffel Kakao, 75 g geröstete, gemahlene Haselnüsse, 65 g Mondamin, 60 g Mehl, 1 gestrichener Kaffeelöffel Backpulver, Schnee von 2 Eiweiß; – 125 g Deckschokolade.
Zubereitung: Fett, Zucker und Eigelb rührt man schaumig, gibt die übrigen Zutaten, zuletzt den steifen Schnee darunter. Nun gibt man den ziemlich festen Teig löffelweise in eine sehr

gut gefettete kleine Kasten- oder kleine Springform und bäckt den Kuchen bei Mittelhitze. Nach dem Erkalten überzieht man ihn mit in Wasserbad erweichter Deckschokolade (Kuvertüre), die man am besten mit einem breiten Pinsel aufträgt. 180–200°C. Backdauer 40–50 Minuten.

Quarkstollen
Zutaten: 200 g Fett, 250 g Zucker, 250 g durch ein Sieb gestrichener frischer Quark, 1 Prise Salz, 2–3 Eier, 50 g Rosinen, 500 g Mehl, 1 Päckchen Backpulver.
(Falls der Quark trocken sein sollte, einige Esslöffel Milch.)
Zubereitung: Siehe Napfkuchen. 180–200°C. Backdauer 1 Stunde.

Tassenkuchen, billiger
Zutaten: 50–100 g Butter, 1 Ei, Vanillin oder Zitronenschale, 1 Tasse Zucker, 1 Tasse Mehl, 1 Tasse Grieß, 1 Päckchen Backpulver. – 1 Tasse Milch.
Zubereitung: Siehe Grundrezept. – 180–200°C. Backdauer 50–60 Minuten.

Tassenkuchen, feiner
Zutaten: 2 Eier, 1 Tasse Zucker, 1 Tasse abgezogene geriebene Mandeln oder Nüsse, 1 Prise Salz, 1 Tasse süße Sahne, 1 Tasse Korinthen oder Sultaninen, 2 Tassen Mehl, 1 Schale Orangeat, 1/2 Schale Zitronat, 1 Teelöffel Backpulver.
Zubereitung: Rührteig. Man kann die Masse auch in der Kastenform backen und erkaltet glasieren. 200°C. Backdauer 45–50 Minuten.

Grundrezepte für feine gerührte Kuchen (Zusammenstellung):

a) **Blitzkuchen: Grundmaß ist hier das Ei. Die Eischwer-Rezepte haben den Vorzug besonderer Zuverlässigkeit, weil die Gewichtsverhältnisse der Zutaten untereinander durch das Gebundensein an das Gewicht der Eier stets stimmen.**
b) **Biskuit- und biskuitähnliche Kuchen:**
Auch den Teigen dieser Kuchen liegt das Eischwer-Rezept zugrunde. Da sie aber sehr locker und leicht verdaulich sein sollen, muss das Fett als Grundzutat wegfallen, auch die Zucker- und Mehlmenge so weit gekürzt werden, dass als überragende Zutat vor allem das den Teig lockernde Ei an erste Stelle rückt.

Grundrezepte für feine gerührte Kuchen (Zusammenstellung):

Sorte	Eier = etwa g	Zucker	Mehl	Fett
Blitzkuchen	6 = 300	300 g 6 eischwer	200 g 4 eischwer	100 g 2 eischwer
Biskuitrolle	6 = 300	100 g 2 eischwer	100 g 2 eischwer	–
Anisbrot	6 = 300	200 g 4 eischwer	200 g 4 eischwer	–

Blitzkuchen I
Zutaten: 6 Eier, 6 eischwer Zucker, Schale einer Zitrone, 1 Prise Salz, 4 eischwer Mehl oder halb Mehl, halb Stärkemehl, 2 eischwer zerlassene Butter.
Zubereitung: Man schlägt die Eiweiß zu steifem Schnee, rührt Zucker und Eigelb tüchtig mit und gibt Zitronenschale, das Mehl und zuletzt die zerlassene Butter darunter. Man füllt

Der Biskuitkuchen wird sofort nach dem Backen auf ein mit einem Tuch bedeckten, mit Zucker bestreuten Brett gestürzt und das Papier abgezogen

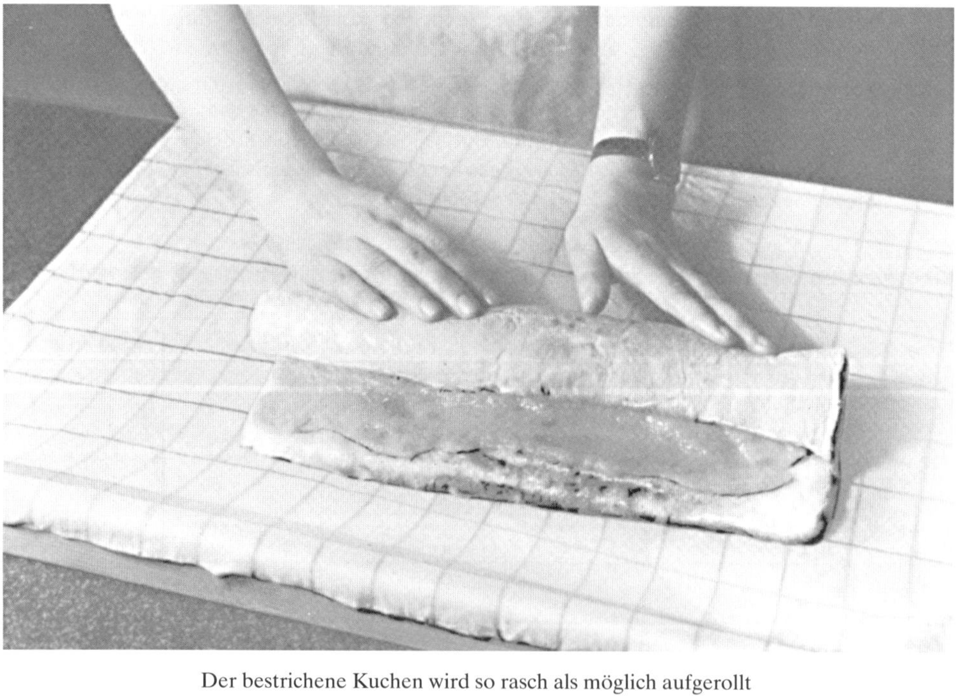

Der bestrichene Kuchen wird so rasch als möglich aufgerollt

den Teig sofort in die gefettete, mit Brosamen oder Mandeln bestreute Form und bäckt ihn bei mittlerer Hitze. 190–200°C. Backdauer 35–45 Minuten.

Blitzkuchen II

Zutaten: 200 g Butter, 200 g Zucker, 200 g Mehl, 5 Eier, 1/2 Päckchen Backpulver, Schale einer halben Zitrone, 1 Prise Salz.
Zubereitung: Zucker und Eigelb rührt man mit den Gewürzen gut schaumig, gibt das mit Backpulver vermischte Mehl, die zerlassene Butter und zuletzt den steifen Eischnee darunter. Man füllt den Teig in eine gut gebutterte Springform und bäckt den Kuchen bei mittlerer Hitze. 190–200°C. Backdauer 45 Minuten.

Blitzkuchen III

Zubereitung: Man bereitet den Teig wie Blitzkuchen II, streicht den Teig auf die gut gefettete Fettschale, gibt 60 g feinblättrig geschälte, geschnittene Mandeln darüber, besiebt den Kuchen mit Zucker, verteilt Butterflöckchen darauf und bäckt den Kuchen zartgelb. Man schneidet ihn noch warm in Stücke. 190–200°C. Backdauer 18 Minuten.

Biskuitrolle

Zutaten: 6 Eigelb, 2 eischwer (100 g) Zucker, 2 eischwer (100 g) Mehl, Saft und Schale 1 Zitrone, 1 Messerspitze Backpulver; – 1 Tasse dicke Marmelade zum Füllen.
Zubereitung: Eigelb, Zucker, Zitronenschale und -saft rührt man tüchtig schaumig, so dass eine cremeartige Masse entsteht. Dann siebt man das Mehl darüber und hebt dieses zusammen mit dem sehr steifen Schnee locker darunter, bis das Mehl nicht mehr zu sehen ist. Nun belegt man ein gut gebuttertes Blech mit Pergamentpapier, das am Rand umgeknifft ist, damit der Teig nicht abläuft. Dann wird der Kuchen sofort bei 190–200°C in etwa

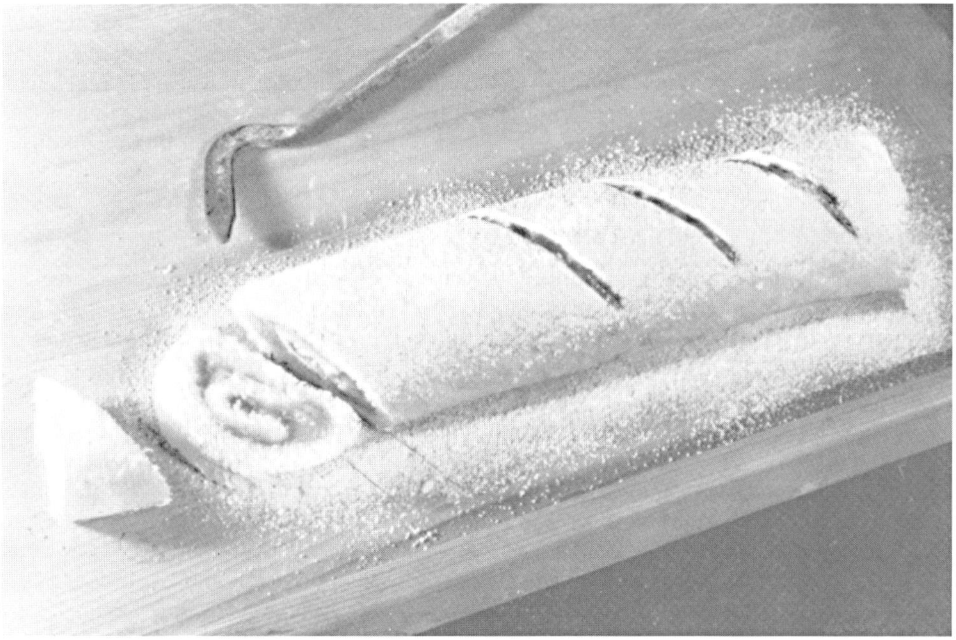

... hieraufmit Staubzucker besiebt und nach Belieben gebrannt

12 Minuten überbacken und alsbald auf ein mit einem feuchten Tuch belegten Brett gestürzt. Nun wird sofort das Papier abgezogen, der Kuchen, solange er noch heiß ist, rasch auf- und nach dem Erkalten wieder zurückgerollt, dann mit Marmelade bestrichen und wieder aufgerollt. Die fertige Rolle wird mit Staubzucker bestreut und nach Belieben mit einem heißen Eisen gebrannt oder glasiert.

Fürstenbrot

Zutaten: 6 Eigelb, 250 g Zucker, 250 g länglich geschnittene Mandeln, knapp 250 g Sultaninen, 250 g Mehl, 30 g Butter, 1 Esslöffel Kakao, 1 Esslöffel Kognak, 1 Messerspitze Zimt, 1 Kaffeelöffel Backpulver, Zitronenschale und Zitronensaft nach Belieben.
Zubereitung: Der steife Eischnee wird mit Eigelb und Zucker schaumig gerührt, dann die Gewürze, das mit Backpulver vermischte Mehl und zuletzt die zerlassene Butter untergerührt. Man füllt die Masse in eine gut gefettete Kastenform und bäckt sie bei milder Hitze. 190°C. Backdauer 45–60 Minuten.

Bischofsbrot

Zutaten: 4 Eier, 250 g Zucker, 250 g Mehl, Vanillin oder Zitronenschale, 1 Esslöffel Arrak, 100 g Rosinen, 50 g grobgeschnittene Mandeln, 50 g feingeschnittenes Zitronat, 50 g Schokoladestückchen.
Zubereitung: Eier und Zucker rührt man zusammen schaumig, mengt dann Vanillin, Arrak und Mehl darunter und füllt 1/3 des Teiges in die gut gefettete, mit Semmelmehl ausgestreute Kastenform. Nun mischt man die übrigen Zutaten unter den restlichen Teig, füllt diesen noch in die Form und bäckt das Bischofsbrot langsam bei Mittelhitze. Es hält sich sehr lange frisch. Es wird zum Tee in dünne Scheiben aufgeschnitten. 190°C. Backdauer 45–55 Minuten.

Anisbrot

Zutaten: 6 Eiweiß, 6 Eigelb, 4 eischwer Zucker, 1 Kaffeelöffel Anis, 4 eischwer Mehl.
Zubereitung: Mit dem steifen Schnee der 6 Eiweiß rührt man über einem dampfenden Topf Eigelb und Zucker schaumig, rührt die Masse wieder kalt und mischt Anis und Mehl leicht darunter. Man füllt den Teig in eine gebutterte Kastenform, bäckt ihn in 40–50 Minuten bei 180°C, schneidet das Gebäck nach dem Erkalten in 1 cm dicke Scheiben und röstet diese gelb. Temperatur zum Rösten 200°C.

Mohrenköpfe

Zutaten: Zum Teig Schnee von 3 Eiweiß, 150 g Zucker, 3 Eigelb, 190 g Mehl, 1 Messerspitze Backpulver. – Zur Füllung: Creme von 20 g Stärkemehl, 20 g Mehl, 1 Eigelb, 60 g Zucker, Vanillin, 3/8 l Milch; – 60 g Butter oder 1/4 l Schlagsahne. – Zur Glasur: 150 g Staubzucker, 1 Eiweiß, 1 Teelöffel Kakaopulver, 2 Kaffeelöffel Wasser.
Zubereitung: Mit dem sehr steifen Schnee mischt man löffelweise den Zucker und rührt die Masse dick. Dann gibt man Eigelb, Mehl und Backpulver hinein, füllt die Masse in gefettete Mohrenkopfformen oder einen Spritzsack und setzt an kühlem Ort Häufchen auf ein mit Papier belegtes, mit Mehl bestäubtes Blech, die man in gutem Ofen hellgelb bäckt. Unterdessen kocht man die Creme wie Seite 173 und mischt sie nach dem Erkalten löffelweise zur schaumig gerührten Butter. Die Glasur wird glatt angerührt. Nun glasiert man die Hälfte der Plätzchen, indem man sie nacheinander auf die Backschaufel setzt, mit Glasur übergießt, abtropfen und dann trocknen lässt. Die Unterseiten der Mohrenköpfe, die aus den unglasierten Plätzchen bestehen, werden auf der glatten Seite mit Creme belegt und mit dem glasierten „Deckel“ bedeckt. Man kann die Mohrenköpfe auch mit Schlagsahne füllen.

Igel

Zutaten: 125 g Butter, 150 g Zucker, 3 Eier, 250 g Mehl, 1 Kaffeelöffel Backpulver, 1 Päckchen Vanillin. – Zur Creme: siehe Schokoladebuttercreme II oder Mokkabuttercreme II; – 100 g geschälte, in Stifte geschnittene Mandeln.

Zubereitung: Man bereitet einen gerührten Backpulverteig, bäckt ihn in der Igelform hellbraun bei 180°C etwa 30 Minuten, schneidet den Kuchen nach dem Erkalten – am besten anderntags in Scheiben, bestreicht sie mit Buttercreme, setzt sie wieder zusammen, bestreicht den „Igel" auch außen mit Creme, besteckt ihn mit den Mandelstiften, doch so, dass der „Kopf" frei bleibt. In diesem deutet man Augen und Mund mit geschälten, in Form geschnittenen Mandeln an und stellt den Igel kalt.

Statt Rührkuchen kann man auch 30 Löffelbiskuits nehmen, diese an der Unterseite mit Buttercreme bestreichen, in Igelform zusammensetzen, außen mit Creme bestreichen, wie oben fertigmachen und bis zum Gebrauch kaltstellen.

TORTEN

Einfache Tortenmassen ähneln in ihrer Mehrzahl den gerührten Kuchen, soweit das Mehl das Hauptbindemittel darstellt und Backpulver neben den Eiern als Lockerungsmittel verwendet wird. Feine Torten erfordern zu ihrer Herstellung größere Eiermengen und an Stelle

Die Biskuittorte wird mit einem breiten Messer durchgeschnitten

... die einzelnen Böden auseinandergelegt und nach Belieben mit etwas verdünntem Arrak beträufelt

von Mehl, Mandeln, Haselnüsse und dergleichen. Man kann sowohl die einfachen wie die feinen Torten durch Füllungen in ihrem Wert nach Aussehen und Geschmack verbessern und durch Glasieren und Spritzen verschönern. Torten werden im Haushalt zu festlichen Anlässen hergestellt und sollen die Backkunst der Hausfrau in das richtige Licht rücken. Die Rezepte sind deshalb individuell zusammengestellt und verschiedenartig abgeschmeckt. Sie lassen sich deshalb nicht in das Schema des Grundrezepts einspannen, sondern verlangen beim Würzen Fingerspitzengefühl und beim Verzieren Schönheitssinn und Fantasie. Ist der Geldbeutel schmal, so kann man auch einfachen Rührkuchen und Torten durch Füllen und Glasieren ein festliches Aussehen geben.
Auch die Füllungen kann man nach Geschmack, Nährwert, Aussehen und Preis verschieden gestalten und damit auf einfache Weise reiche Abwechslung auf eine festliche Tafel bringen.

Feine Wasserbiskuittorte

Zutaten: 6 Eigelb, 1 ganzes Ei, 375 g Zucker, 4 Esslöffel Wasser, Saft und Schale einer Zitrone, 300 g Mehl, Schnee von 6 Eiweiß (für ein Tortenblech von 30 cm Durchmesser).
Zubereitung: Die 6 Eigelb und das ganze Ei werden mit warmem Wasser und Zucker 1/2 Stunde gerührt (sofern kein elektrisches Rührgerät zur Verfügung steht). Dann gibt man Zitronensaft und -schale hinzu und hebt abwechslungsweise das gesiebte Mehl und den Eischnee darunter. Dann füllt man die Masse in eine gut gefettete, mit gefettetem Papier belegte Springform und bäckt die Torte bei 180°C 40–50 Minuten. Nach dem Erkalten wird sie gestürzt, dicht mit Staubzucker bestreut oder am andern Tag mit Buttercreme oder Marmelade gefüllt. (Buttercreme siehe Seite 321.)
Die Torte lässt sich leicht durchteilen. wenn man sie einen Tag vor Gebrauch bäckt. Zum Durchschneiden verwendet man einen guten Zwirn, legt diesen genau an der Stelle an, an der die Torte durchschnitten werden soll, legt die beiden Fadenenden übereinander und

Die einzelnen Lagen werden mit Buttercreme bestrichen und aufeinandergesetzt

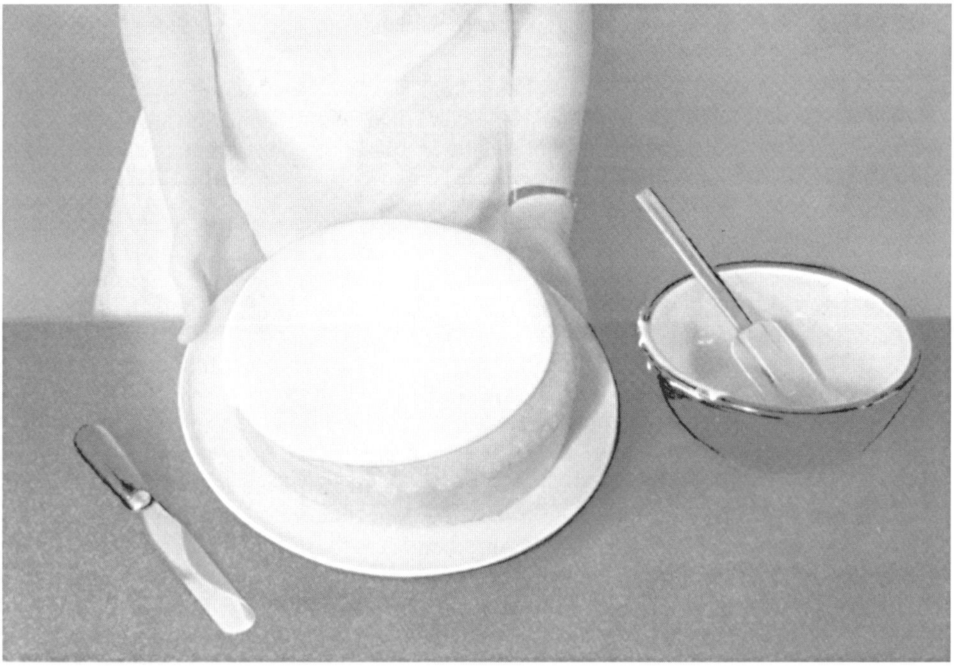

Die gefüllte Torte wird mit der Glasur übergossen, die am Rande herunterfließt und dort erst zum Schluss glattgestrichen wird

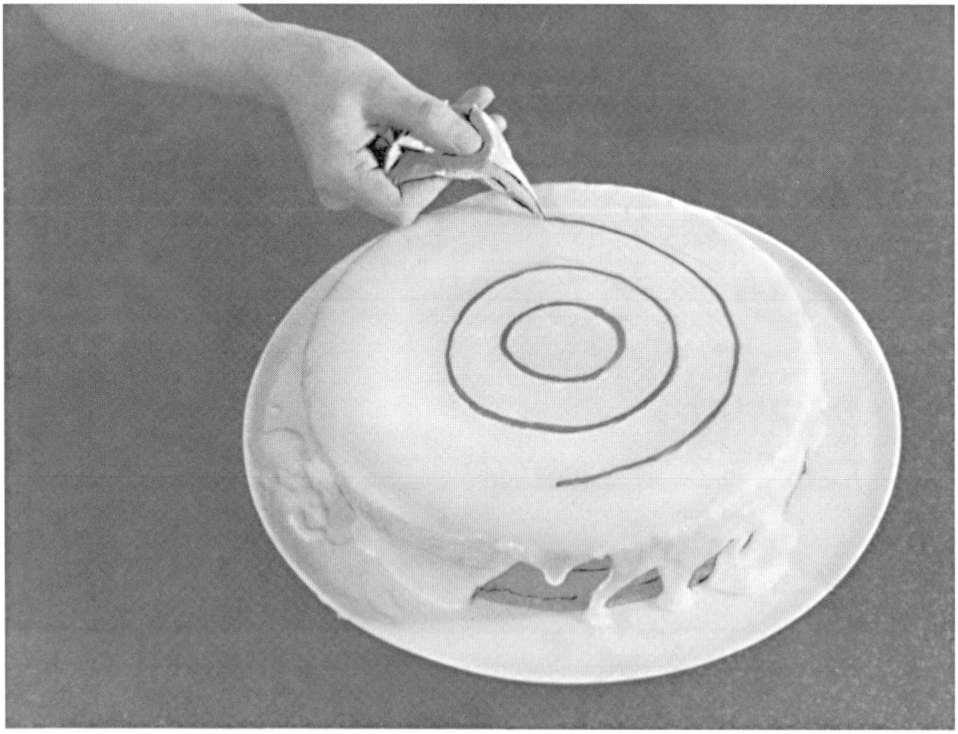

Solange die helle Glasur flüssig ist, werden mit Schokoladeglasur Ringe aufgetragen

zieht den Faden vorsichtig durch. Man kann die Stelle zuvor mit dem Messer ringsum anritzen. Auf diese Weise entsteht eine ganz gleichmäßige Schnittfläche, die sich leicht füllen und aufeinandersetzen lässt. Man kann die Torte auch mit einem breiten Messer durchschneiden.

Einfache Wasserbiskuittorte

Zutaten: 4 Eigelb, 2–3 Esslöffel Wasser, 200 g Zucker, Saft und Schale einer Zitrone, 150 g Mehl, 50 g Kartoffelmehl oder sonstiges Stärkemehl, 1/2 Päckchen Backpulver, Schnee von 3 Eiweiß (für ein Blech mit 26 cm Durchmesser).

Zubereitung: Die Eigelb rührt oder schlägt man mit dem Wasser zusammen tüchtig schaumig, gibt löffelweise den Zucker darunter, fügt Zitronensaft und -schale bei und gibt abwechslungsweise den sehr steifen Eischnee und das mit Backpulver und Stärkemehl vermischte und gesiebte Mehl darunter. Nun wird der Teig in eine mit gefettetem Pergamentpapier ausgelegte Springform gegeben, oben schön glattgestrichen und sofort – ohne ihn stehenzulassen – bei Mittelhitze gebacken. 190°C. Backdauer 30–40 Minuten. Nach dem Erkalten löst man den Kuchen vorsichtig mit dem Messer am Rand ab, stürzt ihn auf ein Drahtgitter, zieht anderntags das Papier ab und schneidet den Kuchen zum Füllen 1–2 mal durch. Man bestreicht die einzelnen Lagen mit Marmelade oder Buttercreme, setzt sie wieder aufeinander und überzieht die Torte mit Zitronen- oder Arrakglasur.

Zur Buttercreme kocht man knapp 3/8 l Milch mit einem Päckchen Vanillepuddingpulver, 3–4 Esslöffeln Zucker, 1 Päckchen Vanillin und 1 Esslöffel Kokosfett nach Gebrauchsanweisung zu einem dicken Brei, rührt ihn kalt und gibt ihn löffelweise zu 125 g schaumig gerührter Butter.

Punschtorte

Zutaten: 6 Eier, 250 g Zucker, 200 g Mehl, 50 g Stärkemehl, Saft und Schale einer Zitrone, 50 g zerlassene Butter.
Zum Anfeuchten: eine Mischung von 4 Esslöffeln Rum, 2 Esslöffeln Wein, 2 Esslöffeln Zucker.

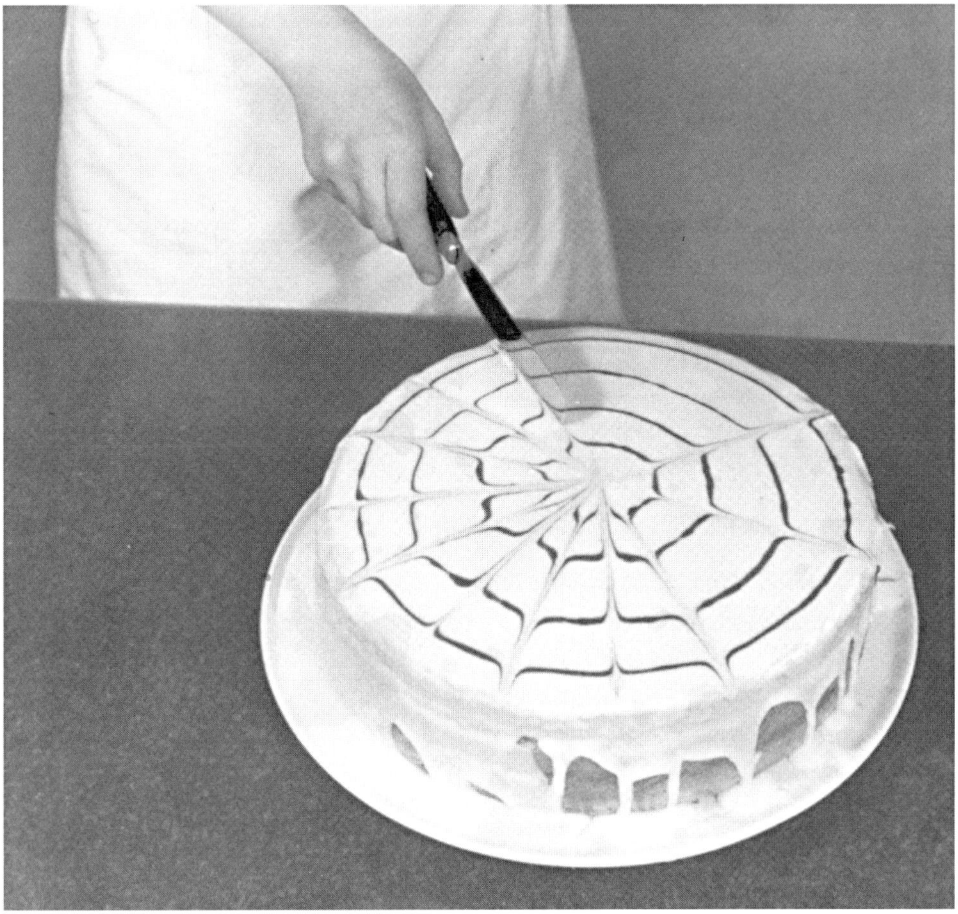

… und sofort von der Mitte aus mit dem Messer durchgezogen

Zum Füllen: Hagebutten- oder Aprikosenmarmelade.
Zubereitung: Mit dem steifen Schnee der 6 Eiweiß rührt man Eigelb, Zucker, Zitronensaft und -schale tüchtig schaumig, gibt das gesiebte Mehlgemisch und zuletzt die noch lauwarme zerlassene Butter darunter.
Man bäckt die Torte in einer kleinen oder mittelgroßen gefetteten Form bei mäßiger Hitze. Am andern Tag schneidet man sie zweimal quer durch, bestreicht den Boden mit Marmelade, legt das Mittelstück darauf, befeuchtet dieses mit der vorbereiteten Flüssigkeit, gibt Marmelade darüber, legt den Deckel darauf und überzieht die Torte mit Arrakglasur. 190° C. Backdauer etwa 50 Minuten.

Der seitliche Rand wird mit der Glasur glatt verstrichen und mit Schokoladetrüffel bestreut

Kaffeetorte

Zutaten: 200 g Butter, 250 g Zucker, 5 Eier, 10 g Zimt, 1 Messerspitze Nelken, 1 Prise Salz, je 50 g feingeschnittenes Zitronat und Orangeat, die abgeriebene Schale einer Zitrone, 1 große Tasse starker schwarzer Kaffee; 500 g Mehl, 1 Päckchen Backpulver.
Zubereitung: Siehe gerührter Backpulverteig. Man bäckt die Torte in gut gefetteter Springform. Wer will, kann die Torte mit Mokkabuttercreme (Seite 322) füllen und mit Mokka- oder Schokoladeglasur überziehen. 180–200°C. Backdauer 60 Minuten.

Mokkatorte

Zutaten und Zubereitung siehe Blitzkuchen. Nach dem völligen Erkalten wird der Kuchen zweimal durchgeschnitten, die einzelnen Lagen mit Mokkabuttercreme bestrichen und wieder zusammengesetzt. (Einen Teil der Creme lässt man zum Spritzen übrig.) Nun überzieht man die Torte mit Zuckerglasur, die man statt mit Wasser mit starkem Bohnenkaffee angerührt hat, spritzt sie mit Mokkabuttercreme und garniert mit Mokkabohnen.

Sandtorte

Zutaten: 300 g Butter, 6 Eigelb, 300 g Zucker, 200 g Stärkemehl, 100 g Weizenmehl, 1 Esslöffel Arrak oder Rum, Schale einer halben Zitrone, 1 Kaffeelöffel Backpulver, Schnee von 6 Eiweiß.

Zubereitung: Die Butter wird schaumig gerührt. Dann gibt man abwechslungsweise Eigelb, Zucker und Mehl samt den Gewürzen darunter, bis die ganze Masse glatt und schaumig ist. Zuletzt zieht man den steifen Eischnee locker darunter, füllt die Masse in eine gefettete Form und bäckt die Torte bei mittlerer Hitze. 190–200°C. Backdauer 65–75 Minuten.

Buttercremetorte

Zutaten und Zubereitung siehe Blitzkuchen. Nach dem Erkalten wird der Kuchen 1–2 mal mit einem Faden durchgeschnitten, mit feiner oder gestreckter Buttercreme bestrichen und die Teile wieder aufeinandergesetzt. Man bestreicht die Torte mit Aprikosenmarmelade, überzieht sie mit Arrakglasur und verziert sie mit Buttercreme.

Prinzregententorte

Zutaten: Zum Teig: 250 g Butter, 250 g Zucker, 4 Eier, 200 g Mehl, 50 g Stärkemehl, 1 Vanillin, etwas Salz, 1 gestrichener Teelöffel Backpulver. – Zur Creme: 1/2 l Milch, 60 g Mondamin, 100 g Zucker, 2 Eigelb, 1 Esslöffel Kakao; – 200 g Butter, 50 g Kokosfett. – Zum Guss: 300 g Deckschokolade (Kuvertüre), als Unterlage zum Guss Aprikosenmarmelade. – Zum Verzieren: Geschälte Mandeln.

Zubereitung: Man stellt einen Rührteig her und bäckt daraus 10 Böden von 28 cm Ø, die man jedesmal sofort, noch heiß, vom Blech ablöst und auf einem glatten Brett ausbreitet. (180°C. Backdauer je Boden 8–10 Minuten.) Solange die Böden auskühlen, stellt man die Creme her, bestreicht damit die Böden, setzt sie aufeinander und beschwert sie über Nacht. Anderntags beschneidet man den Rand, bestreicht die ganze Oberfläche mit Aprikosenmarmelade (was den Glanz der Glasur erhält) und überzieht die Torte mit im Wasserbad erweichter Kuvertüre.

Walnusstorte

Zutaten: 100 g Butter, 150 g feingehackte Walnüsse, 250 g Zucker, 4 Eier, 250 g Mehl, 1 Tasse Milch, 2 Teelöffel Backpulver.

Zubereitung: Siehe gerührter Backpulverkuchen. Erkaltet wird die Torte gestürzt, mit Schokoladeglasur überzogen und mit halbierten Walnüssen verziert. 190°C.
Backdauer 40–50 Minuten.

Feiner Englischer Teekuchen

Zutaten: 250 g Butter, 250 g Zucker, 6 Eier, Schale von 1–2 Zitronen, 1 Prise Salz, 2–3 Esslöffel Kognak oder Kirschwasser, 250 g Sultaninen, 50 g feingeschnittenes Zitronat und Orangeat, 350 g Mehl, 1 Kaffeelöffel Backpulver.

Zubereitung: Die etwas erweichte Butter rührt man schaumig, gibt abwechslungsweise Zucker und Eier hinzu, bis beides verbraucht ist, mischt darauf die Gewürze, die trocken abgeriebenen Sultaninen, Zitronat und Orangeat und zuletzt das mit Backpulver vermischte Mehl darunter. Man füllt die fertige Masse in eine mit gebuttertem Pergamentpapier ausgelegte Kastenform und bäckt den Kuchen bei Mittelhitze. 190–200°C. Backdauer 65 bis 75 Minuten.

Frankfurter Kranz

Zutaten: Zum Teig: 200 g Butter, 200 g Zucker, 4 Eigelb, Saft 1/2 Zitrone, 1 Prise Salz; – 200 g Mehl, 100 g Mondamin, 2 gestrichene Teelöffel Backpulver, 2 Esslöffel Rum; Schnee von 4 Eiweiß. – Zur Füllung: Buttercreme aus 250 g Butter. – Zum Bestreuen: Krokant von 200 g geschälten, gehackten Mandeln, 20 g Butter, 50 g Zucker.

Zubereitung: Aus den erstgenannten Zutaten macht man einen Rührteig, füllt ihn in eine gutgefettete Reisrandform und bäckt ihn bei 180°C 30–35 Minuten. Nach dem völligen

Erkalten wird er 3–4mal durchgeschnitten, mit Creme gefüllt, dann außen mit Creme bestrichen und mit Krokant bestreut. Diesen stellt man her, indem man Mandeln, Butter und Zucker auf schwachem Feuer hellgelb röstet.
Billiger kann man ihn herstellen mit folgenden Zutaten: Zum Teig: 100 g Butter, 125 g Zucker, 3 Eier, 150 g Mehl, 50 g Mondamin, 2 Kaffeelöffel Backpulver. – Zur Creme: 60 g Mondamin, 1 Vanillin, 100 g Zucker, 2 Eigelb, 1/2 l Milch; – 200 g Butter. – Krokant von 100 g Mandeln, 20 g Butter, 40 g Zucker.

Schokoladetorte, feinste

Zutaten: 125 g Butter, 6 Eigelb, 250 g Zucker, 150 g geriebene Schokolade, 250 g geriebene Mandeln, 1–2 Esslöffel Kirschengeist, 1 Teelöffel Mondamin mit 1 Teelöffel Backpulver gemischt, 1 Prise Salz, Schnee von 6 Eiweiß.
Zubereitung: Butter, Eigelb und Zucker rührt man schaumig, mischt die übrigen Zutaten, zuletzt den steifen Eischnee darunter. Man bäckt die Masse in einer gut gefetteten Springform bei mäßiger Hitze. Erkaltet, bestreicht man die Torte mit weicher, glatter Aprikosenmarmelade, überzieht sie mit Schokoladeglasur und verziert sie mit kleinen Pralinen. 180°C. Backdauer 45 Minuten.

Schokoladetorte, gefüllte

Zutaten: Biskuitmasse von 6 Eigelb, 8 Esslöffel Wasser, 300 g Zucker; 6 Eischnee, einer Mischung von 130 g Mehl, 130 g Mondamin, 40 g Kakao, 1 gestrichener Teelöffel Backpulver = insgesamt 300 g. – Zum Tränken: mit etwas Zuckerwasser verdünnter Rum. – Zum Füllen und Überziehen: gestreckte Buttercreme von 375 g Butter und Puddingmasse aus 3/4 l Milch, 90 g Mondamin, 30 g Kakao, 75 g Zucker. – Zum Verzieren: 75 g Schokoladestreusel oder ganz dünne Schokoladeplättchen.
Zubereitung wie Orangen- und Ananastorte. (180°C. Backdauer 50–60 Minuten.)

Sachertorte

Zutaten: 125 g Butter, 4 Eigelb, 125 g Zucker, Schale 1/2 Zitrone, 1 Prise Salz, 125 g Schokolade, 65 g Mehl, Schnee von 4 Eiweiß.
Zubereitung: Butter, Eigelb, Zucker und Zitronenschale rührt man schaumig, mischt die im Wasserbad erweichte Schokolade und zuletzt abwechslungsweise Eischnee und Mehl darunter. Man bäckt die Torte in gut gefetteter kleiner Springform. Nun lässt man die Torte 2 Tage lagern, schneidet sie dann quer durch, füllt sie mit Aprikosenmarmelade und überzieht sie mit Schokoladeglasur. 190–200°C. Backdauer 45 Minuten.

Haselnusskuchen

Zutaten: 150 g Butter, 4 Eier, 250 g Zucker, 150 g geröstete, geriebene Haselnüsse, 1 Prise Salz, 1 Päckchen-Vanillin, knapp 1/4 l Milch, 350 g Mehl, 1 Päckchen Backpulver; – oder für eine größere Form und 2 kleine Kastenformen: 250 g Butter, 6 Eigelb, 375 g Zucker, 1 Päckchen Vanillin, 1 Prise Salz, 500 g Mehl, 1 Päckchen Backpulver, 150 g geröstete geriebene Haselnüsse, 1/4 l Milch, 6 Eischnee.
Zubereitung: Butter, Eier und Zucker rührt man schaumig, gibt die Haselnüsse und das Vanillin und zuletzt – abwechslungsweise mit der Milch – das mit Backpulver vermischte, 2–3mal gesiebte Mehl darunter. Man bäckt den Kuchen in gut gefetteter Ring- oder Kastenform bei Mittelhitze. 180°C. Backdauer 1 Stunde.

Haselnusstorte, feinste (Tortenform 28–30 cm Ø)

Zutaten: 8 Eigelb, 10 Esslöffel Wasser, 300 g Zucker; Schnee von 8 Eiweiß, 125 g Mehl, 250 g geriebene Haselnüsse, 1 Teelöffel Backpulver.

Zubereitung: Eigelb, Wasser und Zucker rührt man dick schaumig, gibt den steifen Eischnee auf die Masse, siebt das mit Backpulver vermischte Mehl darüber, streut die Haselnüsse darauf und mischt das Ganze locker untereinander ohne zu rühren. Nun füllt man die Masse in eine gefettete, mit Papier ausgelegte Tortenform und bäckt bei mittlerer Hitze (180°C) 45–60 Minuten. Nach dem Erkalten schneidet man die Torte zweimal durch, füllt sie mit echter oder gestreckter Buttercreme, der man 50 g leicht geröstete, geschälte und geriebene Haselnüsse untermischt, überzieht sie mit Buttercreme (ohne Haselnüsse). Man braucht dazu 2–3 mal das Rezept Seite 321. Der Rand der Torte wird mit 70–100 g in dünne Scheiben geschnittenen Haselnüssen beworfen.

Haselnusstorte, einfache

Zutaten: 6 Eigelb, 250 g Zucker, Saft und Schale 1/2 Zitrone, 125 g geriebene Haselnüsse, 250 g Mehl, 1 Päckchen Backpulver, 1–2 Esslöffel Rum oder Kirschwasser; Schnee von 6 Eiweiß.
Zubereitung: Man stellt mit den angegebenen Zutaten einen Biskuitteig her und bäckt die Torte bei Mittelhitze 45 Minuten. Wer will, kann die Torte nach dem Erkalten quer durchschneiden, mit Haselnusscreme füllen und mit Zitronenglasur überziehen. Man kann sie noch mit übriger Creme spritzen und mit gerösteten Haselnüssen verzieren (180°C. Backdauer 50–60 Minuten).

Haselnussring

Zutaten: 3 Eigelb, 300 g Zucker, 100 g geröstete, geriebene Haselnüsse, Schale 1 Zitrone, 250 g Mehl, 1/8 l Milch, 1/2 Päckchen Backpulver, Schnee von 3 Eiweiß.
Zubereitung: Man stellt einen Biskuitteig her, füllt den Teig in eine s e h r g u t gefettete Ringform und bäckt den Kuchen bei Mittelhitze. 180°C. Backdauer 30 Minuten.

Orangentorte

Zutaten: für eine Form von 28 cm Ø: 5 Eigelb, 10 Esslöffel lauwarmes Wasser, 300 g Zucker; 5 Eischnee, 300 g Mehl (oder 200 g Mehl, 100 Mondamin), 1 Teelöffel Backpulver; – für eine Form von 30 cm Ø: 6 Eigelb, 12 Esslöffel Wasser, 400 g Zucker; 6 Eischnee, 400 g Mehl (oder 250 g Mehl, 150 g Modamin), 1 gestrichener Teelöffel Backpulver; – je nach Geschmack Vanillin, Zitronensaft, 1 Prise Salz; – zum Tränken: Orangensaft; – zum Füllen: 1/8 l Orangensaft, 4 Blatt Gelatine, Orangestückchen von 1–2 Orangen, 1/4 l Schlagsahne, 50 g Zucker, Vanillezucker; – zum Überziehen: weitere 1/4 l Schlagsahne; – zum Spritzen: 1/8–1/4 l Schlagsahne; – zum Verzieren: Orangenschnitze, die man mit gekochter Zuckerglasur aus 100 g Zucker und 4 Esslöffel Wasser (zum Faden gekocht) überzogen hat.
Zubereitung: Zur Biskuitmasse werden Eigelb, Wasser und Zucker dick schaumig geschlagen, der steife Eischnee daraufgegeben, das mit Backpulver vermischte Mehl darübergesiebt und locker unter die Eicrememasse gehoben. Die Tortenform wird gut gefettet, mit Pergamentpapier ausgelegt, die Masse eingefüllt und zunächst bei 160–180°C, später bei 180°C langsam in 60 Minuten gebacken. Sie muss oben ganz eben sein.
Nach dem Backen wird der Rand vorsichtig gelöst und die Torte zum Auskühlen auf ein Kuchengitter gestürzt. Der Boden der Torte bildet die Oberseite. Nach dem völligen Auskühlen wird die Torte zweimal durchgeschnitten, mit Orangensaft getränkt und mit Orangencreme gefüllt. Dazu wird die eingeweichte, aufgelöste Gelatine unter den Orangensaft gemischt und, wenn die Masse anfängt zu stocken, unter die gesüßte, gesteifte Schlagsahne und die Orangenstückchen gehoben. Dann wird die Torte mit Schlagsahne überzogen, gespritzt und verziert. Der Rand kann mit blättrig geschnittenen Mandeln beworfen werden.

Ananastorte

wird ebenso bereitet. Man braucht insgesamt 5–6 Scheiben Ananas.

Baumstamm

Zutaten wie zur Biskuitrolle oder Biskuitmasse von 4 Eigelb, 4 Esslöffel lauwarmem Wasser, 125 g Zucker, 1 Vanillin oder Zitronenschale, 1 Prise Salz; – 4 Eischnee, 125 g Mehl (oder 75 g Mehl und 50 g Mondamin), 1 Teelöffel Backpulver; – zur Füllung: echte oder gestreckte Buttercreme von 250 g Butter.

Zubereitung siehe Biskuitrolle. Der gebackene Kuchen wird auf ein feuchtes Tuch gestürzt, das Papier vorsichtig, aber schnell abgezogen, wieder daraufgelegt, der Kuchen aufgerollt, die Rolle ganz ausgekühlt. Dann wird sie wieder abgerollt, mit etwa 1/3 der Buttercreme bestrichen und wieder aufgerollt. Oben und unten schneidet man die Rolle ganz leicht schräg an und setzt das Abgeschnittene als Äste rechts und links an den Stamm. Das Ganze wird mit Buttercreme dünn überzogen und gespritzt oder dick überzogen und die „Rinde“ mit einer Gabel eingeritzt oder eingezogen. Wer will, kann noch zwei abgezogene, gehackte Pistazien „als Moos“ daraufstreuen.

Linzer Torte

Linzer Torte (echter Mürbteig) für besonders festliche Gelegenheiten

Zutaten: 200 g Butter, 200 g Zucker, 200 g geriebene Mandeln, 200 g Mehl, 1/2 Kaffee-

löffel Zimt, 1 Prise gemahlene Nelken, 2 Eigelb; – 200 g Marmelade zum Füllen, 1 Eiweiß zum Bestreichen.
Zubereitung: Man stellt aus den erstgenannten Zutaten einen gehackten Teig her, wellt ihn 1/2 cm dick aus und belegt damit den Boden einer Springform. Als Rand legt man eine kleinfingerdicke Teigrolle, die man mit Eiweiß anklebt. Nun bestreicht man den Boden mit Marmelade, legt darauf ein Teiggitter aus dem übrigen, in schmale Streifen geschnittenen Teig, bestreicht auch dieses mit Eiweiß und bäckt die Torte 3/4 Stunden bei 200°C.

Linzer Torte (billiger, guter Teig)

Zutaten: 100 g Butter, 100 g Zucker, 100 g in etwas Zucker geröstete Haferflocken oder geriebene Nüsse oder Mandeln, 1 Ei, 1/2 Teelöffel Zimt, 1 Prise Nelken, 200 g Mehl, 1/2 Päckchen Backpulver; – 200 g Himbeermarmelade, 1 Eigelb zum Bestreichen, 1 Eiweiß zum Kleben.
Zubereitung wie oben. (180°C. Backdauer 45 Minuten.)

Möhrentorte (Gelberübentorte)

Zutaten: 5 Eigelb, 250 g Zucker, Saft und Schale 1/2 Zitrone, 2 Esslöffel Kirschwasser, 1 Kaffeelöffel Zimt, 250 g geriebene Mandeln, 250 g fein geriebene rohe Möhren, 50 g Mondamin. – Für große Torten doppelte Mengen.
Zubereitung: Eigelb und Zucker rührt man mit den Gewürzen zusammen tüchtig schaumig, mischt dann die geriebenen Möhren, hierauf die Mandeln, das Mondamin und zuletzt den steifen Eischnee darunter. Man bäckt die Masse in gut gefetteter kleiner Tortenform bei mäßiger Hitze. Nach dem Erkalten überzieht man sie mit Zitronenglasur. 190°C. Backdauer 45–55 Minuten.

Tiroler Kuchen (besonders empfehlenswert, hält lange feucht)

Zutaten: 200 g Butter, 250 g Zucker, 6 Eigelb, 1 Prise Salz, Schale 1/2 Zitrone, 1 Teelöffel Zimt, 200 g geriebene Haselnüsse, 125 g Mehl, 1 Kaffeelöffel Backpulver, 6 Eischnee, 200 g klein zerbröckelte Schmelzschokolade.
Zubereitung: Butter, Zucker und Eigelb rührt man schaumig, gibt die Gewürze, die Haselnüsse, das mit Backpulver vermischte Mehl, den Eischnee, zuletzt die in kleine Stückchen geschnittene Schokolade darunter. Man bäckt den Kuchen in der gefetteten Kastenform anfänglich bei 160°C, nach einer Viertelstunde bei 180–200°C. Durch die stufenweise Steigerung der Temperatur bleibt die Oberfläche des Kuchens ganz glatt. Backdauer 75 Minuten.

Königsberger Torte

Zutaten: Mürbteig von 100 g Butter, 100 g Zucker, 2 Eiern, 200 g Mehl, Schale 1/2 Zitrone, 1 Prise Backpulver.
Füllung: 180 g Butter, 180 g Zucker, 3 Eier, Schale 1 Zitrone, 1–2 Esslöffel Rum oder Kognak, 180 g abgezogene, geriebene Mandeln, 125 g Mehl, feine Marmelade zum Füllen.
Zubereitung: Eine gefettete Springform wird mit dem Mürbteig ausgelegt, ein paarmal mit der Gabel eingestochen, dass er satt anliegt und mit Himbeermarmelade bestrichen. Nun rührt man Butter, Zucker und Eier schaumig, gibt die Gewürze, die mit etwas Milch angefeuchteten Mandeln und das Mehl hinzu und verteilt die Füllung in der Weise auf dem Teig, dass die Mitte stärker als die Außenseite belegt ist. Auf diese Weise verteilt, bleibt die Füllung beim Backen glatt und sinkt nicht ein. Dann bäckt man die Torte bei 200°C 50–60 Minuten. Sobald sie aus dem Ofen kommt, schneidet man den etwa noch überstehenden

Mürbteigrand ab, überzieht die Torte mit Zitronen- oder Arrakglasur und bestreut den Rand etwa 2–3 cm breit mit geschälten, blättrig geschnittenen Mandel.

Wie man Merinkenmasse oder auch Schlagsahne in den Spritzsack füllt

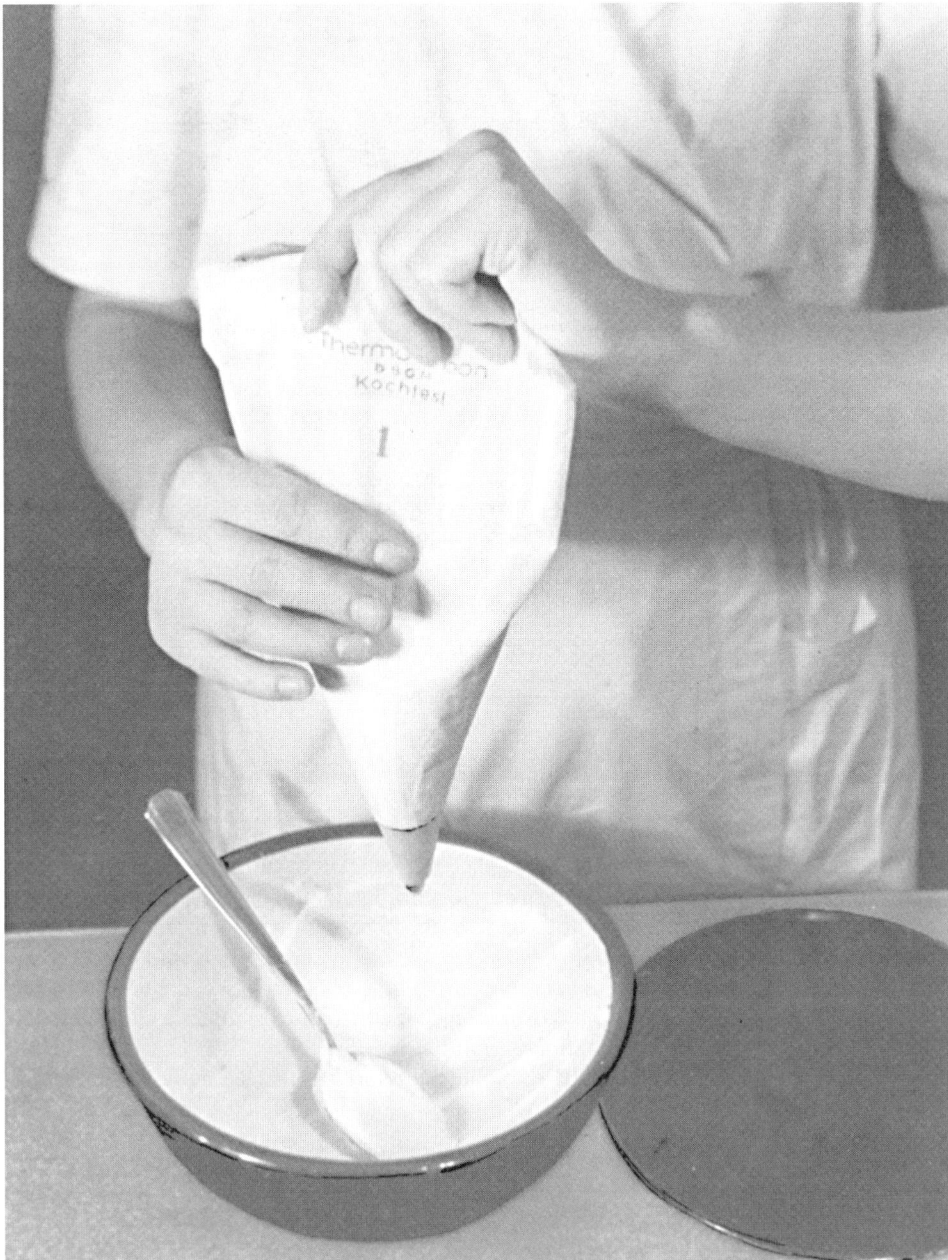

… und den Spritzsack „verschließt“, so dass keine Luftblasen darin bleiben

Mandeltorte

Zutaten: Grundrezept des gehackten Mürbteigs; – Belag: einige Esslöffel dicke Aprikosenmarmelade. – Guss: 4 Eiweiß, 4 Eigelb, 125 g Zucker, 2 Esslöffel Mehl, 125 g geriebene Mandeln.

Zubereitung: Ein mit Mürbteig ausgelegtes Blech wird mit der Marmelade bestrichen und mit folgendem Guss bedeckt: Mit dem steifen Eischnee rührt man Eigelb und Zucker schaumig, zieht die Mandeln und das Mehl locker darunter und verteilt die Masse auf dem Blech. Man bäckt den Kuchen bei mittlerer Hitze. Erkaltet wird er mit Puderzucker bestreut oder mit Zitronenglasur überzogen. 190°C. Backdauer 30–40 Minuten.

Schwarzbrottorte

Zutaten: 6 Eigelb, 200 g Zucker, 200 g geriebenes Schwarzbrot, 100 g geriebene Mandeln, je 50 g feingeschnittenes Orangeat und Zitronat, 1 Teelöffel Zimt, Schale einer Zitrone, 1–2 Esslöffel Rum, Schnee von 6 Eiweiß.
Zubereitung: Eigelb und Zucker rührt man schaumig, gibt nach und nach die übrigen Zutaten, zuletzt den steifen Schnee hinein. Nun füllt man die Masse in eine gut gefettete Springform und bäckt die Torte bei 200°C 40 Minuten. Nach dem Erkalten überzieht man sie mit Schokoladenglasur oder tränkt sie mit stark gesüßtem Rotwein.

Datteltorte

Zutaten: 8 Eigelb, 280 g Zucker, 280 g feingeriebene Mandeln, 280 g feingewiegte Datteln, 1 Kaffeelöffel Backpulver, 6 Eiweiß; 1/4 l Schlagsahne zum Füllen oder zum Spritzen.
Zubereitung: Eigelb und Zucker rührt man schaumig, gibt zuerst die Mandeln, dann die Datteln, das Backpulver und zuletzt den steifen Eischnee darunter. Man bäckt die Torte in gut gefetteter Form bei 190°C 1 Stunde. Man lässt die Torte womöglich 1–2 Tage alt werden, ehe man sie anschneidet. Sie wird dadurch noch schmackhafter, lässt sich auch zum Füllen leichter durchschneiden.

Merinkentorte

Zutaten: Schnee von 6 Eiweiß, 350 g feiner Zucker; – 3/4 l süße Sahne, 80 g Zucker, 1 Päckchen Vanillin.
Zubereitung: Das Eiweiß schlägt man zu steifem Schnee, gibt löffelweise den Zucker dazu und schlägt die Masse so lange weiter, bis sie dick und steif ist. – Nun zeichnet man mit einer Tortenform auf weißes Papier zwei Kreise auf, legt das Papier auf ein Backblech und spritzt mit der fertigen Merinkenmasse nebeneinander einen Boden und einen Deckel auf. Zum Boden wird die Masse spiralförmig, zum Deckel gitterartig aufgespritzt und je mit einem Rand abgeschlossen. Nun siebt man über beides feinen Zucker und bäckt die beiden Tortenteile in mildem Ofen bei 90–100°C in 80 Minuten hellgelb. Dann löst man sie vom Papier ab, indem man sie mit der Papierseite einige Minuten auf ein nasses Tuch legt und gibt den „Boden" auf die Tortenplatte. – Die kühlgestellte Sahne schlägt man zu steifem Schnee, süßt sie leicht und füllt damit den Tortenboden. Dann setzt man den Deckel vorsichtig darauf und verziert die Torte ringsum mit Schlagsahne.

Zebrakuchen

Zutaten: 3–4 Schachteln feine Markenkeks (die größeren Packungen), 500 g Palmin, 2 Päckchen Vanillin, 10 Esslöffel Kakao, 20 Esslöffel Zucker, 6 Eier.
Zubereitung: Das Fett lässt man im Wasserbad zergehen, aber nicht heiß werden. Unterdessen rührt man die übrigen Zutaten glatt an, fügt nach und nach das zerlassene Fett dazu und stellt dann die ganze Schüssel über einen dampfenden Topf, damit die Masse flüssig bleibt. Nun legt man eine schmale Kastenform mit dem aus den Kekspackungen herausgenommenen Papier aus und gibt nun abwechselnd eine Lage Creme, eine Lage Keks hinein, mit Creme beginnend und schließend. Nach dem völligen Erstarren stürzt man den Kuchen auf eine längliche Platte, entfernt das Papier und schneidet ihn in Scheiben. Der Kuchen ist also ohne Backofen rasch herzustellen und schmeckt vorzüglich.

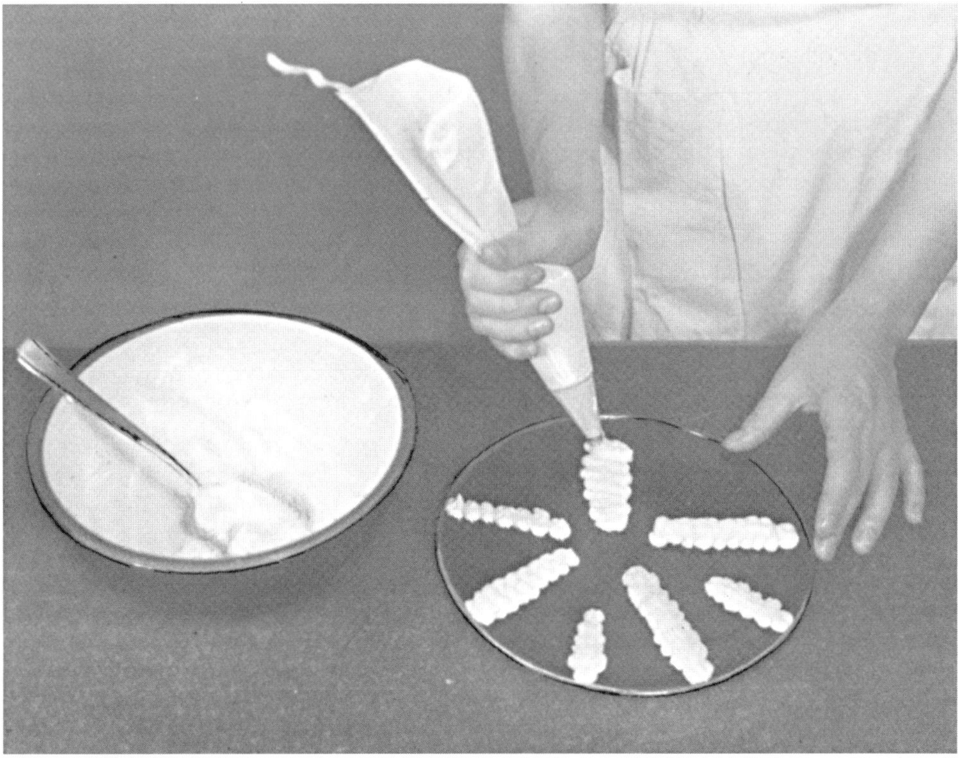

Man hält den Spritzsack mit der Spitze nahe zum Blech, damit die Masse gleichmäßig aufgetragen werden kann

Oder:
2 Schachteln Keks, 250 g Palmin, 2 Tassen Zucker, 1 kleine Tasse Kakaopulver, 1 Esslöffel Nescafé (Pulver), 1 Päckchen Vanillin, 2 Eier.
Zubereitung wie oben.

GLASUREN

Glasuren für Kleinbackwerk, Kuchen und Torten

Allgemeines

Jeder der angeführten Gebäckarten wird durch eine Glasur festlicher und feiner aussehend. Bei Kleinbackwerk verwendet man im allgemeinen zwei Arten: Eiweißglasuren, die man vor dem Backen aufträgt, z. B. Zimtsterne – und Zitronen-, Arrak- oder Rumglasuren, die nach dem Backen aufgetragen und nicht wie die Eiweißglasuren mitgebacken, sondern nur in warmem Raum getrocknet werden.

Tortenglasuren können verschieden zubereitet werden: Entweder man rührt den Staubzucker, der gut gesiebt sein muss, mit der erforderlichen Menge Flüssigkeit, z. B. Wasser, Kaffee, Zitronensaft, Arrak, Rum glatt an, oder man verwendet gekochte Glasuren, (Zubereitung siehe Rezepte.) Am einfachsten ist das Glasieren mit Kuvertüre und Fettglasur.

Merke: Alle Tortenglasuren bleiben länger glänzend, wenn man die betreffenden Kuchen oder Torten dünn mit weicher Aprikosenmarmelade bestreicht, ehe man die Glasur aufträgt.

Kuvertüre

Am allereinfachsten ist zum *Glasieren aller Gebäcksorten* die Verwendung von Deckschokolade oder Kuvertüre, einer sehr fetthaltigen Schokolade, die reich an Kakaobutter ist. Sie wird im Wasserbad erweicht und, wenn sie gut lauwarm ist, zum Überziehen verwendet. Kuchen und Torten werden mit der flüssigen Kuvertüre übergossen oder mit breitem Pinsel bestrichen; Kleingebäck wird eingetaucht, Deckschokolade ist in kurzer Zeit trocken. Noch billiger ist die

Fettglasur,

die man im Wasserbad auf 40°C erwärmt und über die Torten gießt oder das Kleingebäck hineintaucht.

Eiweißglasur für Kleinbackwerk,

ausreichend für das Grundrezept von Makronengebäck (Seite 278 u.f.).
Zutaten: 200–250 g Staubzucker, 2 Eiweiß.
Zubereitung: Man rührt beides zusammen so lange, bis die Masse dicklich wird. Keinesfalls darf man das Eiweiß zu Schnee schlagen, sonst bröckelt die Glasur nach dem Backen leicht ab.

Zitronenglasur für Kleinbackwerk,

ausreichend für das Grundrezept von Makronengebäck (Seite 278 u.f.).
Zutaten: 250 g Staubzucker, Saft einer Zitrone.

Zum Herstellen eines Spritztütchens braucht man ein rechteckiges Stück Papier, das man von der Schmalseite her zu drehen beginnt

Zitronenglasur für Torten

Zutaten: 250–300 g Staubzucker, 2 Esslöffel Zitronensaft, nach Bedarf noch etwas Wasser.
Zubereitung: Die Zutaten werden glatt und dickflüssig angerührt, auf die Mitte der Torte geschüttet und mit breitem Messer gleichmäßig darauf verteilt.

Mokkaglasur für Torten

Zutaten: 250–300 g Staubzucker, 2–3 Esslöffel starken Kaffeeaufguss oder aufgelösten Nescafé, nach Bedarf noch etwas heißes Wasser.
Zubereitung wie Zitronenglasur. Sie muss dickflüssig wie eine dicke Mayonnaise sein.

Einfache Arrakglasur – Rumglasur für Torten

Für gerührte Kuchen und Torten.
Zutaten: 250 g Staubzucker, 2 Esslöffel Arrak oder Rum, etwas Zitronensaft, etwas Wasser.
Zubereitung wie Zitronenglasur

Einfache Zuckerglasur für Hefegebäck,

ausreichend für das Grundrezept von Hefeteig (Seite 235).
Zutaten: 125 g Staubzucker, etwas kaltes Wasser.
Zubereitung: Man rührt den Staubzucker mit so viel Wasser an, dass sich die Glasur mit dem Streichpinsel gut auftragen lässt. Je heißer das Gebäck und je dickflüssiger die Glasur ist, desto schöner wird sie und desto schneller wird sie trocken.

Gekochte Torten-Glasuren

sind schwieriger herzustellen als die oben erwähnten.

Die verschiedenen Grade für das Kochen von Zucker

1. Grad = klarkochen, abschäumen.
2. Grad = kochen zum doppelten Tropfen.
3. Grad = kochen bis zum Fadenziehen.
4. Grad = kochen des Zuckers bis zum Bruch. Man taucht dazu einen Löffel in die Zuckerlösung, dann sofort in kaltes Wasser. Der Zucker muss dann spröde werden.
5. Grad = Karamelle = hellbrauner Zucker.
6. Grad = Zuckerfarbe = dunkelbrauner Zucker.

Einfache gekochte Tortenglasur

Zutaten: 250 g Zucker, 1/4 l Wasser.
Zubereitung: Wasser und Zucker wird bis zum 3. Grad gekocht (bis er Faden zieht), dann kaltgestellt und tüchtig gerührt, damit der Zucker auskristallisiert und eine dickflüssige Masse entsteht. Diese wird auf die Torte geschüttet und rasch verteilt.

Gekochte Schokoladenglasur für Torten

Zutaten: 125 g Sandzucker, 4 Esslöffel Wasser, 125 g Puderzucker, 100 g Kuvertüre-Schokolade.
Zubereitung: Die Kuvertüre wird im Wasserbad aufgelöst, Sandzucker und Wasser klargekocht, zu dem Puderzucker gegeben, glattgerührt und mit der Kuvertüre gemischt. (Reicht für eine kleine Torte. Für eine größere Torte braucht man 175 g Zucker.)

FÜLLUNGEN FÜR TORTEN

Echte Buttercreme

Zutaten: 125 g Butter, 125 g Zucker, 2 Eidotter, nach Belieben Vanillin. Die Butter wird schaumig gerührt, nach und nach Eigelb und Zucker mitgerührt, bis die Masse vollkommen glatt und salbenartig ist.

Grundrezept für gestreckte Buttercreme I

Zutaten: 30 g Kartoffelmehl, 30 g Weizenmehl, 3/8 l Milch, 2 Eigelb, 60 g Zucker; 60 g Butter. An Gewürzen entweder 1/2 Stange Vanille zu Vanillecreme oder 50 g Schokolade zu Schokoladecreme, oder 1/16 l Rum zu Rumcreme, oder 1/16 l Kaffee-Extrakt zu Kaffeecreme. Der Zusatz von Flüssigkeit muss jeweils an der Milchmenge abgezogen werden.
Zubereitung: Die beiden Mehlarten rührt man mit der kalten Milch, den Zusatzflüssigkeiten, Eigelb und Zucker glatt an und schlägt die Masse bis zum Kochen, zieht sie vom Feuer und schlägt sie, bis sie kalt ist. Dann gibt man die Creme löffelweise zu der mit 1 Esslöffel Puderzucker schaumig gerührten Butter und stellt sie bis zum Gebrauch kalt. Sie eignet sich zum Füllen und Spritzen von Torten, Cremeschnitten, Bienenstich, Ringkuchen.

Gestreckte Buttercreme mit Puddingpulver

Zutaten: 125 g Butter (oder Margarine); – 1 Päckchen Puddingpulver, 3/8 l Milch, 3 Esslöffel Zucker, 1 Päckchen Vanillin, 1 Esslöffel Kokosfett.
Zubereitung: Das Puddingpulver rührt man mit 6 Esslöffeln der Milch glatt an, lässt unterdessen Milch, Zucker, Vanillin und Kokosfett aufkochen, gibt das angerührte Puddingpulver dazu und lässt das Ganze ein paarmal aufkochen. Während des Erkaltens rührt man die Masse öfters um, damit sie keine Haut zieht und glatt bleibt. Dann gibt man sie löffelweise zu der schaumig gerührten Butter.

Vanillebuttercreme

Zutaten: 150 g Butter, 60 g Staubzucker; – 2 ganze Eier, 125 g Staubzucker, 1 Päckchen Vanillin.
Zubereitung: Die Butter rührt man mit 60 g Staubzucker schaumig. Die zwei ganzen Eier werden mit dem übrigen Staubzucker und dem Vanillin über Dampf zu einer steifen Masse geschlagen, abgekühlt und löffelweise mit der schaumig gerührten Butter gemischt. – (Die Creme bleibt lange frisch.)

Schokoladenbuttercreme I

Zutaten: Siehe echte Buttercreme und 100 g im Wasserbad erwärmte Kuvertüreschokolade.
Zubereitung: Die völlig erweichte Schokolade wird löffelweise unter die fertige Buttercreme gerührt.

Schokoladenbuttercreme II

Zutaten: 100 g im Wasserbad erweichte gute Schmelzschokolade, 100 g Butter, 100 g Staubzucker, 2 Eigelb, 1/2 Paket Vanillin; – oder statt der Schokolade 1 gehäufter Esslöffel Kakao, der mit 3 Esslöffeln Milch oder starkem Kaffee glatt angerührt wurde.
Zubereitung: Alle Zutaten werden zusammen schaumig gerührt.

Haselnussbuttercreme

Zutaten: 3/8 l Milch, 30 g Mehl, 30 g Mondamin, 3 Esslöffel Zucker, 1 Ei, 1/2 Päckchen Vanillin, 60 g Haselnüsse, 60 g Butter.

Zubereitung: Die Haselnüsse werden auf einem Blech in der heißen Bratröhre trocken geröstet, bis sich die Haut mit einem Tuch leicht abreiben lässt. Dann werden sie fein gemahlen. Die Butter wird schaumig gerührt. Die übrigen Zutaten werden mit der kalten Milch glatt angerührt, unter Schlagen auf dem Feuer zu einer dicken Creme abgerührt und nach dem Erkalten mit den vorbereiteten Haselnüssen und der Butter vermischt.

Mokkabuttercreme I
Zutaten: 125 g Butter, 2 Eigelb, 200 g Staubzucker, 3 Kaffeelöffel Nescafépulver, 2 Esslöffel Wasser.
Zubereitung: Die Butter wird schaumig gerührt und abwechselnd mit dem gesiebten Staubzucker, dem aufgelösten Nescafé und den Eidottern gemischt, bis die Masse vollkommen glatt und sahnig ist. Sie reicht zum Füllen und Spritzen einer Torte aus.

Mokkabuttercreme II
Zutaten: 125 g Butter, 125 g Palmin, 250 g gesiebter Staubzucker, 2 Eigelb, 3 gehäufte Kaffeelöffel Nescafé in 2 Esslöffel starkem Kaffeeaufguss gelöst.
Zubereitung: Das Palmin lässt man zergehen und abkühlen, gibt es löffelweise zu der schaumig gerührten Butter und rührt die Creme abwechslungsweise mit Zucker, Eigelb und Kaffee glatt und schaumig.
Die mit Palmin gestreckte Buttercreme bleibt nach dem Füllen sehr schön steif.

ALLERLEI LECKERES KONFEKT

Nougatkugeln I
Zutaten: 250 g Staubzucker, 65 g geriebene, ungeschälte Mandeln oder Haselnüsse, 125 g geriebene gute Schmelzschokolade, 1 Päckchen Vanillin, einige Esslöffel Bohnenkaffee (von 20 g Kaffeebohnen), 1–2 Esslöffel feiner Kakao; – 50 g Trüffelschokolade oder Kristallzucker.
Zubereitung: Mit dem heißen Kaffeeaufguss, den man nach und nach zugibt, schafft man die übrigen Zutaten so lange untereinander, bis der Teig ganz glatt und so feucht ist, dass er sich gerade noch formen lässt, ohne dass er in die Breite läuft. Man formt daraus nussgroße Kugeln, dreht jede sofort in Trüffelschokolade oder Kristallzucker und lässt sie in warmem Raum trocknen.

Nougatkugeln II
Zutaten: 100 g Palmin, 50 g Puderzucker, 50 g geriebene Schokolade, 2 Esslöffel geriebene Mandeln, 2 Esslöffel geröstete geriebene Haselnüsse, 1 Esslöffel süße Sahne, 1 Esslöffel Nescafé in 1 Teelöffel heißem Wasser aufgelöst; – 50 g Schokoladestreusel.
Zubereitung: Das Palmin lässt man flüssig werden und wieder so weit erstarren, dass man es schaumig rühren kann. Dann gibt man nach und nach alle Zutaten hinein, formt Kugeln daraus, wendet sie in Streusel und lässt sie in der Kälte vollends erstarren. Man setzt sie in kleine Papierkästchen wie Pralinen.

Schokolade-Datteln
Zutaten: 500 g entkernte Datteln, 100 g Zucker, 1 Ei, 1 Päckchen Vanillin, 2 Esslöffel Rum, 1 gehäufter Esslöffel feiner Kakao; 100 g Palmin.
Zubereitung: Zucker und Ei rührt man mit den Gewürzen und dem Kakao schaumig und gibt dann das zerlassene abgekühlte Palmin löffelweise darunter. Nun gibt man die Datteln

Allerlei leckeres Konfekt

herein, dreht sie von allen Seiten in der angerührten Masse, legt sie einzeln auf eine Porzellanplatte und lässt sie trocknen. Statt Datteln kann man auch halbierte Walnusskerne oder Feigen nehmen.

Schokoladewurst

Zutaten: 300 g feine Schmelzschokolade, 150 g geschälte, in Würfelchen geschnittene Mandeln, 1 ganzes Ei, 1 Päckchen Vanillin, 1 nussgroßes Stück frische Tafelbutter.
Zubereitung: Die Schokolade lässt man im Wasserbad erweichen, rührt sie ganz glatt, mischt die übrigen Zutaten, zuerst die erweichte Butter, darunter, schüttet die Masse auf trockene Einmachhaut, formt eine Wurst daraus und lässt sie trocknen.
Die Wurst bleibt lange feucht und lässt sich dünn aufschneiden.

Falsche Butterbrötchen

Zutaten: 125 g Butter, 250 g Zucker, 1 Ei, 250 g ungeschälte, geriebene Mandeln oder Nüsse, 1 Esslöffel Kakaopulver, 125 g Mehl, 2 Esslöffel Rum, Schale einer halben Zitrone, 1/2 Kaffeelöffel Zimt.
Zubereitung: Butter, Ei und Zucker rührt man schaumig, schafft die übrigen Zutaten darunter, nimmt den Teig auf ein bemehltes Brett, formt eine Rolle daraus und schneidet diese in kleinfingerdicke Scheiben auf. Diese setzt man auf ein schwach gefettetes Blech auf und bäckt sie in mäßiger Hitze (190°C). – Unterdessen rührt man 125 g Staubzucker mit 1 Eidotter und einigen Tropfen Zitronensaft glatt an, bestreicht damit die gebackenen, abgekühlten Schnitten wie Butterbrote und streut etwas Vanillin (statt „Salz“) darauf. Man lässt die Glasur im warmen Zimmer trocknen. Die Brötchen kann man mit Scheiben aus Schokoladewurst belegen. (Gibt 20–25 Stück.)

Geröstete Mandeln

Zutaten: 500 g Mandeln, 375 g Zucker, 1 kleine Tasse Wasser, nach Belieben 1 Päckchen Vanillin oder etwas Zimt.
Zubereitung: Wasser und Zucker lässt man zusammen aufkochen. Unterdessen reibt man die verlesenen Mandeln mit einem Tuch ab, gibt sie dazu hinein und rührt sie unausgesetzt so lange, bis die Mandeln mit dem Zucker trocknen und dann wieder anfangen, feucht und glänzend zu werden, Dann schüttet man sie sofort auf eine Porzellanplatte und legt sie auseinander. (Der Zucker darf ja nicht dunkelbraun werden, sonst schmecken die Mandeln bitter.)

Marzipan

Zutaten: 500 g geschälte, 2–3mal durch die Mandelmühle gedrehte, feingeriebene Mandeln, 500 g Staubzucker, 2 Esslöffel Zitronensaft oder Rosenwasser, Schnee von 2 Eiweiß.
Zubereitung: Man nimmt alle Zutaten in einer Messingpfanne auf den Herd und arbeitet sie so lange durch, bis die Zutaten zusammenhalten und die Masse sich loslöst. Nun nimmt man sie vom Herd, gibt sie auf ein mit Staubzucker besiebtes Brett, wellt den Teig zentimeterdick aus, sticht kleine Förmchen aus, setzt sie auf Papier und lässt sie in kühlem Ofen trocknen.

Schokolade-Marzipan

Zutaten: 250 g Zucker, 6 Esslöffel Wasser, 250 g abgezogene, abgetrocknete, 3mal durch die Mandelmühle gedrehte Mandeln, 250 g feingeriebene Schokolade.
Zubereitung: Man kocht Zucker und Wasser bis zum Faden, schüttet dies an die übrigen Zutaten und knetet die Masse so lange durch, bis sie ganz glatt ist. Dann drückt man sie in kleine, mit Mandelöl ausgepinselte Förmchen und stürzt sie nach dem Erkalten. Man kann die Masse auch auf Puderzucker auswellen und in beliebige Stückchen schneiden.

Pralinen

Zutaten: 500 g Staubzucker, 1/2 Tasse Mokka, 1 Esslöffel Arrak; – 250 g Deckschokolade (Kuvertüre).
Zubereitung: Die Zutaten werden solange miteinander verarbeitet, bis die Masse ganz glatt und so beschaffen ist, dass man sie formen kann. Dann macht man Stäbchen oder Kugeln daraus und lässt sie abtrocknen. Nun löst man die Deckschokolade im Wasserbad auf, wobei man sehr darauf achten muss, dass kein Wasser eindringt. Wenn die Schokolade handwarm ist, zieht man die Kugeln oder Stäbchen durch und setzt sie auf weißes Papier. Man lässt sie an einem kühlen Ort erstarren. Sie lassen sich leicht vom Papier ablösen. Ist die Schokolade zu kühl, werden die Pralinen grau und streifig.

Man kann zur Füllung der Pralinen auch die Nougatkugeln-Marzipan- oder Schokolade-Marzipan-Masse verwenden.

Sahnekaramellen

Zutaten: 1/2 l süße Sahne, 250 g Zucker, 1/2 Päckchen Vanillin, 1 Esslöffel Honig.
Zubereitung: Man rührt alle Zutaten bei schwacher Hitze so lange, bis sich der Zucker vollkommen aufgelöst hat, was für das Gelingen ausschlaggebend ist. Dann kocht man die Masse bei starker Hitze unter Umrühren so lange weiter, bis sie hellbraun ist, was etwa 10 Minuten dauert. Man schüttet sie nun auf ein mit Butter bestrichenes Blech und schneidet sie noch heiß in Vierecke. Sobald sie erkaltet sind, bricht man sie auseinander. Man bewahrt sie in gut schließender Blechdose auf, damit sie nicht weich werden.

FRUCHTPASTEN

Auch Fruchtpasten sind beliebte Leckereien, die den Vorzug großer Bekömmlichkeit haben. Man unterscheidet gekochte und rohe Pasten. Die gekochten werden vorwiegend aus Quitten, aber auch aus Äpfeln, Aprikosen und anderen fleischigen Früchten hergestellt. Wenn man bei der Zubereitung keine Misserfolge erleben will, ist es gut, sich folgende Regeln zu merken:

1. Koche die Früchte mit wenig Wasser weich, damit das Fruchtmus nicht unnötig lange gekocht werden muss.

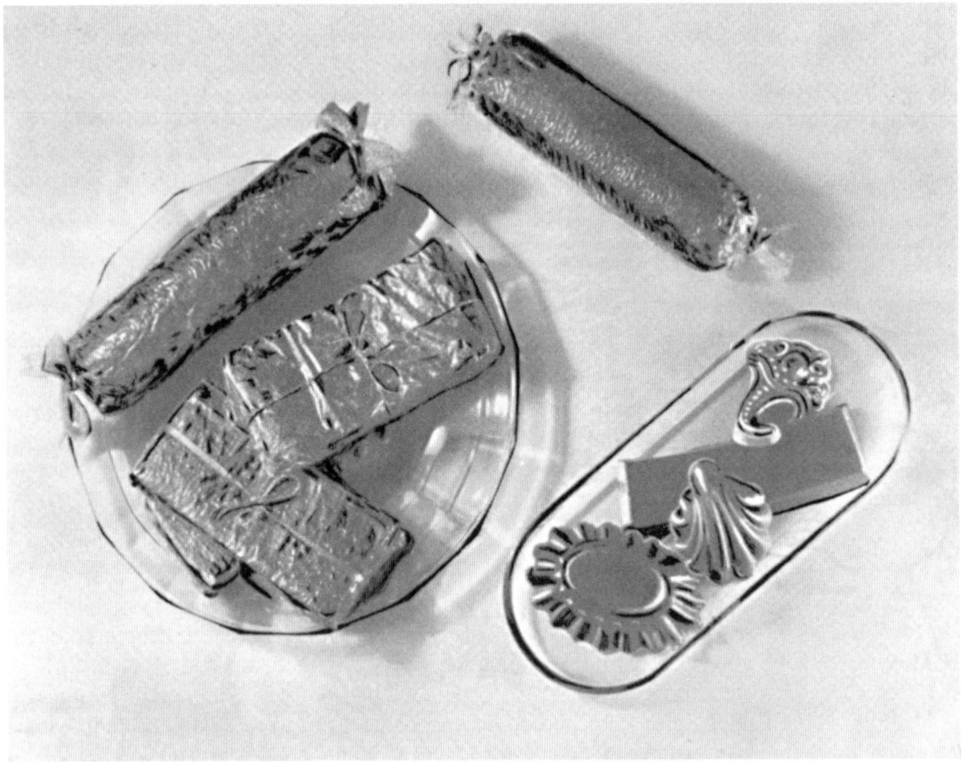

Fruchtpasten

2. Koche die Pastenmasse in kleinen Mengen und flachen, weiten Gefäßen, damit der Wassergehalt des Fruchtmuses rasch verdampfen kann (Höchstmenge 1 kg Fruchtmus).
3. Gieße die Pasten auf leicht mit Mandelöl eingeriebene oder mit kaltem Wasser abgespülte Email-, Porzellan- oder Marmorplatten oder streiche sie fingerdick auf Pergamentpapier.
4. Lasse die Pasten in warmem Raum langsam abtrocknen. In kalten oder gar feuchten Räumen werden sie nicht fest.
5. Steche sie nach dem Abtrocknen mit beliebig großen Ausstechförmchen aus und wende die einzelnen Stücke in grobem Sand- oder in Kristallzucker.
6. Bewahre die Pasten zwischen Pergamentpapier in Blechdosen auf.

Quittenpaste I

Zutaten: Reife Quitten, Wasser; – auf 1 l Saft 1 kg Zucker und auf 1 kg Mark 1 kg Zucker.
Zubereitung: Die Quitten werden abgerieben, geschält, vom Kernhaus befreit, zerschnitten und in wenig Wasser weichgekocht. Die Schalen und Kernhäuser werden ebenfalls mitgekocht, damit der Saft kräftig schmeckt und gut geliert. Sie werden, sobald die Quitten weich sind, weggenommen und die Früchte durch ein Sieb geschlagen. Nun wird der Saft und die für das Mark erforderliche Zuckermenge gewogen, der Saft mit dem gesamten Zucker tüchtig durchgekocht und abgeschäumt. Hierauf gibt man das ungezuckerte Mark dazu, lässt dies noch 15–20 Minuten mitkochen und schüttet die kochendheiße Masse auf nass abgespülte Platten fingerdick auf. Man lässt sie in der Wärme trocknen, dreht sie um, sticht beliebige Formen aus, und wendet die einzelnen Stücke in Sand- oder Kristallzucker. – Diese Art der Herstellung ist besonders empfehlenswert, weil die Paste durch ihren hohen Gehalt an Gelierstoffen rasch fest wird und gut feucht bleibt. – Man kann die kochheiße Masse auch in kalt ausgespülte Förmchen füllen, nach dem Erkalten stürzen und trocknen lassen.

Quittenpaste II

Zutaten: Reife Apfelquitten, Wasser. Auf 1 kg Quittenmus 750 g Zucker, Saft einer Zitrone; 1/4 l Quittensaft.
Zubereitung: Die Quitten werden sauber abgerieben, von Blüte und fleckigen Stellen befreit, in grobe Stücke geschnitten und in wenig Wasser weichgekocht. Dann wird der Saft, den man zu Gelee kochen kann, abgegossen und die Quitten durch ein Haarsieb gestrichen. Nun löst man den Zucker (750 g: 1/4 l Saft) auf dem Feuer auf, schäumt ihn ab, gibt das Mus (1 kg) und den Zitronensaft darunter und kocht die Masse solange, bis man mit dem Rührlöffel „breite Straßen“ ziehen kann. Dann schüttet man die Masse auf vorgerichtete Platten oder Pergamentpapier und verteilt sie etwa zentimeterdick mit einem breiten Messer. Dann lässt man sie in warmem Raum trocknen, sticht beliebige Förmchen aus und wendet sie nach Belieben in Sand- oder Kristallzucker.

Quittenpaste III

Zutaten: 1 kg Quittenmark, 750 g Zucker, Saft 1 Zitrone.
Zubereitung: Das auf oben angegebene Weise gewonnene Mark wird mit dem Zucker gemischt, unter Umrühren dickgekocht und in flache Blechformen, die man zuvor mit Öl ausgepinselt hat, etwa daumendick eingefüllt. Ist die Masse fest geworden, wird sie gestürzt, in verschobene Vierecke geschnitten und diese in Sand- oder Kristallzucker gewendet.

Quittenwürstchen

Zutaten: 500 g Quittenmus, 500 g Zucker, Saft 1 Zitrone, 1 Messerspitze Zimt, 1 Prise gemahlene Nelken, 10 geschälte, gehackte Mandeln, 1/2 Schale feingeschnittenes Orangeat, einige Tropfen Koschenille.
Zubereitung: Die weichgekochten Quitten werden ohne den Saft durch ein Sieb geschlagen und mit Zucker ganz dick eingekocht. Nun gibt man die übrigen Zutaten darunter, lässt die Masse etwas abkühlen, füllt sie mit der Backspritze in gut ausgewaschene Hammeldärme oder Zellophanhüllen und bindet sie in bestimmten Zwischenräumen ab. Man lässt die Würstchen an kühlem Ort trocknen.

Aprikosenpaste

Zutaten: 1 kg Aprikosenmark aus frischen oder aus über Nacht eingeweichten getrockneten Aprikosen, 750 g Zucker, Saft von 2 Zitronen.

Zubereitung: Die zerschnittenen, entkernten rohen oder die vorgeweichten getrockneten Aprikosen werden mit wenig Wasser weichgekocht und durch ein Sieb gestrichen. Nun mischt man das Mark mit Zucker und Zitronensaft, kocht es dick ein und macht die Paste wie Quittenpasten fertig.

Feigenpaste I
Zutaten: 1 kg Feigen, 1/2 kg Sultaninen, 250 g Nusskerne, 1 Messerspitze Anis, 2 Esslöffel aufgelöster Honig.
Zubereitung: Feigen, Sultaninen und Nusskerne dreht man 1–2mal durch die Fleischhackmaschine, mischt Anis und Honig darunter und arbeitet die Masse mit dem Rührlöffel solange durch, bis sie glatt ist. Dann streicht man sie kleinfingerdick auf Oblaten oder Pergamentpapier, lässt sie im warmen Zimmer etwas trocknen und schneidet sie in Stücke in der Form von Schokoladetafeln zu 100 g. Gut eingewickelt hält sich die Paste lange Zeit frisch.

Feigenpaste II
Zutaten: 1 kg Feigen, 1/2 kg Traubenrosinen ohne Kerne, 10 Stück getrocknete Bananen, 1/2 kg entsteinte Dörrzwetschgen, 150 g Haselnüsse oder Mandeln.
Zubereitung: wie Feigenpaste I.

Früchtewurst
Zutaten: 1 kg Feigen, 1 kg ungebleichte Sultaninen, 1/2 kg entsteinte Dörrzwetschgen, 1/4 kg entsteinte Datteln, 1/4 kg getrocknete Bananen, 1/4 kg Nüsse, 1/4 kg Johannisbrot; etwas Honig.
Zubereitung: Die Bananen werden zum Quellen kurz in Wasser eingeweicht. Das Johannisbrot wird 2 Stunden eingeweicht, aufgeschnitten, von Kernen, Haut und madigen Stellen befreit und mit den übrigen Früchten verschiedenemal durch die Hackmaschine gedreht. Dann wird die feingemahlene Früchtemasse mit etwas flüssigem Honig durchgearbeitet und ausgewellt oder auf Oblaten oder Pergamentpapier aufgestrichen. Man kann die Masse auch wie Würste formen und in Zellophan einwickeln.

Dattelpaste
Zutaten: 1 kg entsteinte Datteln, 1/2 kg Sultaninen, 10 Dörrbananen, 100 g Mandeln.
Zubereitung: Siehe Feigenpaste I.

LECKERES ZUM WEIN

Käsestengelchen
Zutaten: 120 g Mehl, 80 g Butter, 4 Esslöffel dicke saure Sahne oder 1–2 Eigelb, 100 g geriebener Käse, 1 Prise Salz oder Zucker, Paprika oder Muskat, Eigelb zum Bestreichen.
Zubereitung: Man stellt einen gehackten Mürbteig her, lässt ihn eine Weile ruhen, rollt ihn dünn aus, schneidet mit dem Backrädchen schmale Streifen ab, dreht diese 2–3mal, setzt die auf ein gefettetes Blech, streicht sie mit Eigelb und bäckt sie in guter Mittelhitze zart gelb. (Bäckt man sie zu dunkel, schmecken sie bitter.) 210°C. Backdauer 10 Minuten.

Käsegebäck
Zutaten: 100 g Mehl, 100 g Margarine, 100 g geriebener Käse, etwas Salz und Paprika; – Ei zum Bestreichen.
Zubereitung: Man stellt einen gehackten Mürbteig her, schneidet mit dem Backrädchen Streifen, oder sticht Halbmonde oder Rauten aus, bestreicht sie mit Ei und bäckt sie

h e l l g e l b . Sobald sie dunkel werden, schmeckt das Gebäck bitter. 210 °C. Backdauer 10–12 Minuten.

Gefüllte Käsekeks

Zutaten: Mürbteig von 100 g Mehl, 100 g Parmesankäse, 70 g Butter, 2–4 Esslöffel saure Sahne, Salz, Paprika.

Zur Füllung: 3 Eigelb, 1/4 l süße Sahne, 25 g Butter, 20 g Stärkemehl, Salz, Paprika, 75 g geriebener Parmesan- oder Schweizer Käse.

Zubereitung: Aus dem Käsemürbteig wellt man eine dünne Platte aus, sticht Kekse aus, bestreicht sie mit Ei und bäckt sie bei mäßiger Hitze hellgelb. 200 °C. Backdauer etwa 10 Minuten. Die Zutaten zur Füllung rührt man kalt an, bringt sie unter fortgesetztem Schlagen zum Kochen, nimmt sie sofort weg vom Herd, lässt sie auskühlen und füllt dann die Kekse damit, indem man immer zwei aufeinandersetzt und die Creme dazwischen streicht. Man verwendet sie zur Garnitur bei feinen Käseplatten oder als Beilage zu Wein.

Salzstangen I

Zutaten: 125 g Mehl, 10 g Hefe, 60–80 g Margarine, 1 Ei, 2 Esslöffel saure Sahne, 1 Prise Salz; – Salz und Kümmel zum Bestreuen.

Zubereitung: Man stellt einen gehackten Teig her, wobei man die Hefe über das Mehl bröselt und die Masse rasch zusammenknetet. Man wellt ihn in kleinen Mengen aus, schneidet 2 cm breite Streifen ab, bestreicht sie mit Ei, bestreut sie mit Salz und Kümmel und bäckt sie bei 200 °C in etwa 10 Minuten.

Salzstangen II

Zutaten: 100 g Mehl, 100 g Margarine, 100 g gekochte, kalte, geriebene Kartoffeln, 1 Prise Salz; Ei zum Streichen, Salz, Kümmel zum Bestreuen.

Zubereitung: Man stellt einen gehackten Teig her, wellt ihn 2–3 mm dick aus, rädelt Streifen ab, dreht diese beim Aufsetzen auf das Blech 1 mal, bestreicht sie mit Ei, bestreut sie mit Salz und Kümmel und bäckt sie bei 225 °C etwa 10–15 Minuten (obere Schiene).

Salzmandeln

Zubereitung: Schöne große Mandeln werden angebrüht, abgezogen, getrocknet, mit rohem Eiweiß bepinselt, auf nassem Pergamentpapier auf ein Backblech gelegt, mit etwas Salz bestreut und im heißen Backofen hellgelb geröstet. Man bewahrt sie in dicht verschlossener Dose auf. 175 °C.

LIKÖRE

Ein selbstgemachter Likör ist etwas besonders Leckeres und die Herstellung macht keine großen Schwierigkeiten, wenn man dabei folgende R e g e l n beachtet:

Regeln zur Bereitung von Likören.

1. Verwende zum Ansetzen womöglich nur reinen 90- oder 96 %igen Weingeist. Er ist völlig geschmacklos, kann also das Aroma der damit bereiteten Liköre keinesfalls beeinträchtigen. Der höhere Preis gegenüber Fruchtbranntwein macht sich bezahlt. Noch teurer wird der Likör, wenn man ihn mit Kognak ansetzt.
2. Lasse die angesetzten Liköre an der Sonne zugedeckt stehen und schüttle sie häufig durch, damit die Geschmackstoffe des Ansatzes gut herausgezogen werden können.

3. Verwende zum Filtrieren keine Tücher, sondern stets Filtrierpapier, weil letzteres alle trübmachenden Bestandteile zurückhält.
4. Verwende zum Verschließen der Flaschen stets neue, in Wasser ausgekochte Korken.
5. Lasse alle Liköre mindestens 1/2, besser 1–2 Jahre lagern.

Grundmenge für Liköre:

1 l Gesamtflüssigkeit, 250–500 g Zucker.
Das Verhältnis von Alkohol und Wasser kann verschieden sein und ist nur für die Stärke, nicht für die Haltbarkeit des Likörs maßgebend. Wichtig dagegen ist das Verhältnis von Zucker und Gesamtflüssigkeit.
(Vergleiche daraufhin die einzelnen Rezepte.)

Johannisbeerlikör I

Zutaten: 1500 g schwarze, abgezupfte, gewaschene und zerdrückte Johannisbeeren, 1 kg = 1,2 l 96 %iger reiner Weingeist. Auf 500 g Saft 175 g Wasser, 175 g Zucker.
Zubereitung: Die zerdrückten Beeren werden mit dem Weingeist vermischt, in eine weithalsige Flasche gegeben, verschlossen und 4 Wochen im Keller und 2 Wochen an der Sonne stehengelassen. Nun wird die Flüssigkeit abgepresst und gemessen. Die im Verhältnis zur Flüssigkeit notwendige Menge Zucker wird mit der vorgeschriebenen Menge heißen Wassers aufgelöst, wieder ganz abgekühlt, mit dem abgepressten Saft gemischt und 1 Tag stehengelassen. Dann wird er filtriert, in Flaschen gefüllt, gut verkorkt und 1 Jahr gelagert.

Johannisbeerlikör II

Zutaten: 3 l guter Branntwein, 2 1/2 kg abgezupfte, zerdrückte schwarze Johannisbeeren, 1 1/2 kg schwarzer Kandiszucker, 1/2 l Wasser, 1 Stückchen ganzer Zimt, 15 Gewürznelken, etwas Muskatblüte, 2–3 Hände voll gewaschene Johannisbeerblätter.
Zubereitung: Beeren, Blätter und Gewürze werden mit dem Branntwein in einer Korbflasche angesetzt und 6 Wochen in sonnigem Raum zugekorkt stehengelassen. Dann wird die Flüssigkeit abgeschüttet und der Rückstand abgepresst. Nun löst man den Kandiszucker mit dem 1/2 l Wasser auf, kocht ihn gut durch, vermischt ihn nach dem Erkalten mit dem Saft und lässt die Mischung 1 Tag lang zugedeckt stehen. Dann wird der Likör filtriert, in Flaschen gefüllt und verkorkt. Je länger er gelagert wird, desto besser und gehaltvoller schmeckt er.

Johannisbeerlikör III

Zutaten: 2 kg schwarze Johannisbeeren, 4 Hände voll Blätter des Strauchs, 2 l Kirsch- oder Zwetschgenwasser, 1 kg Zucker, 1 l Wasser, 15 g grobgestoßener Zimt, 5 g grobgestoßene Gewürznelken.
Zubereitung: Die sauber gewaschenen Blätter werden zerstampft, mit den gewaschenen, zerdrückten Beeren zusammen in eine Glasflasche gebracht, mit dem Branntwein vermischt 8 Tage stehengelassen, abgegossen und der Rückstand abgepresst. Die Gewürze werden mit etwas Branntwein gesondert 3 Tage angesetzt und ebenfalls abgegossen. Nun wird der Zucker in Wasser aufgelöst, der Frucht- und der Gewürzansatz dazugegeben, gut durchgemischt, einige Wochen gut verschlossen in einem Glaskolben stehengelassen, dann filtriert und in Flaschen gefüllt.

Selbstgemachte Liköre

Himbeerlikör

Zutaten: 2 kg zerdrückte Himbeeren, 1 l 96 %iger Weingeist, 1/2 l Wasser, 750 g Zucker.
Zubereitung: Die Himbeeren werden mit dem Weingeist in einer Glasflasche angesetzt, gut verschlossen und 4–6 Wochen in sonnigem Raum stehengelassen. Dann wird der Zucker mit der angegebenen Menge Wasser gut durchgekocht, die Lösung abgekühlt und mit der sorgfältig abgeseihten Ansatzflüssigkeit vermischt. Man füllt den Likör in Flaschen, verkorkt sie und lässt den Likör mindestens 6 Monate lagern.

Heidelbeerlikör wird ebenso bereitet.

Hagebuttenlikör

Zutaten: 1 l Hagebutten, 1 l reiner 96 %iger Weingeist, 500 g Kandiszucker, 1/4 l Wasser.
Zubereitung: Die nach einem Frost geernteten Hagebutten werden von Blüte und Stiel befreit und zerschnitten. Der Kandiszucker wird zerstoßen. Nun gibt man alle Zutaten in eine Flasche, verkorkt sie und lässt sie 14 Tage in warmem Raum stehen. Sie muss täglich einmal tüchtig durchgeschüttelt werden. Nun schüttet man die Flüssigkeit zuerst durch ein Haarsieb, filtriert sie dann mit Fließpapier, füllt den filtrierten Likör in Flaschen und lässt ihn gut verkorkt lagern.

Quittenlikör

Zutaten: 1 l Saft aus geschälten, rohgeriebenen, abgepressten Quitten, 1 l 96 %iger Weingeist, 750 g Zucker, 1/4 l Wasser, 1/2 Stange Zimt, 5 Gewürznelken, Schale und Saft 1 Zitrone; nach Belieben einige gestoßene bittere Mandeln.
Zubereitung: Der Zucker wird mit dem Wasser aufgekocht, abgekühlt, mit allen übrigen Zutaten gemischt, in einen Glaskolben gefüllt, gut verschlossen und 6–8 Wochen in einem warmen Raum an die Sonne gestellt. Dann wird der Likör in Flaschen gefüllt, gut verkorkt und mindestens 6 Monate gelagert.

Nusslikör

Zutaten: 3 l guter Branntwein, 1 kg brauner Kandiszucker, 1/2 l Wasser, 25 Stück grüne Nüsse (verwendbar von Ende Juni bis Anfang Juli), 10 Stück bittere Mandeln, 50 g Zitronat, 50 g Orangeat, 1 kleines Stück ganzer Zimt, 15 Gewürznelken.
Zubereitung: Die sauber abgeriebenen Nüsse werden klein zerschnitten, die Mandeln abgezogen, Zitronat und Orangeat fein gehackt. Alles dies wird mit den Gewürzen zusammen mit dem Branntwein in einer Korbflasche angesetzt und 4 Wochen in warmem Raum an die Sonne gestellt. Dann wird die Flüssigkeit abgegossen. Nun kocht man den Kandiszucker mit dem 1/2 l Wasser gut durch, lässt die Lösung erkalten und mischt beides gut durch. Zuletzt wird der Likör filtriert, in Flaschen gefüllt, gut verkorkt und gelagert.

Blutorangenlikör (von ungespritzten Früchten)

Zutaten: 3 Blutorangen, die ganz dünn abgeschälte äußerste Schicht von 2 weiteren Orangen, ein Stück Vanilleschote (längs aufgeschnitten und ausgekratzt), 1 l reiner Weingeist, 1 l Wasser, 750 g Zucker.
Zubereitung: Die ganzen Orangen werden in 1/2 cm dicke Scheiben geschnitten, von den Kernen befreit und mit den Orangeschalen und der Vanille mit dem Weingeist in einer gut verschließbaren Flasche angesetzt. Man stellt sie 6–8 Wochen in einen warmen Raum und lässt die Flüssigkeit dann vorsichtig ablaufen. Dann mischt man sie mit der aus Wasser und Zucker gekochten, wieder erkalteten Lösung und füllt sie in Flaschen.

Kakaolikör I

Zutaten: 50 g feines Kakaopulver, 1 zerschnittene Vanilleschote, 200 g 95%iger reiner Weingeist, 600 g Wasser, 350 g Zucker.
Zubereitung: Die Zutaten werden in einer Glasflasche angesetzt, 3 Tage stehengelassen und während dieser Zeit häufig geschüttelt. Hierauf wird die Flüssigkeit filtriert, in Flaschen gefüllt und einige Wochen gelagert. Er schmeckt je älter, desto besser. – Man kann den Likör auch unfiltriert verwenden. Er schmeckt dann sämig und sehr kräftig.

Kakaolikör II

Zutaten: 100 g feines Kakaopulver, 600 g Wasser, 500 g Zucker, 250 g 90%iger Weingeist, 10 g Rum oder Kognak, 1 Päckchen Vanillin.
Zubereitung: Die Hälfte des Wassers wird mit dem Kakao und dem Zucker durchgekocht, abgekühlt, dann mit den übrigen Zutaten vermischt und 1–2 Tage stehengelassen. Während dieser Zeit wird der Likör öfters durchgeschüttelt. Hierauf wird er filtriert oder unfiltriert in Flaschen gefüllt.

Kaffeelikör

Zutaten: 1 l reiner, 96%iger Weingeist, knapp 1 l Wasser, 50 g feingemahlene, gute Kaffeebohnen, 1/2 feinzerschnittene Vanilleschote, 500 g Zucker.
Zubereitung: Wasser und Weingeist werden gemischt, mit einem kleinen Teil der Mischung die Vanilleschote, mit dem größeren Teil der Kaffee je gesondert angesetzt. Beide Ansätze werden 8 Tage in die Wärme gestellt und täglich einigemal durchgeschüttelt. Nun wird beides durch ein feines Tuch abgegossen, gemischt und über den Zucker geschüttet. Sobald dieser sich vollständig aufgelöst hat, wird der Likör filtriert, in Flaschen gefüllt und einige Monate gelagert.

Pfefferminzlikör

Zutaten: 1 l 96%iger Weingeist, 1 l Wasser, 500 g Zucker, 1 große Handvoll frischgepflückte, sauber gewaschene Pfefferminzblätter.
Zubereitung: Die Blätter werden mit dem Weingeist in einer Flasche angesetzt, verschlossen, und nach 2 Wochen abgegossen. Nun wird die aus Wasser und Zucker abgekochte Lösung mit der Flüssigkeit gemischt, in Flaschen gefüllt und mehrere Monate gelagert.

Mokkalikör

Zutaten: 80 g gemahlener Bohnenkaffee in wenig Wasser 3mal aufgekocht, 1/2 l Wasser, 500 g Zucker, 4 Eidotter, 1/2 Stange Vanille, 1 l 96%iger Weingeist.
Zubereitung: Der Zucker wird in dem kochenden Wasser aufgelöst, abgekühlt, mit dem filtrierten Kaffeeaufguss, den Eidottern mit dem Schneebesen gut durchmischt und nach dem Erkalten der Weingeist darangegeben. Dann wird der Likör in Flaschen gefüllt, verkorkt und möglichst lange gelagert.

Eierkognak I

Zutaten: 4 Eigelb, 250 g Staubzucker, 1/2 Vanilleschote, 1 kleine Dose (1/8 l) Kondensmilch, 60 g 96%iger Weingeist, 1/8 bis 3/16 l Kognak.
Zubereitung: Eigelb, Zucker und den Inhalt der ausgekratzten Vanilleschote rührt man mit einem Teil der Milch schaumig, gibt dann den Kognak, die restliche Milch und zuletzt den reinen Weingeist dazu. Wenn alles gut durchgemischt ist, wird die Flüssigkeit in eine Flasche gefüllt und verkorkt. Die Zubereitung ist äußerst einfach, muss aber in der Reihenfolge genau eingehalten werden.

Eierkognak II

Zutaten: 5 Eigelb, 300 g Zucker, 1/2 l gekochte Milch, 1 Stückchen Vanilleschote, 1/8 l reiner Weingeist, 1/8 l Kognak, Arrak oder Rum.
Zubereitung: Die Vanilleschote wird aufgeschnitten, ausgekratzt und Samen und Schale mit der Milch und dem Zucker zusammen aufgestellt, ausgekocht und die ganze Flüssigkeit abgekühlt. Unterdessen schlägt man die Eigelb tüchtig schaumig, rührt dann nach und nach die abgekühlte Milch-Zucker-Mischung und zuletzt Weingeist und Kognak darunter. (Bringt man den Weingeist mit dem Eigelb zusammen, so gerinnt dieses in Flocken, die nicht mehr glattgerührt werden können.)

BOWLEN, PUNSCH UND GLÜHWEIN

Bei festlichen Gelegenheiten liebt man es, seinen Gästen auch besondere, mit Sorgfalt bereitete, selbstzusammengestellte Getränke vorzusetzen. Sommerliche Festgetränke sind Bowlen, winterliche dagegen Punsch und Glühwein. Da aber viele Menschen nach dem Genuss derselben Magenverstimmungen und Kopfweh davontragen, merke man sich für die Zubereitung folgende **Regeln**:

1. Mache Bowlen nie zu süß. Zu stark gezuckerte Bowlen verursachen stets Kopfweh.
2. Erhöhe Wohlgeschmack und Bekömmlichkeit von Früchtebowlen durch Zusatz von etwas Rum oder Kirschwasser.
3. Verwende nie schwere Weine, sondern bevorzuge leichte Rhein- oder Moselweine, nimm als Ersatz alkoholfreie Traubensäfte.
4. Stelle alle Bowlen vor Gebrauch kalt, am besten in den Kühlschrank.
5. Mische das Mineralwasser stets erst kurz vor Gebrauch darunter. (Mineralwasser kann für besonders festliche Anlässe durch Schaumwein ersetzt werden.)
6. Schmecke die Bowle vor dem Auftragen ab. Zum „Abrunden“ des Aromas eignen sich Zitronensaft, Kirsch, Rum, Arrak, Curaçao oder Maraschino.
7. Lasse Punsch und Glühwein nur heiß werden, nie kochen.
8. Verwende zum Erhitzen von Wein nie beschädigte Emailtöpfe, weil sonst die Farbe notleidet.
9. Sei auch bei Punsch und Glühwein mäßig mit dem Zusatz von Zucker.

Grundmenge für Bowlen:

80–200 g Zucker, je nach Säuregehalt des Ansatzes, 1–2 Flaschen Wein oder Süßmost, nach Belieben 1 Gläschen Rum oder Kirschwasser, 1–2 Flaschen Mineralwasser.

Waldmeisterbowle

Zutaten: 1 Bündelchen Waldmeister (vor der Blüte gepflückt), Saft einer Apfelsine, 80 g Zucker, 1 Flasche leichter Rhein- oder Moselwein oder Süßmost, 1 Flasche Mineralwasser.
Zubereitung: Man legt die Waldmeister in eine Schüssel, gießt die Hälfte des Weines darüber, deckt sie zu und lässt sie 10 Minuten ziehen. Dann nimmt man sie heraus, gibt Zucker, Apfelsinensaft und den übrigen Wein hinein, stellt das Ganze kalt und gibt vor dem Auftragen das gleichfalls kaltgestellte Mineralwasser darunter. Die Bowle wird noch verbessert, wenn man in jedes Glas eine entkernte Apfelsinenscheibe legt.

Erdbeerbowle

Zutaten: 1 l Walderdbeeren, 200 g Zucker, 2 Flaschen leichter Moselwein, 1 Flasche Selterswasser oder Sekt.
Zubereitung: Die Beeren gibt man in eine Schüssel, zuckert sie ein, gibt 1/2 Flasche Wein daran und stellt sie einige Stunden in den Kühlschrank. Während dieser Zeit rührt man sie öfters um. Dann gibt man den Rest des Weines und kurz vor Gebrauch das Selterswasser oder Sekt darunter.

Pfirsichbowle

Zutaten: 12 schöne Pfirsiche, 150–200 g Zucker, 1 Gläschen Rum oder Kirschwasser, 2–3 Flaschen leichter Rhein-, Mosel- oder sonstiger Weißwein, 1–2 Flaschen Mineralwasser.
Zubereitung: Die Pfirsiche werden geschält, in kleine Stückchen geschnitten, eingezuckert und mit Rum beträufelt 3 Stunden kalt, am besten in den Kühlschrank gestellt. Dann gibt man den Wein dazu, stellt die Bowle noch 1 Stunde kalt und gibt vor Gebrauch das Mineralwasser dazu.

Eine feine Bowle

Ananasbowle

Zutaten: 1/2 Ananas, 150–200 g Zucker, Saft von 2 Zitronen, 2 Flaschen Weißwein oder Traubensaft, 1–2 Flaschen Mineralwasser oder Sekt.
Zubereitung: Die Ananas wird geschält, in kleine Würfelchen geschnitten, eingezuckert, mit Zitronensaft beträufelt, mit 1 Glas Wein übergossen, zugedeckt und einige Stunden kalt

gestellt. Dann wird der übrige Wein darüber gegossen, die Bowle noch 1 Stunde kalt gestellt und vor Gebrauch mit Mineralwasser oder Sekt gemischt.

Apfelsinenbowle

Zutaten: 4 Apfelsinen, 1 Zitrone, 2 Esslöffel Kirschwasser, 200 g Zucker, 2 Flaschen Weißwein oder Traubensaft, 1 Flasche Mineralwasser oder Sekt.
Zubereitung: Die Apfelsinen werden so dünn abgeschält, dass alles Weiße zurückbleibt und die Schalen in eine Schüssel gegeben. Nun werden die Apfelsinen auch von den weißen Schalenresten befreit, quer in dünne Scheiben geschnitten, entkernt, ebenfalls in die Schüssel gelegt, mit Zitronensaft und Kirschwasser beträufelt, eingezuckert und 3 Stunden kalt gestellt. Die Bowle wird wie Ananasbowle fertiggemacht, vor dem Auftragen aber die Apfelsinenschale herausgenommen. Nach Belieben kann man zwei in Scheiben geschnittene Bananen mit ansetzen, muss dann aber die Apfelsinenschalen dafür weglassen.

Feinster Silvesterpunsch

Zutaten: Saft von 2, Schale von 1 Apfelsine, Saft von 2, Schale von 1 Zitrone, 500 g Zucker, 1/4 l Arrak, 1 Flasche guter Rot- oder Weißwein, 1 1/2 l Wasser.
Zubereitung: Wasser, Zucker, die mit dem Reibeisen dünn abgeriebenen Apfelsinen- und Zitronenschalen werden zusammen aufgekocht, Wein und Arrak dazugegeben, bis zum Kochen erhitzt, weggenommen, mit dem Saft der Früchte vermischt und aufgetragen.

Teepunsch

Zutaten: 1 1/2 l schwarzer Tee, 500 g Zucker, 1/4 l Wasser, 1 l Weißwein, 1 l Rotwein, Saft einer Apfelsine, Saft einer Zitrone, 1/8 l Arrak oder Rum.
Zubereitung: 1 Esslöffel feinster, russischer Tee wird in einer vorgewärmten Porzellankanne mit frisch kochendem Wasser angebrüht und nach 3 Minuten – nicht später – abgegossen. Der Zucker wird mit dem Wasser gekocht und die Lösung abgeschäumt. Nun gibt man alle übrigen Zutaten zu der Zuckerlösung hinein, bringt alles zusammen *bis* zum Kochen, zieht das Gefäß vom Herd und trägt den Punsch sofort auf.

Russischer Eierpunsch

Zutaten: 4 Eigelb, 250 g feiner Zucker, 1/2 l süße Sahne, 1/8 l Arrak oder Rum.
Zubereitung: Alle Zutaten mit Ausnahme des Arraks werden verrührt und tüchtig schaumig geschlagen. Zuletzt wird der Arrak untergemischt und sofort serviert.

Holunderpunsch

Zutaten: 1l leichter, schwarzer Tee, 1 l Weißwein oder Apfelsaft, 1 l Holundersaft, Saft und Schale einer Zitrone, einige Gewürznelken, 1 Stück ganzer Zimt, Zucker nach Geschmack.
Zubereitung: Siehe Teepunsch.

Glühwein

Zutaten: 1 Flasche Rotwein, 100 g Zucker, 1/8 l Wasser, 1 Stück ganzer Zimt, 1 Gewürznelke, Saft 1/2 Zitrone, nach Belieben 1 Stückchen Zitronenschale.
Zubereitung: Wasser, Zucker und Gewürze lässt man gut durchkochen, gibt den Wein dazu, erhitzt ihn bis zum Kochen und seiht ihn ab.

Echter Hamburger Grog

Zutaten: 1 Flasche Portwein, 100 g Zucker, 1/4 l Arrak.
Zubereitung: Wein und Zucker bringt man zum Kochen, fügt den Arrak bei, erhitzt und verwendet ihn sofort.

SÜSSWEINE

Wer einen eigenen Beerengarten hat, kann bei reichen Ernten nicht nur Säfte, Gelee, Marmeladen und Liköre, sondern auch ausgezeichnete Dessert- oder Süßweine bereiten. Auch Wildfrüchte wie Heidelbeeren oder Hagebutten eignen sich in hervorragender Weise dazu.

Für die richtige Vorbereitung und Zubereitung der Weine gelten folgende **Regeln**:

1. Verwende zum „Gären von Beerenweinen nur tadellos gereinigte Gefäße. Bürste Glaskolben mit scharfem, heißem Sodawasser (10 l Wasser, 125 g Soda) aus und spüle mehrmals mit kaltem Wasser nach. –
2. Reinige alle zum Abpressen der Säfte notwendigen Geräte und stelle alles Notwendige bereit.
3. Vermeide es, die Säfte mit Eisen, Zink und Kupfer oder deren Legierungen in Berührung zu bringen, weil die Metalle durch die Obstsäuren angegriffen werden. Es entstehen dabei Stoffe, die gesundheitsschädlich sind und die das Aussehen und die Gärung der Säfte beeinflussen. Geräte aus Reinaluminium können verwendet werden.
4. Verwende nur saubere, nicht angefaulte Früchte.
5. Schließe die Gärgefäße womöglich mit einem Gärspunden (in Drogerien erhältlich) ab, da durch diesen wohl die aufsteigende Kohlensäure entweichen, nicht aber Außenluft und damit Bakterien eindringen können. Steht kein Gärspunden zur Verfügung, so muss das Gefäß ganz voll gemacht und mit einem Tuch oder Wattepfropfen abgeschlossen werden, damit alle Unreinigkeit, die während der stürmischen Gärung aufsteigt, mit diesen abgenommen werden kann. Die Flüssigkeit muss anfänglich nachgefüllt und Tuch und Watte stets gereinigt oder erneuert werden.
6. Sorge dafür, dass eine Gärtemperatur von etwa 19 °C bei der Hauptgärung eingehalten wird.
7. Ziehe den Wein nach beendeter Gärung nach zirka 2–3 Monaten ab, damit Wein und Hefe voneinander getrennt werden. Achte aber darauf, dass beim Abziehen das Schlauchende nicht in den Hefesatz hineinragt.

Johannisbeerwein I

Zutaten: 1 l Saft aus abgezupften, zerquetschten, durch ein Tuch abgepressten roten oder weißen Johannisbeeren, 2 l Wasser, 1 kg Zucker.
Zubereitung: Den Zucker löst man mit dem Wasser auf dem Feuer auf, lässt die Flüssigkeit auf 20 °C abkühlen, gibt sie mit dem Saft zusammen in einen Glaskolben und verschließt diesen mit einem Gärspunden. (Der Kolben sollte zu neun Zehntel voll sein.)
Man stellt ihn im Keller auf ein Holzgestell (nicht unmittelbar auf den Boden) und lässt ihn etwa 8 Wochen stehen. Wenn die Gärung vollständig aufgehört hat, wird der Wein auf Flaschen gezogen, leicht verkorkt, damit er noch etwas nachgären kann und hierauf fest verkorkt und versiegelt. Sollte sich je unten in der Flasche ein leichter Satz zeigen, muss er nochmals abgezogen werden. Lagerungszeit 2–3 Jahre. Die Güte des Weines nimmt bei längerer Lagerung zu. Besonders gut wird der Wein aus weißen Johannisbeeren.

Johannisbeerwein II

Zutaten: 1 l Saft aus abgezupften, abgepressten Johannisbeeren, 1 l Wasser, 1 kg Zucker.
Zubereitung: Die abgepressten Johannisbeeren werden mit dem Wasser übergossen, über Nacht stehen gelassen und nachgepresst. In dieser Flüssigkeit wird der Zucker auf dem Herd aufgelöst, auf 15–20 °C abgekühlt, mit dem Saft vermischt und wie Johannisbeerwein I fertiggemacht.

Wein aus schwarzen Johannisbeeren

Zutaten: 1 l Saft aus zerquetschten, schwarzen Johannisbeeren, 1 1/2 l Wasser, 750 g Zucker.
Zubereitung: Nachdem man die zerquetschten Beeren abgepresst hat, werden sie mit dem leicht angewärmten Wasser übergossen, gut durchgemischt und nach 24 Stunden ein zweites Mal abgepresst. In dieser Flüssigkeit wird der Zucker aufgelöst, mit dem Saft vermischt und, damit die Gärung rasch verläuft, Reinhefe und auf 10 l Flüssigkeit 2 g Chlorammonium zugesetzt. Nun wird alles zusammen in einen Glaskolben gebracht, mit einem Gärspunden verschlossen und in warmem Raum, also nicht im Keller, zum Vorgären gebracht. Nach etwa 6 Wochen wird der Wein in einen zweiten Kolben abgelassen, nach Geschmack nachgesüßt, zur Nachgärung mit dem sauber gereinigten Gärspunden gut verschlossen und nach völlig abgeschlossener Gärung auf Flaschen gezogen.
Lagerungszeit 3–4 Jahre.

Stachelbeerwein

Zutaten: 1 l Saft, 1 l Wasser, 1 kg Zucker.
Zubereitung: Die sehr gut ausgereiften Stachelbeeren werden von Stiel und Blüte befreit, zerquetscht und abgepresst. (10 kg Beeren geben 6–6 1/2 l Saft.) Die weitere Zubereitung siehe Johannisbeerwein II. Wichtig ist, dass der Raum, in dem der Wein vergoren wird, nicht unter 18 °C abkühlt.
Lagerungszeit 2–3 Jahre.

Heidelbeerwein

Zutaten: 1 l Heidelbeersaft, 1 1/2 l Wasser, 750 g Zucker.
Zubereitung: Die Mischung wird auf 20 °C erwärmt, in einen Glaskolben gegeben, mit Gärspunden verschlossen und in einen warmen Raum zum Vergären gestellt. Wenn die Gärung beendet und der Wein geklärt ist, zieht man ihn auf Flaschen, verkorkt und versiegelt diese und lässt den Wein 1–2 Jahre lagern.

Hagebuttenwein I

Zutaten: 1 kg Hagebutten, 1 1/2 l Wasser, 600 g Zucker.
Zubereitung: Die von Blüte und Stiel befreiten Hagebutten werden zerschnitten. Die Kernchen werden darin gelassen. Nun löst man den Zucker in dem lauwarmen Wasser auf, schüttet die Lösung an die vorgerichteten Hagebutten und lässt sie in einer Glasflasche an warmem Ort einige Wochen stehen. Nach dieser Zeit wird die Flüssigkeit abgegossen, der Rückstand ausgepresst, die Gesamtflüssigkeit wieder in die Flasche zurückgeschüttet und mit einem Gärspunden verschlossen 3–4 Monate in warmem Raum der Gärung überlassen. Wenn sich der Wein vollständig geklärt hat, zieht man ihn auf Flaschen.
Lagerungszeit 2–3 Jahre.

Hagebuttenwein II

Zutaten: 3 l Hagebutten, 4 l Wasser, 2 1/2 kg Zucker.
Zubereitung: Die wie oben vorgerichteten Hagebutten werden mit Wasser und Zucker in eine Glasflasche gefüllt (die aber nur dreiviertel voll sein darf) und in den ersten 8 Tagen fleißig geschüttelt oder durchgerührt. Dann verschließt man die Flasche mit einem Gärspunden und lässt sie 6 Monate lang in warmem Raum ruhig stehen. Dann zieht man den Wein auf eine andere große Glasflasche ab, verkorkt diese leicht und lässt den Wein im Keller etwa 6 Wochen nachgären. Dann zieht man ihn auf Flaschen, lässt diese, gut verkorkt und versiegelt, mindestens 1–2, besser 3 Jahre lagern. Er schmeckt ähnlich wie alter Madeira.

DAS TISCHDECKEN

Zur sorgfältig zubereiteten Mahlzeit gehört auch ein gut gedeckter Tisch und sauber angerichtete Speisen. Man isst bekanntlich nicht nur mit dem Mund, sondern auch mit den Augen. Auch der tägliche Familientisch soll ein sauberes und gepflegtes Aussehen haben. Dabei bedarf es keiner komplizierten Aufmachung, es soll jedoch auch nichts fehlen, was man zum Vorlegen und Essen der Speisen braucht. Außerdem soll das Esszimmer aufgeräumt, gut gelüftet und richtig temperiert sein, wenn es einem behaglich sein und einem das Essen schmecken soll. Alle Mühe der Hausfrau beim Zubereiten der Speisen ist umsonst, wenn die Mahlzeit in einem ungemütlichen Raum eingenommen werden muss und es während des Essens immer wieder an irgend einem Gegenstand fehlt.

Doppelt wichtig ist ein gutgedeckter Tisch, wenn man Gäste erwartet und ein festliches Essen mit mehreren Gängen gereicht werden soll. Man muss sich reichtzeitig überlegen, für wieviel Plätze gedeckt werden muss und ob die Tischfläche ausreicht. Man rechnet für eine Person 65–70 cm Tischlänge, wenn man bequem sitzen soll. Unter Umständen muss also der Esstisch ausgezogen oder kleinere Tische angerückt werden. Für eine kleinere Tafelrunde sind runde Tische besonders praktisch, weil man leichter als am großen Tisch einen noch hinzukommenden Gast unterbringen kann.

Ehe man an das eigentliche Decken geht, richtet man die **Tischwäsche** her.

Zum warmen Mittag- und Abendessen wird stets weiß gedeckt.

Das **Tischtuch** muss vor allem groß genug sein und soll an den Enden gleichmäßig 25–30 cm herunterhängen. Es wird gerade gelegt, mit dem mittleren Stoffbruch nach oben. Damit das Geschirr nicht „klappert", wird das Tischtuch auf eine Molton- oder Filzunterlage gelegt, die an der Tischplatte so befestigt ist, dass sie nicht rutschen kann. Die Servietten sollten möglichst aus gleichem Material wie das Tischtuch sein. Doch kann man bei einfacheren Gelegenheiten auch gute, geschmacklich einwandfreie Papierservietten verwenden. Hat man besonders schöne polierte Tischplatten, kann man auch Einzeldeckchen legen, zu denen es passende Serviettchen gibt.

Für den **Kaffee-** und **Teetisch** kann man neben weißen auch zartgemusterte Leinendecken verwenden, doch nur dann, wenn sie das Dekor des Geschirrs nicht stören.

Auf die weiße Kaffeedecke legt man eine Mitteldecke, die bunt gemustert oder handgearbeitet sein kann. Dazu legt man kleine Stoff- oder Papierservietten auf. Der Teetisch wird weiß oder mindestens einfarbig gedeckt.

Man verwendet heute häufig zart pastellfarbene Tischdecken mit gleich farbigen kleinen Servietten. Auf jeden Fall muss alle Tischwäsche tadellos glatt gebügelt sein und darf keine Knitterstellen haben. Muss man bei langen Tafeln mehrere Tischtücher verwenden, sollen die Kniffkanten genau aufeinanderliegen. Notfalls muss man zu lange Tücher etwas einschlagen. Durch einen in der Mitte der Tafel aufgelegten Läufer kann man das „zusammengesetzte" Tischtuch unauffällig verbergen. Auf den täglichen Familientisch, bei dem nicht serviert wird, legt man zum Abstellen der heißen Schüsseln und Platten stets kleine Untersetzer oder Läufer aus Bast, Stroh, Holz, Porzellan usw. Bei der festlichen Tafel, an der serviert wird, schmückt man den Tisch in der Mitte mit Blumen. Man wählt niedrige Vasen und Schalen mit den dazu passenden Blüten oder Ranken, die den sich gegenübersitzenden Gästen die Aussicht nicht versperren. Bei sehr langen Festtafeln können ein oder zwei größere Gebinde stehen, doch sollen auch sie nur so hoch sein, dass man ungestört eine Unterhaltung über den Tisch führen kann. Legt man zwischen die kleinen Blumenvasen noch Ranken so wählt man solche, die sich flach legen lassen und nicht zu rasch welken. Man kann statt dessen auch zartfarbene Seidenbänder legen, die man durch Blätter oder kleine Zweige festhalten und beleben kann.

Zur festlichen Tafel muss man dem Geschirr, dem Besteck, den Gläsern und sonstigem Zubehör besondere Aufmerksamkeit schenken. In erster Linie soll das Geschirr zusammenpassen, weshalb man bei der Anschaffung solche Markenwaren bevorzugen sollte, bei denen man jedes einzelne Stück nachkaufen und seinen Bestand immer wieder ergänzen oder erweitern kann. Man braucht tiefe Teller oder Tassen für die Suppe, flache Teller für Fisch-, Fleisch-, Gemüse- und Mehlspeisen, flache kleine Teller für Abfälle, tiefe kleine Schüsselchen für grünen Salat und Kompott, flache Kristallteller für die Nachspeise, dazu das Anrichtegeschirr: die mit Deckel versehene Suppen- und Gemüseschüssel, ovale Platten für Fisch- und Fleischgerichte, runde Platten für Klöße, sowie Soßenschüsseln. Dazu kommen **Gläser für die verschiedenen Weine**. An Gläsern sollte man sich anschaffen: mittelhohe schlanke Gläser für Weißweine, breitere, niedrige für Rotweine, kleine für Süß- oder Dessertweine, kleine Likörgläser oder -schalen, schlanke hohe Gläser für Sekt. Ebenfalls hohe, aber breitere Bechergläser braucht man für Bier, niedrigere Becher für Wasser oder Fruchtsaft.

Sowohl beim Geschirr als bei den Gläsern sollte man in erster Linie Wert auf schönes Material und edle schlichte Formen legen. Sie kommen am wenigsten aus der Mode und auch die kommende Generation hat noch Freude dran. Kann man der hohen Preise wegen die Gläser nicht für alle Zwecke auf einmal anschaffen, so beginnt man zunächst mit einem Grundstock.

Das für die Gläser Gesagte gilt auch für das **Besteck**. Je einfacher, schlichter und edler es ist, um so länger behält es seinen Wert. Man braucht, um für den Ess-, Kaffee- und Teetisch ausgestattet zu sein, mindestens folgende Stücke: das mittelgroße Essbesteck, oder, wenn man es sich leisten kann, das große Essbesteck und das Dessertbesteck, Esslöffel, Kaffeelöffel, Kuchengabeln, dazu das notwendige Vorlegbesteck: Suppenvorleger, Gemüselöffel, Salatbesteck, Soßenlöffel, Vorleg- oder Fleischgabel. Bei größeren Ansprüchen wird dieser Grundstock noch ergänzt durch das Fischbesteck, den Dessertlöffel, Obstmesser, den Tee- und Mokkalöffel, den Limonade- und den Eierlöffel sowie das Butter- und Käsemesser. An zusätzlichen Tischgeräten braucht man noch Salzstreuer, Gefäße für Senf, Suppengewürze u. a. Für den Kaffeetisch die Zuckerdose mit Zange, das Marmelade- oder Honigglas, ein kleines Tablett für Sahne- und Zuckerschale, eine Gebäckzange, ein Kuchenheber, ferner Schälchen für Zitrone und kleine Aschenbecher.

Ehe man an das eigentliche Tischdecken geht, muss sämtliches Geschirr und Besteck nochmals nachgerieben werden. Nichts ist unappetitlicher als Fingerabdrücke an Tellern und Gläsern. Man nimmt deshalb zum Abreiben zwei Tücher, davon eines zum Halten des Gegenstands. Selten benutztes Besteck, auch echtes Silber, läuft durch die Einwirkung der Luft an und muss deshalb mit einem Silberputztuch tüchtig nachgerieben und nochmals heiß gespült werden, das täglich benutzte Besteck wird ebenfalls nocheinmal tüchtig poliert.

Das Decken der festlichen Tafel

Zunächst werden große flache Teller in gleichmäßigen Abständen so aufgestellt, dass der Tellerrand nicht über die Tischkante hinausragt, sondern bündig damit abschließt. Dann legt man die Gabel links, die Zinken nach oben, das Messer rechts mit der Schneide dem Teller zugekehrt, daneben den Esslöffel mit der hohlen Seite nach oben. Den Esslöffel kann man auch oben über den Teller legen mit dem Stiel nach rechts. Das Dessertlöffelchen liegt stets oben. Gibt man zum Fleisch- auch einen Fischgang, so legt man das Fischbesteck – oder, falls dies fehlt – je eine Gabel nach rechts und links des Essbestecks auf. Man legt zuerst die Bestecke immer in der Reihenfolge auf, wie sie gebraucht werden, also das zuerst zu gebrauchende ganz nach außen. Gibt man eine kalte Vorspeise, legt man auf den flachen Teller einen Dessertteller und legt darauf ein kleines Besteck, Messer und Gabel nebeneinander.

Schönes Kaffeegeschirr, Zwiebelmuster

Die Serviette, die man im Gegensatz zu früher möglichst einfach legt, gibt man auf oder links neben den Teller. Links oben werden das Salat- und Kompottschälchen, rechts oben die Gläser aufgestellt, und zwar so, dass sie in schräger Richtung zum Teller stehen: 1 Rotwein-, 1 Weißwein-, 1 Dessertweinglas.

Das Vorlegbesteck legt man, wenn nicht serviert wird, vor den Platz der Hausfrau, bei Platzmangel auf ein kleines Tischchen daneben.

Zu besonderen Anlässen schmückt man den Festtisch noch zusätzlich mit weißen Kerzen in silbernen Leuchtern oder besonderen Festsymbolen und verteilt Tischkarten für die einzelnen Gäste. Besonders hübsch wirken sie, wenn sie von jemandem aus der Familie zeichnerisch oder sonstwie persönlich gestaltet werden. Man legt die Tischkarten entweder auf die gefaltete Serviette oder man stellt sie „selbstständig“ durch eine geschickte Knickung der Karte oben vor den Teller, oder man stellt sie am Glas auf. Ehrengäste setzt man rechts des Hausherrn und der Hausfrau und verteilt die übrigen Gäste nach dem Gesetz der bunten Reihe. Für Kinder deckt man in einiger Entfernung der Haupttafel einen eigenen Tisch, der den entsprechenden kindlichen Tischschmuck erhält.

Die Reihenfolge der Speisen und Getränke

Das Essen für den Familientisch besteht aus einer kleinen rohen Vorspeise, z. B. einem kleinen Salatteller. 1 Glas Fruchtmilch oder etwas Obst. Statt dessen kann man auch Suppe geben. Darauf folgt ein Fleisch- oder Fischgericht mit Gemüse und Kartoffeln und etwas Obst oder eine einfache Süßspeise. In der vegetarischen Küche gibt man an Stelle von Fleisch und Fisch z. B. Reis-, Kartoffel- oder Mehlspeisen zu Gemüse, Salat oder Kompott.

Das festliche Essen wird durch eine Vorspeise erweitert, die kalte Vorspeise vor, die heiße nach der Suppe. Der Nachtisch besteht aus einer feinen Süßspeise oder Kompott. Danach reicht man Käse und zum Schluss gibt man Kaffee oder Mokka. Zum Essen selbst gibt man Wein, der richtig temperiert sein muss, wenn er sein volles Aroma hergeben soll. Wein muss der Sorte entsprechend gekühlt sein, und zwar *Weißwein* zwischen 6 und 12°C. Man nimmt ihn erst kurz vor Gebrauch aus dem Kühlschrank. *Rotwein* soll dagegen etwas temperiert sein. Man stellt die Flaschen etwa 2 Stunden vor Gebrauch ins warme Zimmer. Die Temperaturen für die verschiedenen Rotweinsorten schwanken zwischen 12 und 18°C. Rotweinflaschen öffnet man einige Zeit vor Gebrauch, damit der Wein seine volle Blume entfaltet. Weißweine werden erst unmittelbar vor Gebrauch entkorkt und die Flaschen mit Zierkorken versehen. Angebrochene Weißweine sollten nicht länger als 2 Tage, Rotweine können etwa 5 Tage stehen. Süßweine, wie z. B. Wermut, sind längere Zeit haltbar. – Originalflaschen, die außen tadellos sauber sein müssen, stellt man auf den Tisch. Bei sehr alten Weinen wird die Flasche nur abgewischt, damit man schon äußerlich das Alter und die Qualität des Weines erkennen kann. Dessert- oder Süßweine müssen auch kaltgestellt werden, wenn man den vollen Genuss davon haben will. Die beste Temperatur liegt hier bei etwa 6°C. Weißwein serviert man nach der Suppe zum Fisch, Rotwein zum Hauptgericht, Süßwein nach Tisch.

Der Kaffee- und Teetisch

wird nach den gleichen Gesichtspunkten gedeckt. Man legt eine ausgewählt schöne Kaffeedecke mit womöglich handgearbeiteter Mitteldecke oder Läufer auf. An jeden Platz stellt man zunächst den Dessert- oder Kuchenteller, daneben rechts oben die Tasse mit dem Henkel nach rechts, darunter die Untertasse mit dem Löffel, ebenfalls nach rechts. Die Kuchengabel oder das kleine Messer legt man auf den Kuchenteller mit dem Griff nach rechts, die Serviette links des Tellers. Diese wird, wie auch bei der Festtafel, nur ganz einfach gefaltet. Das Sahnekännchen und die Zuckerschale mit Löffelchen oder Zange stellt man am besten auf einem kleinen Tablett auf, das man bequem beim Gebrauch weiterreichen kann, ohne Tropfen auf der Kaffeedecke zu riskieren. Die Schale für Schlagsahne kann man ebenfalls gleich einstellen, dazu kommt der passende Löffel. Das Gebäck setzt man auf den dafür geeigneten Platten oder Schalen oder Körbchen in die Mitte des Tisches, falls wenig Platz vorhanden, auf ein kleines Tischchen oder den Teewagen daneben, da ja auf dem festlichen Kaffeetisch noch Raum für Blumen freibleiben soll. Auch hier gilt das für die große Festtafel Gesagte. Man wählt niedrige Schalen mit den dazu passenden Blumen oder Ranken, die den Tisch schmücken, aber nicht überlasten sollen. Wird ein runder Tisch nur für 2–3 Personen gedeckt, kann der Blumenschmuck etwas höher sein und seitlich gestellt werden. Hier entscheidet der gute Geschmack. Bringt ein Gast Blumen mit (die er ohne das umhüllende Papier überreicht), so stellt man diese auf den Tisch, oder, wenn sie zu groß sein sollten, in die

Schlichtes modernes Kaffeegeschirr

Nähe des Kaffeetisches, so dass man trotzdem den Genuss davon hat und der Gast sieht, dass man seine Gabe ehrt.

Deckt man einen Kaffee- oder Teetisch zum Frühstück, so legt man neben den Teller ein kleines Besteck, Messer rechts, Gabel links, oben rechts die Tasse mit Untertasse und Löffel. Gibt man weiche Eier, stellt man den Eierbecher mit Löffelchen (das möglichst aus Chromargan sein sollte, weil dieses nicht anläuft), auf einem kleinen Tellerchen auf den Dessert-

Teegeschirr

teller, damit man die leeren Eischalen samt Becher leicht beiseiteschieben kann. Auf den Frühstückstisch gehören neben der Butterdose mit Messer, das Marmelade- oder Honigschälchen, Salzstreuer und, wenn Tee gereicht wird, ein Tellerchen oder Schälchen mit Zitronenscheiben. Zuckerschale und Sahnekännchen stellt man wie beim Kaffeetisch auf einem kleinen Tablett auf den Tisch. Die Kaffee- oder Teekanne stellt man auf einen Untersetzer und bedeckt sie mit einem hübschen Kaffeewärmer, so dass sich jeder einzelne selbst mit dem heißen Getränk bedienen kann.

Der Abendtisch wird, wenn man warmes Essen gibt, wie der Mittagstisch gedeckt. Zum kalten Abendessen stellt man neben die Teller oben rechts die für die Getränke notwendigen Dinge: Bier- oder Weingläser oder Tassen für den Tee. Da man zum kalten Abendbrot vor allem kalte Platten und Käseplatten reicht, stellt man auf dem Tisch verschiedene Brotsorten auf Holzschalen oder in Körbchen auf, und zwar Schwarzbrotscheiben, Knäckebrot, helle Brötchen, Vollkornschnitten, Pumpernickel, Brezeln, die Butter in Form von Röllchen, kleineren Kugeln oder auch in Stücken auf kleinen Kristalltellern mit Gäbelchen oder, falls man große Stücke gibt, mit Buttermesser. Die verschiedensten Salate, z.B. grüne Salate, Gemüse-, Fleisch-, Reis- und andere Salate werden in kleinen Schalen in die Mitte des Tisches gestellt und von den Gästen selbst weitergereicht. Platten und Getränke werden angeboten.

Wesentlich für den Erfolg eines einfachen und eines festlichen Essens ist, dass alle Speisen hübsch angerichtet und warme Speisen in gut vorgewärmtem Anrichtegeschirr auf heißen Tellern gereicht werden. Die Schüsseln und Platten sollen nicht überladen, aber einfach und geschmackvoll verziert werden. Wer bei Tisch serviert, muss einfach aber sauber gekleidet sein. Am besten zieht man eine weiße Schürze an und sorgt dafür, dass die Frisur ordentlich sitzt und Hände und Nägel rein sind. Zum Schutz der Hände nimmt man, zum Servieren

Ein schlichtes und doch vornehmes Speisegeschirr mit Gläsern

heißer Platten und Schüsseln ein frisches Gläsertuch oder eine Serviette. Damit kann man die angerichteten Platten und Schüsseln von unten her halten, die Daumen sollen vom Rand wegbleiben.

Beim Familientisch verteilt die Hausfrau die Suppe ohne fremde Hilfe. Die vorgewärmten Suppenteller stellt man stoßweise vor den Platz der Hausfrau, die die Suppe schöpft und die Teller weitergibt. Wird serviert, stellt man die Teller ebenfalls stoßweise auf einen Seitentisch. Man füllt die Teller bis zum unteren Rand und stellt die gefüllten Teller von rechts her ein. Wird die Suppe in Tassen aufgetragen, gießt man diese in Richtung auf die Tisch-

Die festlich gedeckte Mittagstafel

mitte ein, wobei man sie möglichst tief zum Teller hält, damit man beim Eingießen den Gast, den Tellerrand und das Tischtuch nicht verspritzt. Dies gilt namentlich beim Servieren von Suppen mit Klößchen- oder sonstiger Einlage.

Beim Bedienen von Gästen beginnt man stets mit dem besonders zu ehrenden Gast, wobei die Dame stets den Vorrang vor dem Herrn hat. Zuletzt kommt der Hausherr und die Hausfrau an die Reihe. Nach der Suppe werden die Teller von rechts abgenommen, und zwar auf folgende Weise: Man stellt den ersten Teller mit dem Löffel auf die nach oben gerichtete linke Hand und stellt die übrigen Teller nach und nach auf den linken Unterarm, wobei man jedesmal den Löffel auf den ersten Teller legt. Es ist gut, nicht zuviele Teller auf einmal abzutragen, damit kein Missgeschick passiert.

Nun wird das Hauptgericht serviert, und zwar ebenfalls wie alle anzubietenden Speisen von links. Nur so kann sich der Gast bequem mit den Speisen versorgen. Abgenommen werden die Teller stets von rechts. Ebenfalls von rechts werden Teller oder Tassen eingestellt und abgetragen, Getränke eingeschenkt, Gläser gewechselt. Beim Anbieten von Platten hält man diese möglichst tief und nahe am Tellerrand, damit der Gast bequem von der Platte nehmen kann, ohne ein Missgeschick befürchten zu müssen. Beilagen werden ebenso angeboten, doch stellt man sie der Einfachheit halber vorher ein, damit sich die Gäste nach dem Anbieten des Fleischganges selber weiterbedienen und die Beilagen weiterreichen können.

Wird ein zweitesmal angeboten, muss die Platte wieder aufgefüllt werden und tadellos aussehen, sonst verzichtet man lieber auf das zweite „Angebot". Die Gäste beim Anbieten zu nötigen, sollte man stets unterlassen. Beim Abnehmen der Teller nach dem Fleisch- und Fischgang stellt man wie beim Abnehmen der Suppenteller den ersten Teller auf die flache linke Hand, die übrigen auf den linken Unterarm, wobei man beim Ablegen der Bestecke auf dem ersten Teller stets die Messerrücken unter die Gabeln schiebt, weil die schwereren

Trinkglasgarnitur zum Mittagessen

Messer sonst leicht abrutschen und Unheil anrichten können. Wer sich diese Art des Abtragens nicht recht zutraut, kann auch ein Tablett verwenden, auf dem Teller und Bestecke sicher ruhen. **Vor** dem Abnehmen der Teller werden jedoch stets Schüsseln und Platten, die noch auf dem Tisch stehen, abgetragen. Vor dem Einstellen der Teller für die Nachspeise sollte der Tisch wieder ganz abgeräumt, Salzstreuer und sonstiges Kleingerät weggenommen werden.

Der zu den einzelnen Gängen gehörige **Wein** wird stets von rechts eingeschenkt. Man hält die Flasche beim Einschenken mit einer Serviette am Flaschenbauch, doch so, dass das

Etikett sichtbar bleibt, und schenkt das Glas so ein, dass der Wein nicht spritzen kann. Damit keine Tropfen auf das Tischtuch fallen, dreht man, wenn das Glas noch nicht ganz voll ist, die Flasche ein wenig zur Seite. Nachschenken darf man erst, wenn das Glas leer ist, nie vorher! Wenn man den Wein selbst einschenkt, gießt man immer zuerst eine kleine Probe in das eigene Glas, falls je noch kleine Korkreste am Flaschenhals kleben. Erst dann schenkt der Hausherr seinen Gästen, zuletzt sich selbst ein. – (Bier schenkt man in das schräggehaltene Glas, das zu diesem Zweck vom Tisch weggenommen wird.)
Der nach Abschluss des Essens zu servierende Kaffee wird, wenn möglich, in einem angrenzenden Zimmer und an kleinen Tischen eingenommen. Die Mokkatässchen werden entweder bereits gefüllt von rechts eingestellt oder man schenkt die Tassen von rechts her ein. Mit Sahne und Zucker bedienen sich die Gäste selbst.
Im übrigen gibt man **zum Kaffee** stets süßes Gebäck, **zum Tee** zuerst etwas Gesalzenes, z. B. belegte Brötchen, Salzstangen, Käsegebäck, erst zuletzt noch etwas Süßes, z. B. mürbes Kleingebäck, Makronen oder Konfekt.

DAS BENEHMEN BEI TISCH

„Früh gewohnt, ist alt getan!"
Man sollte schon bei den täglichen Mahlzeiten die Kinder an ein gutes Benehmen gewöhnen. Es gibt ihnen die notwendige selbstverständliche Sicherheit, wenn sie sich später im fremden Kreis oder in Gesellschaft ohne Scheu bewegen sollen.
Die Tischsitten sind zwar in den einzelnen Kulturländern verschieden, in Deutschland gelten jedoch folgende **Regeln**:

1. Bei Einladungen nimmt man erst Platz, wenn die Hausfrau das Zeichen dafür gibt oder das Tischgebet gesprochen hat.
2. Man beginnt mit dem Essen erst dann, wenn für alle ausgeschöpft ist.
3. Bei uns ist es üblich, die linke Hand auf den Tisch zu legen, auch dann, wenn zum Essen nur die rechte Hand zum Halten von Löffel und Gabel benötigt wird.
4. Suppe in Tassen wird zunächst mit dem Löffel gegessen, wobei man die Suppe weder blasen, noch hörbar schlürfen darf. Der Rest wird getrunken.
5. Zur Suppe gereichte Brötchen werden nicht abgebissen, sondern abgebrochen.
6. Wird nach der Suppe der erste Gang oder das Hauptgericht angeboten, so lädt man den Teller nicht zu voll. Lieber nimmt man beim zweiten Anbieten noch etwas nach.
7. Erst wenn alle Gäste am Tisch versorgt sind, beginnt man auf ein Zeichen der Hausfrau mit dem Essen.
8. Speisen, die nicht geschnitten zu werden brauchen wie Kartoffeln, Mehlspeisen, Klöße usw. werden mit der Gabel zerteilt, nicht geschnitten, auch Vorspeisen isst man meist mit der Gabel. Ausnahmen sind getoastete Brote.
9. Dass man das Messer nicht zum Mund führt oder beim Essen die Ellbogen aufstützt, dürfte selbstverständlich sein.
10. Kleine Abfälle wie Gräten, Knochensplitterchen, Obstkerne lässt man diskret auf Gabel oder Löffel gleiten und legt sie an den Tellerrand oder in dafür bestimmte Schälchen.
11. Man spricht und trinkt nicht mit vollem Mund. Man führt das Glas erst zum Mund, wenn man ihn mit der Serviette zuvor abgewischt hat. Fettspuren am Glas sind zu vermeiden. Wird angestoßen, so hält man das Glas am Stiel, damit es klingen kann. Dabei neigt sich der Gastgeber beim ersten Trunk dem Gast leicht zu, nimmt einen Schluck, nickt ihm nochmals mit einer kleinen Bewegung des Glases zu und stellt es dann wieder auf den Tisch zurück.

12. Nach dem Essen darf man sich erst erheben, wenn dies auch die Hausfrau tut. Sie erteilt auch die Erlaubnis zum Rauchen.
Ehe man sich vom Essen erhebt, faltet man die Serviette zusammen und legt sie links neben den Teller. Beim Verlassen des Tisches schiebt man den Stuhl wieder unter den Tisch.

VORSCHLÄGE FÜR SPEISEFOLGEN

Vorschläge für die einfache bürgerliche Küche

1. Nudelsuppe; Siedfleisch, Bratkartoffeln, Meerrettichsoße, Preiselbeeren.
2. Gemüsesuppe; Nudelauflauf mit Schinkenwursteinlagen, Kopfsalat; – Apfelkompott.
3. Selleriesuppe; Schweinebraten, gelbe Rüben und grüne Erbsen, Salzkartoffeln, grüner Salat; – frisches Obst.

Modernes Gedeck

4. Tomatensuppe; Sauerbraten, Ulmer Klöße, Kopfsalat; – Kompott.
5. Grießklößchensuppe; Schweinerücken, Rotkohl, Kartoffelbrei, Blattsalat; – Äpfel.
6. Reissuppe; Fleischküchle, Kartoffelsalat, frische Salate; – Beeren.
7. Blumenkohlsuppe; Gulasch, Reisring, Blattsalat; – Apfelsinen.
8. Schwarzwälder Suppe; Pfitzauf, gekochtes Mischobst.
9. Einlaufsuppe; gebackene Fischfilets, Remouladensoße, Kartoffelsalat; – Birnen.

Neuzeitliche Bestecke

10. Kräutersuppe; gefüllte Flädle, Blumenkohl, Kopfsalat; – Kompott.
11. Maultaschen in der Brühe und geschmälzt zu grünem Salat; – frisches Obst.
12. Petersiliensuppe; gebratene Leberschnitten, Kartoffelbrei, Tomatensalat; – Kompott.
13. Lauchsuppe; Hammelbraten, Bohnen, Schwenkkartoffeln; – Vanilleäpfel.
14. Gebrannte Grießsuppe; Sauerkraut mit Schweinehals, Kartoffelklöße; – Obst.
15. Dicke Gemüsesuppe; Reisauflauf, Aprikosenkompott.
16. Eiergerstensuppe; Rindsrollen, Rosenkohl, Salzkartoffeln; – Obst.
17. Braune Mehlsuppe; gefüllte Paprikaschoten, Tomatensoße, Blattsalat; – Früchte.
18. Schwammklößchensuppe; Kalbsbraten, Spargel, Buttersoße, junge Kartoffeln; – Obst.
19. Grünkernsuppe; Leberspätzle, Wirsingsalat, Tomatensalat; – Kompott.
20. Tomatenreissuppe; eingemachtes Kalbfleisch, Spätzle, Kopfsalat; – Fruchtsalat.

Mittagessen „für festliche Gelegenheiten“

1. Klare Brühe mit Eierstich – Ragout fin – Schlachtbraten, Gemüseplatte, Kartoffelbällchen – Zitronenspeise – Mokka, Konfekt.
2. Tomatensuppe – Hohlpastete, grüner Salat – Kalbsschnitzel, Spargel mit zerlassener Butter, junge Kartöffelchen – Russische Creme – Mokka, Konfekt.
3. Reissalat in Tomaten – Klare Brühe mit Käsestangen – Schleie blau, zerlassene Butter, Salzkartoffeln – Schweinefilet, junge Gemüse, Pommes frites – überbackene Weincreme – Mokka, Konfekt.
4. Pilzsuppe – Brieschenpastetchen – Nelson-Schnitzel, Salatplatte – Himbeerbombe mit Wäffelchen – Mokka, Konfekt.
5. Rohkostsalate – Klare Brühe mit Schwammklößchen – Kalbsnierenbraten, Blumenkohl, Holländische Soße, Kartöffelchen – Haselnusscreme – Mokka, Konfekt.
6. Ochsenschwanzsuppe – Forellen blau mit zerlassener Butter, Kartöffelchen – Rehrücken mit Spätzle, grüner Salat – Diplomatencreme – Mokka, Konfekt.
7. Russischer Salat – Spargelsuppe – Zunge, gedünsteter Reis, Senfsoße, grüner Salat – Aprikoseneis, Vanillestangen – Mokka, Konfekt.
8. Klare Brühe mit Fleischklößchen – junge Gans mit Kastanien gefüllt, Rotkohl, Salzkartoffeln – Schokoladecreme – Mokka, Konfekt.
9. Markklößchensuppe – gedünsteter Schellfisch mit zerlassener Butter, Kartöffelchen – Roastbeef mit jungen Gemüsen, Pommes frites – gefüllte Apfelsinen – Mokka, Konfekt.
10. Schinkenkrapfen – klare Hühnerbrühe mit buntem Eierstich – Hühnerfrikassee im Reisrand – Englische Beefsteaks mit grünen Erbsen, Salatteller – Erdbeerspeise – Mokka, Konfekt.

Vorschläge für fleischlose Mahlzeiten

Bei der Zusammenstellung von Mahlzeiten ist besonders darauf zu achten, dass der Eiweißgehalt genügend hoch bleibt. Er sollte etwa die Hälfte des Tagesbedarfs enthalten, also je Person etwa 30–35 g. Der Fett- und Kohlenhydratbedarf ist leicht zu decken. Ist der Eiweißgehalt des Mittagessens zu knapp, muss er bei den Zwischenmahlzeiten oder beim Abendessen ergänzt werden.

1. Gemüsesuppe; Kartoffelklöße, Tomatensoße, Kopfsalat; – Reisauflauf, Kompott.
2. Rohkostsalate mit Mayonnaise, Knäckebrot; – Karotten, grüne Erbsen, Niedernauer Kartoffeln; – Sauermilchspeise.
3. Milchmischgetränk; Spinat, Spiegeleier, Salzkartoffeln; – Kompott, Keks.
4. Salatteller; verlorene Eier in Tomatensoße, Salzkartoffeln; – Tutti frutti.
5. Selleriesuppe; Tomatenspaghetti, Kopfsalat; – gefüllte Äpfel, Vanillesoße.
6. Sauermilchkaltschale; Selleriegemüse, Kartoffelküchle; Blattsalat; – Karamellcreme.
7. Rohkostsalate mit Mayonnaise und Nüssen; Grünkernküchle, Kopfsalat; – Schokoladecreme mit Schlagsahne, Keks.
8. Rohe Früchte; Bohnengemüse, Spätzle; – Haselnusscreme, Wäffelchen.
9. Milchmischgetränk; gedünsteter Reis, Edelchampignons; – Zitronenspeise.
10. Frische Früchte mit Nüssen, gefüllte Eier, Kopfsalat; – Grießschnitten, Kompott.
11. Salatteller mit Blattsalaten; Spinat, Kartoffelpuffer; – Quarkauflauf, Apfelkompott.
12. Bircher Müesli; Serviettenkloß, Tomatensoße, Kopfsalat; – Quarkspeise mit Früchten.
13. Äpfel, Nüsse; Blumenkohl mit holländischer Soße, Kartoffelwürstchen; – Haselnusscreme
14. Salatteller mit Mayonnaise; Linsen, Spätzle; – frisches Obst.
15. Früchtekaltschale; überbackene Käseschnitten, Kopfsalat; – Mokkacreme.

ESS- UND VORLEGEBESTECK

1 2 3 4 5 6 7 8 9 10 11

12 13 14 15 16 17 18 19 20 21

1 Tafellöffel
2 Tafelgabel
3 Tafelmesser
4 Dessertlöffel
5 Dessertgabel
6 Dessertmesser
7 Teelöffel
8 Mokkalöffel
9 Kuchengabel
10 Fischessgabel
11 Fischessmesser
12 Obstgabel
13 Obstmesser
14 Bouillonlöffel
15 Eislöffel
16 Beilagelöffel
17 Beilagegabel
18 Buttermesser
19 Käsemesser
20 Fischvorlegegabel
21 Fischvorlegemesser

22 23 24 25 26 27 28 29 30 31

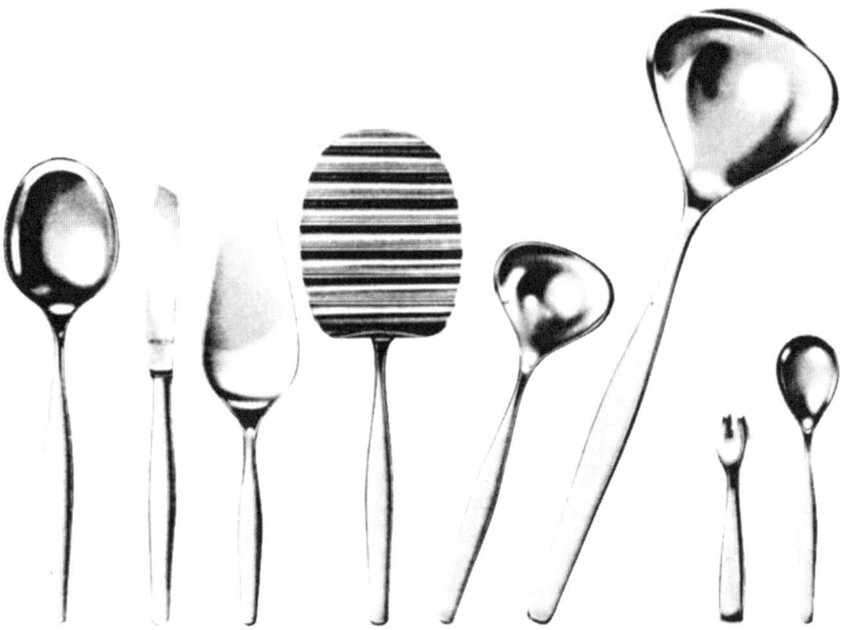

32 33 34 35 36 37 38 39

22 Fleischgabel, groß
23 Fleischgabel, klein
24 Gemüselöffel
25 Kompottlöffel
26 Kuchenmesser
27 Pastetenheber
28 Rahmlöffel
29 Salatlöffel
30 Salatgabel
31 Sardinenheber
32 Kartoffellöffel
33 Tomatenmesser
34 Tortenspaten
35 Spargelheber
36 Saucenlöffel
37 Vorleger
38 Zuckerzange
39 Zuckerlöffel B

ABENDESSEN

Vorschläge für kaltes Abendbrot bei kleinen Einladungen

Zum Abendbrot bei kleinen Einladungen reicht man am besten schöne Aufschnitt- oder Käseplatten mit verschiedenen Brotsorten, Butterkügelchen, kleinen Essiggurken, verschiedene delikate Salate, gefüllte Tomaten und Bier oder Tee. Später bietet man Käsegebäck oder sonstiges Salzgebäck mit Wein an. Bei vegetarisch eingestellten Gästen kann man auch mit Quark oder feinen Gemüsesalaten gefüllte Tomaten und Reissalat geben. Immer eignen sich:

Belegte Brötchen

Man verwendet dazu verschiedene Brotsorten, am besten Kastenbrot, rundes, sogenanntes Sardellenbrot, weißes Toastbrot, Pumpernickel, Rheinisches Schwarzbrot u. a. Als Belag: verschiedene feine Wurst, in dünne Scheiben geschnittenen kalten Braten, Zunge, Lachsschinken, gekochten Schinken, Scheiben aus hartgekochten Eiern, verschiedenen Käsesorten, Lachs, Sardellen, Räucherfischfilets; ferner Pumpernickelbrötchen, in Fächer geschnittene kleine Essiggurken, Radieschen, Tomaten, Freiburger Brezelchen; schaumig gerührte Butter zum Bestreichen der Brote. Man rechnet für 1 Person 6 belegte Brötchen.
Zubereitung: Die Brote werden in gleichmäßig dünne Scheiben geschnitten, mit Butter bestrichen, schön belegt und möglichst bunt auf flachen Platten angerichtet. Bei

Pumpernickelbrötchen

rechnet man auf 1 Päckchen Pumpernickel 125 g Butter, 65 g in Scheiben geschnittenen Chester oder Edamer Käse. Man bestreicht die Pumpernickelscheiben dick mit schaumig gerührter Butter, legt je 1 Scheibe Käse darauf, schichtet die Brote übereinander, beschwert sie und stellt sie einige Stunden kalt. Dann schneidet man sie mit einem scharfen Messer in Würfel oder Dreiecke.

Verschiedene Butter

Zu belegten Brötchen:
Man rührt für die verschieden abgeschmeckten Butterarten stets die Butter gut schaumig, damit sie sich leichter streichen lässt und gleichmäßig dick aufgetragen werden kann.

Senfbutter

Zutaten: 125 g Butter, 2 gekochte Eidotter, 1 Kaffeelöffel Senf, Salz, Zitronensaft.
Zubereitung: Die durch ein Sieb gestrichenen Eidotter werden mit der schaumig gerührten Butter vermengt und mit den übrigen Zutaten pikant abgeschmeckt.

Meerrettichbutter

Zutaten: 125 g Butter, 2–3 Esslöffel feingeriebener Meerrettich, etwas Salz.
Zubereitung: Man rührt den Meerrettich unter die schaumig gerührte Butter, schmeckt ab und streicht die Masse durch ein feines Sieb, damit die faserigen Bestandteile zurückbleiben.

Tomatenbutter

Zutaten: 125 g Butter, 2 Esslöffel Tomatenketchup oder Tomatenmark, 1 Prise Pfeffer, Salz, 2 durch ein Sieb gedrückte gekochte Eigelb.
Zubereitung: Mit der schaumig gerührten Butter vermengt man nach und nach die übrigen Zutaten und schmeckt die Masse pikant ab.

Mit Quark gefüllte Tomaten

Sardellenbutter

Zutaten: 125 g Butter, 125 g Sardellen (oder Sardellenpaste aus der Tube), Zitronensaft.
Zubereitung: Die Sardellen werden geputzt, entgrätet, durch ein Haarsieb gestrichen, mit der schaumig gerührten Butter vermischt und mit Zitronensaft abgeschmeckt.

Anschovispaste

Zutaten: 125 g Butter, Anschovispaste nach Geschmack.
Zubereitung wie Sardellenbutter.

Kräuterbutter

Zutaten: 125 g Butter, 1 gehäufter Esslöffel gewiegte Kräuter aus einer beliebigen Zusammenstellung von Schnittlauch, Boretsch, Dill, Zitronenmelisse oder anderen Kräutern; dazu 1 kleine Zwiebel, Salz, Pfeffer, Zitronensaft.
Zubereitung: Die feingewiegten Kräuter werden durch ein Sieb gestrichen und mit der schaumig gerührten Butter vermengt.

Statt belegten Brötchen mit Zuspeisen, die man am gedeckten Tisch einnimmt, kann man auch ein **kaltes Büfett** vorbereiten. Voraussetzung sind große Räume, in denen sich die Gäste bewegen können und Platz haben, in Gruppen zusammenzustehen und sich zu unterhalten oder sich an bereitstehenden kleinen Tischen niederzusetzen und zu schmausen. Man stellt außer den zu reichenden Speisen Teller, Bestecke, Servietten, Tassen und Gläser auf den Anrichtetisch und jeder Gast bedient sich selbst. Getränke können auch angeboten werden.

Die Speisen selbst werden ebenfalls auf dem großen Anrichtetisch und dem Büfett aufgestellt und sollen so bunt und reichhaltig wie möglich sein. Passende Gerichte sind: Russische Eier mit Mayonnaise auf Kartoffel- oder Italienischem Salat angerichtet, Geflügel-, Gemüse-, Dänischen, Russischen, Fisch-, Fleisch-, Wurst-, Käsesalat, ferner alle Sorten von hübsch gerichteten belegten Brötchen, die mit Ei, Tomaten, kleinen Gurkenscheiben garniert, besonders einladend wirken. Sehr dekorativ für kalte Büfetts wirken z. B. gefüllte Tomaten, die man mit Quarkcreme oder mit Fleisch- oder Wurstsalat, mit Mayonnaise spritzen und auf Salatblättern anrichten kann. Sehr beliebt sind gefüllte Eier, die man beliebig garnieren kann. Ferner dürfen nicht fehlen lecker gerichtete Käse-Lachs-Quarkbrötchen, kleine Tafelbrötchen, mit Butter bestrichener Pumpernickel, Salz- und Käsestangen, Brezelchen u. a., ferner Süßspeisen, Kuchen und Torten. Man reicht dazu Bier, Tee oder Wein.

Abendessen für besondere Gelegenheiten

1. Schwalbennester auf Kopfsalat, Kartoffelsalat, Remouladensoße, Erdbeerspeise – Käse, Butter, verschiedene Brote, Tee oder Bier.
2. Gefüllte Eier auf Salat – feine Aufschnittplatte, Reissalat, Dänischer Salat, Russischer Salat, Milchbrötchen, Butter, Käse – Diplomatencreme – Tee oder Bier, Käsegebäck.
3. Belegte Brötchen; kalter Braten mit grünem Salat, Eiersalat, Brötchen, Käse, Butter, Pumpernickel, Tee – überbackene Weincreme.
4. Übersulzter Roastbraten, Cumberlandsoße, Salatplatte mit Kartoffel-, Tomaten-, Bohnen-, Gurken-, Rettichsalat – Schokoladencreme.
5. Gefüllte Tomaten – kalte Pökelzunge, verschiedene Salate – Käse, Butter, Pumpernickel, Tee – Himbeerspeise.
6. Toast mit Spiegelei – Wiener Schnitzel, gemischter Salat – Kompott – Käse, Butter, Pumpernickel, Tee – Fruchtsalat.
7. Sardellen-, Kaviar-, Lachsbrötchen – gebratene Hähnchen, gemischter Salat, Kompott – Erdbeertorte.
8. Kleine Pastetchen mit Champignons- und Brieschenfüllung – Rehrücken, Spätzle, Kopfsalat, Preiselbeeren – gefüllte Äpfel – Käsegebäck – Wein.
9. Russischer Salat – Rahmschnitzel, Spätzle, Kopfsalat – Haselnusscreme mit Sahne.
10. Gebratener Fisch mit Remouladensoße. Kartoffelsalat, grüner Salat – Tutti frutti.
11. Russische Eier mit Brötchen – Schweinskoteletten mit Blumenkohl, Salzkartoffeln – Fruchtsalat.
12. Schinkenpastete, grüner Salat mit Eiern garniert – russische Creme, Vanille-Waffeln – Tee, Käsegebäck.
13. Gefüllter kalter Hackbraten, Kartoffelsalat, Remouladensoße, Kopfsalat – Obstkuchen – Wein, Salzmandeln, Käsegebäck.
14. Spanischer Reis mit Thunfisch – Schinkenrollen mit verschiedenen Salaten – Apfelsinenspeise.
15. Tomaten mit pikanter Quarkfüllung – Rindsrollen, gedünsteter Reis, Kopfsalat – rote Apfelspeise; Wein oder Tee.

SACHREGISTER